KB195907

전노협 1990~1995

한내

전노협 1990-1995

초　판 : 1쇄 발행 2013년 1월 22일
3쇄 인쇄 2013년 4월 19일
기　획 : 노동자역사 한내
글쓴이 : 김영수 김원 유경순 정경원
펴낸이 : 양규헌
표지디자인 : 김선태(토가디자인)
내지디자인 : 김현지

펴낸곳 : 한내 http://hannae.org
주　소 : 서울특별시 영등포구 영등포동2가 94-141호 동아빌딩 303호
전　화 : 02-2038-2101
팩　스 : 02-2038-2107
등　록 : 2009년 3월 23일(제318-2009-000042호)

ISBN 978-89-962441-6-5 03330
값 20,000원

이 책에 실린 사진은
마창노련기록물전산화추진위원회 박순희 사회사진연구소 신동준 이기원 이영호 이정원 장완진 장현자 전태일기념사업회 최순영 님이 제공하였습니다. 그 외 사진은 전노협 사진으로 노동자역사 한내가 소장하고 있는 것입니다.

전노협 1990~1995

목차

발간사

멀지않은, 결코 가깝지만 않은 기억 속에서 희미하고도 선명하게 부각되는 피사체의 음영들이 '전노협' 이라는 흔적을 매개로 조용히 다가올 때면 뜨거운 그 무엇이 목젖을 타고 치솟는 것을 느낀다. 거기 상이한 빛깔을 연출하는, 하나씩 차곡차곡 배열된 기념사진의 형체들 속에는 삶에 영혼을 빼앗긴 것보다 더한 아픔과 절망, 반성이 짙게 배어 있다. 그것은 현실 민주노조운동을 포함, 노동운동전반의 현상이 반영된 것이 아닌가 생각된다.

70년대부터 어렵게 이어오던 민주노조운동이 불꽃처럼 타올랐던 80년대, 투쟁의 역사들이 차곡차곡 담긴 디딤돌 하나하나에 비장함 속에 감추어진 결의들이 가슴을 뜨겁게 달궜다. 투혼으로 채색된 민주노조운동은 80년대 후반 민주노조운동의 조직적 과제인 '전노협 건설' 로 이어지면서 '전노협' (전국노동조합협의회)이라 불리는 전평 이후 민주노조운동의 중앙조직이 만들어진다. 투쟁으로 건설한 당시의 전노협은 지나간 역사 속의 조형물이 아니라 지금 강하게 반사되어야 할 대상이요, 민주노조운동의 정신과 노선을 새롭게 정비하기 위한 확고한 나침반이 되어야 한다는 게 나의 생각이다.

'건설 전노협'은 한국노총 외에 또 하나의 중앙조직을 만든다는 조직 노선이 아니었다. 자주성과 민주성, 투쟁성과 연대성, 그리고 변혁지향의 노선들이 한국노총으로서는 불가능한 노선이라는 확신 때문에 전노협은 건설되었다. 노동자계급을 대변하는 유일한 조직이라는 관점에서 전노협은 만들어졌다.

따라서 전노협은 당시 정세 반영의 결과물이 아니라 70년대 이후 한국 노동운동의 역사에 대한 반성의 귀결이었으며 노동운동의 미래에 대한 전망과 결의의 표출이었기에 비타협적 투쟁노선을 고집했다. 이러한 이유 때문에 전노협은 국가와 자본의 집중적인 탄압을 받게 되었고, 탄압으로 말미암아 가입노조 수와 조합원 수의 감소를 감수해야했다. 그리고 역설적이게도 바로 이것이 '노동운동 위기'를 말하는 주창자들의 중요한 근거로 작동하기도 했다.

이 책의 내용 가운데 무엇보다 절절히 다가온 것은 90년대 초반에 있었던 '노동운동의 조발논쟁'과 '전국노동조합협의회'(전노협) 해소를 다룬 부분이다. 이것은 '전노협'과 분리할 수 없는, '전노협'의 깃발을 내린 책임을 본인 스스로 져야하는 위치에 있었기 때문이기도 하다.

'조직발전전망' 에 대한 논의가 확대되면서 '노동운동위기론' 은 '국민과 함께하는 노동운동', '사회 발전적 노동운동', '진보적 조합주의' 로 발전해 갔고, 이들이 사용하는 계급의 범주는 '노동자' 를 '국민' 으로 대체하기에 실제로 계급의 잣대와 구성을 해체시켜 버리고 자유주의 정치세력의 헤게모니에 동거하기 위한 '명분축적용' 기획이었기에 '전노협' 과 '노동운동 위기론' 은 계급적 노동운동의 노선을 제거하고자하는 이데올로기적 혐의가 강한 기획의 결과였다고 확신한다. 당시 위기론을 주장하던 당사자들은 '민주노조활동가', '재야운동가', '지도부' 라는 훈장을 달고 자유주의자들의 품속에 안겼다. 그들에게 전노협은 단지 '질풍노도' 의 에피소드 정도로 취급되고 있진 않은지 우려를 떨칠 수 없다.

전노협 정신과 민주노조운동의 정통성을 계승, 발전시킨다는 명분으로 출발한 민주노총은 양적성장에도 불구하고 민주노총 위기를 부정할 수 없는 상황에 직면해 있다. 현재 민주노총의 위기는 민주노조운동의 정신과 노선의 실종에서 비롯된 결과였기에 전노협 당시의 위기논쟁의 성격과는 본질을 달리한다. 투쟁조직이 담보해야할 투쟁성과 자본주의 모순을 극복하고 새로운 사회를 향한 변혁지향은 자유주의로의 변질로 감지되고 있기에 적색의 함성이 잿빛으로 변색되어 눈앞에 나풀거린다. 도처에 노동자계급의 삶이 풍전등화에 내몰리고 있어도 계급적 연대의 함성은 들려오지 않는다. 그렇다고 절망 속에 한탄하고 주저앉아 있기에는 불꽃같은 세월들이 시야에서 뜨겁게 꿈틀거린다.
지금 시기에 짧지 않은 전노협 책을 발간하는 이유는 과거 민주노조운동의 성과, 좌절과 반성을 넘어 그 논쟁의 역사적 의미와 본질을 분석하고 대안을 모색하여 민주노조운동의 내일을 열어가는 계기가 되었으면 좋겠다는 간절한 희망이 담겨있다. 치열했던 민주노조운동이 자본의 모순을 극복하기 위한 고민과 함께 미래사회에 대한 전망을 부여안고 사회변혁에 대한 꿈을 현실 속에 반영하고자 거친 몸짓으로 역사발전의 합법칙성 위에서 전술과 전략을 고민했던 흔적들을 하나씩 더듬는다. 이런 의미에서 이 책의 밑바닥에는 80~90년대라는 단순한 과거의 회고가 아니라 노동자계급의 미래에 대한 희망과 꿈을 현실로 앞당기는 계기가 되길 바라마지 않는다.

노동자역사 한내 대표 양규헌

머리말

전노협, 전국노동조합협의회는 현실에 존재하지 않는다. 1987년 노동자 대투쟁을 통해 등장한 민주노조운동의 조직적 구심이자 대표체인 전노협이 한국 노동운동에서 존재했던 시기는 그리 길지 않았다. 1990년 결성된 이후 전노협은 정권과 자본의 집중적인 탄압에도 밑으로부터 전투적인 투쟁에 기초해서 민주노조운동을 사수해 왔다. 노조 업무조사, 형사고발 그리고 민주노조 지도부에 대한 구속 등으로 전노협은 출범부터 정권과 자본과 투쟁할 수밖에 없었다. 그 뒤 전노협은 1990년 5월 총파업, 1991년 박창수 열사 투쟁, ILO공동대책위원회 결성, 전국노동조합대표자회의 결성과 노동법 개정 투쟁 등 90년대 초반 중요한 투쟁을 이끌며 민주노조운동에서 중심 역할을 맡아왔다. 그리고 1995년, 민주노총 건설로 전노협은 역사 속에서 사라졌다.

노동자역사 한내에서 전노협을 통해 이야기하고자 한 것은 두 가지다. 한 가지는 전노협에 대한 좀 더 냉정하고 균형 잡힌 평가가 필요하다는 생각 때문이었다. 그간 전노협에 대해 비판되었던 전투적 조합주의, 급진주의, 최대강령주의, 내리꽂기식 사업 등에 대해 전노협 백서, 1차 자료 그리고 전노협에 참여했던 활동가들의 구술자료를 통해 재평가할 필요가 있다고 판단했다. 이는 민주노조운동의 역사성과 조합원들의 체험을 올바르게 복원하는 문제이기도 했다. 또 한 가지는 위기에 빠진 현재 민주노조운동의 원인을 전노협의 역사적 경험을 통해 진단해볼 필요성을 느꼈기 때문이다. 물론 전노협 시기 정세, 조합원의 구성, 노조운동을 둘러싼 조건 등은 2013년 현재와 무척 다르다. 1997년 이후 사회 양극화, 임금과 고용 불안정, 불안정노동자의 기하급수적 증가, 빈곤의 여성화 그리고 이런 변화된 조직대상 노동자에게 대표성을 얻지 못하고 있는 민주노총의 현실은 노동운동에서 지역, 계급, 직종을 넘어선 연대를 추구했던 전노협의 경험으로부터 시사 받는 바가 많을 것이라고 판단했다.

이런 고민 끝에 한내에서는 2009년부터 전노협에 대한 균형 잡힌 평가를 위한 대중서 작업을 위해 연구위원회 집필진을 중심으로 여러 차례 논의와 자료 수집, 관련자 구술자료 수집 등을 진행해왔다. 애초 쉬운 작업일 것이라고 생각하지는 않았지만, 전노협의 수많은 사업, 투쟁, 조직의 건설과 해산, 연대투쟁 그리고 논쟁 등을 길지 않은 시간에 몇 명의 연구진이 온전하게 평가하는 일은 쉽지 않았다. 2009년 중반부터 거의 2년 반에 걸친 수차례 회의, 토론, 평가 그리고 집필과 여러 차례 수정 작업을 거쳐 드디어 전노협에 대한 대중적인 역사를 세상 앞에 내놓을 수 있게 되었다. 하지만 이번 한내의 작업은 80년대와 90년대 민주노조운동과 노동운동에 대한 진전된 평가를 위한 시작이라고 생각한다. 많은 관련자들이 생존해 있고 전노협을 둘러싼 쟁점들이 현재 진행 중인 논쟁이기 때문에 완결된 평가는 불가능할 것이다. 다만 한내의 이번 전노협 역사에 관한 정리를 통해 앞으로 전노협의 역사적 위상과 의의에 대한 정당한 평가가 자리 잡게 되길 기대한다.

다음으로 이 책의 내용에 관해 각 부별로 간단히 소개하고자 한다.

제1부. 전노협의 역사적 디딤돌(김영수 연구위원)에선, 1990년 전노협 출범 이전 민주노조운동의 역사와 전노협 출범과의 관련성에 대해 다루고 있다. 박정희 시기 국가와 자본에 의해 침묵을 강요당했던 노동자들이, 어떻게 70년대를 기점으로 여성노동자들을 중심으로 민주노조로 결집하게 되고, 80년대에는 대학생출신 노동자들과 더불어 정치적 노동운동을 전개하게 되었는지 자세히 밝히고 있다. 또한 1990년 전노협 건설 이전 1988년 노동법 개정 투쟁의 열기와 지역의 지노협 건설의 함성이 전노협 건설로 어떻게 이어졌는지 규명하고 있다.

제2부. 노동자, 전노협의 깃발을 꽂다(유경순 연구위원)에서는, 1990년 전노협 출범식 모습에 대한 사실적인 재구성에서 출발해서, 정부와 자본의 탄압에 맞서 사수하고자 했던 전노협과 조합원들의 투쟁을 1990년과 1991년 총파업, 선봉대, 전노협이 지향했던 사회상 등을 통해 밝히고 있다. 이를 통해 이 시기 전개되었던 전노협 사수 투쟁이 단지 조직을 지키려는 방어적 투쟁이 아닌, 밑으로부터 투쟁으로 전국적 중앙조직으로 위상을 확인받는 과정이었음을 규명했다.

제3부. 흔들리는 전노협의 깃발(김원 연구위원)에서는 1992년 총선과 대선을 통해 드러난 전노협의 내부분열과 정치적 지도력 취약성이란 현상을 통해 전노협 지도력을 둘러싼 당대 현실을 분석했다. 더불어 ILO 공대위를 통해 확대된 민주노조운동의 외연이, 전노대 결성 과정에서

더욱 확장된 측면과 함께 왜곡되었던 점을 같이 평가하고자 했다. 그밖에도 조직발전전망을 둘러싼 전노협 내부의 두 가지 전망을 둘러싼 논쟁을 통해 전노협의 중심성이 약화되는 과정을 밝혔다.

마지막 제4부. 전노협 해산과 민주노총 건설(정경원 연구위원)에서는 위원장 경선으로 드러난 전노협 내부 갈등, 조직발전 전망과 민주노총 건설을 둘러싸고 가시화된 조직체계, 그룹조직인정, 금속산별 재편, 건설시기, 민주노총 이념 등을 둘러싼 논쟁의 내용을 규명하고 있다. 그리고 이들 논쟁을 정리함으로써 민주노총이 건설되고 전노협이 해산되는 역사적 의미를 정리하고 있다.

마지막으로 이 책을 만드는 데 도움을 준 전노협에 참여했던 수많은 구술자, 노동자역사 한내 연구위원들, 거친 원고를 잘 다듬어준 강동준 선생 등 모든 분들에게 감사의 말을 전하고자 한다. 본래 〈전노협, 1990~1995〉는 전노협을 기억하는 조합원, 전노협에 대해 전혀 모르는 일반 독자들과 80년대 후반과 90년대 중반을 관통하는 한국 노동운동의 역사에 대해 공감하기 위해 만들어진 것이다. 아직 부족한 점이 많지만 80년대에서 90년대 중반에 걸친 한국 노동운동에서 노동해방과 평등세상의 깃발을 높이 올렸던 전노협의 의미를 같이 공유할 수 있기를 기원하며, 머리말을 마치고자 한다.

2013년 1월

노동자역사 한내 연구위원회

1 전노협의 역사적 디딤돌

전국노동조합협의회(전노협) 결성 이전에 국가와 자본은 노동자들을 노예처럼 취급하였다. 하지만 노동자들은 역사발전의 원동력이었듯이 자본에 저항하는 주인으로 등장하였다. 1987년 노동자대투쟁이 대표적이지만 1970년대 민주노조운동, 1980년 서울의 봄 시기 3월 대투쟁, 그리고 1980년대 초반 정치적 노동운동은 노동자들의 비인간적이고 노예적인 삶을 혁명적으로 전복하여 인간적이고 해방된 삶의 터를 다지는 투쟁이었다. 노동자들은 더 이상 자본주의 사회의 노예가 아니라, 사회를 변혁시키려는 주인으로 등장하였다. 또한 사회의 다양한 모순들을 극복하려는 민주화 · 자주화 · 평화통일운동의 중심으로 등장하였다.

1990년 1월 전노협은 "우리는 오늘 전노협의 깃발을 높이 들어 이 땅에 자주적이고 민주적인 노동운동의 새로운 역사가 시작되었음을 엄숙히 선언한다"라고 밝혔다. 노동자들은 전노협이란 전국적 조직으로 하나가 되었다. 단위사업장에서 노조를 조직하고 투쟁 속에서 지역노조협의회와 업종노조협의회를 결성하였으며, 마침내 지역과 업종을 뛰어넘어 전노협으로 결집했던 것이다. 또한 그들은, "전국 노동자의 단결의 구심인 전노협으로 결집한 우리는 비인간적인 노동조건을 개선하고 노동기본권을 쟁취함으로써 노동자의 인간다운 삶을 확보하기 위해 가열찬 투쟁을 전개할 것이다. … 전노협의 깃발 아래 강철같이 단결하여 자유와 평등의 사회를 향해 힘차게 진군하자!"라고 스스로 천명했듯이 정치적 주체였다.

1 국가에 동원되었던 1960-70년대 노동자

지배 이데올로기를 통한 의식동원

1960-70년대 한국 노동자들은 개발주의(도시화, 기계화), 국가주의(관료 중심의 통제, 지배 등), 반공주의(자본 주도의 민족주의)라는 지배 이데올로기로 포섭 · 동원되었다. 물론 지배 이데올로기는 구체적인 정책에 따라 시대별로 서로 달랐다. 반공주의가 1948년부터 기승을 부리다가 한국전쟁을 거치면서 확고하게 뿌리를 내렸다면, 개발주의는 1961년 군부 쿠데타 이후 국가 주도 경제개발계획을 추진하면서 본격화되었다. 특히 국가가 위로부터 주도했던 경제개발정책은 노동자들에 대한 저임금 장시간 노동착취를 조국 근대화라는 이름으로 정당화했다. 국가와 자본은 한편으로 반공주의 정책을, 다른 한편으로 개발주의 정책을 내세워 국가주의의 실질적인 토대를 강화하였다. 국가주의는 1948년부터 친일파나 그 후손, 그리고 미국에서 유학했던 집단을 중심으로 관료적인 지배체제의 터를 닦아 오다가 1972년 유신체제의 수립과 함께 본격화된 한국적 이데올로기가 전면적으로 등장하였다. 예를 들면, 한국적 민주주의, 한국적 민족주의, 혹은 한국적 가치 등은 민주주의적 가치를 철저하게 왜곡하면서 대중들의 일상생활을 지배하였고 다양한 사고와 행동을 획일화하는 절대적 힘으로 작용하였다. 그 결과 노동자들은 개발주의, 국가주의 그리고 반공주의라는 의식의 감옥에서 쉽게 벗어나지 못했다.

국가와 자본은 국가주의, 경제제일주의 그리고 반공주의를 유기적으로 연계하여 국가안보를 자립경제라는 산업화 프로젝트에 연결시켰고, 국가 주도로 수출 지향적 산업화 정책을 추진하였다. 이를 위해 국가와 자본은 산업화 정책에 동원할 수 있는 산업전사를 양성하였다. 대표적으로 1960-70년대 여성 노동자들은 조국 근대화를 위한 성스러운 전사로, 1970년대 중반 이후의 남성 노동자들은 수출역군으로 불렸다. 노동자들은 이렇게 불리면서 일종의 '병영국가'를 위해 자신의 온 힘을 쏟아 부었다.

이 과정에서 노동자들은 자신도 모르는 사이에 개인보다 국가와 민족을 먼저 생각하는 산업전사가 되었으며 국가와 민족에 대한 충성심으로 무장하였다. 노동자들의 권리를 요구하는 것은 국가와 회사에 대한 배신이자 북한을 이롭게 하는 것으로 여겨졌다. 주요 수단은 반공의식과 국민윤리 의식 등을 양성하는 각종 이데올로기였다. 국민교육헌장 이데올로기, 자주국방과 국민총화 이데올로기, 국가주의 이데올로기 등은 노동자들의 의식을 지배하는 것들이었다.

이러한 국가주의 이데올로기는 1970년대 초반 유신 이후에는 한국적 민주주의로 불렸고, 이후 1987년까지 지속되었다. 국가와 자본은 한국 사회에서 서구식 민주주의를 실험하기에 부적합하다고 보고 서구식 민주주의의 제도와 방법이 아닌 개발독재를 추구하였다. 정치적 문맹 대중과 경제적 빈곤을 빙자하여 갖가지 부조리가 파생되고 주권의 자발적 · 강제적 매매행위가 공공연히 자행되었던 한국 사회의 조건, 또한 남북한 분단이라고 하는 상황 속에서 국력배양, 조국 근대화, 민족중흥이라고 하는 역사적 과제를 수행해야 하는 조건에서 국가와 자본의 개발독재는 그들만의 한국적 민주주의였다. 국가와 자본은 한국적 민주주의의 정당성을 주장하기 위해 서구 민주주의가 한국 사회에 부적합하며 남한은 북한과 체제경쟁이라는 특수한 맥락에 처해 있다는 것을 강조하곤 하였다. 바로 반공주의와 성장주의는 개발독재와 권위주의 체제의 정당성을 보장해주는 명분으로 작용하였다.
반면에 민주주의를 외치는 학생운동 세력과 노동운동은 한국적 민주주의를 저해하는 불순세력으로 간주되었다. 학생과 지식인은 1970-80년대, 특히 1980년대 초반부터 노동현장에 뛰어들어 노동자들을 정치적·계급적으로 의식화하고자 하였다. 하지만 이러한 운동과 긴밀하게 연계되었던 노동자들과 달리 그렇지 않은 노동자들은 국가와 자본을 상대로 투쟁하는 이들을 신뢰하지 않았다. 그들은 그저 자신들을 의식화하려는 불순분자, 즉 '빨갱이' 들이었을 뿐이다.

무한 착취를 가능케 했던 노동력 동원

1960-70년대 국가와 자본은 노동자들에게 국가와 회사의 번영을 위해 근로자와 경영진이 협동해야 하고 조화를 이루며 살아가야 한다는 점을 강조하였다. 생산에 있어서 분열은 적을 돕는 행위이며, 국가적 목표를 와해시키는 일이었던 것이다. 노동자들은 열심히 일만 하는 기계였고, 노조는 사회질서를 어지럽히는 사회적 질병처럼 여겨졌다. 반면 고용주는 기업의 사회적 책임을 더욱 투철하게 인식하는 종업원을 가족같이 대하는 사람으로 간주되었다. 그 중심에 국가와 민족을 앞세우며 군부쿠데타의 정당성을 강화시켰던 박정희가 있었다. 1964년 3월 10일, 근로자의 날 박정희의 치사 가운데 일부를 보면 아래와 같은데;

> "개인이나 단체가 어디까지나 국가와 민족이라는 공동운명의 연대의식에서 자기의 위치와 사명을 재인식하여야 하듯이 … 개인이나 단체의 자유로운 활동과 권익의 주장은 어디까지나 그 개인이나 단체가 국가의 목표와 이익에서 이탈되지 않는 범위에서 보장되어야 하기 때문이다."

국가와 자본은 국가 주도의 경제개발을 위해 노동자들의 권리를 박탈하는 대신에 무한 착취를 가능케 했던 노동력의 동원에 열을 올렸다. 1960-70년대는 근로기준법의 보호를 받지 못했던 노동자가 대다수였고, 법으로 보장된 노조 결성, 휴가, 노동시간, 최저임금 등의 권리는 고용주와 정부의 자의적인 전횡에 의해 언제든 묵살될 수 있었다.

국가와 자본은 장시간 노동에 저임금이라는 방식의 무한 착취체제 이외에 1970년대 중반을 전후로 중화학공업화를 본격화하기 위한 남성 노동력을 광범위하게 동원하였다. 남성과 건강한 청소년들의 노동력을 동원하였던 대표적인 것 가운데 하나가 실업계 고등학교 양성화정책이었다. 국가와 자본은 높은 교육열을 각종 면제정책으로 이용하기 위해 실업계 고등학교를 양성했다. 국가와 자본은 1973년 교육 과정을 개정하면서 교육 과정의 3대 원칙 가운데 하나로 지식 · 기술교육의 혁신원칙, 즉 과학기술의 기본능력 배양원칙, 산학협동교육의 강화원칙 등을 수립하였다. 이 원칙은 실업계 고등학교 양성정책, 각급 교육기관을 매개로 한 기능공 양성정책, 국내외 기능인 경진대회에 참여 선수 양성정책 등으로 추진되었다. 중화학공업을 발전시키기 위한 정책의 일환으로 실업계 교육을 통해 노동자들을 전략적으로 공급하였고, 노동자들 역시 가난에서 벗어날 수 있을 것이라는 희망을 품고 열심히 일하였다. 이른바 '개천에서 용 난다' 라는 말처럼, 농촌지역 학생들은 국공립 실업계 고등학교 입학으로 집안을 일으킬 수 있을 것이라는 꿈에 부풀었다. 그래서 당시 농촌지역에서 공부를 꽤 잘하는 학생들이 국공립 실업계 고등학교에 많이 입학하였다.

그밖에 1975년 이후 정부가 지정한 실업계 고등학교에 입학했던 학생들은 군대면제, 학비면제, 기숙사 제공, 취업보장 등 각종 혜택을 제공받을 수 있었다. 특히 이러한 혜택을 누리기 위해 지방 중학생들이 실업계 고등학교에 입학한 경우가 많았다. 이들은 기업에서 요구하는 노동능력을 갖추기 위해 실습 중심의 교과 과정을 마치고, 군대를 면제받는 대신에 5년 동안 방위산업체에서 저임금으로 일해야 했다. 이들은 방위산업체를 떠나는 순간 군대에 입영해야 했기 때문이다. 이를 통해 정부와 자본가는 숙련된 노동력을 값싸게 이용할 수 있었고, 노동자들의 권리를 자연스럽게 짓밟을 수 있었다. 노동자들의 입장에서 볼 때, 저항하는 순간 곧바로 군대에 끌려가야 한다는 두려움 속에서 살아야만 했다. 노동자들은 인간이 아니라 쓰다가 버려지는 폐품이자 쓰레기에 불과하였다.

한편 1973년 5월부터 '공장 새마을운동'이 본격화되었다. 박정희는 1973년 11월 수출의 날 기념연설에서 공장 새마을운동에 대해, "낭비를 줄이고 능률을 향상시키기 위해 협동하며, 생산성 증대를 위해 총력을 기울인다. 이를 위해서는 노사 간의 협조가 긴밀하게 이루어져야 하고, 기업주는 피고용인들을 가족처럼, 근로자는 공장 일을 내 일처럼 책임감

공장 새마을운동은 80년대에도 이어졌다. 전북의 한 공장에서 투쟁하는 노동자들

있게 성실히 수행해야 한다는 것이다"라고 말하였다. 공장 새마을운동은 바로 산업부흥운동이었다. 그것은 '종업원을 가족처럼, 공장 일을 내 일처럼 혹은 사원을 가족처럼, 회사를 내 집처럼' 여기는 고용주는 노동자들을 자식으로 취급하면서 먹여주고 재워주는 또 다른 부모였다. 그리고 이를 통해 노동자들은 다르게 섬겨야 할 부모를 새롭게 만났다. 공장 새마을운동은 실질적으로 경제성장에 필요한 노동력 동원의 정당성을 강화하기 위한 것이었다. 박정희 체제가 추구했던 공장 새마을운동의 목표는 정신계발, 노사협동, 생산성향상, 노사협의제도의 구축, 후생복지 향상, 지역개발지원 등이었다.[1] 노동자들은 아침에 일찍 일어나고 노동 시간 이외에는 청소를 하고, 맑은 정신과 단합된 정신을 만들기 위해서 노래를 불렀다. 작업 전에는 건강한 정신을 갖기 위해서 새마을 교육에서 배워온 내용을 한 소절 들어야만 했다. 이러한 일상적 의례들을 통해 고용주는 노동자들에게 노동규율을 내면화시키려고 했다.[2]

한국노동조합총연맹(한국노총)도 새로운 노동자들의 부모를 위해 한몫 거들었다. 1970년대 한국노총은 노조 간부들에게 군대식 공장 새마을운동을 교육시켰다. 공장 새마을운동으로 인해 노동자들은 꽉 짜인 틀에서 벗어나기 어려웠다. 게다가 국가와 회사를 위해 성실하게 노력하지 않은 자신을 스스로 비판하는 것까지 배워야 했다. 전노협 위원장 양규헌은 1970년대의 공장 새마을운동 교육을 다음과 같이 기억하고 있다;

"구로공단의 공단본부가 그때 공장 새마을운동 교육연수원이었어. 거기 가선 담배도 못 피우고 완전 군사문화를 직접 체험하면서 거기에서 배워온 게 소위 QC(quality control, 품질개선-인용자) 활동이라고 하는 분임활동이에요, 분임활동을 통해서 추구하는 게 뭐냐? 이건 모든 문제를 자신으로부터 봐야 된다, 정확히 얘기하면 자아비판을."[3)]

이처럼 공장 새마을운동은 군대식 집단 훈련과 가상의 공동체 의식을 통해 모범 근로자와 회사형 인간을 만드는 과정이었다. 공장 새마을운동은 모범 근로자들에게는 새로운 세계를 경험하고 회사와 국가에 대한 충성심을 불어넣어 준 군대식 집단 훈련이었다. 1970년대 여성 노동자들에게는 그들이 공장의 주인이자 관리자라는 가상의 공동체 의식이, 매일 벌어졌던 일상적 관행, 의례, 자발적 운동 등을 통해 형성되었다. 예를 들면, 국민체조, 구보, 아침청소, 건전가요 보급, 바자회 개최 등은 여성 노동자들을 공동체 질서 내에 편입 · 통합시키기 위한 정치적 기획이었다. 이처럼 공장 새마을운동은 노동자들을 기업 질서와 의례에 몰입하게 만들고, 그 정치적 효과는 새마을운동이 지향했던 모범 근로자와 회사형 인간의 양성이었다.[4)]

또한 공장 새마을운동의 일환으로 추진된 새마을교육도 노동자들의 의식에 많은 영향을 끼쳤다. 한국노총을 매개로 진행했던 새마을교육은 노동자들에게 노동윤리를 주입시켰다. 한국노총은 1978년과 1979년 10개월 동안 한국노총중앙교육연수원에서 862명의 노조간부들에게 일주일 동안 집중적인 훈련을 실시하였다. 훈련의 내용은 새마을정신과 노조운동, 유신이념, 노조 지도자들의 이상형, 도시산업선교회와 가톨릭노동청년회를 지칭하는 교회의 교리와 노조운동, 북한의 실정, 남한의 국가안보와 통일, 경제전망, 한국적 노사관계 등이었다. 특히 교육은 회사가 가족이라는 공동운명체의 성격, 개인의 단결에 입각한 집단주의와 협동 그리고 충성이라는 수직적 연대에 입각한 계급 간의 조화 이데올로기를 강조했다.[5)]

인간임을 선언하기 시작했던 1970년대 노동자

대통령에게 쓴 전태일의 편지

1970년 전태일 열사의 분신을 계기로 시작된 노동자들의 투쟁은 다양한 파급효과를 불러일으켰다. 노동자들의 노동조건에 대한 한국노총의 진상조사단 구성, 한국노총 · 노동부 · 노동자 대표로 구성된 장례위원회 구성, 종교단체의 추도예배 확산, 대학생들의 추모투쟁 활성화, 청계피복노조 결성, 노동쟁의의 급격한 확산 등 전 사회적인 문제로 확산되었다. 『한국일보』와 『동아일보』 등 언론도 노동자의 기본적인 권리가 보장되지 않는 문제를 제기하기도 하였다.[6] '노동자도 인간' 이라는 문제가 사회적으로 제기되기 시작하였고, '노동의 인간화' 를 위한 물결이 노동현장에서 일기 시작하였다.[7] 그것은 노동쟁의 형태로 표출되었다. 아래 〈그림1〉은 1969년부터 1979년까지 노동쟁의 양상을 보여준다.

〈그림1〉 노동쟁의의 역사적 추이, 1969–1979년

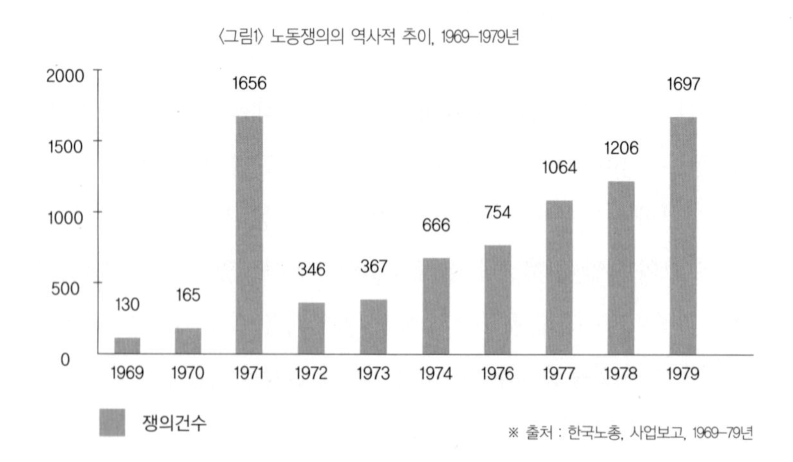

※ 출처 : 한국노총, 사업보고, 1969–79년

1970년 11월 이후 노동쟁의 건수가 급증하여, 1971년에는 1970년에 비해 약 열 배 정도 증가하였다. 노동자들은 임금 외에도 근로조건과 단체협약 문제 등 노동기본권을 요구하였다. 이 시기 노동쟁의는 기본적으로 '생존권 확보, 노조 결성'을 지향한 것으로 노동자들은 자연발생적 불만의 분출을 통해 노동자의 인간화, 즉 노동조건의 향상을 통한 인간적 삶을 요구했다. 〈그림1〉에서 확인할 수 있듯이, 노동쟁의는 1971년에 비해 1972년 유신체제가 수립되고 난 이후 급속하게 축소되었지만, 노조의 투쟁은 지속되었고 점진적으로는 증가하였다. 노동쟁의는 1976년 754건에서 1977년 1,064건, 1978년 1,206건, 1979년 1,697건으로 급격히 증대되었다. 특히 1977년 노동쟁의는 1976년에 비해 약 41% 정도 증가하였고 그 증가율은 지속적으로 상승하였다. 노동자들의 투쟁은 1979년 박정희의 사망으로 유신체제가 무너진 뒤 1980년 3월에서 5·17계엄확대조치 이전까지 분출되었다. 노동자들은 자신들의 계급적 이해를 대변할 수 있는 조직적 주체가 존재하지 않는 상황에서 자연발생적으로 다양한 요구투쟁을 전개하였다.

1970년대 전반기의 대표적인 민주노조운동을 보면, 청계피복 노동자들의 노조결성투쟁(1970.11), KAL빌딩 방화투쟁(1971.9), 동일방직의 노조민주화투쟁(1972.7), 한국모방의 노조민주화투쟁(1972.7), 콘트롤데이타의 노조결성투쟁(1973.12), YH무역의 노조결성투쟁(1975.5) 등을 들 수 있다.[8] 그러나 이 시기 투쟁은 청계피복, 태광산업, 원풍모방, 유림통상, 반도상사, 동서양행, 한국마벨 등 몇몇 사업장에 한정되었다. 그리고 시기적 집중성과 투쟁역량의 조직적 통일성을 추구했다기보다는 자연발생적으로 전개되었다. 한편 1970년대 후반기에 들어서면서 노동자들의 투쟁은 전반기와 달리 연대가 보다 활성화되었다.

반도상사노조의 정기총회

1970년대 후반기에 들어서 매년 평균 1,180여 건의 파업투쟁이 일어나는 등 노동자들의 투쟁은 전반기에 비해 급속하게 증가했다. 보다 많은 노동자들이 자신의 권리를 쟁취하기 위해 투쟁 주체로 나섰고, 이 과정에서 연대투쟁의 힘을 확인하기도 하였다. 대표적인 투쟁으로는 협신피혁공업사에서 가스로 질식사한 민종진 사망 사건투쟁(1977.7.2), 방림방적 임금체불 사건투쟁(1978.8.22), 해태제과투쟁(1978.8.15), 동일방직투쟁, 부활절예배투쟁(1978.3.25) YH무역 노동자투쟁(1979.9.11) 등이 있다.

특히 민종진 가스질식 사망 사건에 대응했던 투쟁은 청계피복노조를 중심으로 연대가 확장되었다. 서울과 인천을 비롯한 수도권 각 지역 200여 명의 노동자들은 한강성심병원 영안실에서 농성투쟁을 전개했고, 노동청장 즉각 퇴진, 강서경찰서 담당형사 즉각 퇴진, 공업사 사장인 문재인의 즉각 구속 등을 요구하였다. 7월 10일 장례식 이후, 노동자들은 이 사건에 대해 노동청이 무성의하고 무책임한 태도를 보이자 노동청에 가서 항의시위를 벌였고, '청계피복 노동자들의 임금을 32%로 서울시가 조정한 것을 이행하라, 인선사 유령노조를 철폐하고 해고당한 5명을 즉각 복직시켜라, 동일방직 기숙사 문제와 유제길 동지를 복직시키라, 반도상사 기숙사 문제를 해결하라, 근로기준법을 준수하라, 방림방적은 잔업수당을 지급하라, 남영나일론은 임금을 인상하라, 노동청장은 물러가라' 등의 사항을 요구하였다. 이와 같이 민종진 사망 사건에 대한 연대 투쟁은 단위사업장 문제에 국한된 것이 아니라 당시 모든 쟁의사업장의 문제를 제기하였다. 이 투쟁으로 42명의 노동자들을 연행되자, 노동자 300여 명이 다시 영등포 노동청 앞에 모여 들어 요구조건의 이행과 연행 노동자들의 석방을 요구하였고, 12일 새벽 4시에 전원이 석방되었다.[9)]

이 시기 투쟁은 정치적으로 상당한 의미를 지니고 있었다. 민주노조운동 지도부들은 연대투쟁 과정에서 구속 등 탄압을 받았지만, 연대투쟁의 힘을 확인할 수 있었다. 또한 국가 · 자본은 노조의 결성 자체를 전면적으로 허용하지 않았기 때문에, 민주노조 결성 시도 자체만으로도 정치적 투쟁의 성격을 드러낼 수 있었다. 더불어 노동자들은 노동쟁의의 파급효과를 강화하기 위하여 공공기관 진입투쟁 등으로 투쟁의 정치적 성격을 강화하였다.

같은 시기에 노동자들은 '노동청 항의방문투쟁 및 언론기관 항의진입투쟁' 등을 전개하였다. 특히 언론기관이 노동문제를 보도하지 않는 것에 항의하기 위해 기독교방송국 진입투쟁을 전개하였다. 이 투쟁에는 동일방직, 원풍모방, 방림방적, 진로주조, 해태제과 등에서 노동자 30여 명이 참여하였다. 또한 1978년 3월 20일 한국기독교교회협의회 사무실에서는 도시산업선교회 소속 목사와 실무자 13명이 '동일방직 똥물사건 및 대량해고, 산업선교와 JOC(가톨릭노동청년회) 활동을 공산주의자들의 행위로 몰아붙이는 악선전, 산업선교회 및 JOC 회원들에 대한 탄압' 등에 항의하는 금식기도를 전개하면서 노조운동과 연대투쟁을 전개하였다.

이 시기 결정적인 투쟁은 무엇보다 YH무역 여성 노동자들의 신민당사 농성으로, 이는 유신 체제 말기 연대투쟁의 대표적인 사례였다.

신민당사를 점거한 YH노조 노동자들이 끌려나오고 있다.

1975년, YH무역 노동자들은 건조반의 현장투쟁을 계기로 노조를 결성하였다. 물론 노조를 결성하는 과정에 회사가 폭력적으로 개입해 세 차례의 노조 결성 시도는 실패했지만, 노조 결성 이후 YH무역의 여성 노동자들은 노조를 중심으로 1975년에서 1979년까지 임금인상투쟁, 상여금투쟁, 단협갱신투쟁, 폐업철회투쟁 등을 전개하였다. 이 과정에서 노조는 위장휴업과 공장 이전에 대한 노사협의 및 인원감소 때의 충원 등을 약속받았다. 그러나 석유파동, 가발산업 후퇴, 수출 감소 등으로 YH무역은 1979년 4월에 1차로 폐업을 신고하였다. 노조는 긴급 대의원대회를 개최하여 폐업철회를 요구하기로 하였다. 이 대의원대회에 동광모방 지부장 외 3명, 원풍모방 부지부장 외 4명, 콘트롤데이타지부 임원 2명, 삼성제약 지부장 등이 참여하였다. 마침내 1979년 8월 11일, 폐업철회, 임금 지급 등 YH무역 여성 노동자 200여 명이 생존권을 보장하라고 요구하면서 농성하던 신민당사 4층에 경찰병력이 난입했다. 이 과정에서 농성투쟁을 이끌었던 김경숙 상무집행위원이 건물 밖으로 떨어져 의문의 죽음을 당했다. YH무역 여성 노동자들의 투쟁은 부마항쟁으로 이어지며 유신정권의 종말을 앞당겼다.
YH무역 여성 노동자들이 겪은 고통은 단지 그녀들만의 몫이 아니라 1970년대 모든 여성 노동자들의 문제였다. 그녀들은 대부분 법률적인 보호를 전혀 받지 못하면서 저임금, 극심한 임금격차, 열악한 노동조건, 하루 12시간 내외의 장시간 노동에 시달려야만 했기 때문이다. 그러나 박정희 정권하에서 여성 노동자들의 저임금 착취구조는 지속되었고 이에 저항하는 여성 노동자들은 국가폭력으로 탄압받았다. 국가와 자본의 탄압은 노동자들의 전투적 투쟁을 불러일으켰지만, 아직 노동자나 노조 간의 연대를 조직하는 주체가 존재하지 않았기 때문에 대부분 투쟁은 단위사업장을 중심으로 자연발생적이거나 고립적인 수준을 넘어서지 못하였다. 물론 한국노총이 1970년대 노조운동의 전국적 조직으로서 연대를 조직하는 역할과 기능을 담당해야만 했지만, 노동자들의 투쟁이나 연대를 실질적으로 도외시하였다. 오히려 한국노총은 조합원의 경제적 이익을 위해서조차 투쟁하지 않는 어용적 노동조합주의를 운동의 이념으로 내세운 채, 국가기구의 하부단체로 전락했다. 한국노총은 국가에 의존하는 노조운동, 조합원의 희생을 전제로 지도부들의 개인적인 출세를 지향하는 노조운동, 노동귀족의 양산을 주도했던 노조운동, 민주주의 실현을 위한 투쟁을 도외시하는 어용노조의 굴레에서 벗어나지 못했다. 이상에서 살펴본 1970년대 투쟁들은 공장 새마을운동 교육이나 국가와 자본의 이데올로기적 통제인 개발주의, 국가주의, 그리고 반공주의를 넘어서기 위한 몸부림이었다. 하지만 1970년대 민주노조운동은 학생운동과 제도권 야당 그리고 재야(在野)를 중심으로 하는 반(反)유신투쟁이란 정치적 공간에 수동적으로 참여하였고, 그러한 공간을 활용하여 자신들의 제반 이해를 관철시킬 수밖에 없었다. 왜냐하면 1970년대 민주노조운동은 연대의 조직화, 요구의 조직화, 투쟁성과의 조직화가 거의 이루어지지 않은 채 자연발생적으로 전개되었기 때문이다. 그렇지만 1980년 3월과 1987년 7·8·9월 노동자 대투쟁은 역사적으로 1970년대 민주노조운동을 밑거름으로 삼았기에 가능했다.

2 억압의 사슬로 다시 묶인 1980년대 노동자

권리를 부정당한 노동자

앞서 살핀 것처럼 1960-70년대 국가와 자본은 노동자들을 경제성장의 희생양으로 삼았다. 저임금 장시간 노동, 열악한 노동조건, 민주노조운동에 대한 탄압, 노동문제에 대한 국가 개입 등으로 독점자본의 축적조건을 강화하였다. 이런 국가의 기능과 역할은 1979년 10월 26일 박정희의 피살과 1980년 5월 광주항쟁 등을 거치면서도 지속되었고, 노동자들에 대한 비인간적인 처우와 권리 박탈은 변하지 않았다.

특히 노동자로서 권리 주장은 폭력적인 탄압의 대상이 되었다. 고된 노동을 하고 편하게 쉬어야 할 기숙사조차 또 다른 감시와 폭력의 공간이 되었고, 불법적인 돈벌이의 대상이 되기도 하였다. 당시 유니전노조 위원장이었던 현윤실은 1984년 5-6월 사이 자신의 체험을 다음과 같이 기록했다;

> 철산리 기숙사 아파트는 원래 무료로 대여하는 것이었는데, 1984년 6월까지도 보증금 5만 원에 관리비조로 다달이 7,500원-8,000원씩 내왔다. 이상히 여긴 누군가가 따지고 들자 그때서야 회사는 그런 사실을 몰랐다며 중간 과정에서 총무부가 일을 잘못 처리하여 그리된 거니 보증금 5만 원은 찾아가고 이후로는 관리비조로 걷어 왔던 돈도 걷지 않겠다며 대충 얼버무려 처리하고 말았던 사실까지 있다.[10)]

자본은 노동자의 숙소조차 감시와 통제에 순응하는 노동자를 양성하는 공간으로 활용하며, 집단적인 조직화를 철저하게 막고자 하였다. 노동자들이 자본의 감시와 통제를 벗어나서 노조를 결성하거나 집단적으로 투쟁할 경우, 국가와 자본은 노동자들을 철저히 비인간적으로 탄압하였다. 노동자들은 인권을 가지고 있는 존재가 아니라 가족처럼 대해 주었던 회사를 배신한 무뢰한처럼 취급당했다. 노동자들의 투쟁은 회사를 망하게 하는 행위로 여겨졌고, 고용주는 종종 폭력배를 동원하여 노동자들의 투쟁을 탄압하곤 하였다.

1984년 5월 19일, 금강제화에서 노조가 결성되자, 회사 측은 금호동 일대의 건달 출신들을 동원하여 조합원들에게 노조탈퇴를 강요하였다. 회사 간부도 조장과 반장을 앞세워 조합원들을 개별적으로 면담하고 협박과 회유하기 시작하였다. 부위원장 노창숙에게는 오빠를 동원하여 탈퇴를 강요했으며, 아주머니 두 사람을 부추겨 노창숙의 집에 찾아가 '회사를 망하게 하는 딸을 가진 어미 애비 얼굴 보러 왔다', '모두 노조를 탈퇴했는데 당신 딸만 탈퇴 도장을 안 찍었다. 자식교육 잘 시키라' 며 소란을 피웠다.[11)]

1970-80년대 중공업 분야의 대기업에 고용되었던 남성 노동자들의 노동조건 역시 비인간적이긴 마찬가지였다. 1980년대 초반 현대중공업 노동자들은 인간이 아니라 짐승이었다는데, 정말이었을까? 그땐 몰랐지만, 민주노총 위원장이었던 이갑용은 현대중공업에서 노예이자 짐승처럼 취급받았다고 다음과 같이 증언하는데;

> 1980년대는 지금처럼 모든 게 풍족하지 않을 때였다. 소비를 위한 사회적인 물자 기반은 부족한 반면, 1970년대 개발독재 시절을 지나오면서, 가난을 벗어나려면 무조건 일해야 한다는 노동 압력이 거센 때였다. 노동자의 권리 같은 건 꿈도 못 꾸는 시대였다. 아침 7시 출근, 밤 10시 퇴근은 보통이고, 토·일요일도 거의 특근이었다. 물론 일하는 시간만큼 돈을 더 받긴 했다. 그 당시

내 시급이 630원에 기본급 15만 원이었는데, 특근을 많이 해서 한 달에 40만 원 넘게 돈을 받았다. 우리는 짐승처럼 일했다. 그리고 짐승 취급을 받았다. 현대중공업 정문을 지키는 경비들은 '바리깡'을 들고, 출근하는 노동자들의 머리를 검사해서 목과 귀를 조금이라도 덮으면 가차 없이 그 자리에서 밀어버렸다. 머리에 흉한 고속도로가 난 채로 일하다 점심시간에 짬을 내 이발을 해야 했다. 경비들은 머리 감독뿐만 아니라 복장 검사, 출퇴근 체크, 출입증 확인, 퇴근 시 몸수색 등 노동자들의 일거수일투족을 감시할 권한이 있었다.[12)]

노동자들은 민주노조를 결성하면서 '나는 짐승이 아니다, 나는 노예가 아니다' 라고 외쳤던 제2의 전태일이 되고자 했지만 국가와 자본은 이를 허용하지 않았다. 국가와 자본은 민주노조를 폭력적으로 파괴했고, 정당한 권리를 주장하는 노동자는 가차 없이 해고당하거나 끊임없이 감시 · 추적당하였다. 해고된 뒤에 출근 투쟁하는 것은 매 맞으러 가는 것이었다. 대우조선 노동자였고 금속연맹 위원장이었던 백순환은 당시를 다음과 같이 기억하는데;

"매일 두드려 맞았어요. 출근하면 일단 실컷 두드려 맞고, 어디 한쪽 촌구석에 내버리고 오면 걸어 나오는 데 두세 시간 걸린다고, … 아침에 출근하면 일단 경비들이 두드려 패고 격리시켜서 차에 태우고 멀리 가서 버려버리지."[13)]

한마디로 죽을 각오를 해야 민주노조운동을 할 수 있었던 것이다. 노조 설립을 시도했다가 해고당하거나 폭력에 시달리는 것은 다반사였으며, 스스로 권리를 찾고자 하는 시도 자체가 체제를 전복하는 것으로 취급당했다. 반공주의로 국민을 동원하고 공포를 조장했던 국가와 자본의 입장에서 볼 때, 노동자들의 '권리 찾기 투쟁'은 그들의 통치전략에 있어서 위험요소였다. 그들은 틈만 나면 노동자들을 공산주의 세력에 의해 조종당하는 것으로 몰아 세웠다. 서울대병원 노조위원장이었던 김유미는 당시를 다음과 같이 기억하고 있다;

"병원에서 파업하면 바로 병원 안에서 공안대책회의가 열리고 하는 상황이었다."[14)]

공안대책회의는 투쟁하는 노동자들을 공산주의자로 내몰기도 하였다. 1980년 사북항쟁의 주역들이 그랬다. 강원도 동원탄좌 노동자들은 당시에 공산주의 폭도로 선전되었다. 사북에서 활동하는 김창완은 당시 항쟁 참여자들에 대해 다음과 같이 이야기하는데;

"그때 참여했던 사람들이 평상시에는 술 먹고 놀기도 잘 놀고, 말도 많고, 그런데 '사북항쟁, 사북사태 때 어땠어요?'라고 물으면 얼굴이 싹 변해요. 그 정도로 그 사람들한테는 사북사태, 1980년 사북사태가 공포예요. 그 얘기를 절대 꺼내려고 하지 않아요. 그 당시의 사람들은 … 그때 분위기가 사북사태 린치사건, 폭도 이런 분위기였잖아요. 내가 사북사태에 관련했다 그러면, '저 새끼 폭도야' 이런 분위기였기 때문에 자기가 사북사태 때 끌려가고 관계있었다는 얘기를 절대 하지 않는 분위기였어요."[15)]

이처럼 노동3권을 보장한 헌법은 허울뿐이었으며 노동자들의 기본적인 권리는 인정되지 않았다. 많은 노동자들은, "우리는 노동자들의 단결권 부정과 노동자들의 자율과 자치를 과다하게 간섭, 제한하는 노조의 결성 과정, 임원선거의 자격제한과 행정관청의 해산 및 임원 개선 명령권, 단체협약 및 결의의 취소변경권, 검사권 등 제반 반노동자적 노동악법은 노동운동의 자율적 발전과 해결을 위하여 당연히 철폐되어야 한다" 라고 노동현장에서 목이 아프도록 외쳤다.[16)]

그러나 이러한 외침은 메아리에 불과했다. 정부에 의해 노동자들이 감시 · 추적당하는 것은 물론, 권리를 찾겠다고 주장했던 노동자들은 온갖 폭행을 당해야 했고, 때로는 목숨을 내놓아야 했다. 노동자를 인간으로 취급하지 않는 사례는 1987년 6월 항쟁과 7 · 8 · 9월 노동자대투쟁 이후에 발생한 권총발사 사건에 이르러 정점에 달하였다. 1988년 6월 22일, 경기도 성남공단 내 공단파출소 근무자가 시위 중인 노동자를 향해 공포탄이 아닌 권총 실탄 4발을 정조준하여 발사한 사건이 일어났다. 경찰의 권총발사 및 노동자와 경찰의 충돌사태 진상조사단에 따르면, 당시 실탄을 발사한 경찰관은 다른 경찰관에게 실탄을 가져오라고 명령하였다. 경찰은 이러한 사실을 노동자들의 폭력시위 탓을 돌리려고, 경찰을 부상당하게 한 노동자들을 대대적으로 검거하고 언론에서도 노동자들의 폭력만을 문제 삼았다.[17)]

일조차 할 수 없었던 노동자

국가와 자본은 '권리 찾기 투쟁' 에 나섰던 노동자들이나 그들을 도왔던 사람들의 명부를 작성하여 비밀리에 배포하였다. 그것은 이른바 '블랙리스트' 라고 불렸다. 블랙리스트는 명부에 이름이 올라간 노동자들이 다른 공장에서 일을 하지 못하게 하는 살생부(殺生簿)였다. 국가와 자본은 민주노조운동을 하다가 해고된 사람들을 불순세력으로 간주하였다. 노동부는 "위장취업한 지식인 노동자들은 순수한 생계 목적이 아니라 근로자의 의식화 내지 조직화를 하여 반체제투쟁에 끌어들이는 불순한 정치적 목적을 가지고 있다"라고 발표하였다.[18] 정보기관과 고용주는 '악어와 악어새'의 관계로, 정보기관은 해고노동자에 대한 정보를 회사에 제공하면서 해고를 강요했고 고용주는 의심스러웠던 노동자를 해고할 수 있었다.

본래 블랙리스트는 1978년 동일방직 노동자들의 투쟁이 전개되던 시기에 처음으로 등장했다. 김영태 섬유노조위원장은 1978년 4월 블랙리스트를 작성하여 주요 사업장에 배포하여 민주노조운동 출신의 노동자들을 해고하게 하였다. 회사에서는 블랙리스트를 노동자들을 회유 · 협박하거나 해고하는 수단으로 활용하였다. 1984년 5월 26일 중앙일보는 1980년대 초 · 중반의 블랙리스트를 밝혔는데, 그들은 1970년대 민주노조운동을 하다가 해고되었거나 1980년대 초반에 노동현장으로 들어간 활동가들이었다. 블랙리스트는 125개 사업장, 해고자 681명, 복직자 60명, 재취업자 57명 등에 대한 신상명세서를 일목요연하게 조사 · 정리한 것으로, 해고된 노동자의 이름, 생년월일, 해고일자, 사진 등이 정리되어 있었다. 주로 서울, 인천, 안양, 성남 등 수도권 공장에서 노동운동을 했거나 시위에 가담한 전력이 있는 해고노동자들의 명단이었다. 그 가운데 성남 고려피혁에서 발견된 블랙리스트에는 총 763명의 이름, 생년월일, 해고일자, 사진 등이 기록되어 있었다.[19]

1984-85년 블랙리스트로 강제 해고된 대표적인 사례는 대농그룹 산하 태평특수섬유 노동자 6명 해고 · 구속, 원풍노조 박순애 부조합장, 대영섬유 장형숙 조합원, 이성전자실업(주)의 이봉우, 한국빠이롯트 지명환, 아세아 스와니의 김덕순, 소예산업의 정인숙, 삼익주택, 태창메리야스

등이었다.[20] 한국경전기의 권영숙, 한국강관의 김일섭, 이우제책사의 이옥순 등도 강제로 해고되었다.[21] 전국적으로 수집 · 정리되어 배포된 블랙리스트는 노동운동 활동가들과 해고된 노동자들의 현장취업을 사전에 봉쇄하기 위해 경찰, 보안사, 안기부 등이 작성하여 각 사업장에 돌린 것이었다.[22] 블랙리스트는 1987년 상반기에도 해고의 수단으로 힘을 발휘하였다. 블랙리스트에 이름이 올랐던 노동자들은 일하고 싶어도 일할 수 없었고, 조용히 살고 싶어도 그렇게 할 수 없었다.

한국가톨릭노동청년회 탄압대책위원회(1984.3), 한국노동자복지협의회(1984. 3), 그리고 한국기독노동자총연맹(1985.3) 등은 블랙리스트 철폐운동을 전개하면서 일조차 할 수 없게 하는 정부와 자본의 비인간적 폭력을 비판하였다.[23] 1987년 10월 27일, 전국목회자정의평화실천협의회와 인천지역 해고노동자협의회는 1978년 동일방직 해고노동자 124명을 비롯하여 태창섬유, 콘트롤데이타, YH무역 등의 해고노동자 1,662명이 기재되어 있는 블랙리스트 원부를 공개하면서 비인간적인 정부와 자본을 비판하였다. 블랙리스트는 노동자들의 취업할 권리와 생존권을 박탈하고 노동운동 자체를 말살하려는 목적에서 만들어진 것으로 헌법이 보장하고 있는 노동의 권리와 직업선택의 자유를 유린할 뿐 아니라 근로기준법에서도 금지하고 있는 것이었기 때문이다.

> 노동자들의 인간다운 삶을 위하여 노동자 권익을 부르짖는 노동자들에게 생존권을 박탈하는 명부이다. 자본은 이 명부를 가지고 노동자를 무참히 부당하게 해고하고 있다. 이것을 철폐하는 것이 곧 인간으로서의 법적인 권리를 찾는 것이고 인간다운 삶을 찾는 것이다. 노동자들이 진정으로 인간답게 살아야 한다.[24]

블랙리스트에 올라간 이후, 복직은커녕 다른 사업장에 취업을 하지 못하고, 어쩔 수 없이 노동상담소 활동가가 되었던 한 노동자의 증언에서 일조차 할 수 없었던 노동자의 고통과 애환을 읽을 수 있다.

> "1987년 노동자 대투쟁 때 싸우다가 해고가 되고 복직을 하지 못했다. 복직은 당시에는 블랙리스트가 워낙 좁은 지역이고 또 한정된 업종이고 그래서 블랙리스트에 딱 한 번 되니까, 그 다음부터는 재취업을 할 수 없었고, 노동상담소 활동을 할 수밖에 없었다." [25)]

비인간적인 노동 과정

1960-70년대 노동자들에 대한 사회적 인식은 공돌이와 공순이로 상징되었다. 이들은 비인간적인 노동현장에 내던져진 사람들로 치부되었다. 그래서 공돌이와 공순이라는 이름은 노동자들이 가장 듣기 싫었던 말이었다. 노동자들은 스스로 노동자임을 드러내는 것을 꺼려했다. 기록에 따르면;

> "우리 노조 조합원들은 회사 안에서의 조합활동에는 그래도 관리자 눈치 보지 않고 열심히 참여하는데, 시내에서 하는 노동자 집회 등에는 나가려 들지 않는다. 그 이유를 물어보니, 그럴 경우에는 자신이 노동자라는 것이 보일 것이고, 그것이 싫기 때문이라고 하였다고 할 정도였다." [26)]

1985년에 노동운동단체들은 공개적으로 노조운동을 지지·지원하면서 정치적인 운동을 전개하기 위한 협의체 성격을 지닌 '한국노동자복지협의회'를 결성하였다. 한국노동자복지협의회는 노예처럼 살아가는 노동자들의 모습을 여러 군데에서 찾았다. 당시 성명서를 살펴보면 아래와 같다.

> 우리의 현실을 살펴볼 때 경제성장의 정당한 몫을 찾지 못해 최저생계비에도 훨씬 못 미치는 극심한 저임금, 잔업 · 철야 · 특근으로 일한 세계 제일의 장시간 노동, 그리고 살인적이고 비인간적인 작업조건으로 우리의 몸과 마음은 급격히 파괴되고 병들어가고 있다. 산업재해의 피해는 날로 커져가고 있으며 퇴폐적이고 향락적인 풍조에 점차 감염되어 희망을 갖지 못하고 사회구조적 모순의 희생자로 비인간화 되어가는 실정이라고 진단할 정도였다.[27)]

이처럼 노동자들도 자신들의 비인간적인 모습을 저임금, 장시간 노동, 그리고 극심한 산업재해에서 찾았다. 한편 1970년대 이후 노동자들의 임금총액은 빠르게 늘어났다. 임금액수가 많아지고 많이 저축하면 부자가 될 것이라고 노동자들은 믿었을지 모른다. 하지만 노동자들은 가난에서 쉽게 벗어나지 못했다. 특히 제조업 생산직 노동자들의 임금은 사무전문직을 포함한 전체 노동자의 평균 임금에 미치지 못하였다. 이는 아래 〈그림2〉에서 확인할 수 있다.

〈그림2〉 1977-81년 상용 노동자 전체 및 생산직 월 평균 임금(단위 : 천 원)

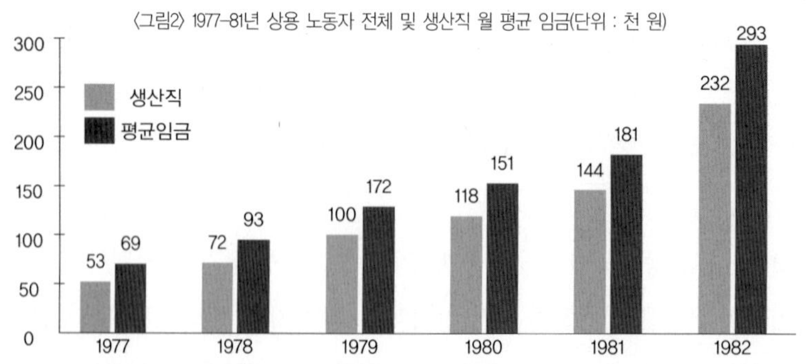

※ 출처 : 통계청, 『통계로 보는 한국의 발자취』, 1995; 전노협백서발간위원회, 『전노협백서』 제1권, 1997, 86쪽에서 재인용.
※ 월 평균 임금은 정액급여 및 초과급여에 한함.

1987년 노동자 대투쟁 이전, 노동자들의 임금총액은 지속적으로 증가하였다. 1986년의 임금총액은 1977년에 비해 약 4배 이상으로 늘었지만 1986년 노동자들의 임금은 생계비를 충당하는 데 턱없이 부족했다. 이는 아래 〈표1〉을 통해 확인할 수 있다.

〈표1〉 월 평균 임금총액과 생계비 충당률(1986년)

임금(전체 산업)		생계비(4인 가족 기준)	생계비 충당률
임금총액	339,474원	524,113원	64.8%
정액급여	255,408원		48.7%

※ 출처 : ILO노동통계연감, 1986

1986년 노동부의 임금실태 보고서에 따르면, 전체 산업 월 평균 임금은 총액으로 339,474원, 정액급여로는 255,408원이었다. 월 평균 임금이 20만 원 미만인 노동자만 31.1%였다. 당시 한국노총에서 제시한 4인 가족 기준 최저생계비는 524,113원으로, 총액으로 받은 임금으로 생계비용을 충당할 수 있는 비율은 64.8%에 불과했다. 또한 정액으로 받은 임금의 생계비 충당률은 48.7%에 그쳤다.

따라서 노동자들은 최소한 생계유지를 위해 장시간 노동을 할 수밖에 없었고 잔업 · 특근 · 철야가 일상화되었다. 가족과 함께 나들이를 하거나 외식을 즐긴다는 것은 사치에 불과했으며 설사 맘먹고 사치하고 싶어도 시간이 없었다. 〈표2〉에서 드러나듯이 주요 국가 노동시간과 비교하면, 그 차이가 두드러진다.

〈표2〉 주요 국가별 주당 평균 노동시간

	1965	1970	1980	1983	1984	1985	1986	평균
한국	57.0	52.3	53.1	54.4	54.3	53.8	54.7	54.23
싱가포르	-	48.7	48.6	48.1	-	46.5	47.4	47.86
대만	-	-	50.9	48.1	48.6	47.3	48.1	48.60
미국	41.2	39.8	39.7	40.1	40.7	40.5	40.7	40.38
일본	44.3	43.3	41.2	41.1	41.6	41.5	41.1	42.01

※ 출처 : ILO노동통계연감, 1986

ILO노동통계연감에 따르면, 한국 노동자들은 1965년부터 1986년까지 주당 평균 54.23시간을 일하였다. 그러나 싱가포르와 대만 노동자들이 주당 평균 약 48시간, 미국과 일본 노동자들은 주당 평균 약 41시간 정도 일했다. 한국 노동자들은 미국과 일본 노동자들에 비해 약 13시간 이상 더 많이 일했을 것이다. 아래 〈그림3〉을 보면, 각 국가별로 평균 노동시간의 차이가 확연하게 드러난다.

〈그림3〉 주요 국가별 주당 노동시간 비교

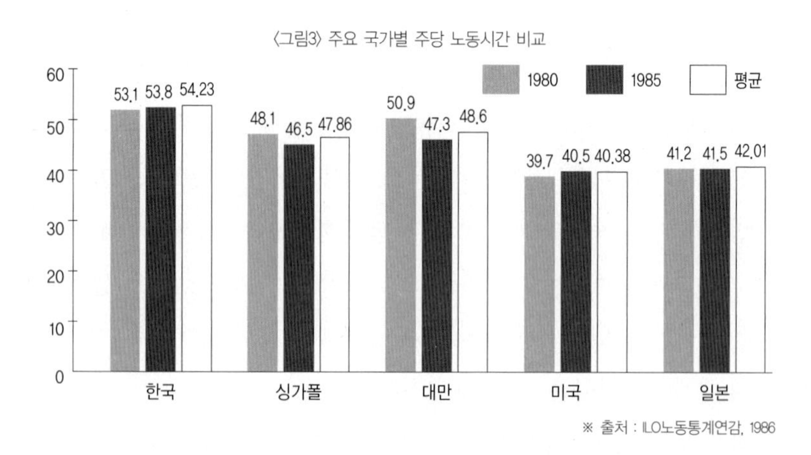

※ 출처 : ILO노동통계연감, 1986

OECD국가들의 노동시간이 40시간대를 기록했던 데 비해, 한국 노동자들의 노동시간은 55시간에 가까웠다. 한국 제조업 노동자들의 주당 노동시간이 55.8시간이었는데, 국가 간 노동시간 비교는 통상적으로 정부가 발표하는 내용을 근거로 이루어졌기 때문에 실제 노동시간은 더 길었을 것이다. 특히 한국 노동자들은 30분 일찍 시작해서 30분 늦게 일을 마치곤 했기 때문에, 실제 노동시간은 하루 1시간이 더 많았다. 비록 임금이 지급되었지만, 하루에 2시간 잔업과 휴일 특근을 고려하면, 노동시간은 일주일에 80시간 이상이었다. 1984년 유니전 노동자들의 노동시간과 잔업, 그리고 분임토의에 관한 기록을 보면 아래와 같다;

유니전 노동자들은 8시 30분에 작업을 시작해서 10시 50분에 10분간 휴식이 있었습니다. 10분간이라야 화장실 가기가 바쁘고 다시 일을 시작해서 12시 40분부터 40분간 점심시간이 있고, 4시 50분부터 다시 10분 휴식, 6시 20분에 퇴근이었습니다. 40분간 점심시간이 많은 것 같지만, 식당이 멀고 사람이 많으니까 줄서서 밥 타먹고 나오기가 무섭게 일해야 되고 늘 소화가 안 돼 위장병은 따놓은 당상일 수밖에 없었습니다. 화, 목, 금은 고정적으로 2시간 반 잔업이고 일이 바쁘거나 하면 일주일 내내 잔업을 해야 했습니다. 잔업 안 하는 날은 월, 수인데 월요일 분임토의 30분 중 15분은 우리 시간에서 뺀 거고 수요일은 무릎 꿇고 왁스로 바닥을 밀어야 하는 대청소의 날이었습니다. 우리가 무슨 청소분지 보통 30-40분을 공짜로 일시키는 거예요.[28]

더불어 저임금 장시간 노동은 산업재해로 이어졌다. 광산에 활동가로 위장 취업해서 1987년 당시 태백 태극광업소에 근무했던 조용일은 산업재해의 현장에서 노동운동을 하는 것보다 그저 살아남는 것 자체가 운동이었다고 다음과 같이 술회하고 있다.

"강원도 출신들은 강원도에 가서 활동하는 것이 좋겠다고 해서 한 서너 명이 의기투합해서 광산으로 가자고 해서 내려왔는데, 그 결정을 단순하게 생각했는데 무진장 후회를 많이 했습니다. 왜냐면 광산에 들어오니까 여기는 같이하는 활동가들이 10명이면 3분의 1은 매일 병원에 있는 거예요. 그 정도로 매일 산재가 일어나고. 만날 수조차 없을 정도로 바빴어요. 그리고 같이 일하던 현장 동료들은, 아시다시피 1년에 220명 정도가 산재로 사망할 정도로. 저도 4번 정도는 진짜 죽을 뻔했죠. 현장에 있었던 것은 1년 남짓인데, 석 달에 한 번 정도는 죽을 고비를 넘겨야 하는. 그래서 아, 이거 대단히 잘못 선택했구나 해가지고 후회막심이었던 기억이 납니다. 여기가 동원탄좌 사택이 있던 자리거든요. 강원랜드 세워진 자리가. 사택이 소위 말하는 닭장식이라고 줄지어 있었는데, 노동자가 산재로 사망해서 장례가 끝나면 그 다음 주에 또 다른 노동자가 사망, 그 장례식이 끝나고 또 돌아가며 있을 정도로 사망재해가 많았어요." [29)]

물론 광산노동자만 이러한 문제를 가지고 있었던 것은 아니다. 대부분 노동자들은 절대적 빈곤상태를 극복하기 위해 잔업과 철야 등 장시간의 노동을 할 수밖에 없었고, 이 과정에서 산업재해의 위험을 피할 수 없었다.

〈그림4〉 1977-81년 산업재해자 수와 사망자 수(단위 : 명)

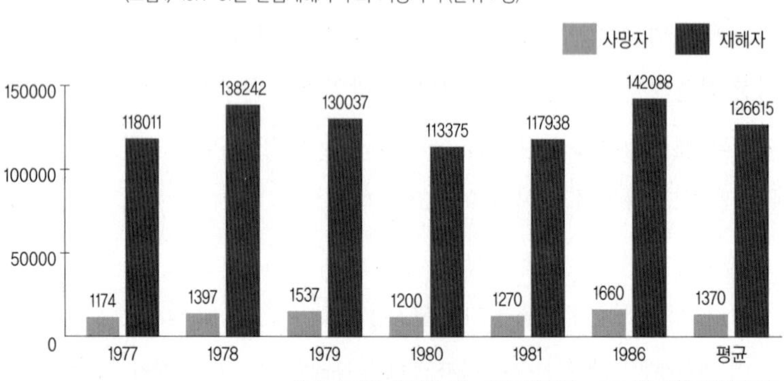

※ 출처 : 통계청, 『통계로 보는 한국의 발자취』, 1995; 전노협백서발간위원회, 『전노협백서』 제1권, 1997, 88쪽에서 재인용.

〈그림4〉를 보면 1977년부터 1986년까지 1년 평균 노동자 1,370명이 사망했고 12만 6,615명이 재해를 입었다. 산업재해로 하루 평균 3.75명이 사망하였고, 346.89명이 크고 작은 부상을 당했다. 구체적으로 1970년 재해 건수는 3만 5,389건, 재해자 수는 3만 7,752명, 재해발생률(재해자 수/노동자 수×100)은 4.9였다. 1975년 재해 건수는 7만 9,819건, 재해자

수는 8만 570명, 재해발생률은 4.4(천인율로는 44.46)였다. 1980년 재해 건수는 11만 2,111건, 재해자 수는 11만 3,375명, 재해율은 3.0(천인율로는 30.21)이었다.[30] 산재보험적용 사업장 수가 전체 사업장 수에 비해 낮았던 사실을 감안한다면, 산업재해율은 더욱 높았을 것이다. 이처럼 낮은 기본급 임금체계 때문에 노동자들은 산업재해의 위험을 안고서 어쩔 수 없이 장시간 노동을 해야만 했다.

도급제 방식의 임금체계도 노동자들에게 장시간 노동을 강요하였다. 도급제 방식의 임금체계로 고통을 받았던 대표적인 사례가 광산노동자들이었다. 광산노동자들은 1987년과 1989년 투쟁으로 비인간적인 도급제를 약간 개선시켰지만, 18등급의 도급제 시스템에서 고통을 받아야 했다. 광산노동자들은 도급제를 가장 비인간적인 것으로 생각했고 1980년대 초반 투쟁의 요구사항 가운데 도급제 개선을 가장 중요하게 여겼다. 학생운동을 하다가 광산노동현장에 참여해 1987년 당시에 동원탄좌에 근무하였던 김창완의 증언은 이를 뒷받침하고 있다;

> "광산의 도급제가 굉장히 복잡한 구조로 돼 있거든요. 갑을병으로 되어 있고, ABC로 되어 있고, 1, 2로 되어 있고. 그래서 18등급으로 되어 있는 복잡한 구조가 대폭 축소가 되었죠. 반도급제 형태로 정착했는데, 그게 가장 큰 성과가 있었고, 그 다음에 임금인상이나 단협, 상여금 문제나 휴일근로 문제, 이런 성과들이 좀 있었죠." [31]

1989년 울산의 한 노동자가 쓴 유인물도 노동자들의 비인간적인 노동 과정을 압축적으로 보여주고 있다. 저임금 장시간의 노동과 열악한 노동 조건을 감수해야만 살 수 있었던 것이 이 시기 노동자들의 현실이었다.

나는 배가 고프다! 한 달 5백 시간 이상 일을 해야 겨우 30만 원 정도의 임금, 하루 한 두 시간 잠자는 아들, 딸들의 모습만을 보기에는, 너무나 배가 고프다. 이렇게 살지 말자! 인간답게 살아보자! [32)]

물론 한 달에 500시간이 넘게 노동을 하는 것은 특별한 경우였지만, 이 정도의 노동을 해야 기본적인 생활을 유지하는 데 필요한 임금을 받을 수 있었다. 이는 울산지역의 노동자뿐 아니라 전체 노동자들이 겪어야만 했던 비인간적인 노동 현실이었다.

권력의 울타리에 갇힌 한국노총

한국노총은 1945년 조선노동조합전국평의회, 1958년 전국노동조합협의회를 제외하고 1990년 1월 전노협이 결성되기 이전까지 노동자들을 전국적으로 대표하는 유일한 전국적 조직이었다. 그런데 1960-70년대 한국노총은 노동조합의 어용화 전략을 추구하면서 노동자들의 요구가 아니라 국가와 자본의 요구에 따라 움직였다. 특히 1980년대에는 독재 권력에 대해 용비어천가만을 부르면서 노동자들의 권리를 억압하는 국가기구로 전락하였다.

1980년 신군부세력의 노동계 정화 조치로 노동계가 강제로 재편된 이후, 한국노총의 어용화는 더욱 심각해졌다. 한국노총은 전두환 개인을 우상화하고 독재정권을 정당화하는 데 앞장섰다. 한국노총은 1981년 2월 12일과 2월 25일에 대통령 선거인단의 선거로 대통령에 당선된 전두환을 다음과 같은 용비어천가로 칭송했다.

예측은 한 일이지만, 이는(전두환의 대통령 당선은-인용자) 절대적 사회

안정과 지속적 경제번영을 바라는 국민적 여망이 집결된 결과라고 하겠다. 그 분의 실천력으로 보아 정의사회구현, 복지국가건설이 꼭 이루어질 것을 기대하며, 우리는 이것이 조속히 이루어지도록 국민화합과 국력배양에 최선을 다하여야 하겠다. 역사적 전환기에 접어드는 우리에게 있어서는 전환기에 특징적으로 나타나는 사회적 혼란과 무질서를 극복할 수 있는 단호한 용기와 미래에 대한 확신을 갖는 통찰력이 절대 요청되는데 11대 대통령으로서 짧은 기간에 보여준 전두환 대통령의 영도력은 이를 모두 겸비한 것으로 분명히 나타났다. [33)]

한국노총은 전두환 정권의 '4·13헌법개정반대조치'를 지지함으로써 다시 전두환 정권에 대한 충성과 협력을 적나라하게 드러냈다. 한국노총은 정권교체와 직선제 개헌에 대한 수많은 요구를 외면한 전두환의 4·13조치에 대해 구국의 결단이라며 적극 지지하는 성명을 발표하였다. 한국노총은 오로지 독재권력 앞에서 충성서약을 하고 그 서약의 대가로 국가의 보조금을 받거나 정치적 출세를 보장받았다. 이러한 한국노총이 노동자들의 권리를 보장하고 요구할 리가 만무하였다. 1987년 노동자 대투쟁 당시 한국노총의 행태에 관한 신문기사를 보면 아래와 같다.

한국노총은 1987년 노동자 대투쟁이 전개되고 있는데도 불구하고 강 건너 불구경하듯이 있다가, 한국노총 내부의 민주화 움직임에 대해서는 폭력을 사용하겠다고 으름장을 놓았다. 1987년 8월 27일, '여하한 명분과 형태를 통해서도 한국노총 및 각급 산하조직을 고립화 내지 붕괴시키려는 일체의 행위에 대해 전 조직력을 동원, 단호히 응징할 것이며, 계속 까부는 집단이 있으면 16개 산별노련 조직을 통하여 1,000여 명 정도의 행동부대를 동원해 각목을 들고 나서게 할 수 있다.[35)]

한국노총이 민주노조를 향한 노동자들의 움직임을 각목으로 쓰러뜨리겠다는 주장은, 기득권 유지를 위해서 폭력까지 사용할 수 있다는 반민주적 행태였다. 한국노총이 노조 민주화 추진세력에게 폭력을 사용하겠다고 발언한 뒤, 1987년 9월 6일에 서울 합정동의 전국섬유노련 사무실과 서울 신림동의 금속노련 사무실에 20-30대 청년들이 화염병 10여 개를 던지는 응징투쟁이 일어났다. 경찰은 현장에서 '1000만 노동자, 100만 학도 일동' 명의로 된 '군사독재의 하수인 노총을 타도하자' 라는 제목의 유인물을 수거하였다. 한국노총을 민주적으로 개혁하고자 했던 사람들도 한국노총의 태도를 '한국노총의 1987년 8월 27일 성명에 대한 우리의 견해' 라는 성명으로 아래와 같이 비판하였다.

한국노총은 현재 치열하게 전개되고 있는 노동운동의 방향과는 전혀 무관한 두 가지의 선언을 하고 있는데, 사용자를 전 조직력을 동원, 단호히 응징하여야 할 한국노총이 오히려 노조를 민주화하자는 간절한 요구로 어용노조 퇴진을 외치는 노동자를 향해 전 조직력을 동원, 단호히 응징하겠다는 주장을 하는 것은 100만 노동자(한국노총 조합원-인용자)의 대변인이기를 스스로 포기하고, 사용자를 벗 삼아 오히려 민주노조를 응징하는 데 앞장서겠다는 선언으로 규정된다. 둘째, 한국노총의 그간의 행적을 비추어 볼 때, 한국노총이 말하는 근로대중의 이익을 추구하는 정당에 대해서는 실로 많은 의문이 제기되지 않을 수 없다. 집권당인 민정당의 중앙위원인 한국노총 위원장과 대부분 민정당원으로 구성된 한국노총이 지지하는 정당이

어떤 정당인가는 명백하다.[35)]

이처럼 노동자들의 요구와 투쟁을 외면해 온 한국노총은 지탄의 대상이 되었다. 왜냐하면 한국노총은 산하 조합원들의 투쟁에 대한 실무적 지원을 하면서도 투쟁이 확산되는 것을 의도적으로 방해하고, 회사 측에 의해 결성되는 신규노조에게 노조 인준증을 내주는 등 반노동자적인 행동을 일삼았기 때문이다. 결국 한국노총과 산별연맹, 산하 단위사업장 노조에 이르기까지 자주성과 민주성을 상실한 현실을 접하면서, 1987년 노동자 대투쟁에 참여했던 신규노조들은 새로운 전국조직 건설의 필요성을 절감하게 되었다.

3 주체형성의 터였던 1980-87년 노동자 대투쟁 이전의 투쟁

노동자의 등불이었던 교육과 의식화

1970년대 후반부터 학생운동 출신 활동가들이 개별적인 차원에서 노동현장에 투신하였지만, 1980년대 초 · 중반에는 학생운동 정파운동조직을 중심으로 노동현장 투신이 전개되었다. 정파운동을 중심으로 한 조직적인 현장투신은 단위사업장과 지역단위 노동자들을 대상으로 했다. 이런 흐름은 노동자와 노조 그리고 청년학생층 중심의 변혁운동과 노조운동의 의식적 · 조직적 연대의 토대였으며 선진적 노조 활동가들에게 계급의식의 필요성을 각인시켰다. 이를 통해 노조 활동가들은 노동자 의식으로 무장하는 동시에 권리를 쟁취하는 투쟁 주체로 변화했다. 노동자들이 계급의식으로 무장하는 대표적인 방법은 국가와 자본을 상대로 하는 투쟁이었다. 투쟁 과정에서 노동자들은 국가와 자본의 본질뿐 아니라 계급의식을 확보할 수 있었다. 하지만 이들이 투쟁 주체로 나서기 전까지 다양한 방식으로 의식화 과정이 필요했는데, 그 대표적인 방식은 교육모임 참여와 구속을 통한 학습이었다.

노동자들이 쉽게 참여할 수 있는 모임은 야학과 공개적인 교육프로그램이었다. 야학은 1970년대 초반 검정고시야학에서 시작되었다. 야학은 중학교와 고등학교 교육을 받지 못한 노동자에게 새로운 배움의 터인 동시에, 대학교에 다니는 형과 누나를 만나서 많은 것들을 새롭게 경험할 수 있는 장이었다. 특히 1970년대 후반에 이르러 노동야학이 급속하게 확대되었다. 노동야학은 노동운동과 관련된 학습은 초보적인 수준이었지만, 대학생과 노동자가 정기적으로 만나 서로에게 배우고 사회의 모순에 대해 고민을 나누었다는 점에서 노동자 의식발전에 크게 기여하였다. 또한 노동야학은 학생운동 활동가들이 노동현장에 대한 감각을 익히고 현장으로 이전을 준비하는 장이기도 했다. 특히 대학생 출신 노동자(학출) 활동가들은 노동현장의 일환으로 '노동야학'에 참여하면서, 노동자들에게 학교를 졸업하는 것보다 더 중요한 인간적인 삶의 가치를 가르쳤다. 야학 이외에 1970년대 대학교수와 대학원생을 중심으로 하는 활동가들도 개별적으로 노동교육에 참여했다.[36] 노동자교육 과정은 "노동문제에 관한 의식화, 노조운동의 육성 · 강화, 민주적 노동운동의 정당성"[37]에 관한 내용이었는데, 당시 교육프로그램은 노동자의 기본적 권리를 중심으로 구성되었다. 1974년부터 1979년까지 진행된 크리스챤아카데미 제1차 노동교육 과정을 이수한 노동자와 노조간부들은 총 602명이었는데, 이들은 1970년 후반 민주노조운동의 주체로 성장하였다.[38] 이처럼 노동교육은 노동자들에게 기본적인 권리의식과 계급의식을 일깨워주는 계기인 동시에, 지식인 활동가들과 노조운동의 연대를 구축하는 계기였다. 노동교육을 통해 노동자들도 노동현장에 존재하는 다양한 고민거리를 이해하고자 하였다. 신진벨브노조의 황용재는 당시 노동교육에 관해 다음과 같이 증언하는데;

> "노동에 대한 가치에 대해서 알고 싶었고 세상사는 것이 (세상을-인용자) 어떻게 살아야 올바르게 사는 건지 느끼게 됐어요. 사회의 모순에 대해서 많이 느끼게 되면서 거기서 근로기준법에 대해서 교육을 받고, 책갈피가 (책표지가-인용자) 가죽 껍질로 된 아주 조그마한 책자였거든요."[39]

1980년대 중반에도 노동현장의 다양한 문제들을 제대로 이해하기 위해 노동자들이 찾았던 기관에서 노동자 의식과 인간다운 삶의 가치를 습득하였다. 광노협 위원장이었던 박종현의 아래 구술에서 확인할 수 있지만, 지역 종교기관에서도 비슷한 교육운동이 전개되었다.

> "1986년 광주에서 회사를 다니던 중, 궁금한 사항들이 꽤 많이 있었습니다. 어느 날 전봇대에 YMCA건물에서 노동법과 관련된 강의가 개최된다는 것을 보았습니다. 나는 그 날 YMCA를 찾아갔습니다. 아마도 가톨릭노동청년회였던 것 같아요. 그런데 노동법은 가르쳐 주지 않아서 정말 이상했습니다. 맨날 노래나 노동자 의식과 관련된 것만 가르쳐 주었거든요. 그 당시에 지역에는 민중학교와 같은 것이 존재하였고, 기노련(한국기독노동자총연맹-인용자)과 같은 단체가 주요한 역할을 하였습니다." [40]

이처럼 노동자들은 노동야학과 노동교육에 참여하면서 상급학교에 진학하는 것 이상의 가치가 노동현장에 존재한다는 것을 알게 되었다. 노동자들은 교육과 학습을 매개로 노동운동의 대상에서 주체로 변화했으며, 그 중심에는 학출 활동가들이 있었다.

학출 활동가와 노동자의 만남

1980년대 상반기 수도권 공단지역 학출 활동가들은 약 3천-4천여 명에 달하였다. 이들은 현장 노동자들을 의식화하기 위한 투쟁을 전개하였다. 대규모 학출 활동가들의 등장은 1970년대 노동운동에 대한 반성의 결과였다. 다시 말해서, 민주노조의 조직형태와 활동뿐 아니라 계급적 이념과 과학적 이론에 입각한 정치적 지도의 부재, 민주노조의 본질적 성격을 둘러싼 문제에 이르는 광범위한 문제에 대한 학생운동의 치열한 고민의 결과였다. 1980년대 초반 학생운동은 자본에 저항하는 노동 운동의 주체를 형성하기 위해 대대적으로 노동현장에 진출하였다. 학출 활동가와 일부 선진노동자들은 노조운동의 다양한 소그룹들을 만드는 주체들이었다. 학출 활동가들은 학습 소모임을 조직하고 운영하는 과정에서 학생운동의 '학맥, 인맥, 정파' 의 도움을 받지 않을 수 없었다. 1980년대 노동현장에 참여했던 한 활동가들의 모습은 아래 법정 변론 자료를 통해 엿볼 수 있다;

> 정치노선이 다른 활동가들이 동일한 단위사업장에 동시에 참여할 수 있다. 그런데 활동가들은 서로 모르는 채 생활해야만 했고 오히려 단위사업장의 노동조합운동과 관련된 경쟁적 관계를 유지하곤 했다. 경쟁적 관계가 심할 경우에 노동조합운동의 분열이 강화되는 경우도 발생했다.[41]

당시 노동현장 내 활동가들은, '노동자들을 지도의 대상으로 여겨 자파 세력을 확장시키고자 하는 경향' 을 지니고 있었다. 왜냐하면 위장취업 방식으로 현장에 들어가는 것 자체가 상당히 조직적인 활동이었기 때문이다. 물론 개별적으로 현장에 가는 경우도 있었지만 이런 경우는 활동가에게 더 힘든 역경의 과정이었다. 인희전자노조 박정순은 자신의 노동현장 경험을 다음과 같이 술회하고 있다;

> "내가 맨 처음 간 거는 북부지역 창동, 그때는 우리 선배 (가운데-인용자) 아무도 자리를 안 잡았을 때, 내가 너무 빨리 나간 거지! 구로공단 갈 생각을 못한 게, 거기 연계되는 선배 라인이 없었으니까. 아니, 없었어요. … 후배 하나하고 둘이 가서 자취를 하면서 들어갔는데 … 아, 장난 아니더만. (

현장에서-인용자) 나오고 나서 팀을 짰어요. 성남으로 갔었는데, 많은 순간들 갈등스러웠던 것 같애. 빨리 소모임을 만들어야지, 애를 찍어야지(조직화해야지-인용자), 애들 성향, … 들어가면 뻔하잖아요?"[42]

학출 활동가들은 개별적이건 조직적으로 참여하든 노동현장에서 적지 않은 어려움과 시행착오를 겪었다. 왜냐하면 어렵게 현장에 취업하고 난 이후, 빨리 소모임 등을 조직해서 선진적인 노조 활동가를 조직하고, 그들을 중심으로 민주노조를 결성하려는 조급성을 지니고 있었기 때문이다. 1980년대 대전지역에서 노조운동을 했고 충남민주노동자협의회에서 활동했던 선재규는 당시 현장 활동을 다음과 같이 기억하고 있다;

"처음 할 때는, 그때 시행착오를 많이 겪었죠. 왜냐면 (처음-인용자) 현장 경험을 하는데, 우리는 조급하잖아요. 조급하니까 뭐 몇 개월마다 그만두는 애들도 있었고."[43]

학출 활동가들은 노동자를 의식화하는 단계별 학습 과정에서 정파조직의 이론 노선을 반영해야 하는 과제 때문에 상당히 조급해했다. 이는 노동자들을 의식화시키려는 활동 과정인 동시에 현장 외부의 자파세력과 긴밀한 연계 구조를 강화시켜내는 활동 과정이었다. 예를 들어, '북한을 어떻게 인식하고 남한 사회구성체를 어떻게 규정하느냐'에 따라 분리되었던 정파적 경향, 즉 당시 '민족해방 계열'과 '민중민주주의 계열' 간의 논쟁이 존재했고, 노동자들도 활동가의 정파적 경향에 따라 학습하는 내용이 달랐다. 민족해방 계열의 활동가들은 이러한 소모임을 통해 북한에 관한 학습을 진행했다. 박정순은 당시 상황을 다음과 같이 증언하고 있다;

"(소모임은 - 인용자) 서너 명이 한 것 같아요. 그때 공부했던 것은 김 주석의 평전인가도 했어요. 김일성(지침-인용자)과 관련된 북한 내용이 들어가 있는 책자인데, 복사하여 제본되었던 것입니다."[44]

그러나 학출 활동가가 조직했던 학습모임에서 의식이 형성되어 노동운동 주체로 성장한 노동자들도 국가폭력으로부터 자유롭지 않았다. 실정법에 의해 합법성이란 모습을 띤 검찰과 사법부에 의한 인권침해, 실정법을 정면으로 무시한 폭력적 인권침해, 민중생존권의 억압에 의한 침해, 그리고 신체의 자유를 구속하는 방식으로 이들에 대한 국가폭력은 자행되었다. 특히 1987년 6월 항쟁 이후에도 노동운동은 국가폭력의 주요 대상이었다. 아래 〈그림5〉는 1985년부터 1987년 11월 6일까지 구속자 수를 보여주고 있다.

〈그림5〉 6 · 29선언 이전 이후 구속자 현황 비교(1985년부터 1987년 11월 6일 현재)

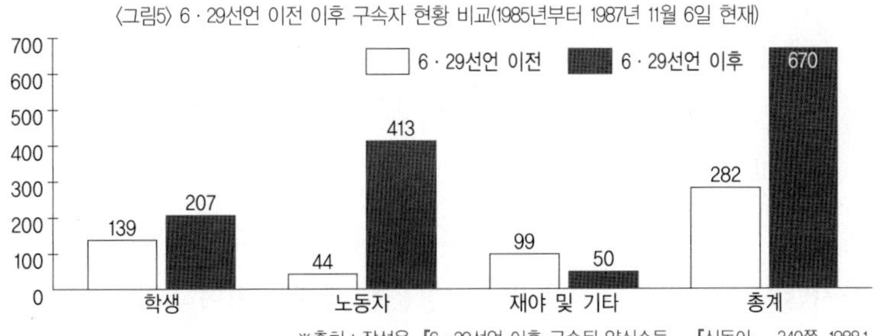

※출처 : 장성욱, 『6 · 29선언 이후 구속된 양심수들』, 『신동아』, 340쪽, 1988.1.

1987년 6월 이후 정치활동을 주로 하는 재야세력을 구속하는 경우는 줄었지만, 학생은 68명, 노동자는 373명의 구속자가 증가하였다. 특히 1987년 민주화 이후 노동자들에 대한 구속이 급속하게 증가했는데, 1988년 말부터 1989년 6월 27일까지 구속된 시국관련 구속자 645명 가운데 구속 노동자의 수는 266명에 달했다. 또한 1990년 5월 말 현재 구속 노동자 361

명 가운데 325명이 전노협 중앙위원, 지역노동조합협의회와 단위 노조 간부, 해고자 및 노동단체의 활동가들이었다.[45] 전두환 정권 시기 하루 평균 구속자가 1.61명이었는데 비해 1990년에는 4배에 가까운 하루 6명이었다. 구속자의 분포도 대학생과 노동자가 전체의 70%를 넘어섰다. 이러한 구속과 수배등의 폭력 때문에 안정적으로 노동운동을 하는 것이 어려웠다. 지도부와 활동가가 수배되거나 구속되는 순간, 투쟁과 조직의 중심이 사라져 투쟁이 마무리되거나 조직력이 약화되어 조직이 와해되기도 했다. 국가와 자본은 단기적으로 노동운동 지도부와 노동자 대중을 격리시켜 전투적인 투쟁을 약화시키려고 했다. 실제로 수배되거나 구속된 지도부나 활동가의 경우, 생활을 유지하기 어렵거나 가족이 노동운동을 이해하지 못하면서 가정이 파탄나는 경우가 많았다.

> "1988년에 해고, 구속의 과정을 거치면서 이혼하지 않을 수 없었다. 처음에 출소하고 난 이후 가정을 유지하기 위해 노가다와 노점상 등 안 해본 것이 없었다. 정말 살기 어려웠다. 두 번째 구속되자, 아내가 … 아내가 자식들을 데리고 떠나더라."[46]

하지만 역설적으로 국가폭력이 노동운동 확대에 기여하기도 했다. 대표적인 예가 조합원과 활동가의 투옥이었다. 교도소는 장기적으로 노동운동 주체를 형성하는 또 다른 공장이었다. 교도소에서 양성된 노동운동의 선진적인 활동가들은 민주노조운동이 지속되는 동력이었다. 구속된 노동자들은 오히려 교도소에서 많은 학습과 토론을 거치면서 구속되기 전보다 더욱 의식화된 상태에서 출소했고, 그러한 노동자들은 노조운동의 선진적인 활동가로 성장했다.

특히 1990년 이전에 구속되었던 노동자들은 전노협을 결성하는 실질적인 주체였다. 이들은 구속 이전 활동하는 과정에서 시간과 일에 쫓겨 학습할 기회를 갖지 못했다. 하지만 구속 후 선진적인 활동가들은 오히려 교도소라는 격리된 공간에서 정신과 육체의 건강을 유지하기 위해서라도 학습에 힘을 쏟았다. 전 세신실업노조 간부로 1989년에 구속되었던 진창근은 교도소에서 학습했던 경험을 다음과 같이 기억하였다;

> "1989년도에 구속이 되었어요. 5월 1일 메이데이 때 구속이 되었어요. 그때 독방에 있었는데, 복도를 사이에 두고 맞은편의 누군가가 책을 엄청 갖다 줬어요. 『팜플렛 정치노선』, 『한국 사회구성체 논쟁』, 뭐 이런 책들 있잖아요. 6개월 동안 책만 봤어요. 이후에는 학습모임을 좀 했는데, 토론을 많이 했죠. 그때 했던 게 무엇을 할 것인가, 전위정당문제, 1990년대 초의 합법정당문제, 민자당문제, 뭐 이런 게 있잖아요. 어쨌든 옳다 그르다, 그 당시에는 엄청(논쟁이-인용자) 치열했어요." [47]

이들은 교도소 밖에서는 소모임도 하지 않은 채 노조 간부를 했지만, 교도소에서 본격적으로 학습을 하고 난 이후에 노조의 선진적인 간부로 다시 태어났다. 마창노련 활동가 홍지욱도 교도소에서 학습했던 자신의 모습을 다음과 같이 기억하였다;

> "(평소에-인용자) 소모임을 한 적은 없습니다. 창원으로 내려와 노동조합의 간부를 시작했는데, 글을 읽는 것 자체가 쉽지 않았었죠. 공부를 본격적으로 한 것은 교도소에 있을 때였습니다. 1989년에 구속되고 난 이후, 교도소에 있을 때, 많은 책을 보게 되었습니다. 교도소에서 출소하고 난 이후,

체계적으로 공부를 하였습니다." [48]

전노협이 결성되고 난 이후에 구속된 활동가들도 마찬가지였다. 구속된 노동자들은 교도소에서 많은 학습을 하였다. 교도소는 새로운 동지들을 만나서 새롭게 공부하고 의식적으로 교화되는 공간이었다. 충남민주노동자협의회에서 활동했던 김문창은 교도소에서 자신의 의식체계를 구축했다고 다음과 같이 증언한다;

"사실 그래요. 그전에, 교도소 들어가기 전에는 학교에서 선배들 같은 것도 거의 없었고, 그냥 가끔 서점에 가서 좋은 책 있으면 내가 혼자서 찾아보고 뭐 이런 정도였기 때문에, 체계적인 학습을 해 본적이 없었어요. 근데 그 안에 들어가서 교육을 할 수(받을 수-인용자) 있었던 거죠. 토론도 하고, 그 당시에는 워낙 대전교도소에 정치범들이 많이 몰려 있다 보니까, 우리들이 그 안에서 싸움도 많이 나고 그러면서. … 자유롭게 토론도 할 수 있었고. 장기수들이 워낙 많으니까." [49]

1980년에서 1987년 6월 항쟁까지 투쟁과 노동자

1970년대 후반, 노동자들의 투쟁은 1979년 10 · 26 이후 잠시 주춤하다가 1980년 3월에서 5 · 17계엄확대조치 이전까지 급격하게 분출했다. 청계피복노조의 임금인상투쟁, 사북탄광 노동자들의 노조민주화투쟁, 동국제강 노동자들의 파업시위 등 1980년에 전개되었던 총 2,168건의 쟁의행위 가운데 90% 이상이 이 시기에 집중되었다. 1987년 노동자 대투쟁이 3개월 동안 3천여 건 이상 전개되었다는 점을 고려한다면, 1980년 3월 노동자들의 투쟁도 규모에 있어서만큼은 1987년 노동자 대투쟁에

버금갔다. 1980년 3월부터 5월까지 이어진 노동자 투쟁이 1980년 5월 광주항쟁과 1987년 노동자 대투쟁의 그늘에 가려 있어서 그 투쟁의 의미를 제대로 평가받지 못했을 뿐이다.

1980년 봄, 투쟁에 참여했던 노동자들은 임금인상, 노동조건 개선, 노조활동 정상화 등을 요구하였다. 이러한 요구들은 개발독재체제의 억압적 노동통제로 희생만을 강요받았던 노동자들의 입장에서 볼 때 지극히 당연한 요구였다. 특히 강원도 사북 탄광지역 노동자들은 사북지역 전체를 장악하는 투쟁까지 전개했는데, 이것은 노동자들의 연대투쟁의 힘과 국가기구를 무력화시킬 수 있는 투쟁의 위력을 보여주었다.

1980년대 초반 민주노조운동을 전개한다는 것 자체는 참가자의 목숨을 담보로 한 것이었다. 신군부세력은 노동계 정화조치와 삼청교육대 순화교육 이외에도 직업 깡패와 경찰을 동원하여 민주노조운동의 선진적인 활동가들에 대한 납치 · 감금 · 협박 · 집단폭행을 자행하였다.[50)]

따라서 소위 노동계 정화조치, 계엄사합동수사본부의 수사 및 순화교육, 노조 개편조치에 따른 106개 지역지부의 해산, 민주노조의 파괴로 5 · 17계엄확대조치 이후 노조의 쟁의행위는 거의 발생하지 않았다.[51)]

한 걸음 더 나아가 신군부세력은 1980년 7월 1일부터 11월 12일까지 모두 10차례에 걸쳐 노동탄압 주요지침을 시달하였다. 지침의 주요 내용은 노조 활동과 민주노조운동의 활동가들을 삼청교육대 순화교육으로 보내거나 그 이외의 방법으로 탄압하는 것이었다. 이런 조건하에서 노동운동 주체들은 생존 그 자체를 위해 잠복하지 않을 수 없었다. 그나마 존재했던 청계피복노조 역시 신군부세력의 정화조치 대상이었다. 신군부세력은 '첫째, 정화대상자 4명의 사표를 신속히 받을 것. 둘째, 평화, 동화, 통일상가 이외의 건물에서 일하는 노동자는 조합원이 될 수

청계피복노조 해산명령에 항의하는 이소선 여사

없으니 조합비 징수를 중단하라. 셋째, 이소선 어머니에 대한 월급 지급을 중단하라' 등의 지침을 내렸다. 청계피복노조는 두 번째 지침과 세 번째 지침을 수용하였지만, 1981년 1월 6일 자로 노조해산 명령서가 전달되었다. 당시 억압적인 사회 분위기 속에서 노조는 마땅한 대처방안을 마련하지 못하다가, 1981년 1월 21일 새벽 경찰의 노조 난입을 지켜볼 수밖에 없었다. 이에 노조간부들은 1월 30일 아프리 한국사무소를 점거하여, 아프리 한국사무소 소장을 인질로 농성에 돌입하였다. 그러나 점거농성투쟁은 하루도 넘기지 못하고, 경찰의 난입과 폭력으로 해산당하고 말았다.[52)]

청계피복노조뿐 아니라 원풍모방노조도 강제로 해산당했다. 원풍모방 노조는 1982년 4월 7일부터 '단협준수 요구투쟁'을 전개하였다. 이 투쟁은 10월 1일까지 지속되었는데, 이 과정에서 '검찰, 안기부, 경찰, 구청, 노동부'는 노조와해를 위한 대책을 합동으로 마련했다. 반면 노조는 지원이나 연대를 받지 못하는 상황에서 독자적인 투쟁을 전개할 수밖

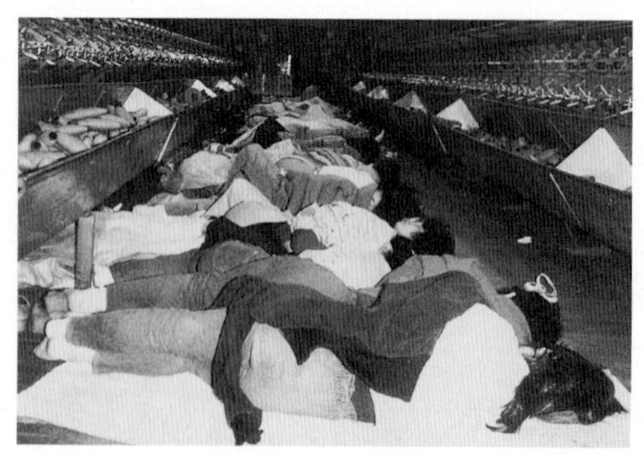
1982년 구사대 폭력에 항의해 철야농성을 하는 원풍모방 노동자들

에 없었다. 9월 26일 회사 측은 박순희 부지부장과 이옥순 총무, 가공과 조합원 박혜숙, 김영희 등 4명에 대한 해고조치를 단행하였고, 9월 27일에는 노조 대의원 등 30여 명이 대책을 논의하던 중 구사대의 폭력을 당했다. 이에 조합원들은 철야농성투쟁을 전개하였지만, 9월 30일 오후와 10월 1일 새벽에 폭력배들의 난입으로 해산되었다. 이 과정에서 조합간부 8명이 구속됐고, 55명이 구류선고를 받았으며, 39명이 연행되었다. 특히 농성투쟁 과정에서 약 200여 명 이상의 조합원이 병원에 입원했고, 500명 이상의 조합원이 강제로 해고되었다.[53]

하지만 유화 국면과 1984년 이후 다시 생존권 확보와 신규노조결성을 위한 노동쟁의와 노조민주화를 위한 노동자들의 연대투쟁이 전개되었다. 이 시기 대표적인 연대투쟁이 1984년 택시 노동자들의 전국적 연대투쟁과 1985년 대우어페럴노조 지도부 구속과 노동운동탄압에 저항하며 시작된 구로동맹파업이었다. 이 시기 노동쟁의는 1980년 이후 지속되어온 임금억제정책으로 인한 노동자들의 생존권 악화에서 비롯되었지만, 1985년 2 · 12총선 국면이라는 정치적 · 사회적 조건과도 긴밀한 관계를 맺고 있었다.[54]

대표적인 예로 1984년 5월 대구시내 택시운전기사들은 대규모 집단시위와 농성을 벌여 사납금 인하, 부제(部制)완화 등의 요구조건을 쟁취하였다. 이에 영향을 받아 부산지역을 비롯한 전국 각 지역 택시기사들의 시위와 농성이 단계적으로 확대되었다. 지하 막장에서 일하는 탄광 노동자들이 1980년 봄 사북지역을 중심으로 탄광지역을 노동자들의 해방구로 만들었듯이, 1984년 5월엔 지상의 막장이라고 불렸던 택시업계의 노동자들이 일어섰다. 비록 대우자동차처럼 대공장에 속한 노동자들이 학출활동가들과 함께 전개했던 선도적 투쟁이 아니었지만, 지역에서

1986년 6월 구로동맹파업

스스로 자신의 권리를 위해 자동차의 경적 소리 대신에 노동자의 과 함성으로 노동자임을 선포했던 것이다.

특히 1986년 구로동맹파업은 주변 사업장 노동자들의 동맹파업(대우어페럴, 효성물산, 가리봉전자, 선일섬유, 부흥사), 동조 내지 지원 농성(세진전자, 롬 코리아, 남성전기, 청계피복노조), 중식 거부(삼성제약)를 통해 연대파업으로 발전하였다.[55]

구로동맹파업(구동파)은 국가의 탄압으로 해고된 노동자들이 공장과 지역을 넘나들면서 국가와 자본의 횡포에 맞서 그 잔인함을 폭로한 투쟁이었고, 노동자들과 노동운동의 연대로 극복하고자 한 투쟁이었다.[56] 물론 국가와 자본은 구동파에 참여한 노동자들의 생존권조차 박탈했고 결국 구동파로 구속자 43명, 불구속 입건 37명, 구류 47명, 그리고 해고, 강제사직, 출근정지, 휴·폐업 등으로 인해 생존권을 박탈당한 노동자 수는 약 1,300여 명에 달하였다.

구동파 이후 노동운동은 해고자, 학생운동과 긴밀하게 결합되어 민주화운동의 능동적 주체로 나서기 시작하였다. 특히 노동운동은 1987년 박종철 고문살인사건을 계기로 발생된 2·7투쟁과 3·3투쟁에 적극적으로 참여한 이후 개헌투쟁을 강화하기 시작하였다.

1987년 6월 항쟁 과정에서 노동자 대중들의 조직적 동원을 추진할 전국적 지도체계가 부재한 상태였지만 참여 노동자들의 비율이 점차 늘었고

민주화를 요구하며 거리로 나선 시민들. 1987년 6월 항쟁(전주)

항쟁이 노동자 계급으로 확산되는 시점에서 지배블록의 6·29선언이 발표되었다. 비록 노동운동은 1987년 6월 항쟁의 과정에서 비조직적이었고 개별적·분산적 수준이었지만, 개헌투쟁에서 중요한 역할을 담당하였다. 1987년 상반기 '민주주의와 민족자주 쟁취를 위한 노동자 투쟁위원회'의 반정부 민주화투쟁, 1987년 6월 인천지역민주노동자연맹(인민노련)과 국민운동본부 민주헌법쟁취노동자공동위원회 개헌투쟁이 대표적 사례다.

이처럼 1987년 6월 항쟁에 노동운동은 개별적인 차원이지만 적극적으로 참여하였다. 6월 항쟁동안 서울 시내에서 경적투쟁을 전개했던 운수노동자들 이외에도, 6월 18일 이후 울산, 부산, 마산, 인천, 성남, 안양 등 노동자 밀집지역의 생산직 노동자들은 시위에 대거 참여하였다. 운수노동자들 또한 시위를 확대·발전시키는 데 크게 기여하였다. 한 예로 경기도 성남시청에서 작성한『6월 20일 – 21일 가두시위 종합보고서』에 따르면, 6월 19일에는 연행자 80명 가운데 근로자 34명(42.5%), 대학생 8명(10%), 막노동자 6명(7.5%) 순이었듯이, 6월 항쟁에서 노동자·막노동자·실업자 등이 다수 가담하기 시작하였다. 6월 20일부터는 노동자들이 시위의 주도세력이 되었으며, 검거자 66명 가운데 68.8%

인 다수가 노동자 · 막노동자 · 무직자들이었다.

이처럼 1986년에서 1987년 전반기까지 노동운동이 활성화되지 않았다고 해서, 노동운동이 6월 항쟁에 참여하지 않았다고 평가하는 것은 사실과 다르다. 6월 항쟁 당시 노동운동 활동가들은 반합법적이고 반공개적인 조직을 중심으로 반정부 가두투쟁을 조직하였다. 실제로 6월 항쟁이 한창이던 6월 26일, 전국 270여 개 지역에서 전개된 국민평화대행진 당시, 부평에서 도로를 완전히 점거한 시위대열의 한가운데에서 인천지역민주노동자연맹(인민노련)이 창립보고대회를 열었다. 또한 서울지역의 비공개 노동조직과 소그룹들도 6월 20일 가리봉 오거리 가두시위, 24일 영등포로터리 가두시위를 주도하였다.[57)]

6월 항쟁 당시 노동자 투쟁은 수도권 지역에서만 전개되었던 것이 아닌 전국적인 현상이었다. 전두환 정권의 집권연장에 대한 분노가 폭발해 전국적 개헌투쟁이 최고조에 달했던 6월 21일, 강원도 태백의 오성탄광과 함태광업소 등의 노동자들은 '박인균 폭탄테러 조작음모 사건'에 저항하는 가두시위를 저녁 9시까지 전개했고 6월 29일에는 '민주개헌 강원도민운동 정선지부' 결성식을 개최하고 난 뒤 1,000여 명의 노동자들이 시내로 몰려들었다. 전북 이리(익산)에서도 공단지역 후레아훼션 등에서 근무하는 노동자 200여 명이 귀금속 단지 후문에서 시위를 전개하였고, 창원에서도 통일산업의 해고노동자들을 중심으로 소그룹 차원에서 6월 항쟁에 결합했다. 나중에 알려진 일이지만, 울산 현대그룹 소그룹에 소속된 노동자들도 6월 항쟁에 적극적으로 참여하였다.[58)]

또한 6 · 29선언 이후 교수, 교사, 학생의 복직은 거론되었지만, 노동자의 복직문제는 전혀 거론되지 않자 해고자복직투쟁위원회(해복투)는 6 · 29 선언의 허구성을 규탄하면서, 노동자의 원직복직, 노동자의 부당해고 반대, 구속노동자의 전원석방, 블랙리스트 철폐 등을 주장했다. 해복투는 7월 19일 결성대회를 열고 8월 중순 8개 지역에서 결성되는 등 전국 각 지역에서 조직되었다. 그리고 8월 23일, '원직복직 및 해고반대를 위한 전국노동자대회' 를 개최하였다. 이 대회를 통해 전국적으로 단일한 노동자대중의 역량이 결집되고, 노동자가 자신의 목소리를 가져야 한다고 주장하고, 해복투는 이 임무를 달성하기 위한 첫걸음으로 결성되었음을 선언했다. 동시에 모든 해고자의 복직, 블랙리스트 추방, 노동운동의 자유 등 노동3권 보장을 위해 군부독재 타도에 앞장설 것임을 주장하였다.[59)]

이와 같이 6월 항쟁 과정에서, 노동자들은 저마다 다른 조건에서 각기 다른 방식으로 6월 광장에 참여했다. 6월 항쟁의 주인공은 조직이나 조직원만이 아니었다. 노동자들은 조직이 없거나 특정한 조직의 조직원이 아니었지만, 6월 항쟁의 주체로 서 있었다. 당시 영진산업노조 이기원과 전 통일중공업노조 해고자 신천섭은 1987년 6월 항쟁의 상황을 다음과 같이 기억하고 있다.;

> "(1987년 6월에-인용자) 길거리에서 많이 떠들고 다녔으니까 … 어울려서들 장난삼아 나갔다가 같이 (시위에-인용자) 동참하고 … 그랬던 기억은 있죠. (저걸 꼭 해야지 그런 것보다-인용자) 당시엔 의식이 높지 않았으니까. 저거 어어 … 그래, 맞는 거야, 야, 나가자! 술 먹다가 나가고 … 회사에서는 별로 관심이 없었죠. 딴 나라 얘기처럼, 전부 등 돌리고 있었으니까."[60)]

> "저 같은 경우는 특히 6월 항쟁 때, 마산에 뉴코아 광장 시위에도, 6월 18일, 26일에 크게 시위가 벌어졌을 때, 두 번 참석을 했고요. 물론 야간이었기 때문에 잠시 나가서 하다가 야간에 출근했던… 그런 기억이 있습니다. 다른 노동

자들의 참여도 많았고. 박종철 군 치사 사건이라든가 호헌철폐 뭐 이런 문제가 불거지면서, 현장에도 알게 모르게 분위기가 조금 이렇게, 자발적으로 분위기가 확 올라오는 이런 느낌들이 있었고요. 또 저는 아닌데, 선진 활동가들이 비밀리에 학습모임을 할 때, 탈의장에 선전물도 뿌리고 그걸 돌려보고 이런 게 있다 보니까, 그런 데에 대해서 관심이 좀 더 생기더라고구요." [61]

1987년 6월 항쟁은 노동자와 민중들에게 적지 않은 영향을 미쳤다. 한편 대통령을 직접 선출할 수 있다는 승리의 기쁨을 만끽하였지만, 다른 한편 헌법에 규정된 기본권을 누릴 수 있을 것이라는 '환영적 희망' 에 빠졌다. 또한 이러한 기쁨과 희망은 또 다른 희생의 대가를 지불해야 했다. 1987년 7월 6일에 결성된 '민주헌법쟁취노동자공동위원회' 는 성명서를 통해, '6월 29일 노태우의 발표는 미국과 군부독재정권이 노동자를 비롯한 전체 민중들의 거센 투쟁에 밀려 형식적이고 기만적인 것에 불과하지 결코 완전히 물러선 것은 아니다. 해고노동자들의 즉각 복직, 노동3권의 완전보장, 8시간 노동제와 실질생계비 보장하는 최저임금제 실시, 노동운동 탄압하는 국가보안법의 즉각 철폐, 노조의 자유로운 정치활동의 보장' 등이 실질적으로 이루어질 때까지 투쟁할 것을 결의하였다. 하지만 1987년 6월 항쟁이 노동자와 민중들에게 가장 큰 영향을 미친 것은 무엇보다도 헌법이 보장하고 있는 자신의 권리를 6월 한 달 동안 거리에서 직접 행사하였다는 점이다. 1987년 6월 거리의 정치를 통해 노동자들은 자신의 이해를 쟁취하기 위한 '투쟁의 정치' 를 경험했고, 투쟁의 힘을 강화시키기 위해 조직화의 필요성을 절감하게 되었다. 그동안 권위주의적 지배체제에 억눌려왔던 노동자들은 1987년 7·8·9월 노동자 대투쟁을 통해 이를 폭발시켰다.

4 공장 안팎을 뒤흔든 1987년 7·8·9월 노동자 대투쟁

권리의 주체로 나선 노동자

1987년 7월부터 약 3개월 동안, 3천여 건에 달하는 노동쟁의와 가투투쟁으로 노동자들의 폭발적 분출이 일어났다. 그 결과 1987년 이후 1988년 6월 30일까지 결성된 신규노조는 2,337개로 기존 2,725개의 노조수에 육박하였다. 1987년 당시 결성된 노조는 연대투쟁의 위력을 실감하면서 민주노조운동의 전국적 조직인 전노협 결성의 실질적인 토대가 되었다. 또한 노동운동단체와 활동가들은 노조 결성과 설립신고 등 행정절차, 노동쟁의 과정에 결합하면서 노동조합에 최소한의 조직체계와 운동성을 부여하였다. 1987년 7·8·9월 노동자 대투쟁에서 학출 노동자와 지식인 출신 현장 활동가들이 현장의 노동자 투쟁과 결합하지 못했던 반면, 현장에서 형성된 선진노동자들과 현장 경험을 축적한 지식인 출신 활동가들이 결합하여 노동운동에 영향을 미쳤던 것이다.[62]

거리로 나선 노동자들

1987년 8월에 들어서면서 탄광지역과 창원공단 등지에서 노동자들의 가두시위가 벌어지는 한편, 지방도시에서도 운수노동자들의 지역총파업이 확산되었으며, 대기업 노동자들의 연대투쟁 역시 강화되기 시작하였다. 이에 전두환 정권은 노동쟁의에 대한 폭력진압과 구사대 동원, 공권력 투입, 그리고 구속으로 탄압을 강화하였다.

1987년 7·8·9월 노동자들의 대규모

울산 현대중공업 노동자들의 행진

투쟁에 대한 국가의 대대적인 탄압이 자행되었던 대표적인 사례는 다음과 같다. 8월 28일 대우조선 이석규 열사 장례투쟁과 13개 도시에서 벌어졌던 추모집회를 전두환 정권은 강제로 진압하면서 933명을 연행하고, 그 가운데 65명을 구속하였다. 또한 9월 1일 삼척탄좌 정암광업소 노동자들의 투쟁에 대한 경찰의 난입, 9월 4일 대우자동차 부평공장 노동자들의 투쟁에 대한 경찰의 난입이 이루어졌다. 그밖에 1987년 8월 20일 이후 회사를 구한다는 명분을 내세우는 구사대가 집단적으로 노동자들에게 폭력을 행사하기도 하였다. 구사대는 1987년에 경동산업, 태양사 등 10여 개 사업장에서 노동자들의 투쟁을 폭력으로 진압했다. 이외에도 노동자들을 납치, 감금, 폭행, 경찰의 폭력행사, 폭력방조 등 탄압과 어용노조 설립과 민주노조의 자주적 활동 방해, 위장폐업 등도 강화되었다. 노조 지도부가 구속된 사업장의 경우, 선진적 활동가들이 사업장 밖에서 투쟁을 전개하기도 하였다. 태봉산업(9월 16일), 새서울산업(9월 17일), 무극사(9월 21일), (주)통일(9월 26일) 등 마산 · 창원지역 6개 사업장의 선진 활동가들은 구속노동자 석방, 해고노동자 복직, 노동자 수배 해제, 노동3

권 보장, 국무회의 폭력조작의 진상해명과 공개사과 등을 요구하며 민주당 중앙당사와 국민운동본부에서 농성투쟁을 전개하였다. 이런 농성투쟁에 대해 서울 · 인천지역 노동단체들이 지지성명을 발표하고 많은 노동자들이 농성에 합류하였다. 이는 정부의 노동운동 탄압을 부각시키면서 민중생존권투쟁에 총집결할 것을 촉구한 선도적 · 상징적 투쟁이었다.

1987년 7 · 8 · 9월 대투쟁 당시 주된 요구는 대부분 1980년대 초반에 제기되었던 것들이었다. 1987년 노동자들의 기본적 요구사항은 임금인상을 중심으로 내걸면서도 '8시간 노동, 노동악법 개정하여 노동3권 보장, 노조의 자유로운 결성 보장, 블랙리스트 철폐하고 생존권 보장, 살인적이고 비인간적인 작업조건의 개선, 최저생계비에도 미치지 못하는 저임금의 개선' 등 이었다. 1987년 7 · 8 · 9월 노동자 대투쟁에서 제기되었던 요구사항은 아래 〈그림6〉에서 확인할 수 있다.

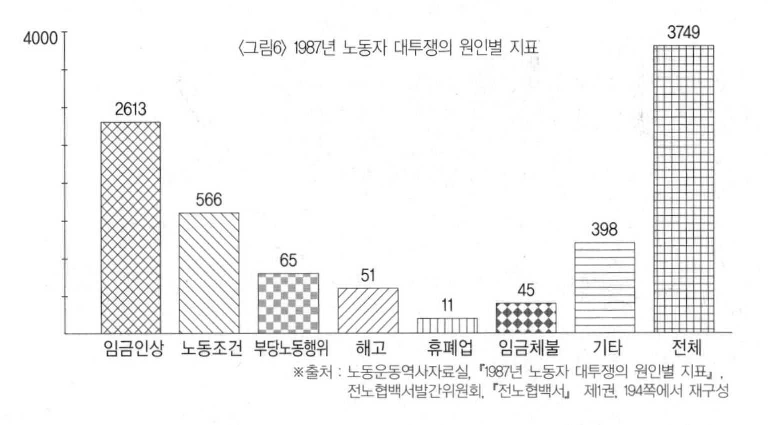

※출처 : 노동운동역사자료실, 『1987년 노동자 대투쟁의 원인별 지표』, 전노협백서발간위원회, 『전노협백서』 제1권, 194쪽에서 재구성

〈그림6〉에서 드러나듯이, 전체 노동쟁의 가운데 임금인상을 내건 투쟁이 69.69%였다. 임금인상 요구 가운데 임금의 정액 인상과 보너스, 상여금, 가족 수당, 근속 수당 등 각종 수당의 신설을 요구했다. 이처럼 임금문제는 1987년 노동자 대투쟁의 핵심적 사안이었다. 이러한 요구들은

연대의 유용한 전술로 활용되었다. 노동자들은 요구사항들을 사회적으로 이슈화시키는 동시에 투쟁의 파급력을 극대화시킴으로써 조직력을 강화시켰다. 이러한 현상은 전국적으로 거의 유사하게 나타났다. 김문창은 당시 요구사항을 다음과 같이 기억하고 있다;

"임금인상이 주였죠. 그리고 몇 가지 근로조건하고, 우리 회사가 임금도 박하고 좀 그런데, 예를 들면, 이제 쉬는 날이라든지 다른 건 비교적 지키는데, 연 · 월차 휴가가 없는 거야." 63)

창원기화기 노동자들의 행진

1987년 7 · 8 · 9월 노동자 대투쟁에서 지역을 노동자들의 해방구로 만들었던 마산 · 창원 지역도 임금인상 요구가 중요하긴 마찬가지였다. 당시 투쟁에 참여했던 마창노련 활동가 홍지욱도 당시 주요 요구사항을 다음과 같이 기억하고 있다;

"주요한 요구는 임금인상이었습니다. 나 같은 경우, 한 번은 월 200시간 정도의 잔업과 특근을 해서 당시 월급의 두 배를 받았습니다. 대부분의 노동자들은 월 100시간 내외의 잔업과 특근을 해야만 살 수 있었습니다. 하루에 4시간 정도의 잔업을 해야만 월 100시간 내외의 잔업과 특근을 할 수 있었는데요, 그렇게 많이 잔업과 특근을 하다 보니 정말 비인간적이었습니다. 폭행과 폭언의 근절을 요구하기도 하였습니다." [64]

조직 주체를 형성한 노동자

하지만 노동자들이 권리를 쟁취하는 것은 간단하지 않았다. 요구를 중심으로 힘을 결집시키고, 그 힘을 바탕으로 요구를 관철시켜내는 투쟁 주체가 필요했다. 개별적인 활동가의 수준을 넘어서는 조직적 주체가 필요했는데, 그것이 바로 민주노조였다. 노동자들은 다양한 요구를 관철시키기 위해서 새로 노조를 결성하거나 어용노조를 몰아내고 민주노조 집행부를 세우고자 하였다. 노동자들은 기존 노조 집행부나 6 · 29선언 이후 회사 측의 지원을 받아 만들어진 노조에 대해 집행부 교체, 위원장직선, 노조활동 보장 등을 요구하였고, 7·8·9월 대투쟁에 참여했던 사업장 가운데 70% 이상이 노조 민주화를 요구하였다. 통일중공업 노동자였던 김상철은 당시 노조 민주화 요구를 다음과 같이 증언 한다;

"어용노조를 몰아내자라는 것도 주요한 요구였다. 당시의 노동자들은 한국노총은 곧 어용이라는 생각을 가지고 있었다. 몇몇의 활동가들이 한국노총 개혁을 주장했지만, 현장에선 거의 먹혀들지 않았다." [65]

노동자들은 민주노조운동의 성격과 내용을 잘 알지 못했지만 어용노조 위원장을 자신들의 손으로 직접 선출한 위원장으로 교체하고자 하였다. 1987년에 파업투쟁을 전개했던 대부분 사업장에서 새로운 위원장을 선출하였다. 또한 노동자들은 6월 항쟁의 연속선상에서 자발적으로 투쟁, 특히 법과 제도적 절차를 무시하는 탈법적 투쟁을 전개하였다.

노동자들은 파업, 농성, 시위 등 집단행동으로 '세(勢)'를 형성한 다음 협상으로 이어가는 '선 농성 후 협상' 방식으로 투쟁을 전개했다. 이러한 투쟁은 대부분 기존 법적 절차인 노동쟁의조정법에 의한 냉각기간을 무시하는 탈법적 투쟁이었다. 이러한 투쟁은 작업장과 사무실 농성뿐 아니라 대중적인 세를 결집한 후에 가두로 진출하여 시위를 벌이는 방식으로 전투적으로 진행되었다.

1987년 대투쟁 이후, 노동자들의 쟁의행위는 보편화되어 양적으로 급격하게 증가하였고, 전투성을 동반하는 쟁의행위 양식 역시 일반화되었다. 1987년 7·8·9월 노동자 대투쟁의 성격을 요약해보면, 우선 노동자들은 자연발생적으로 전개된 연대투쟁을 통해 최소한의 민주주의적 기본권과 민주노조운동의 대중적 토대를 확보하고자 했고, 이 과정에서 일시적으로 계급간 힘의 관계에서 우위를 확보할 수 있었다. 다음으로, 그동안 불만으로 남아 있었던 임금인상 등 요구 사항을 원하는 대로 제시하고, 사측과 대등한 입장에서 협상을 통해 요구들을 관철시킬 수 있었다. 투쟁을 통해 노동자들은 삶의 주체임을 인정받게 되었고, 인간으로서 존재가치를 확인받을 수 있었다. 무엇보다 노동자들은 갇힌 공장이 아닌 회사 밖의 거리에서 마음대로 활보하면서 투쟁하였다. 전 금속연맹 위원장 백순환과 마창노련 활동가 홍지욱도 거리투쟁의 경험을 다음과 같이 기억하고 있다;

"처음 (투쟁이-인용자) 터져서 정문으로 나와서, 옥포까지 가두투쟁을 나왔습니다. 거리투쟁, 지게차 앞세우고, 뭐, 다 따라 나온 거지요. 다시 회사 안에 들어가서 회사에 교섭을 요구하였습니다. 이틀인가 삼일인가 정도 지나다가, 석규 사건(대우조선 이석규 열사 사건-인용자)이 발생했죠." [66]

"누구나 할 것 없이 거리로 나왔습니다. 너무나 자연스러웠습니다. 그동안의 억압된 불만을 폭발하는 장이었던 것이지요." [67]

1987년 노동자 대투쟁을 통해 노동자들은 '생존권 확보, 기본권리 확보, 조직주체 형성' 등을 실현하기 위한 연대의 필요성을 인식하게 되었고, 연대를 실현하는 투쟁 주체로 변화하였다. 1987년 7 · 8 · 9월 대투쟁 이후, '임금인상투쟁, 전국조직 결성투쟁, 선거정치 참여투쟁 그리고 제도개선투쟁' 을 둘러싼 연대가 실현되었다. 비록 노조의 조직형태는 기업별노조였지만 각종 투쟁 사안을 둘러싸고 지역 수준에서 연대를 강화하여 전국적 연대와 계급적 결집의 매개를 형성했다. 이를 통해 동일 지역 · 동일 업종 노동자들의 경험을 교류하는 동시에 노동운동탄압에 대한 일상적 공동대응을 전개하는 등 노동자들 간의 연대는 전국적으로 다양한 형식과 내용으로 이루어졌다.[68] 구체적으로 지역별 · 재벌그룹별 · 산업별 연대투쟁이 주요한 투쟁 형태로 나타났다. 지역별 연대파업의 형태는 울산, 광주, 부산, 전주, 서울, 군산, 포항, 안양 등 운수 노동자 파업에서 가장 잘 나타났고, 재벌 계열사 연대파업은 대우중공업의 창원(8월 4일), 인천(8월 6일), 영등포와 안양(8월 7일) 등 4개 사업장의 연대파업과 현대그룹 계열 울산지역 하청업체 노동자들의 연대파업, 울산 현대정공과 창원 현대정공의 연대파업 등 다양했다.[69]

마산 수출공단을 뒤흔든 한국삼미 노동자들

이처럼 1987년 대투쟁에서 노동자들은 다양한 것을 경험하였다. 대표적인 것은 전투적인 투쟁, 자발적이고 계급적인 연대, 민주적이고 자발적인 지도력, 지도부들에 대한 밑으로부터 통제, 그리고 조합원들의 총회 민주주의 등이었다. 그 가운데 가장 소중했던 것은 조합원 스스로 공장의 기계가 아니라 인간임을 확인하는 것이었다. 1987년 8월 28일, 인천 경동산업 노동자들은 공식적인 노조 집행부가 존재하지 않았지만 스스로 투쟁을 전개하면서 인간임을 선포하는 다음과 같은 내용의 성명서를 발표하였다.

> 민주화 조치 운운한 6 · 29선언이 우리 노동자들에게 그 얼마나 기만에 찬 것인가! 독재정권은 들불처럼 번지는 공장 민주화의 불길을 막으려 혈안이 되어 있고, 모든 사람들이 사면, 복권되어 제자리로 되돌아가는데, 유독 해고된 노동자들만 아직도 외부 세력 운운하면서 탄압을 가하고 있다. 노동자는 더 이상 바보가 아니다. 너희들이 부리면 일만 하는 기계가 아니다. 우리 경동산업 민주노동자 일동은 고 이석규 민주 노동열사의 뜻을 이어받아 우리의 정당한 요구를 전면 관철시킴은 물론이요 모든 노동자가 하나되어 우리의 권리를 되찾을 때까지 끝까지 투쟁할 것임을 엄숙히 선언하는 바이다. 노동자도 인간이다 인간답게 살 것이다![70]

1990년 전노협 결성투쟁의 실질적인 계기로 작용한 1987년 노동자 대투쟁은 전국적인 대규모 파업투쟁으로 노동자들의 거대한 힘을 사회전면에 부각시켰고, 노동자들 스스로 노동자계급의 정치적 역량을 강화시켜나가는 계기였다. 하지만 1987년 노동자 대투쟁의 보다 중요한 의의는 노동자들 스스로 노동해방과 인간해방이라는 미래를 꿈꿀 수 있게 되었다는 점이다. 자본주의 세상이 아닌 새로운 세상의 의미를 간단하게 표현한다면, 노동자가 곧 주인인 세상이었다.

> 우리가 흔히 사용하는 주인이라는 말은 한 부류의 인간집단에 의한 다른 부류의 인간집단에 대한 정치경제적인 지배와 착취를 함축하고 있는 말이다. 그렇다면, 노동자가 이 세상의 주인이라고 할 때의 주인이란 말도 이러한 뜻의 말인가? 그렇지 않다. 노동자가 주인 되는 세상이란 또 하나의 새로운 지배-피지배, 착취-피착취로, 한편에는 빈곤과 고통이 쌓이고, 그 덕택에 다른 편에는 부와 타락이 쌓이는 세상을 의미할 수 없다. 노동자가 주인 되는 세상이란 누구나 공평하고 평화롭게 살 수 있는 세상, 다시 말하여 아무도 다른 누구의 주인으로 행세하지 않는 세상이 아니겠는가. 그럼에도 노동자가 주인 되는 세상이라고 이야기하는 것은, 노동자가 여타 일하는 민중과 더불어 누구의 지배도 받지 않고 자기 운명의 주인으로서 살아가는 사회를 의미하고자 함이다. [71]

그동안 억눌려 왔던 권리를 되찾기 위한 자연발생적인 투쟁을 통해 공장을 점거하고 거리를 누볐던 사실 하나만으로도 노동자들에게는 너무나 새로운 세상이었고, 자신의 조직인 민주노조만으로도 세상의 주인처럼 행동하였다. 민주노조가 결성된 사업장 노조 사무실이 새로운 삶의 공동체였다는 서울대병원 노조위원장이었던 김유미의 증언은, 1987년 노동자 대투쟁 이후 자신의 노동과 생활에 대한 주인으로서 노동자의 달라진 모습을 보여준다. 그것은 동시에 노조의 일상 활동이 활성화되면서, 노동자들은 새로운 세상을 경험하게 되었음을 드러내준다.

> "노조가 결성되고 난 이후 교육선전, 조직, 쟁의 뭐 이렇게 해서, 각 부서별

로 부원들을 만들어서 부원모임, 소모임을 해서 노래패라든지 풍물 등 각 소모임들을 만들었어요. 그런 활동들이 서울대병원의 꽃이었던 것 같아요. 조합 사무실이 굉장히 작았거든요. 바글바글했죠. 여기저기서 항상 부서별 모임하고, 참간호사모임에 참여했던 친구들은 당시의 재미있었던 그 맛을 알아요. 노조를 중심으로 새로운 공동체가 생긴 거죠. 노조 사무실은 거의 밤새 불이 켜져 있고, 새로운 세상을 본 것 같았나 봐요." [72]

이것이 노동자들이 인식하고 실천했던 새로운 세상의 단면이었다. 함께 부딪치며 고민하고, 고통을 나누고 신뢰를 함께 공유하는 세상, 그리고 미래를 함께 꿈꾸는 노동자들의 뜨거운 숨소리가 바로 노동해방과 인간해방의 미래를 여는 디딤돌이었다. 그것은 나만을 위한 터가 아니라 너와 나의 꿈을 이루기 위한 공동의 터였다. 바로 민주노조를 통해 노동자들은 기업별노조의 고립분산성을 극복하고 계급적인 연대를 강화해 나가기 시작하였다. 민주노조들은 노동운동단체를 비롯한 민주세력과 적극 연대하여 민주화투쟁에 참여하기도 하였다. 세신실업노조 진창근은 1987년 노동자 대투쟁 이후에 새롭게 변화되었던 모습을 다음과 같이 기억하고 있다;

"사업장의 가장 큰 변화는 회사와 협상을 해서, 그 당시에는 교섭이라고 부르지 않았는데, 우리 것을 가져와야 된다는 분위기가 생긴 거였죠. 그게 안 되면 어쨌든 파업한다. 파업을 통해서 관철한다. 이게 가장 큰 인식이었죠. 자연스럽게 인식한 거죠. 이후에 1988년부터는 지노협이 만들어지고 지역연대가 형성되면서 간부들 중심으로 자연스럽게 모이고, 조합원들도 집회 현장에 가게 되고, 그런 초보적인 연대라고 해야 하나? 그런 것들이 형성되는 것이 가장 큰 변화죠."

5 1988년 노동법개정투쟁의 축제

노동법개정투쟁의 힘을 키운 일상적 연대투쟁

1987년 6 · 29선언 이후 노동자들은 가장 먼저 민주화의 허상을 벗기는 투쟁의 주체로 나섰다. 대표적인 것이 1988년 노동법개정투쟁이었다. 1987년 말에서 1988년에 들어서면서 노조들은 일상적 교류를 강화하고 연대를 통해 지노협을 건설하고 노조 탄압 저지투쟁을 벌여 나갔다. 그러한 투쟁들은 노동악법을 무시하는 다양한 연대투쟁으로 전개되었다. 노동자들은 1987년 7 · 8 · 9월 노동자 대투쟁의 힘을 1988년 임투와 노동법개정투쟁으로 연결시키려 했다. 이에 대해 노태우 정권은 1988년 들어서서 철도기관사 파업에 3,500여 명의 경찰을 투입해 농성을 진압하고, 9개 지역에서 1,349명을 연행, 12명을 구속하고 25명을 불구속 입건하였다. 또한 1988년 현대엔진노조 투쟁과 관련하여 3월 18일 4명, 3월 21일 5명, 3월 23일 7명, 3월 25일 1명 등 모두 17명을 구속하였다.[74]

그런데 1988년 임금인상투쟁은 이러한 탄압에도 조합원과 노조가 중심이 된 투쟁으로 자리 잡았으며, 지노협을 중심으로 지역 노조 간의 연대투쟁의 형태로 전개되었다.[75] 이 과정에서 집단월차휴가, 집단조퇴, 점심시간 지연시키기, 집단으로 효도전화 걸기, 부서장 면담하기, 조합원총회 계속하기 등 다양한 투쟁 방식이 도입되기 시작하였다. 마창노련 등 지역 노조협의체와 지역별 노동운동단체는 지역단위 임금투쟁대책위원회와 투쟁위원회를 결성하여 임투 전진대회, 대동제, 임투 보고대회 등을 개최하고, 지역 내 임금인상투쟁 지원과 구사대 폭력, 위장폐업 등 탄압에 맞서 연대투쟁을 전개하였다. 민주노총 위원장이었던 이석행은 1988년 상황을 다음과 같이 밝혔다.

"1988년 임투에서, 우리들 스스로 연대해서 스스로가 쟁취하고 진짜 노동자를 바탕으로 한 자주적인 단체가 필요하지 않은가, 또 단체가 있음으로 해서 계속 후배들에게 운동정신을 물려주자는 차원에서 추진되었지만, 실질적으로 그 역할이 엄청나게 컸습니다."[76)]

1988년 2월 현대엔진노조의 총파업 · 농성투쟁, 1988년 말 울산 현대중공업, 대우정밀, 풍산금속 안강공장, 모토롤라, 산업연구원, 거제 삼성조선 노조 투쟁에 대한 국가와 자본의 탄압이 강화되자 이에 맞서 즉각적 연대투쟁이 전개되었다. 1988년 2월 27일, 경남노동자협의회, 부산노동자연합, 울산사회선교실천협의회, 노동문제상담소 등 3자가 모여 '울산현대엔진 민주노조 탄압규탄 경남지역 공동대책협의회'를 결성하였고, 3월 3일에는 경남노동자협의회, 부산노동자협의회, 현대해고자복직실천협의회, 대구지역민주노조공동실천위원회(대구민노공실위), 수도권 노동운동협의회(참관자격) 등이 참석한 가운데 공동대책협의회의 회의를 열고 현대엔진 노동자들의 투쟁에 대한 지원을 결의하였다. 구체적인 연대투쟁은 지지성명서, 지지집회, 지지서명, 모금운동, 약품전달 등의 투쟁, 그룹 노동자들의 연대규탄투쟁 등 형태로 전개되었다.[77)]

이 과정에서 노동운동단체들은 임금인상투쟁에 대한 조직적인 연대투쟁을 전개할 수 있는 전국적 조직주체를 결성하였다. 1988년 3월 5일 전국노동운동단체 대표자회의가 울산사회선교협의회 노동문제상담소에서 개최되었다. 이 회의에서 '노조 탄압저지 전국노동자공동대책협의회'를 구성하고 전국적 차원에서 현대엔진 노동자, 현대그룹 노동자들의 투쟁을 지지, 지원하기로 하였다.[78)] 이제 전국노동자공대위를 중심으로 민주노조운동의 임금인상투쟁에 대한 전국적인 지원연대투쟁이 전개되었으며, 전국적인 노동자 정치운동의 주체를 형성할 수 있었다. 또한 1988년 임금인상투쟁에서 노조 간의 연대투쟁도 강화되었다. 1988년 4월 6일 파업투쟁을 전개하여 5월 1일 회사 측과 합의를 이끌어낸, 동아건설 창동지부 투쟁에 대한 서울지하철노조, 한양대병원노조, 인쇄노조, 청계피복노조의 연대투쟁이 전개되었다.[79] 그밖에도 인천지역의 태연물산노조, 한광산업노조 탄압에 대한 연대투쟁, 서울의 맥스테크노조 탄압에 대한 연대투쟁, 부천의 부천제일병원노조 탄압에 대한 연대투쟁, 성남 안건사, 월드아트사 등 노조 탄압에 대한 연대투쟁이 전개되었다. 이러한 연대투쟁의 힘은 1988년 임금인상투쟁 및 하반기 노동법개정투쟁을 현장에서 조직적으로 전개하는 동력이었고, 민주노조운동의 중심인 전노협 결성의 실질적인 토대가 되었다.

1988년 4월 현대그룹노조탄압 규탄 대회

노동법 개정의지를 정치적 가두투쟁의 힘으로

1988년 상반기 임투를 거치면서 1987년 7 · 8 · 9월 노동자 대투쟁을 통해 분출된 노동자들의 투쟁이 지노협과 전국노동운동단체협의회(전국노운협)라는 조직적 틀로 모아지기 시작하였다. 전국노운협에 참여한 대표적 주체들은 서울노동운동단체협의회 소속인 한국노동자복지협의회, 한국여성노동자회, 서울노동조합운동연합, 전태일기념사업회, 박종만추모사업회, 박영진열사추모사업회, 한국가톨릭노동청년회, 가톨릭노동사목전국협의회, 한국기독노동자 서울지역연맹, 영등포 산업선교회, 한국기독교장로회 노동선교위원회, 한국문화운동연구소, 민중문화운동연합 노동분과, 인천노동운동단체협의회 소속인 인천부천민주노동자회, 인천노동자투쟁동맹, 인천지역민주노동자연맹, 인천기독교도시산업선교회, 가톨릭노동청년회 인천교구연합회, 인천기독교민중교육연구소, 경기남부노동운동단체협의회 소속인 경수지역노동자연합, 안산민주노동자연맹, 안양민주노동자회, 충남민주노동자협의회, 전북노동운동단체협의회, 대구노동자협의회, 전남노동자공동위원회, 경남노동자협의회, 부산노동자협의회, 현대해고자복직실천협의회 등이었다.

전국노운협 결성은 단지 전국적인 노동단체의 조직화만을 의미하지 않았다. 노동운동 정치투쟁의 성과뿐 아니라 노동자들의 투쟁에 대한 지원과 연대의 성과를 모아내는 것이었다. 전국노운협은 1987년 6월 항쟁 당시 노동자 통일전선투쟁, 1987년 대선을 전후로 한 노동자 선거대책위원회의 활동을 계기로 형성되었던 '수도권노동운동협의회' 의 투쟁, 그리고 1988년 2월 현대엔진노조의 총파업 · 농성을 계기로 형성된 '노조 탄압저지 전국노동자공동대책협의회(전국공대협)' 의 투쟁을 통일적으로 모아내는 것이었다. 전국 13개 노동운동단체로 구성된 전국공대협은 전국노운협이 결성되기 이전까지 노동자 정치운동의 전국적인 구심을 형성하기 위한 원칙으로 "첫째, 전국사업의 지속성과 책임성을 명확히 하기 위해 공식적 연락의 중심과 연락망을 구축한다. 둘째, 전국적 사업은 각 지역의 역량강화를 위한 실천활동으로 전개한다. 셋째, 사업은 공동지침으로부터 출발하여 공동평가로 마무리한다. 넷째, 각 단체는 자신의 위상과 임무를 분명히 해나가며 각 지역의 대표성 확립과 강화를 위해 노력한다" 등을 천명했으며 4월 2일과 3일 전국동시집회 개최, 5월 1일 노동절 전국동시집회, 노동법 개정특위의 구성과 시안 마련 등의 사업을 전개하였다.

물론 전국공대협이 1988년 상반기 임투를 효과적으로 지원하지 못하는 한계를 드러내기도 했지만, 전국공대협과 함께 시작된 1988년 상반기 임투는 민주노조들을 일정한 체계로 조직하는 성과를 가져왔다. 예를 들면, 1988년 상반기 임투는 1987년 12월 마창노련을 시작으로 16개 지역노동조합협의회(지노협)를 결성하는 조직적 토대였고, 노동운동단체 역시 협의체 수준이지만 전국노운협이라는 전국적 조직의 결성을 이루어냈다. 1988년 노동법개정투쟁도 이러한 조직적 결속이 이루어졌기 때문에 가능했다. 1988년 5월 21일, 전국 7개 지역별 노조협의회와 2개의 업종별협의회로 구성된 노동법개정 전국노조특별위원회(노조특위)가 결성되었고, 6월 12일에 서울지역노동조합협의회 결성 보고대회를 겸한 노동악법개정 촉구대회가 개최되었다. 그 이후에 각 지역 및 업종 노조협의회들이 모여 7월 10일 마산에서도 7월 17일 인천에서도 '노동운동탄압분쇄 및 노동법개정 촉구, 노동부장관 퇴진 전국노동자대회' 가 열렸다. 이러한 투쟁을 바탕으로 전국노운협과 노조특위는 7월 28일, 노동법의 단일한 개정시안을 만들었고, 이것을 바탕을 7월 29일에 열린

1988년 병원 노동자들의 파업 (고려남훈병원)

야권 3당 주최 노동법개정 공청회에 참여하기도 하였다. 노동자들은 노동법 개정을 위한 단일 시안을 토대로 투쟁을 준비하였다.

노조특위와 전국노운협은 1988년 8월 19일과 20일에 대전에서 연석회의를 갖고 '노동법개정투쟁으로 노동자의 초보적인 계급적 · 정치적 각성을 이루어내어 노동자계급의 조직화 및 그 전국적 결속에 기여하고, 여타 계급, 계층과의 연대를 강화하여 제도적 개량을 쟁취해낸다' 는 투쟁 목표를 결정했다. 또한 노동법개정투쟁의 목표를 병렬적인 것으로 배치하는 것이 아니라 투쟁을 준비하는 과정에서 목표를 구체화시키기로 하였다. 특히 노조특위와 전국노운협은 조직화와 전국적 결속을 강조하면서, 10월 6일, 전국적 차원의 전국노동법개정투쟁본부(전국투본)를 결성하였다. 이처럼 공식적인 의사결정구조와 집행체계를 갖춘 투쟁본부를 결성하게 된 것은 이후 노동법개정투쟁의 전개에 있어서 매우 중요한 의미를 지닌다. 이후 투쟁본부는 10월 9일 노동법 개정을 위한 전국노동자등반대회에서 11월 13일의 전태일 열사 정신계승, 노동악법 개정 전국노동자대회에 이르기까지 결성 당시 수립한 계획에 따라 조직적으로 노동법개정투쟁을 이끌었다.

1988년 노동법개정투쟁은 서울로 집중하여 대규모 가두투쟁을 전개한다는 방침으로 준비되었다. 전태일 열사 18주기 기념을 겸해 11월 13일 연세대로 총집결하여 노동악법개정 전국노동자대회를 개최하고 여의도까지 행진하여 노동악법을 옹호하는 독점재벌규탄대회와 노동악법개폐 촉구대회를 개최한다는 것이었다. 이런 방침에 따라 각 지역 노조와 단체는 11월 12일까지 각자 조건에 맞게 다양한 방식으로 투쟁열기를 고조시켰고, 노동운동의 대표자들은 노동법 개정의지를 확인하기 위하여 10월 중에 야권 3당 총재와 연석회담을 제안하고 노동법 개정을 위해 노력하였다. 더불어 노동운동은 노동법개정투쟁을 준비하는 과정에서 민주화운동진영과 연대를 통해 집회 및 시위에 관한 법, 국가보안법 등 반민주악법의 철폐를 위해 10월 20일에 사회단체 연석회의를 가졌다.

1988년 10월 9일, 노조특위와 전국노운협은 대규모 전국등반대회를 통해 노동법개정투쟁을 가속화시켰다. 등반대회는 서울 북한산, 경남 창녕 화왕산, 전북 완주 대둔산 등 3곳에서 1만여 명의 노동자들이 참여한 가운데 진행되었다. 10월 9일 등반대회 이후 11월 6일까지 일제히 노동법 개정을 위한 서명작업에 들어갔다. 또한 지역별로 실시된 노조 조합원 교육, 웅변대회와 노동법 개정을 위한 지역 중심의 사전 집회투쟁도 노동법개정투쟁에 큰 힘을 발휘하였다. 10월 30일 서노협 주최 노동법 개정 문화제를 비롯하여 마산, 진주, 부산, 광주, 전북, 인천 등지에서도 일제히 집회를 개최하였다. 노동자들의 해방축제가 전국적으로 벌어졌던 것이다. 이러한 준비투쟁은 1988년 11월 13일 전국 5만여 노동자들이 연세대에 결집할 수 있었던 동력이었다.

서울을 누빈 가슴 벅차고 흥겨웠던 투쟁

전국노운협을 중심으로 한 노동운동단체들은 노동법개정투쟁을 준비하는 과정에서 매우 중요한 역할을 담당하였다. 노조의 전국적 결속이 견고하지 못하고 정치투쟁의 경험이 없는 상태였기 때문에 노동운동단체들은 각 지역 노동운동의 현황을 파악하고 선도적으로 투쟁하며, 각 지역 노조들의 자발적 참여를 촉진하고 전국적 결속을 다지는 데 힘을 쏟았다. 그 결실로 1988년 11월 12일 밤, 연세대는 노동자의 대열과 함성으로 가득했다. 13일 '전태일 열사 정신 계승 노동악법 개정 전국노동자대회' 가 열린 연세대 교정은 온통 노동자들의 깃발로 덮였고, 노천극장은 발 디딜 틈조차 없었다. 그 당시의 상황은 가슴을 뛰게 하는 흥분제였다고 『노동자의 길』은 서술하고 있다.

1988.11.13 전국노동자대회

"각 지역의 선봉대들이 속속 도착하고, … 웅변대회에 참여한 노동자들은 한결같이 노동자 스스로 단결하여 노동법 개정, 더 나아가 민주쟁취를 위해 싸워나가야 한다며 열변을 토했다. 뒤이어 선봉대 결단식과 화형식이 끝날 무렵은 이내 새벽 3시가 넘었는데, 그때 마산, 창원 지역의 본대 800여 명의 노동자들이 구호를 외치며 올라왔다. 아침 7시에는 현대중공업 노동자 600여 명이 제3자개입, 복수노조, 정치활동 보장이라는 플래카드를 앞세우고 진입로를 구보해 들어왔다. 이후 노동자들의 발길과 함성이 끊이질 않았다. … 노동자들은 여의도로 행진하며 노동해방, 악법철폐, 해체 전경련, 타도 민정당, 악법철폐, 민주쟁취, 노동운동 탄압하는 군부독재 끝장내자, 부정축재 환수하여 서민주택 건설하자 등의 구호를 힘차게 외쳤다. 노동자계급이 역사와 정치의 주역으로 등장하고 있는 순간이었다."[80)]

또한 마창노련 활동가 홍지욱도 1988년 노동법개정투쟁을 다음과 같이 기억하고 있다;

"1988년 연세대학교에 갔을 때, 휘날리는 깃발을 보고 너무나 가슴이 벅찼고, 흥분한 나머지 일행과 무관하게 무대를 배경으로 또는 깃발을 배경으로 사진 찍는 데 열을 올렸습니다. 연세대에서 여의도로 행진할 때, 그것은 곧 해방이었다는 느낌뿐이었습니다. 여의도로 향하는 나의 발과 어깨는 구름 위에 탄 기분처럼 느껴졌죠."[81)]

이처럼 노동법개정투쟁은 노동자의 초보적 계급의식과 정치조직화, 전국적 조직화에 기여, 제도적 개량주의 쟁취, 여타 계급 · 계층과의 연대 강화를 목표로 추진되었다. 노동현장에서는 이를 위해 서명운동, 조합원 교육, 노동자 웅변대회, 등반대회, 노조간부 교육, 대중집회 등을 개최하여 1988년 노동악법 철폐대회에 5만여 명이 참가할 수 있었다. 당시 서노협의 김영대는 『월간 노동자』 편집진이 개최했던 '연대투쟁의 현황과 과제' 라는 토론회에서 노동법개정투쟁의 의의를 다음과 같이 말하고 있다;

"이번 노동법개정투쟁은 경제투쟁이기보다는 정치투쟁의 측면이 강하지 않았습니까? 1988년 노동법개정투쟁은 노동자들의 가장 절실한 문제를 투쟁을 통해서 스스로의 힘으로 노동법을 개정시키겠다는 최초의 결집이라는 데 의의가 매우 크다고 봅니다. 초기에는 동력도 안 살고, 복수노조에 대한 이해도 부족하고 오히려 적들의 선전을 받아들이는 경우도 있었는데, 그 뒤에 제3자개입금지부터 방위산업체쟁의금지, 노조설립제한, 어용노조를 민주화시키는 데 어려움이 나타나기 시작했지만, 탄압의 제도적 장치인 노동법이 주요 문제임이 자각되면서 열기가 모아졌고, 모든 노동자들이 대중적으로 참여해서 단계를 낮은 차원에서 높은 차원으로 끌어올렸습니다. 또한 노동자의 단결과 스스로의 힘으로 많은 노동자들이 전국 단위로 투쟁하면서 자신감을 얻고 앞으로의 노동운동 발전을 몸으로 느꼈다는 데 커다란 성과가 있었다고 봅니다."[82)]

정리하자면 1988년 노동법개정투쟁은 다음과 같은 의미를 지니고 있다. 우선 그동안 지노협이 건설되지 못했던 경기남부, 대구 · 경북 지역에 지노협이 건설되었다. 다른 지역에서도 전국 차원의 공동투쟁을 수행하는 과정에서 새로운 투쟁의 전망을 획득할 수 있었다. 다음으로 전국적인 투쟁력을 중앙으로 집중시킨 1988년 노동법개정투쟁은 노동운동 지도부들의 지도력이 전국적으로 관철 될 수 있으며 전국적인 총파업투쟁의 효용성을 높일 수 있다는 것을 보여주었다. 그 외에도 노동법 개정투쟁을 통해 대중투쟁의 활성화, 연대의 필요성에 대한 실천적 인식, 지노협의 강화와 전국조직 건설의 구체화, 독점재벌과 독재정권이라는 공통의 투쟁대상에 대한 명확한 인식, 야권 3당의 기회주의적 본질을 폭로했던 것도 구체적인 성과였다. 그동안 독재정권에 의해 불순세력이나 폭력집단으로 일방적으로 거짓 선전되었던 노동운동단체들도 노조와 공식적으로 연대함으로써 정부와 독점재벌의 이데올로기 공세를 한꺼번에 무력화시켰던 것이다.[83] 이처럼 전국투본은 청원운동의 수준에 머물러 있었던 법 · 제도 개선투쟁을 한 단계 높은 법 · 제도 개선투쟁으로 전환시켰다.

신촌 연세대에서 여의도 국회앞으로 행진하는 노동자

6 노동자의 희망을 위한 전노협 건설

희망을 모아내는 지역의 노동자

1988년 11월 12일 100여 명의 전국 노조위원장과 20여 명의 노동운동단체 대표자들은 노동법개정투쟁의 성과를 모아 민주노조운동의 전국적 조직을 건설하기로 하였다. 1987년 7·8·9월 노동자 대투쟁과 1988년 노동법개정투쟁의 성과를 모아내고, 노조 전국조직의 필요성이 연석회의에서 최초로 공식화되었던 것이다. 노조위원장들과 노동운동단체대표자들은 누구나 전국적 노동조직의 필요성에 공감하였다.

전국투본은 1988년 11월 28일 노동법 개정을 촉구하기 위해 마포 민주당사에서 점거 농성을 벌였다. 전국 노조 간부와 조합원들이 모여 농성하는 자리에서 서노협은 '전노협 건설에 대한 제안'을 제출했고, 이어서 전국노운협도 1989년 3월 노조의 전국적 조직건설과 관련된 구체적인 토론안건을 제출하였다. 전국노운협은 전국회의의 투쟁사업과 전노협 건설투쟁에 긴밀하게 결합하여, 정책기획과 대중적 토론을 조직하

1988.6. 서노협 결성 보고대회

였다. 당시 토론의 핵심적인 내용은 전국조직 건설의 목표, 현재 지역·업종별 협의회의 문제점, 전국 노조조직에의 참여범위, 한국노총과 관계설정, 연대활동의 강화, 탄압에 대한 공동대처, 정치의식을 획득하기 위한 목적의식적 활동의 강화, 상급조직 간부의 권한·책임의 명확화, 노조운동의 전국적인 지도구심, 노동운동탄압에 대한 강력한 연대투쟁, 법·제도 개선투쟁의 강화, 여타 계층과의 연대를 모색하고 노동자계급의 정치적 진출 도모 등이었다.[84)]

전국노운협 대표였던 김승호는 전노협 건설 과정에 대해 다음과 같이 증언하고 있다;

> "1980년도 물론 1970년대 민주화운동 노조운동 했던 부분들도 다 깨지고 다시 온 부분들이니까 사실은 1980년 3년 4년 이때 이후 노동자 출신이든 학출이든 운동권들이 그 역할을 한 거란 말입니다. 우선 그거를 확인할 필요가 있다. 전노협 만들어지기 전에 1987년 대투쟁 과정에도 일부는 했지만 그때는 좀 부족했다고 자생성이 더 많았다고 볼 수 있는데 1988년서부터 지노협 만들어지고 하는 과정에는 이미 목적의식적인 부분들이 주동성을 가졌다고 나는 봅니다."[85)]

지역에 존재했던 노조들은 지역 차원의 연대투쟁 전개, 연대투쟁의 성과를 모아낼 수 있는 연대조직의 필요성에 대해 공감하였다. 지역 차원의 연대조직은 1987년 12월 14일 창립된 마산창원노동조합총연합(마창노련)과 같은 지역의 노동조합협의회(연합)의 형태로 드러났다. 〈표3〉에서 확인할 수 있듯이, 마창노련을 시작으로 약 2년 동안, 즉 1989년 말 대전지역민주노조협의회 준비위원회가 결성되고 1990년 초에 포항지역민주노조협의회 준비위원회가 와해되기까지 전노협의 실질적인 조직기반이 구축되었다. 아래 〈표3〉은 지노협의 결성시기와 참여현황을 개괄적으로 정리한 것이다.

〈표3〉 지노협 현황

지역	연도	참여 현황
서울지역노동조합협의회	1988.5.29	서울지역의 45개 노조, 18,000여 명
인천지역노동조합협의회	1988.6.18	인천지역 27개 노조, 250여 명이 참가한 가운데 창립총회 개최
경기남부지역노동조합연합	1988.12.28	32개 노조, 78명의 대의원들이 참여하여 창립총회 개최
부천지역노동조합협의회	1989.7.22	42개 노조, 4,000여 명의 조합원이 참여
성남지역노동조합협의회	1988.6.25	18개 노조, 3,261명의 조합원이 참여
광주지역노동조합협의회	1989.3.5	23개 노조, 5,589명의 조합원이 참여
전라북도노동조합연합회	1988.8.21	24개 노조, 대의원 61명 중 18개 노조의 대의원 46명이 참석한 가운데 창립
마산창원노동조합총연합	1987.12.14	19개 노조가 주축이 되어 전국 최초로 지역노동조합협의체 결성
진주지역민주노동조합연합	1989.4.16	16개 노조, 우창기계노조의 임투 집회장에서 조합원 직접투표로 결성
부산지역노동조합총연합	1989.9.30	21개 노조, 6,909명의 조합원 참여
대구지역노동조합연합	1989.11.8	21개 노조가 약 1년 동안 연대투쟁과 조직 활동의 과정을 거치면서 창립
대전지역민주노조협의회(준)	1989년 말	동일계전을 중심으로 결성되었다가 1990년 중반에 사실상 와해
포항지역민주노조협의회(준)	35개 노조, 16,500명의 조합원 참여. 그러나 전노협 출범 일주일 앞두고 지역조직의 건설이 무산	

지노협이 지역을 중심으로 연대투쟁을 전개하면서 건설되었던 시기에 사무전문직 업종을 중심으로 한 노조들도 다양한 연대투쟁의 성과들을 조

직적으로 모아냈다. 대표적인 예로 민주출판노동조합협의회(1989.2.11), 전국사무금융노동조합연맹(1987.11.27), 전국건설노동조합협의회(1988.12.10), 연구전문기술노동조합협의회(1988.7.16), 병원노동조합연맹(1987.12.12), 전국교직원노동조합(1989.5.28), 전국언론노동조합연맹(1988.11.26), 외국인기업노동조합협의회(1988.12.11) 등이 결성되었다. 이러한 업종노동조합협의회들은 노조특위(1988.5.21)나 전국투본(1988.10.6)에 참여하면서 민주노동운동의 전국적 토대를 강화하였다.

1988년 현대사회연구소노조 투쟁에 연대한 연전노협 철야농성

당시 노동자 대중들의 제반 요구를 획득하기 위한 민주노조운동의 전국적 조직구심을 형성시켜, 이를 토대로 기업별노조의식을 극복하기 위한 투쟁과 전국적이고 통일적인 산별조직을 건설해야 한다는 점에 대한 공감대가 형성되어 있었다. 그러나 업종을 중심으로 하는 노조조직 가운데 1988년 12월 22일에 결성된 지역 · 업종별 노동조합 전국회의(전국회의)에 민주출판언론노동조합협의회, 시설관리노동조합협의회, 외국인기업노동조합협의회, 전국화물운송노동조합협의회만 주체적으로 참여했고, 그 외 업종별 노동조합협의회는 참관하는 형태로 참여하였다. 이는 노조운동의 다양한 차이에서 비롯된 현상이었지만, 중요한 원인은 기업과 직종을 중심으로 하는 조직의 정체성, 투쟁의 대상에 대한 상이성, 정권의 분할 · 회유정책 그리고 투쟁의 전략과 전술에 대한 차

이, 투쟁 경험의 차이 때문이었다.

이런 차이가 있었지만 지노협은 투쟁의 과정에서 조합원 간의 정서적 결합을 강화하고, 그러한 힘을 바탕으로 연대조직이 결성되어야 한다는 조직발전의 원칙을 천명했다. 대표적인 지노협의 연대투쟁 사례를 예로 들면, 아래의 〈표4〉와 같다.

〈표4〉 지노협의 연대투쟁 사례

지노협	연대투쟁
서울지역노동조합협의회	1987년 7·8·9월 노동자 대투쟁 이후, 맥스테크 위장폐업 철회투쟁, 청계피복노조, 인쇄노조, 제화노조 등의 지역노조 합법성 쟁취투쟁, 그리고 현대사회연구소 연구원의 부당해고 철회에 맞선 지역 연대투쟁 전개
인천지역노동조합협의회	대우자동차, 태연물산, 한광산업 등 노조에 대한 탄압에 맞서 노조탄압저지특별위원회를 구성하여 연대활동 전개
경기남부지역노동조합연합	1988년 1월, 경기남부지역노동조합 임금인상 대책위원회의 공동임투 준비, 안양, 군포, 의왕지구 노조 탄압저지 공동대책위원회 활동, 수원지구에서 연대투쟁이 전개되다가, 1988년 7월, 안양전자 공장이전 철회투쟁을 계기로 경기남부지역 차원의 연대투쟁 전개
부천지역노동조합협의회	1987년 11월 원방에 대한 지역차원의 연대투쟁, 1988년 초반부터 9월까지 금산전자, 유한전자, 대아, 건화상사 등의 투쟁에 대한 지원연대투쟁 전개
마산창원노동조합총연합	1987년 8월 말 이후, 국가와 자본의 탄압이 강화되자 단위노조의 힘만으로 대응하기 어렵다는 판단하에 지역 차원의 연대투쟁 전개

지역의 노동단체와 활동가들은 다양한 투쟁을 지원하고 연대할 수 있는 조직을 만들고 실천하는 주체들이었다. 지역의 연대기구는 노동자들을 하나로 묶어내는 중심이었고, 지노협의 실질적인 토대였다. 이처럼 지역을 중심으로 전개됐던 연대투쟁과 지노협의 조직적 기반은 각 지역

에 존재했던 노동단체들과 활동가들의 투쟁결과였다. 1987년 대투쟁의 과정에서 긴밀하게 결합했던 단체와 활동가들은 투쟁 과정에서 배출된 선진노동자들의 조직, 선진활동가들 간의 교류 형성, 노조 간의 일상적 연대 형성, 지역 내 연대투쟁을 조직하는 활동 등을 전개하였다. 이러한 활동들이 지노협 결성의 실질적인 동력이었다. 특히 전국노운협이 결성되고 난 이후, 지노협 결성은 가속화되었고 전국노운협 소속 활동가들이 지노협 결성에 적극 결합하였다.

전국조직의 상을 둘러싼 차이

자발적이든 조직적이든 민주노조운동의 전국적 조직을 결성하기 위한 투쟁에 운동진영의 참여가 이루어지면서 대기업 산하 노조의 연합조직과 전노협 건설을 둘러싼 논쟁도 활발하게 전개되었다. 현대그룹노동조합총연합(현총련)은 현대엔진투쟁에 대한 그룹 산하 노조의 연대투쟁과 1988년 초에 형성된 전국적 연대를 기반으로 그룹노조협의회를 강고한 연대조직으로 발전시켰다. 현총련은 재벌그룹별 노조협의회란 한국의 사회경제적 특수성을 반영한 조직으로 노동자 단결과 연대의 매개고리를 형성했다. 그뿐만 아니라 재벌을 상대로 구체적 목표를 가진 투쟁을 전개함으로써 노조의 성장에도 크게 기여할 수 있다고 생각했다. 이처럼 그룹노조협의회를 강조하는 입장은 단결의 매개고리인 재벌그룹별, 산업 · 업종별, 지역별 조직의 관계를 구체적인 현실 속에서 파악해야 한다고 주장하면서, 재벌그룹별 조직이 한국의 사회경제적 특수성을 반영하는 것이라면, 산업 · 업종별 조직은 자본주의의 보편성을 반영하는 조직으로서 단위사업장 조직에서 전국적 조직으로 가는 중간 고리로서 역할을 담당한다고 강조했다. 이에 비해 지역별 단결은 대중의

구체적인 요구에 근거한 측면이 상대적으로 약하다고 주장하였다.[86)]
그러나 그룹노조협의회 건설에 대한 반대논리도 만만치 않았는데 이는 크게 두 가지로 요약될 수 있다. 첫째, 그룹노조협의회를 주장하는 입장은 이를 강고한 연대조직으로 발전시켜나가겠다는 생각보다는 오히려 회원조직 상호간 평등 원칙, 자율성 불침해 원칙, 요청 시 지원의무 등을 강조했다. 이런 배경에는 협의회가 연대조직이기는 하지만 상급조직은 아니며, 제3자개입금지 등 법적인 제약뿐만 아니라 그 목적사항이 대체로 복지문제와 정보교환으로 한정되어 있기 때문이란 것이다. 둘째, 민주노조의 전국적 연대는 지노협을 중심축으로 건설되어야 한다는 견해로, 재벌그룹 내 연대체계는 기본적으로 기업별노조체계의 확대에 불과하며, 연대의 중심축으로는 매우 부적합하다는 주장이다. 다시 말해서 지노협을 중심축으로 산업 · 업종별 조직이 상호보완적 관계로 결합하는 방식으로 민주노조의 전국적 연대가 바람직하다는 견해이다.[87)]
양자 사이의 논쟁은 전노협이 결성되던 시점뿐 아니라 이후 전노협의 조직발전전략을 둘러싼 내용으로 전화되어 전노협이 해산하고 민주노총이 출범하는 시점까지 지속되었다. 두 입장 모두 노동자들의 제반 이해를 획득하기 위한 민주노조운동의 전국적 조직구심을 형성시켜, 이를 토대로 기업별노조의식을 극복하기 위한 투쟁과 전국적이고 통일적인 산별조직을 건설해야 한다는 점에 대해서는 동의하였다. 하지만 논쟁은 기업별노조의식의 한계를 극복할 필요성, 기업별노조의 수평적 결합체인 지노협과 업종협의 한계를 극복할 필요성, 그리고 투쟁 과정에서 전국적인 지도 · 집행력의 필요성 등 다양한 수준에서 전개되었다. 아래 〈표5〉는 민주노조운동의 전국조직을 결성하는 시기를 둘러싼 전노협 건설 논쟁의 경향성을 조직형태로 정리한 것이다.

〈표5〉 민주노조운동의 전국조직 건설을 둘러싼 논쟁 지점

조직형태론	전노협	근거
한국노총 민주화론	건설포기	민주노조운동의 현실적 역량은 180만 조합원의 10%인 20만에 불과하다. 따라서 민주노조운동은 독자적인 조직주체를 건설하기보다는 각 지노협을 해산하여 한국노총의 시협의회와 통합하고, 그 속에서 민주파 블록을 형성하여 중간노조를 견인하면서 한국노총 자체를 민주화시켜야 한다.
전노협 건설론	즉각건설	민주노조운동은 민주노총과 산별노조의 건설을 추진한다는 전제하에, 각 지노협 및 업종협과 같은 수평적 협의체를 전국적으로 확대한 전노협을 즉각 결성한다. 전노협은 전국 노조 대표자들을 중심으로 일정 정도의 지도력과 집행력을 확보하는 시점에서 결성한다. 진보적 노동단체들은 전국조직의 구성원으로 직접 참여하지 않는 상태에서, 공동투쟁사업을 통해 상호연대를 강화한다.
전국노동조합 총연합론	시기상조	민주노조운동의 전국조직 주체는 연합조직으로 결성되어야 한다. 전국조직의 주체는 단위사업장의 노조와 지노협·업종협, 일용노동자, 실업자의 대중조직, 그리고 단위사업장의 노민추 등으로 구성되어야 한다. 진보적 노동운동을 지향하는 단체와 노조 지원 단체 역시 일반 노조와 같은 자격으로 전국조직에 참여하여야 한다.

〈표5〉에서 알 수 있듯이, 각각의 입장들은 전노협 건설 방식과 위상과 더불어 노동운동의 발전방향까지 제기했으며 여기서 조직형태는 민주노조운동의 전략적 가치와 목표까지 담고 있었다. 특히 조직형태를 둘러싼 차이는 노동운동 발전을 둘러싼 각 운동진영의 정치·이념적 노선, 계급주체 형성의 정도와 방향, 민주노조운동의 전술적 방향, 그리고 노동자정당건설운동의 발전방향과 과제에 대한 상이한 판단에 기초한 것이었다. 세 가지 조직형태론은 모두 민주노조운동의 전국조직의 필요성에 대해서는 공감하고 있었으나 주체역량, 민주노조운동과 노동운동단체와의 관계, 당면 투쟁전략과 전술 등에 대해서는 상이한 견해들을 제출하였다.

첫 번째, 한국노총 민주화론은 노조운동의 전국적 조직을 새롭게 건설하지 말고 민주노조들이 이미 존재하고 있는 한국노총에 들어가서 민

주노조운동의 세력을 양적으로 확대하여 한국노총을 접수하자는 주장이었다. 하지만 이들이 이미 건설되어 있었던 지노협을 해체하자고 주장한 것은 민주노조운동의 독자적인 조직주체의 건설을 부정한 것이었다. 두 번째로, 전노협론은 1987년 7·8·9월 노동자 대투쟁과 1988년 노동법개정투쟁의 성과로 건설되었던 지노협과 업종협을 민주노조운동의 전국적 조직주체로 상정하였고, 이들 주체들을 중심으로 새로운 산별노조를 건설해 나가야 한다고 주장하였다. 세 번째, 전노협과 그 활동에 대해 한국노총 민주화론과 다르게 비판하는 세력들도 있었는데 이는 전국노동조합총연합론을 주장한 입장이었다. 전국노동조합총연합론은 전노협 건설이 시기상조라고 주장하였다. 물론 이들도 새로운 전국적 조직의 필요성을 부정하지 않았지만, 민주노조운동의 양적 확대를 강조했다는 점에서는 한국노총민주화론과 비슷하였다. 전국노동조합총연합론은 업종별 노조협의회, 일용노동자, 실업자의 대중조직, 그리고 단위사업장의 노조민주화추진위원회 등을 전국적 조직의 주체로 설정하였다. 대표적으로 "현재의 협의회들은 합법적 노조들만의 참여를 보장하고 있기 때문에 어용노조 내 민주적인 세력, 노조운동을 지원하고 있는 수많은 활동가들을 끌어안을 수 없는 것이 문제"라고 주장했다. 만일 어용노조 내 민주적 세력들을 포괄할 틀이 마련되지 않는다면 노조운동이 계급적 요구에 따라 정치적으로 진출하지 못하고, 노동조합주의 또는 노사협조주의에 빠져들 가능성이 크다는 것이었다. 그 근거로 제기되었던 것은 첫째, 각 노조들 내에 계급의식으로 무장한 활동가가 매우 적다는 것, 둘째, 기업별노조는 노동자의 힘을 분산시키고 노사협조주의에 빠져들기 쉽기 때문에 산별노조를 발전시켜야 하는데, 이는 당장 매우 어려운 과제라서 계급의식으로 무장한 수많은 활동가가 필요하기 때문, 셋째, 현재 협의회들의 가장 중요한 과제 중 하나인 대기업 사업장 어용노조 민주화투쟁을 적극적으로 지도 · 지원하기에는 현재 역량이 매우 취약하기 때문이라는 점을 들었다. 이들 가운데 일부는 해결방안으로 전국노운협과 노조협의회를 포괄하는 전국노동조합운동연합을 결성할 것을 제안하였다.[88]

그러나 한국노총 민주화론과 전국노동조합총연합론은 노동운동단체뿐만 아니라 노동현장에서도 거부되었다. 노동자들은 전국적 조직의 필요성을 절감하고 있었고, 1987년 노동자 대투쟁과 1988년 노동법개정투쟁의 성과를 모아 전국적 노조를 조직화하고자 하였다. 대부분 노동운동단체들은 민주노조운동은 대중적 토대가 취약하기 때문에, 각 지노협을 해체하고 한국노총 내부의 산업별 체계를 점진적으로 민주화시켜야 한다는 한국노총 민주화론을 비판하였다. 또한 전국조직을 건설할 만한 주체역량의 성장을 인정했지만, 지노협만을 토대로 하는 전국조직의 건설에 대해서는 반대했고, 보다 광범위한 대중들의 참여를 전제로 하는 전국조직 건설의 필요성을 제기하였던 전국노동조합총연합론도 비판의 대상이 되었다.[89] 결과적으로 전노협 건설을 둘러싼 조직발전논쟁은 민주노조운동의 전국적 조직주체의 건설을 통해 민주노조운동의 통일적 발전과 토대의 강화 그리고 노동운동의 대중적 조직을 강화하자는 입장으로 수렴되었다. 하지만 한국노총 민주화론과 전국노동조합총연합론에서 제기하였던 '주체의 양적 확대전략'은 향후 'ILO기본조약 비준 및 노동법 개정을 위한 전국노동자 공동대책위원회'(ILO공대위)의 건설과 전국노동조합대표자회의(전노대)라는 전국조직을 새롭게 건설해 나가는 과정에서 다시 등장하였다.

전노협 건설논쟁은 민주노조운동의 산별노조 건설전략을 둘러싼 쟁점이기도 했다. 산별노조 건설에 대한 인식은 1987년 7·8·9월 노동자 대투쟁 이후 1990년 1월 전노협을 결성하기 이전까지 민주노조운동의 '지역별 협의체' 활동을 어떻게 보느냐를 둘러싼 문제와 긴밀하게 연계되어 있었다. 현 시점에서 1987년 노동자 대투쟁의 성과와 산별노조 결성운동 간의 상호관계를 파악하기 위해서는 1987년 노동자 대투쟁의 성과를 두 가지로 구분해서 볼 필요가 있다. 1987년 노동자 대투쟁의 조직적 성과를 넓은 의미에서 본다면, 1987년 노동자 대투쟁은 현재 민주노총의 토대이자 산별노조 결성운동의 역사적 당위로 작용했다. 1987년 노동자 대투쟁의 조직적 성과를 좀 더 좁은 의미에서 본다면, 전노협이 결성되기 이전까지 각 지역별로 협의체를 결성하는 것으로 집중되었고, 조직주체는 지역별 공동투쟁의 실질적인 힘으로 작용했다.

노동자들의 희망을 담은 전노협

전국 지도조직 건설을 위한 지역·업종별 노동조합 전국회의

노동법개정투쟁이 가속화되는 정세 속에서 한국노총 민주화론이나 전국노동조합총연합론이 지역이나 노동현장에 영향을 미치지 못했고, 지노협과 업종협의회를 중심으로 전노협이 건설될 수밖에 없었던 점에 대해서 김승호는 다음과 같이 이야기하고 있다;

"전노협도, 전노협 중앙만 보면 안 되고 전체를 보는 게 좋을 거 같아요. 내

가 볼 때는. 그럼 지역을 보면 어떤 지역의 지노협이나 업종협의회들이 만들어지잖아요. 근데 그 부분들이 대부분 보면 목적의식적 운동권 이른바 세칭 운동권이라 하는 부분들이 전부 다 사실 산파 역할을 하거든요. … 그 부분들이 축이 되가지고 자생적으로 올라온 기업들, 노조들을 지역적으로나 업종으로 모아내면서 기업별 한계를 넘어서는 계급적인 단결을 지향해 나가는 연대 활동들이 됐지요. 그래서 지역 · 업종 연대 틀이라는 형태로 나타나잖아요. 1988년이 그랬죠. 그리고 그것이 1988년 노동자대회로 다 모아지잖아요. 모여 보니까 이게 인제 된다, 될 수 있다는 확신이 생겼죠."[90]

전국의 지역별 · 업종별 노동조합협의회 대표자들은 전국노동자대회로 모아졌던 노동법개정투쟁의 성과를 바탕으로 12월 22일, 대전에서 대표자회의를 열고 지속적인 전국노동자의 단결을 위해 지역 · 업종별 노동조합전국회의를 결성하고, 산하에 당면투쟁의 공동수행을 위한 임금인상 및 노동법개정전국투쟁본부를 두기로 결정하였다. 특히 전국노운협 지도부들은 전국회의 결성과 운영 과정에서 정치적 지도력을 발휘하였다. 전국회의는 지노협을 중심축으로 하고 일부 업종별협의체와 노동운동단체를 보조축으로 하여 결성되었다. 하지만 업종을 중심으로 하는 노동조합협의회 가운데 지역 · 업종별 노동조합 전국회의(1988.12.22)에 민주출판언론노동조합협의회, 시설관리노동조합협의회, 외국인기업노동조합협의회, 전국화물운송노동조합협의회가 참여했고, 그 외 업종별 노동조합협의회는 참관의 형태로 참여하였다.

전국회의는 서울지역노동조합협의회 등 20개의 지역 · 업종노조 협의회가 참여주체로, 전국교직원노동조합 등 7개 업종노조가 참관주체로 구성되었다. 전체 530개 이상의 단위사업장 노조가 참여주체로, 235개 이상의 단위사업장 노조가 참관주체로 조직되었던 것이다.[91] 물론 전국회의가 전노협으로 전환될 때, 민주출판언론노동조합협의회와 시설관리노동조합협의회를 제외한 모든 업종노동조합협의회들은 전노협에 참여하지 않고 독자적인 조직으로 남기도 하였다. 이러한 현상은 앞에서 보았듯이 전국적 조직의 발전전략을 둘러싼 논쟁의 원인이자 결과였고, 민주노조운동의 전략적 가치와 목표의 차이가 내부적으로 존재했다는 것을 보여준다.

1989.1. 전민련 창립대회 후 가두투쟁

또 다른 중심축은 노동운동단체의 대표성을 부여받은 전국노운협이었다. 당시 전국노운협의 주요한 활동과제는 전노협 건설의 확고한 내용적 토대와 조건을 마련하는 것, 대중에 대한 공공연한 정치선전과 교육을 조직하여 생존권투쟁, 노동운동탄압분쇄투쟁, 제반 정치투쟁을 수행함으로써 선진 노동자 대열을 확대시키고 조직해내는 것, 전국민족민주운동연합(전민련)을 기층 계급운동의 토대 위에 세우고 전민련의 투쟁이 기층 계급운동의 강화에 기할 수 있도록 만드는 것이었다.[92]

노동자들은 전국회의를 중심으로 연대 투쟁을 강화하였고, 다양한 연대투쟁의 성과들을 토대로 전국조직의 역량을 구축하였다. 1989년 1월 15일, 울산에서 '노동운동탄압분쇄 및 테러만행규탄 전국노동자대회', 1월 22일 포항에서 '풍산금속 안강공장 공권력개입 및 노조 탄압 영남권 노동자 규탄대회', 1월 22일 서울에서 전민련 주최로 '노태우 정권의 민중운동탄압 및 폭력테러 규탄대회'가 열렸고, 1월 31일에는 금속 노동자들의 '노동운동탄압분쇄 및 1989년 임투승리를 위한 전국결의대회'가 개최되었다. 그리고 '전국노동법개정 및 임금인상투쟁본부'는 2월 19일 서울, 부산, 대구, 광주, 울산 등지에서 '노동운동탄압분쇄 및 노동악법 · 반민주악법철폐를 위한 전국노동자 결의대회'를 개최하였다.[93]

창원대로로 나선 노동자들 (1989)

1989년 4월 현대중공업 파업투쟁에 대한 강제진압에 저항하는 울산 현대그룹 노동자들의 연대투쟁, 1989년 4월 15일 부천 · 주안 노동자(49개 사업장) 및 서울지역 노동자(50개 사업장)들의 총파업투쟁, 그리고 1989년 전국 노동자들의 4.30-5.1 노동절 총파업투쟁 등에 대해 강력한 공권력이 동원되었다. 그러나 노동자 정치운동은 전국노운협을 중심으로 민주노조운동과 연대를 더욱 긴밀하게 구축하였으며, 민주노조운동은 '노동법개정과 임금인상을 위한 전국노동자투쟁본부'를 중심으로 노조 간 연대를 더욱 강화했다.

1989.5.1. 세계노동절 100회 기념 노동자대회

전국회의를 중심으로 전개되었던 대표적인 연대투쟁으로는 '노동운동 탄압분쇄 및 노동법철폐 전국 노동자궐기대회(1989.2.19), 전국 공동 임금인상투쟁, 국제연대운동의 계기가 된 세계노동절 100주년 기념투쟁(1989.5.1), 광주항쟁계승 및 이철규 살인고문 진상규명을 위한 전국 국민대회(1989.5.20-27), 노동자 광주 순례단 파견투쟁(5.20-27), 전국 교직원노조 결성에 대한 연대투쟁(1989.5.28, 9.24) 구속자 석방과 노동악법 철폐, 수배자 해제촉구투쟁(1989.6.4, 11-12월), 전태일 추모 전국노동자대회(1989.11.12)' 등이었다.

전국회의는 1989년 공동임투와 노동운동탄압 저지투쟁을 거치며 단계적으로 전노협 결성투쟁을 전개하였다. 전국회의는 전노협준비소위원회 결성(제3차 회의 1989.2.23-24), 전노협준비소위원회 강화(제6차 회의 1989.5.17-18), 전노협준비소위원회와 전국노동법개정 및 임금인상투쟁본부를 해체하고 중앙집행위원회 설치(제8차 회의 1989.7.19-20), 전노협 건설일정 및 사업계획을 확정(제12차 회의 1989.11.23-24)하고 제13차 회의(1989.12.11-12)에서 전노협 창립준비위원회 체계와 담당자를 확정하며, 강령규약의 주요 내용과 일정 확정을 끝으로 해소되었다. 이 과정에서 전국노운협의 대표 1인은 전국회의의 중앙집행위원 자격으로 회의에 참여하여 전노협 결성투쟁의 주요 역할을 담당하였다.

전국회의는 전노협 건설의 필요성을 당시 노조운동의 한계에서 찾았다.

전노협 창립준비위원회 결성

민주노조운동은 더 이상 단위노조나 지역적 단결만으로 해결할 수 없는 어려움에 처해 있었던 것이다. 전국회의는 기업별노조의 협의체적 관계로 유지되고 있었기 때문에, 전체 노동자의 이해를 대변하고 투쟁하기가 어려웠을 뿐 아니라 조직의 강화와 확대가 어려웠다. 구체적인 한계로는, ①임의 단체이기 때문에 연대활동에 제약을 받았다. ②법적으로 상급단체로 인정되지 않기 때문에 각 단위노조에서 협의회에 전임자를 파견하기 어렵고 또한 재정이 취약하다. ③교섭권과 쟁의권이 없다. ④협의적 관계이므로 지역 · 업종 전체의 단결을 꾀하기 어려웠기 때문이었다.[94]

이런 조건 속에서 전국회의는 그 대안을 전국조직의 건설에서 찾았다. 전국회의의 입장에서는 전노협이 건설될 때 지금과 달라진 모습 혹은 노조가 처한 여러 가지 어려움들을 해결할 수 있는지를 둘러싼 의문의 해결이 급선무였다. 당시 전노협 건설은 노동자의 권익을 쟁취하기 위한 무기였지만, 만병통치약이 아니었다. 다만, 투쟁현장에서 천만 노동자가 하나의 대오로 결집하여 경제적·정치사회적 요구를 스스로 해결해 나가기 위한 조직적 힘이었다. 전국회의는 전노협 건설이 민주노조운동에 끼칠 영향과 효과를 "노동자들의 계급의식 및 정치의식의 고양, 일상활동의 전문성 고양, 전체 노동자들의 계급적 이해를 쟁취하기 위한 투쟁력 강화, 전국적인 공동투쟁의 전선 강화, 농민·빈민·학생 등 광범한 민중민주세력과의 연대사업 강화"[95] 등으로 제시하였다.

이처럼 노동자들은 오랜 산고를 겪으면서 아니 또 다른 산고를 각오한 채 계급적이고 민주적이며 또한 전투적인 노조운동의 전국조직인 전노협을 출범시켰다. 전노협 건설에서 투쟁과 연대는 지도부에 대한 조합원들의 신뢰에서 비롯되었다. 투쟁의 과정에서 자연스럽게 만들어지는 지도부, 조합원과 함께 하면서 지도력을 발휘하는 지도부, 그리고 자신의 책임을 조합원에게 전가하지 않는 대신 자신의 권한을 조합원에게 돌려주는 지도부가 조합원의 전폭적인 신뢰를 바탕으로 대규모 투쟁을 전개할 수 있었던 것이다. 대표적인 사례가 1988년에서 1989년에 걸쳐 진행되었던 현대중공업 노동자들의 '128일 투쟁' 이었다. 국가와 현대자본은 1989년 1월 8일의 백색테러, 2월 21일의 식칼테러, 북한 출신 자녀들의 모임인 반공청년회를 통한 구사대 조직화 등으로 노조를 탄압하였다. 또한 경찰도 '울산 30작전', 암구호 '아침이슬' 이란 이름으로 노동자들의 파업에 대해 대대적 진압작전에 나섰다. 1989년 3월 30일, 국가와 자본은 14,000여 병력을 현대중공업에 진입시켜 파업투쟁을 분쇄하려 하였지만, 현대중공업 노동자들은 매일 수천 명씩 가두시위를 전개했으며 120일 넘는 장기파업에서도 단결력을 잃지 않았다. 당시 파업지도부의 대표였던 이원건은 그 이유를 다음과 같이 증언하였다;

"첫째, 조합원 자신이 자신들의 권익신장을 위해서 스스로 뭉쳤다고 봅니다. 힘없고 가진 것 없는 노동자가 믿는 것이라면 단결력밖에 더 있겠습니까?

둘째로 지도자의 영향력이 아니겠습니까? 거짓 없는 진실, 두려움 없이 앞장서는 지도자의 지도력이 있기 때문에 믿고 따르는 것 아니겠습니까?" [96]

신뢰나 지도력은 누군가가 강요한다고 해서 만들어지는 것이 아니라 몸과 마음을 함께 하는 과정에서 만들어진다면 현대중공업 노동자들은 지도부에 대한 신뢰와 동료들 간의 단결이 무엇인지를 투쟁 과정에서 보여주었다. 또한 해고노동자, 학생운동 출신 노동운동가, 해직교사 등도 현대중공업노조나 노동자들과 연대투쟁에서 신뢰를 구축하였다.

대낮에 식칼을 휘두르는 관리자들 (1989.2. 현대중공업)

당시 대부분 노동자들은 이러한 신뢰와 연대를 가지고 희망의 꿈을 꾸었다. 투쟁으로 권리를 획득해 나가는 희망, 노동현장을 장악하는 주인으로서 희망, 그리고 새로운 해방세상을 열어가는 희망, 이런 희망의 꿈을 꾸었다. 전노협은 그러한 희망의 중심이었다. 전노협은 노동자에 대한 억압과 착취를 영구화하기 위해 노동자의 조직적 진출과 투쟁을 가로막았던 자본가와 국가권력의 탄압과 회유를 분쇄하자고 하였다. 전노협은 국가권력과 자본에 맞서겠다는 의지를 창립선언문에 밝혔고 투쟁 과정에서 노동해방과 인간해방의 사회, 즉 자주, 민주, 연대, 정의, 평화, 그리고 행복 등이 존재하는 새로운 사회의 디딤돌을 만들었다.[97]

7 전노협 건설의 역사적 함의

전노협은 노동자들이 만들어왔던 투쟁의 디딤돌을 딛고서 민주노조운동의 전국조직(national center)으로 태어났다. 전노협은 1970년 전태일의 분신투쟁 이후, 20년 만에 민주노조운동이 수많은 투쟁의 디딤돌을 모아서 만든 노동자들의 징검다리였다. 전노협 건설의 역사적인 디딤돌들은 1970년대 민주노조운동, 1980년 서울의 봄 노동자 투쟁, 1987년 6월 항쟁에 참여했던 노동자 투쟁, 1987년 7·8·9월 노동자 대투쟁, 그리고 1988년 노동법개정투쟁 등이었다. 또한 노동자들이 역사적인 디딤돌을 만들고자 할 때 항상 옆에 같이 있었던 사람들도 전노협의 디딤돌이었다. 그들은 민주노조운동의 다양한 디딤돌을 만들고 그 디딤돌들을 모아 징검다리를 만든 장본인들이기도 했다. 1980년대 학출 활동가들과 노동현장에서 해고당하고 난 뒤에 노동운동단체에서 활동했던 노동자들은 노동현장의 노동자 대중들과 함께 싸우면서 투박한 모습의 디딤돌들을 징검다리로 다듬었다.

전노협은 해방정국에서 결성되어 활동했던 조선노동조합전국평의회(전평)와 1959년부터 4·19혁명기에 활동했던 전국노협의 전통을 계승하려 하였다. 그 전통은 노조운동의 민주성, 연대성, 그리고 계급성을 전투적인 투쟁으로 실현하는 것이었다. 미군정과 지배세력은 해방정국에서 자본주의 토대를 강화하기 위한 일차적 과제로 전평에 대항할 수 있는 조합주의적 노조운동인 대한노동조합총연합회(대한노총)의 설립과 활동을 적극적으로 지원하였다. 1946년 3월 10일에 결성된 대한노총은 결성대회부터 노조 대표가 아니라 깡패들과 반공 우익 청년단체에 소속되어 있는 회원들을 중심으로 한 15개 직장 45명이 참석한 가운데 출범하였다. 1947년 이들은 전평이 주도하는 총파업의 파괴와 이승만의 정치적 동원부대 역할을 수행했고, 이는 대한노총 지도부들이 국회에 입성하는 등 정치적 출세라는 대가로 이어졌다. 대한노총은 이승만 정권하에서 정부정책을 지지하는 관제집회와 시위 등 정치활동도 전개하였다. 대표적인 예가 미군철수에 따른 대한(對韓) 무기 및 경제원조를 얻어내기 위한 노동자총궐기대회(1950.1.27), 이승만 개인의 권력유지 및 연장을 위한 개헌반대궐기대회(1950.2.19), 이승만의 통일외교정책을 지지하기 위한 제7차 전국대의원대회(1953.4.1), 그리고 사사오입 개헌에 따른 이승만의 대통령 출마를 지지하기 위한 우마차(牛馬車) 시가행진(1955.12) 등이었다. 이승만 정권은 1950년대 노동운동 지도부들에게 재정, 의회진출, 정부와 협조체계 구축 등을 직간접으로 지원하였다. 1950년대 노동운동이 국가와 지배권력에 의존하면서 전평으로 대표되는 해방정국의 좌파 지향적인 정치적 노동조합주의를 우파 지향적인 정치적 노동조합주의로 변화시켰던 것이다.

4 · 19혁명기를 전후로 민주노조운동이 1950년대 노조운동의 성격을 변화시키고자 했지만, 박정희 군부쿠데타 세력은 1950년대와 마찬가지로 노조를 국가기구화하였다. 군부쿠데타 세력은 한국노총을 조직했는데, 이는 형식적으로는 산업별노조의 조직체계였으나 실질적으로는 기업별노조의 연합체였다. 한국노총은 냉전반공주의가 관철되는 사회적 · 정치적 전통과 환경, 혹은 국가권력기관에 의존하면서 조직 내 민주주의 세력을 철저하게 응징하였고, 하급단체를 승인하는 제도를 이용하여 노동현장의 어용조직을 양성했다.[98] 이처럼 1950-60년대 노동

자계급에 대한 국가와 자본의 지배전략은 '민주노조운동진영의 대중적 근거지를 폐쇄하는 전략, 국가의존적인 노조운동을 양성하는 전략 그리고 저임금 · 장시간 노동에 기반을 둔 경제성장을 추구하는 전략'으로 정리할 수 있다.

그러나 1970년대와 1980년대 들어서 민주노조운동은 국가와 자본의 지배전략에 저항하는 주체로 나섰다. 노동자들은 경제적 이해뿐 아니라 제반 이해를 조직적으로 추구하기 위한 노조를 새롭게 건설하거나 민주적인 조직으로 재편하는 투쟁을 지속적으로 전개하였다. 이런 맥락에서 노동운동은 "투쟁의 일시적인 승리와 패배를 경험하면서 노동자계급의 역량을 토대로 부르주아 계급과의 투쟁에서 승리, 즉 자본주의의 억압적 체제를 완전하게 극복"하고자 하였다.[99] 이러한 전략적 과제를 위해 노동운동은 다양한 투쟁의 성과로 자신의 조직적 · 계급적 역량을 강화시켰으며 그 성과가 바로 1990년 전노협 건설이었다.

1970년 11월 전태일의 죽음 이후 1990년 전노협 건설까지, 민주노조운동은 노동자들의 양적인 성장과 동시에 노동배제적인 국가의 노동정책에 대항하면서 노동자들의 기본적 권리를 획득하고자 하였다. 국가와 자본의 억압적 노동통제정책은 노조운동의 '전투적 투쟁'을 불러일으켰고 노조운동에서 나타나는 '투쟁의 전투성'은 민주적인 "계급의식과 정치의식의 성장"에 있어서 주요한 동력이었다.[100] 민주노조운동은 전투적인 투쟁 과정에서 노동운동 활동가들의 민주적 '정치성'과 노동자계급으로서의 '동질성과 연대성'을 강화해야 할 필요성을 체화하였다. 노동자들은 자신의 이해뿐만 아니라 계급적 이해를 보편적으로 공유하려 하였고, 그러한 이해를 위해 자연발생적 혹은 조직적인 투쟁을 전개하기도 하였다.

또한 노동운동단체들도 민주노조운동의 성장을 도모하기 위해 다양한 활동을 지속적으로 전개하였다. 노동자들이 투쟁을 전개할 때 연대와 지원뿐 아니라 노동자들의 계급의식과 정치의식을 강화하는 활동도 전개하였다. 대표적인 활동은 노동자 교육운동을 통해 기본적 권리의식을 강화하는 활동, 노동자들의 계급이해를 대변하기 위한 선도투쟁 활동, 민주노조운동 내부에서 정치운동의 주체를 양성하는 활동, 국가와 자본에 대한 투쟁전선을 강화하는 활동, 그리고 민주노조운동과 조직적으로 연대하는 활동이었다. 이러한 활동들은 노동자 대중들과 함께 노조운동의 민주성, 연대성, 그리고 계급성을 전투적인 투쟁으로 실현하는 과정이었다. 민주노조운동은 '노동해방과 인간해방'이 실현되는 사회를 만들기 위해 뜨겁게 몸부림쳤다. 바로 "전노협의 이념인 자유와 평등의 사회는 자유 없이 평등도 없고, 평등 없이 자유도 없는, 자유와 평등이 사이좋게 조화를 이루는 각자의 자유로운 발전이 전체의 자유로운 발전의 조건이 되는 연합체와 거리가 가까운 사회라고 볼 수 있을 것이다."[101)]

이처럼 전노협은 노동자들과 노동운동 활동가들이 쟁취하려 했던 '현실의 이해와 미래의 꿈'이라는 디딤돌로 만들어졌다. 그 디딤돌은 하나가 아니라 무수히 많았던 노동자들의 투쟁이었다. 노동자들은 투쟁으로 민주성이라는 디딤돌, 연대성이라는 디딤돌, 그리고 계급성이라는 디딤돌로 전노협이라는 그들의 징검다리를 만들었다. 이것이 전노협이 20년 전의 역사적 유물로 존재하는 것이 아니라 현실과 미래의 힘으로 다시 살아나야 할 이유이다.

2 노동자, 전노협 깃발을 꽂다

1 노동운동의 새로운 지평을 연 전노협 창립대회

1990년에 들어서자마자 노동자계급과 정권은 전노협 창립대회를 앞두고 팽팽한 힘겨루기를 벌였다. 1989년 하반기 들어 거세지는 정권의 탄압을 전국적 차원에서 막기 위해 전국회의 소속 지노협 간부들과 의장들은 전노협 조기 건설의 필요성을 강력하게 제기하고 나섰다. 이에 전국회의는 "올해 안에 전노협을 건설한다"라고 결의하고, 12월 17일 전노협창립준비위원회(준비위원회)를 출범시키면서 본격적으로 전노협 창립을 준비하였다.

그러나 전노협을 건설하는 데 여러 가지 해결해야 할 문제가 있었다. 우선 지노협의 취약한 조직력을 어떻게 할 것인가, 어떻게 조합원들의 참여를 극대화시킬 것인가가 중심 문제였다. 이와 함께 전국조직에 필요한 재정과 인원을 어떻게 확보할 것인가 역시 무시할 수 없는 숙제였다. 이런 모든 문제는 빠른 시간 안에 해결될 수는 없었다. 준비위원회는 이런 문제를 조금이라도 해결하기 위해 선전과 홍보, 그리고 조합원 교육을 집중적으로 전개하는 한편 문화행사와 등반대회를 개최하여 전노협 건설을 위한 분위기를 모아나갔다. 또한 민주노조의 힘이 취약한 지역을 순회하면서 조직력을 강화하는 동시에 15억여 원의 재정 마련을 위

전노협 건설은 노동자들의 희망이었다

해 온 힘을 기울였다. 그러나 재정의 압박으로 전노협 창립 일정을 늦추다가, 마침내 1990년 1월 22일 전노협 창립대회를 결행하기로 하였다.

정권과 자본 역시 전노협 창립을 막기 위해 발버둥쳤다. 이들은 단위사업장의 민주노조와 지노협을 상대하기도 벅찼기 때문에, 전국조직 결성 시도는 반드시 막아야 했다. 1월 20일 노태우는 법무장관, 검찰총장, 치안본부장 등을 불러놓고 산업평화 조기정착과 임금안정을 위한 대책회의를 열어 "전노협을 엄단하겠다"는 방침을 밝혔다. 창립대회를 막기 위해 전 병력을 동원하고, 노조간부들을 감시하고 가택 연금시키도록 하는 등 구체적인 지침이 마련되었다.

하지만 전노협 중앙위원들은 창립대회 며칠 전부터 발 빠르게 상경해 있다가 대회 전날인 1월 21일에 속속 '안가(안전가옥, 비밀거주지)'로 모여들어 비상운영위원회를 가졌다. 이 자리에서 창립대회에 제출할 규약과 강령, 1990년도 사업계획을 최종 검토한 중앙위원들은 새벽녘이 되어서야 대회준비 상황을 점검하였다. 이날 회의에서 단병호 위원장은 "창립대회에 위원장이 반드시 참석해서 대중 앞에 서야 한다"고 주장했지만, 다른 참석자들은 "만에 하나라도 구속될 우려가 있다며 참석지 말아야 한다"고 주장하였다. 결국 마지막까지 상황을 보고 결정하기로 하였다. 마침내 전노협 창립의 날이 다가오는 것을 기다리던 중앙위원들은 긴장감과 함께 가슴이 벅차올랐다.[102] 한편 장소와 창립대회

를 치를 방안을 논의하기 위해 전술단위 모임도 진행됐는데, 여기에 참석했던 한석호의 증언을 들어보면;

> "1월 22일 창립을 앞두고 전노협 창립대회를 어떻게 할 것인가 하는 전술단위가 결성이 됐고. 저는 거기 결합했고. 지도부에서도 논의를 하고 있었고. 전노협 창립대회 관련해서는 야사가 하나 있지 않습니까? 잘못됐으면 저기 녹천, 1호선 전철역이잖아요? 옛날에는 거기가 숲이고, 그 숲 안에 공사를 한다고 해서 공터가 있었거든요. '거기서 하자'고 하다가 하루 전날 밤에, 아마 밤일 거예요. 그때까지 장소를 어디로 할 건가 최종판단이 계속 미뤄지고, '서울이나 수도권에서 한다'라는 것까지는 돼 있었던 거고, 그런데 지도부 몇몇이 갔다 오고 나서 '야, 그건 좀 심한 것 같다' 그러면서 수원으로 내려가는 걸로 했죠." [103)]

1월 22일, 이들은 아침 일찍 제1, 제2집행부로 나뉘어서 수원행 전철에 올랐다. 제1집행부인 단병호 위원장과 지노협 의장들은 성균관대 수원 캠퍼스로 움직였다. 제2집행부는 작전상 의정부행 전철을 타고 거꾸로 가다가 도봉산역에 내려서 눈밭에서 약식 결성대회를 열었다.
아침부터 서울지역 경찰에는 갑호비상령이 떨어졌다. 전노협 창립대회장으로 알려졌던 서울대학교 주변에는 2만 5,000명의 병력이 배치되었고, 그밖에 대회가 가능한 서울시내 모든 대학에도 경찰병력이 대기하고 있었다. 서울 인근 주요 전철역을 비롯해 시내 곳곳은 검문검색으로 살벌한 분위기였다. 그러나 준비위원회는 창립대회를 성공적으로 치르기 위해 엄격한 비밀연락체계를 갖추고 참석자들을 조별로 움직이도록 하였다. 아침 10시 30분경 "전경을 가득 실은 10여 대의 경찰 수송버

스가 수원경찰서를 출발해 서울로 향하였다"는 정탐조의 전갈을 받은 상황담당자는 직감적으로 '오늘 대회는 성공' 이라고 자신하였다. 또한 경찰은 대회 직전까지도 "서울이냐 경기도냐, 그것만 말해 달라"며 준비위원회에 문의전화를 계속해 준비위원들을 안심시켰다. 수원경찰서에서 사태를 짐작한 것은 이미 많은 대의원이 대회장에 들어간 12시 10분을 넘어서였다. 이때부터 수원역 주변에 경찰이 배치되고 검문이 시작됐지만 워낙 적은 수였기 때문에 연달아 전철로 도착한 수백 명을 감당하기에는 역부족이었다. 큰 키 때문에 유난히 눈에 잘 띄는 단병호 위원장조차 검문을 피해 무사히 통과할 수 있었다.

한편 전국 곳곳에서 전노협 창립대회에 참석하려는 노동자들도 숨 가쁘게 움직였다. 우선 인천지역에서는 위원장과 간부, 열성 조합원들이 임시대의원대회에 참가하기 위해 부평 1동 성당에 마련된 대회장으로 갔고 이윽고 의장의 대회선언이 있었다.

> "인노협 1만여 조합원 동지 여러분! 전노협 원년인 1990년의 문이 활짝 열렸습니다. 인노협은 1월 22일 역사적인 전노협 창립을 앞두고 임시대의원대회를 개최하여 힘찬 결의를 다지기로 하였습니다."

대회장은 노동자들의 열기로 가득 찼고, 참석자들은 전노협 창립대회 참가 결의를 다졌다. 이후 열린 확대간부회의에서 창립대회에 참가할 대의원으로 선출된 장철수와 3인은 '집회장에 가는 도중 붙잡히면 3인 가운데 한 명이라도 적들의 사선을 뚫고 대회에 반드시 참가할 것' 을 결의한 뒤, 경찰의 검문을 피해 1차 동인천, 2차 시청, 3차 종각에 결집하기로 하였다. 장철수는 1차 집결지로 바쁜 걸음을 옮겼다. 모이기로 했던 장소 입구에는 완전무장한 경찰들이 뱀눈을 치켜뜨고 검문검색을 하고 있었지만 무사히 통과할 수 있었다. 그런데 전철이 인천역에서 45분 후에나 출발하게 되었다. 그는 지금 출발하지 못하면 2차 집결지에서 위원장을 만나지 못할 것 같아 초초해졌다. 멀쩡하던 전차바퀴에 펑크라도 났나, 혹시 창립대회 참가를 막기 위한 적들의 치밀한 작전이 아닌가 하는 생각이 스치자 화가 치솟았다. 마침내 전철은 도착했지만, 장철수는 같이 가는 대의원에게 한마디도 건넬 수 없었고, 고개조차 돌릴 수 없었다. 긴장한 탓인지 경찰이 시민들 사이에 섞여 있는 것만 같았다. 그는 3차 집결지에서 전철 맨 앞 칸에 탄 위원장을 만났다. 너무나 반가워 손이라도 덥석 잡고 인사를 나누고 싶었지만 눈인사로 대신해야만 했다. 눈치를 챘는지 사복경찰들이 지하철역을 어슬렁거리기 시작하였다. 그러나 그는 침착하게 서서 다음 집결지에 대한 지시를 기다렸다.

'수원 성균관대 학생회관!'

그는 재빠르게 전철을 올라탔다. 여기 저기 있던 노동자들도 소식을 들었는지 각 역에서 속속 수원행 전철에 올라탔다. 눈빛만 보아도 '우리편' 이었다. 성균관대역 출구에는 사복과 전경들이 서 있었지만, 노동자들의 위세에 눌려 찍소리 못한 채 멍한 눈빛으로 바라보았다. 그는 시간이 촉박해 뛰기 시작하였다.[104] 한편 인천의 연락책을 맡았던 한석호의 이야기를 다시 들어보면;

"1월 22일 오전 몇 시까지 어느 역에 가 대기하는 걸로 해서 1호선을 중심으로 전철역마다 쭉 분산을 시켜놨고. 올라오는 대오들마다 '어느 역으로 가면 한 손에 『한겨레신문』을 들고 한 손에 하얀 장갑을 낀 사람이 손을 번쩍 들면 다 전철을 타라' 이런 걸 알리는 거고. 저는 인천 대오들을 대방역으로 올라오게 하는 역할인데, 그때 대방역에 서 있던 사람들은 내가 손들면서 빨리빨리 이렇게 하니까 바로 다들 탔는데, 정말 말도 안 하고 전철에 꽉 찼어요. 눈빛으로 다 우리 편이라는 걸 아는 거죠. '아, 저건 내 동지다' 이러고. 근데 다들 어디서 내릴지도 모르는 거야. 손 든 사람이 내리라고 해야지 내리는거니까요." [105]

한편 마창노련 이종엽 의장 직무대행은 수배 중인 데다 얼굴이 알려져 있어서 창립대회장에 들어간다는 것은 구속을 각오해야만 하는 일이었다. 그럼에도 그는 화장을 짙게 하고 귀걸이에다 하이힐까지 신고 위장을 했고, 역이나 터미널로 갈 수 없어서 김해로 가서 밀양으로, 밀양에서 기차를 타고 다시 수원에 도착하였다.[106] 수원까지 오는 동안 그의 머릿속에는 마창노련 건설 이후 활동들, 특히 1989년의 힘들었던 때가 주마등처럼 스쳐갔다. 1989년 한 해 동안 마창노련에 대한 탄압은 전국적이어서, 여기저기서 탄압을 막느라 발을 동동 굴러가며 쫓아다녀도 모자랄 판이었다. 그러자 "지금은 집중탄압을 피해, 투쟁을 멈추고 힘을 다시 추스를 시간이다. 전노협 건설로 탄압의 빌미를 줄 때가 아니다"라는 투쟁 회피 논리가 나오기도 하였다.

그러나 전국회의는 탄압을 피하지 않았고 오히려 맞서 싸우면서 전노협 건설의 목표와 방향을 뚜렷이 세웠고, 그 결과 전노협 건설에 대한 결의와 실천력은 더욱 높아졌다. 이처럼 전노협은 회의나 결의로 만들어진 것이 아닌 투쟁으로 만들어진 조직이었다.

마창노련 역시 처음부터 전노협 건설에 적극적이었던 것은 아니었다. 오히려 '한국노총민주화'와 '전노협 건설 시기상조' 입장을 내세우며 소극적이었다. 그러나 9월 2일 대낮에 쇠파이프로 마창노련 실무자가 테러당하는 사건이 일어난 이후 마창노련은 노동자의 힘이 커지지 않는 한 이런 탄압은 계속될 수밖에 없다는 사실을 깨달았다. 정권은 가장 강력한 지역조직인 마창노련이 전노협 건설에 앞장서지 못하도록 집중적으로 탄압하였다. 하지만 탄압은 마창노련 노동자들에게 전노협 건설의 필요성을 각인시켰고, 투쟁을 통해서만 전국 상황을 깊이 꿰뚫어낼 수 있는 정치인식을 확보할 수 있다는 사실도 알게 해주었다. 결국 탄압이 마창노련을 전노협 건설에 적극 앞장서게 한 셈이었다.[107)]

한편 경기노련 노동자들 역시 비상연락체계를 통해 전노협 창립대회에 참석하고자 하였다. 대회 장소가 대의원들과 지역 노동자들에게 신속하게 알려지자 경기노련 회원인 김성훈은 서둘러 군포역으로 출발하였다. 전날부터 함박눈이 쏟아져 온천지가 눈으로 뒤덮여 있었다.

그의 머릿속은 "오늘 창립대회가 잘되어야 할 텐데, 만일 경찰들이 대회장으로 치고 들어오면 어떻게 대처하지?" "그렇게 되면 많은 노조지도자, 대의원들이 연행당할지도 모른다"라는 복잡한 생각들과 역사적인 전노협 창립대회에 직접 참여한다는 가슴 벅찬 감동이 교차하였다.

그는 군포역에서 수원행 1호선 전철에 몸을 실었다. 전철 안은 많은 사람들로 붐볐다. 대부분 창립대회에 참석하러 가는 노동자라는 것을 차림새와 얼굴 표정으로 알 수 있었다. 혹시 사복경찰이 박혀 있어 장소

전노협 창립대회 (1990.1.22)

가 사전에 누설이 될까봐 서로 눈인사만 할뿐 말없이 입을 굳게 다물고 있었다. '어디에 있다가 어떻게 연락을 받고 이렇게 집결하는 거지?' 그는 마음속으로 감탄하였다. [108)]

마침내 정오 즈음 성균관대학교 수원 캠퍼스에 속속 도착한 대의원들이 빠른 걸음으로 소강당으로 모여들었다. 미리 도착한 선봉대 이삼백여 명이 몇 개조로 나뉘어 교내에서 구한 각목 등으로 무장하고 정문, 후문, 쪽문과 대회장소 주변 경비를 섰다. 언제 경찰이 들이닥칠지 모르는 긴박한 상황! 전노협 창립이 성공하느냐 실패하느냐 하는 갈림길에서 모두 동분서주하는 가운데 긴장감을 가득 안고 숨결조차 거친 듯하였다. 도착하는 노동자들도 손에 각목을 한 개씩 거머쥐고 대회 사수조에 가담하여 주변으로 흩어졌다.

대회장 안에는 약 500명의 대의원들이 '쟁취 전노협' '노동해방'이라고 쓰인 붉은 머리띠를 질끈 동여맨 채, 구호를 외치고 노래를 불러서 분위기는 고조되고 있었다. "1천만 노동자 총단결로 전노협을 쟁취하자"라는 구호가 터져 나오는 순간 선봉대원 한 명이 소리 높여 외쳤다.

"닭장차가 정문 안으로 진입하였다!" 일시에 선봉대원들은 전투태세를 갖추고 대회장 입구로 오는 중간 차단 문을 걸어 잠그고 그것도 미덥지 않아 탁구대를 2층으로 쌓아올려 출입구를 막아버렸다. 마침내 12시 45분, 인노협 조직국장이 개회사를 시작하면서 창립대회를 선포하였다. 참석자들은 전노협 진군가를 벅찬 가슴으로 힘차게 불렀다.

"새날이 밝아온다 동지여 한발 두발 전진이다…."

밖에서는 벌써 학교 안으로 들어온 전경과 백골단이 선봉대원들과 치열한 공방전을 벌였고 노동자, 학생들이 연행당하고 있었다. 대회는 민중의례와 내빈소개에 이어 의장선출이 진행되고 있었다. 그동안 지역

전노협 창립을 선포하는 단병호 위원장

업종별 전국회의를 거쳐 전노협준비위원회의 책임을 맡았던 단병호 동아건설창동노조 위원장이 만장일치로 초대 위원장으로 선출되었다. 이후 내빈인 권처홍 전노협고문이 전노협 창립을 열렬히 지지하는 축사가 막 첫머리를 넘어설 즈음, 장내 한구석에서 고함소리가 터져 나왔다.

"단병호 위원장님이 오십니다!"

일순간 대회장은 뜨거운 기립박수와 '단병호, 단병호' 라는 연호소리로 떠나갈 지경이었다. 단병호 위원장은 말할 수 없는 감격으로 상기된 얼굴을 보이며 열정적으로 취임연설을 하였다. 취임사 도중에도 몇 차례에 걸쳐 백골단이 대회장 습격시도를 했으나 선봉대원들의 혼신의 방어로 번번이 퇴각할 수밖에 없었다. 취임사를 마친 단병호 위원장은 다시 무사와 건투를 비는 장내의 떠나갈 듯한 박수소리를 들으며 이삼십 명의 경호조에 둘러싸여 사라졌다.

"우리는 오늘 전국노동조합협의회의 깃발을 높이 들어 이 땅에 어용과 비민주적 노동조합운동을 극복하고 자주적이고 민주적인 노동운동의 새로운 역사가 시작되었음을 엄숙히 선언한다. … 억압과 굴종의 세월, 어용과 비민주의 시대를 청산하고 전노협의 깃발 아래 강철같이 단결하여 자유와 평등의 사회를 향해 힘차게 진군하자!"

마침내 전노협 창립이 선포되자 모두들 기립하여 '전노협 만세'를 외쳤다. 그러나 호시탐탐 대회장 습격을 노리던 백골단이 기어이 대회장까지 침입해, 어수선한 대회장을 급히 빠져나오던 141명의 대의원과 노동자들이 연행 당했다. 창립대회가 끝난 오후 1시 40분경부터 선봉대와 경찰 사이에 투석전이 벌어졌다. 선봉대는 허술한 방어 장비임에도 눈위에서 쫓고 쫓기는 육탄전을 벌임으로써 전노협 건설을 위한 노동자의 투쟁결의를 보여주었다.

이날 누구보다도 긴장한 사람은 전노협 조직국장 임동섭이었다. 그는 지도부의 안전과 경호임무까지 맡고 있었다. 그는 대회의 성공적인 사수를 위해 전국에서 모인 선봉대원과 학생 선봉대원들 앞에서 기다란 각목을 양팔로 치켜들고 야전 사령관이 되어 전투를 총지휘하였다. 짱돌과 최루탄, 화염병이 날아다니는 일진일퇴 속에서 창립대회는 무사히 사수되었다. 이날 전투상황을 마창노련 대림자동차노조의 소식지에 한 조합원이 기록한 것을 보면;

창립대회장 침탈 (1990)

"과감하게 맞서 열심히 싸웠지만 역부족이었다. 밀리다 밀리다 산으로 철망을 넘어 또 다시 가시밭길을 뛰어 한길로 뛰었다. 많은 동지들의 아우성과 비명…. 퍼뜩 스치는 소리 '노동자들은 먼저 넘어 가시오' 선봉대 학생들이 철망 앞에서 노동자들을 넘겨주었다. 고맙다는 생각과 함께 말없는 눈물이 두 볼을 적셨다. '개새끼들' 어금니를 깨물며 떨리는 두 주먹을 불끈 쥐며… 아수라장을 노려보았다." 109)

선봉대를 담당했던 한석호는 당시 선봉대의 창립대회 사수 상황을 다음과 같이 말한다;

"가자마자 선봉대들 소집이 되고, 제가 정문 쪽을 맡았고. 그런데 수원 캠퍼스가 준비 없이 결정되다 보니까, 그나마 학생회관에 화염병 제작을 위한 병들이라든가 신나가 있어서, 학생들까지 동원돼 가지고, 병도 몇 개 되지 않아 나중에 소주병, 박카스 병으로 화염병 만들고, 쇠 파이프도 없어 플라스틱이었는데 몇 개 되지 않고 … 그 전날 눈이 왔나? 눈이 쌓여 있고. 처음에는 경찰들도 우리가 그 쪽으로 갈지 모르고, 기본 병력 정도. 그때 차 두 대 정도 봤던 거 같은데, 1개 중대 정도였을 거예요. 선봉대들 수습해가지고 대오 정비하고 '이제 안에서 시작하였다' 누가 연락을 줬는데 (경찰이-인용자) 치고 들어오는 거죠. 그래 선봉대 얼마 되지도 않는 인원으로 정면에서 백골단 치고 들어오는데 화염병 던지고, 그리고 '빨리 안에 알리라'고 하고. 그 자리에서 잡히는 사람은 두들겨 맞고 저는 학생회관 쪽으로 튀다가 잡히고, 수원경찰서로 끌려갔는데, 닭장차 안에서 물어보니까 '성공하였다' 그러고." 110)

이날, 가슴을 울리는 동참이 있었다. 감옥에 갇혀 있는 노동자들이 전노협 창립에 마음으로 참여한 것이다. 인천 학익동에 수감되어 있던 명성전자 위원장 김기자와 수감자들은 일반 재소자들의 지지를 받으며 전노협 창립대회에 동참하는 방식으로 단식투쟁과 집회를 열면서 감동의 눈물을 흘렸다. 당시를 김기자는 다음과 같이 기억하고 있다;

> "전노협 결성에 동참한다는 의미로 3일 단식을 하고 대회 날 감옥에서 집회를 했죠. 너무나 역사적인 날이기 때문에 방을 같이 쓰는 11명의 일반 재소자들한테 설명하고, 이 사람들도 '님을 위한 행진곡' 배워 부르고, 집회할 때 다 듣고 묵념해야 될 때는 일어서야 된다니까 다 일어나서. 창립하는 날은 이 사람들이 한 끼를 굶어주겠다 그래서 같이 굶고. 참석하지 못한 것이 너무 아쉬웠지만 감옥에 있는 동지들은 감동으로 막 울었어요." [111)]

한편 전노협 결성 지지시위는 전국 각지에서 벌어졌다. 부노협 노동자와 학생 400여 명은 도로를 점거하고 "노태우 정권 퇴진"과 "전노협 결성 지지"를 외치며 시위를 벌였다. 서울에서도 대학생들이 '전노협 사수를 위한 청년학생 결의대회'를 치룬 후 곳곳에서 격렬한 시위를 벌이며 전노협 창립의 의의를 알리고자 하였다. 그밖에도 전국 곳곳에서 전노협창립 보고대회가 열렸다. 대전에서는 모범운수, 신광택시 등에서 '전노협 창립 축하행사'를 가졌으며, 충남민주노조협의회 준비위원회 소속 노동자와 대학생들도 가두홍보전을 벌였다. 대구에서는 23일 경북대 소강당에서 노동자, 학생 400여 명이 모여 전노협 창립보고대회를 열고 공단일대와 시내 전역에서 시민홍보를 벌였다. 이리에서는 23일 창인동 성당에서 500여 명이 모여 '전노협 결성보고 및 아세아스와니 폐업철회 촉구대회'를 개최했고, 마창에서는 23일 한국남산업, 동경전자 등 7개 노조가 전노협창립 보고대회를 가진 데 이어 25일에도 한국중천과 삼미금속에서 창립보고대회를 개최하였다. 그 외 마창노련 27개 노조에서는 22일부터 일제히 전노협 결성을 축하하는 현수막에 '축 전국노동조합협의회 창립', '전노협 마창노련, ㅇㅇ노조' 라고 써서 전노협이 자신들의 상급노조임을 자랑스럽게 알렸다.[112)]

1990년 1월 창립대회 참가자들은 1988년 전국노동자대회의 감격 이상으로 자신들이 만든 노동자의 전국조직 건설에, 밀려오는 감동을 평생 가슴에 간직하였으리라. 마창노련의 노동자 홍지욱처럼.

"성균관대학교 수원 캠퍼스에 다녀왔죠. 그때는 긴장이 많이 되었어요. 간부로서 당연히 참가해야 하고, 사수조 역할을 했고. 올라갈 때부터 조 짜서 빨치산처럼 해서 서울 갔더니 전철을 몇 번 갈아타고 엉뚱한 데서 다시 돌아서 수원으로 갔죠. 대회 중에 단병호 위원장이 선언하고 결의문 낭독하는 찰나에 백골단이 들어왔어요. 해산선언하고 눈밭에서 전투를 하다가 길도 모르는데 수원역까지 걸어서 온 기억이 나요. 당시 민자당 창당인가 하던 때인데, 언론을 보고 '우리가 엄청 큰일을 했구나. 우리가 만든 전노협이 이 사회에서 크게 존재하는구나' 인식하고 감동했어요."[113)]

그뿐만 아니라 한동안 현장은 전노협 창립대회를 둘러싼 이야기로 가득하였다. 부노협 의장 박양희의 증언을 재구성해 보면, 범우전자노조에서는 위원장과 대의원이 창립대회에 다녀오자 조합원들은 그들의 주위에 모여 눈을 반짝이며 대회 상황을 들었다고 한다.

"어찌나 최루탄을 쏘아대는지 너무 많이 울었어."

"학교 안으로 들어갈 때는 무서워서 오금이 저렸지만 신이 났지!"

"전경도 많지만 선봉대도 얼마나 많은지 끝이 없는 것 같더라구."

"완전히 전쟁터였다구." [114]

이들에게는 뉴스에서 본 선봉대와 전경들의 격렬한 투쟁장면보다, 아나운서의 전노협결성을 알리는 짧은 멘트를 들었던 때보다, 위원장의 입을 통해 전노협의 결성을 듣는 것은 너무나 생생하고 가슴 벅찬 일이었다. 하지만 전노협 창립대회는 약간의 아쉬움도 남겼다. 조합원들이 참여하여 서로 어깨를 두르며 함께 힘차게 전노협의 깃발을 올릴 수 있었더라면. 그리고 업종과 대공장의 노동자들도 같이 할 수 있었더라면….

이처럼 살벌한 전투 속에서 전국 1,000만 노동자의 생존권과 민주적 권리를 대변해 나갈 기관차, 전노협은 출범하였다. 언제 어느 때 노동자의 생활개선과 권익신장이 투쟁 없이 이루어진 적이 한 번이라도 있었던가. 항상 노동자들의 단결된 힘으로 쟁취해오지 않았던가. 전노협도 마찬가지였다. 아니 더욱더 결사항전의 각오로 쟁취하지 않으면 안 되었다. 창립대회에 참석했던 모든 대의원과 노동자들, 선봉대원들 그리고 밖에서 발을 동동 구르며 창립대회 성공을 빌었던 노동자들, 각 지방에 올라오지 못한 수많은 노동자들도 마음속으로 이런 생각을 했으리라.

전노협 깃발은 어느 날 갑자기 세워진 게 아니었다. 수많은 노동 열사들의 죽음과 치열하게 살아가는 사람들의 꿈의 결실이었다. 1970년 전태일과 1979년 김경숙의 죽음, 이를 헛되이 하지 않으려는 1970년대 노동자들의 투쟁, 1980년대 대우자동차투쟁과 구로동맹파업으로 큰 파도를 일구고, 마침내 1987년 노동자 대투쟁의 폭풍으로 휩쓸어 1990년 고개를 넘어서면서 전노협이라는 거대한 실체를 드러냈던 것이다.

2 투쟁으로 지켜낸 전노협의 깃발

전노협 창립대회 저지에 실패한 노태우 정권은 가장 위협적인 세력으로 등장한 전노협을 창립 직후에 고립·약화시켜 해체하려는 공작을 시작하였다. 1990년의 노동탄압은 그 이전과는 양상을 달리했는데, 정권과 자본의 공동전선, 즉 총자본 수준의 확고한 공조를 통한 체계적이고 총체적인 성격을 띠고 있었다. 이는 30여 개 재벌단체와 80여 개 제조업종별 단체가 조직적으로 가입하여 1989년 11월 16일에 경제단체협의회(경단협)를 결성하는 것으로 나타났다. 경단협은 "전노협 등의 급진폭력세력에 대해 집단적으로 단호한 대처, 무노동 무임금 및 경영인사권 수호, 법질서확립과 공권력의 적극개입 등의 방침"을 발표함으로써, 그 계급적 성격을 노골적으로 드러냈다. 이와 맞물려 11월 14일 치안 관계 장관 회의, 12월 9일 경제장관회의, 12월 12일 무노동 무임금 지침, 12월 15일 정부 주도하의 임금억제정책 등이 연일 발표되었고, 1990년 1월 20일 '노동운동종합대책'으로 노골적인 모습을 드러냈다. 이런 일련의 움직임은 결국 전노협을 와해시키기 위해 노동운동에 대한 강도 높은 탄압과 노사 협력적 노조운동에 대한 지원, 그리고 경제위기설을 바탕으로 한 이데올로기 공세로 자본 위주의 노사관계를 제도적으로 정착하려는 것이었다.[115)]

직접적으로 정권은 전노협과 노동자들을 분리시키기 위한 이념 공세로 시작해서 전노협 활동을 마비시키기 위한 지도부 구속과 집회원천봉쇄, 단위사업장부터 흔들기 위한 업무조사와 전노협 탈퇴강요 등 가능한 모든 수단을 동원하였다. 이제 막 태어난 전노협은 정권의 전면적인 탄압에 맞서 조직을 지켜내기 위해 온 힘을 기울여야 하였다. 전노협 사수투쟁은 '정권의 탄압을 막아내고 민주노조운동의 새로운 전망을 열어내느냐 아니면 다시 정권과 자본 주도의 노사관계로 회귀하느냐'를 둘러싼 중요한 갈림길이었다.

지도부 구속과 이념공세

우선 노태우 정권은 전노협 활동에 직접적인 타격을 주는 방식으로 전노협과 지노협 주요 간부들을 구속하거나 수배하여 발을 묶어두려 하였다. 이때 실제로 구속되거나 수배된 지도부들은 어느 정도였으며, 그 영향은 민주노조운동에 어떻게 나타났을까?

전노협 와해공작이 한창이었던 1990년 5월까지 중앙위원 51명 가운데 17명이 구속되고, 12명이 수배되어 29명이나 정상적인 활동을 할 수 없었다. 또 지노협과 단위노조간부 235명, 조합원 36명, 그리고 73명의 해고자와 노동운동가들이 구속되었다. 마창노련에서는 51명이나 구속되었고, 서울, 부산에서도 각각 25명, 16명이 구속되었다. 이들의 구속 이유는 업무방해가 68명으로 30%를 차지하고 있었는데, 이는 노동쟁의를 노사관계법에 따라 처벌하기보다는 민법이나 형법 등 일반 법률을 통해 억제하기 위한 것이었다. 이런 구속결과 전노협은 제대로 활동하기 어려웠으며, 지노협 또한 집행력이 약화되기도 하였다.

동시에 노태우 정권은 전노협에 대한 이념 공세를 강화하였다. 한편에서는 '전노협은 좌경불순 · 급진세력'이라고 몰아붙여 지도부와 조합원들을 분리시키려고 했으며, 다른 한편으로는 노조간부들에게 협조주의적 노조운동이념을 불어넣기 위해서 사회주의권 연수를 실시하였다. 이는 노동부가 밝힌 대로 1989년 사회주의권의 붕괴가 본격화되면서 자본주의 체제의 우월성을 선전하고 '협조적 노조운동'이 필요하다는 것을 조합원들에게 불어넣기 위한 것이었다.

> "북방 사회주의 국가의 실상 체험기회를 제공하고 선진 자유민주주의 국가의 발전상을 체험케 하여 산업사회의 급진 · 좌경 노동운동이념의 확산방지 및 자유민주주의 이념의 가치와 우월성을 확인시키기 위한 것이다." [116)]

사회주의권 연수는 1990년에 199명의 노조간부를 대상으로 진행되었다. 1991년에는 2만여 명의 간부를 중국, 일본 등에 보냈다. 노동자들은 "강성노조나 강성 조합원을 개량화시키는 데 취약"이라고 연수에 대해 말하였다. [117)]

지역과 사업장에서도 이념교육이 진행되었다. 주로 대학교수, 귀순자, 또는 자본가들이 교육을 하였다. 인천 한국데크레코에서는 3월 23일에 귀순자 교육을, 27일에는 사장의 '인노협 · 전노협 비난' 교육을 실시하였다. 이념교육은 인천에서 9개 사업장, 부천에서는 5개 사업장에서 시도되었다. 노조들은 이념교육을 거부하거나 질문공세를 퍼부어 저지하기도 하였다. 자본가들은 이념 선전물이나 책자를 배포했는데, 서울의 일신통신에서는 회사가 직접 만든 '침묵의 소리' 라는 유인물을 2월 말부터 4회 배포하였다. 유인물의 내용은 "민주노조가 생기면 회사가 망한다", "일신노조는 못된 민주노조의 가장 좋은 예"라며 노조를 노골적으로 비방하는 것이었다. 남성전기에서는 『찢겨진 붉은 깃발』, 『엑소더스 1989』라는 제목의 반공만화책이 각 라인의 주임을 통해 배포됐는데, 특히 『찢겨진 붉은 깃발』은 인천의 다우정밀, 경일화학에서도 돌려져 조합원들의 반발을 사기도 하였다. [118)]

업무조사와 거부투쟁

이 시기 정권의 전노협 와해공작 중 가장 악랄한 형태는 업무조사였다. 1990년 1월 19일에 열린 산업평화 특별대책반 회의자료 가운데 아래의 '전노협 가입 노조에 대한 업무조사권 발동에 대한 지침'을 보면 정부의 업무조사의 목적을 알 수 있다;

> 최근 자칭 '민주노조'들이 노조 본래의 목적을 벗어나 이념적 사회운동을 전개하면서 위법, 부당한 조합비 집행, 소위 '전노협' 결성기금 징수, 전횡적 노조운영 등으로 건전 노조활동 및 산업평화 정착에 저해요인이 되고 있어 이를 법에 따라 조치하고자 함. 법적 근거는 노동조합법 제30조와 노동조합법 시행령 제9조의 2항이다.

이 자료에서 주의해서 볼 것은 조사 내용이다. 주요 항목만을 보면 '노동조합비 집행상황의 적정성 여부, 노조 의결 사항의 관계 규정 준수 여부, 적법 상급연합단체에의 가입 여부, 노조운영과 의사결정 과정에 조합원 참여 여부, 규약 · 단체협약 등의 적정성 여부' 등이었다.

그런데 노동조합법에는 "진정 · 고발이 있거나 조직 내 분규발생, 회계정리에 대해 지도할 필요가 있는 경우"에 한해 조사권 발동이 가능하도록 되어 있다. 하지만 1990년에는 전노협 가입노조라는 이유만으로 업무조사를 실시하였다. 결국 정권의 업무조사는 단위노조에 압력을 가해 전노협을 탈퇴하도록 유도하거나, 전노협을 불법 · 불순단체로 악선전하면서 전노협과 조합원을 분리시키고 1990년 공동임투를 무력화시키기 위한 것이었다. 실제로 1990년 상반기 업무조사처리 결과 전노협의 조직력은 상당히 훼손됐다. 업무조사를 받은 사업장이 19개, 전노협

죽을 각오로 싸워 전노협을 지켜낸 노동자들

탈퇴사업장이 29개에 이르렀고, 고발된 사업장도 59개나 되었다.

그렇다면 전노협은 업무조사에 어떻게 대응했을까? 업무조사 대상 사업장은 모두 129개로 전국적으로 고루 분포되어 있었다. 전노협은 2월 2일 '업무조사 탄압 대응지침' 과 2월 3일 '노동부의 노동조합 업무조사에 대한 보완지침' 을 통해 "노동부 업무조사의 목적이 전노협 탄압 · 와해에 있으며 법적 근거가 빈약한 불법적인 것이기에 전면적 거부" 방침을 확정지었다. 전노협은 업무조사 전면거부 투쟁이 '1990년 임금인상 투쟁 승리와 전노협 사수' 라는 목표를 성공적으로 이뤄낼 수 있는 첫 번째 관문이라고 인식하고, 업무조사 거부투쟁으로 사업장에서 전면적인 거부투쟁을 전개하는 동시에 지역과 전국노동운동탄압분쇄투쟁으로 결집시키기로 하였다. 구체적인 전술은 노동부의 조사통보에 대한 반송 또는 회신공문 발송을 통해 시간을 지연하고 강제로 집행하려 할 때에는 힘으로 저지하기 등이었다.

한편 업무조사를 통한 탄압을 직접적으로 받고 있던 지노협의 상황은 어떠했을까? 단위사업장에서 업무조사는 어떻게 다가왔고 노조는 어떻게 대응했을까? 가장 먼저 대응을 한 것은 서노협이었다. 서노협은 위원장단과 사무장단 긴급회의를 소집하여, 업무조사의 의도와 부당성, 대응원칙을 공유하고 지역 차원에서 대응할 것을 결의하였다. 2월 10일에는 업무조사를 통보받은 노조 대표들이 모여 '업무조사거부 공동대책위원회(업무조사공대위)'를 결성해, 업무조사거부를 결의하면서 세부 투쟁지침을 결정하였다.

> "정부와 자본가 음모의 본질을 정확히 인식하여 조합원의 업무조사 전면 거부투쟁의 의지를 모아내고, 거꾸로 조합원 임시총회, 대의원대회 등을 개최하여 조합 자체에서 회계 감사를 받고, 정부당국의 자주적 노조운영에 대한 불법 부당한 개입을 규탄하고 적극적 투쟁결의를 모아내자." [119)]

이에 따라 단위노조에서는 구청이나 노동부에서 보내온 '자료제출 요구'에 대한 질의서를 발송하였다. 또 상집회의, 대의원대회, 총회 등을 열어 업무조사 실시의 의도와 부당성을 폭로하고 노조의 자주성을 수호하기 위해 업무조사를 전면 거부할 것을 결의하였다. 공문발송만으로 업무조사를 할 수 없게 되자, 구청과 노동부 직원은 같이 노조를 찾아다니면서 업무조사에 응할 것을 요구하면서 전노협에서 탈퇴할 것을 협박하거나 회유하였다. 강남구 동신식품의 경우 감독관이 찾아와 "전노협 탈퇴만 약속하면 무사하게 해주겠다"며 노골적으로 탈퇴를 요구하였다. 이처럼 노조와 행정관청 사이에 공방이 오고 가던 중, 3월 12일 업무조사 거부와 제3자개입을 이유로 삼성제약 노조위원장과 부위원장이 구속되고 한양대병원 노조위원장이 수배되었다. 업무조사공대위에서는 3월 14일 저녁부터 15일까지 '업무조사 탄압 즉각 중지, 구속자 석방, 수배해제'를 요구하며 평민당사에서 철야농성을 벌였다. [120)] 이런 업무조사는 각 지노협마다 유사한 형태로 진행되었다. 개별사업장에서 모범적인 투쟁을 벌인 곳은 대림자동차노조였는데, 그 상황은 다음과 같다;

"업무조사가 와요. 그니까 우리 노조가 2월 15일에 '업무조사 분쇄결의대회'를 열었어요. 그 뒤 매일 아침조회와 중식시간에 집회를 열어 업무조사 거부와 분쇄의 정당성을 알리고 돌아가는 상황을 얘기하죠. 그리고 전 조합원이 나서서 깃발 달기를 하면서 단결력을 높이는 투쟁도 같이 했고요. 그러다가 느닷없이 3월 5일에 노동부가 위원장을 업무조사거부라는 이유로 고발하는데, 거기에 회사는 현수막을 떼더니 간부들의 외출 때마다 사사건건 시비를 걸잖아요? 노조가 가만히 있겠어요? 집행부 전부가 공장장실을 검거하면서 항의농성을 하니까, 회사가 포기하대요." 121)

한편 조직역량이 취약한 지노협의 대응은 어떠했을까? 전북지역의 경우, 3월 노동부의 업무조사지침이 내려왔다. 타격 대상은 전주의 서호주정노조, 군산의 서해물역노조, 익산의 삼립테코노조였다. 서해물역노조는 "상황을 이해해달라. 민주노조운동을 포기한 것은 아니다. 미안하다. 언젠가는 만날 것이다"라는 편지를 보내고 전북노련을 탈퇴하였다. 서호주정노조도 간부들이 동요해 전북노련을 탈퇴하려 하자 위원장이 농성까지 했으나 끝내 탈퇴를 막을 수는 없었다. 삼립테코만이 전북노련과 결합하여 업무조사지침을 거부해 민주노조를 사수하였다.122) 이 상황에 대해 전북노련의 이송준은 다음과 같이 기억하고 있다;

"4개 사업장이 집중 탄압을 받았고, 서호주정이 대표적인데 조합의 내분사태를 야기하고, 당시 (노조-인용자) 대표가 참 외롭게, 혼자 단식하고 조합원들은 다 노조를 (떠나고-인용자). 그중에서 삼립테코만 살아났어요. 위원장을 구속하려고 경찰서에 연행해가니까 조합원들이 즉각 파업을 하고 경찰서로 몰려갔지. 그때 싸움 방식은 그랬어요. '위원장 잡아 간다' 그러면 다 일손 놓고 경찰서로 가는 거였어요. 4개 사업장이 떨어지니까 주변에서 전노협 활동에 겁을 먹기 시작하면서 사실 많이 위축돼가고 있었죠." [123)]

업무조사로 민주노조가 와해되자 전북노련은 곧바로 '법과 노동자' 라는 주제로 교육과 홍보작업을 했으나, 공동행동은 리본 달기, 플래카드 달기, 집회로 제한되었다.[124)] 문제는 업무조사가 지노협 탈퇴 강요만이 아니라, 사업장의 자본가에게 힘을 실어주는 계기가 되어 노사관계를 변화시킨 것이다. 이에 대한 전북노련 의장 현주억의 증언을 들어보면;

"업무조사가 두렵기는 하지만 사용주들이 정권이 전노협을 무력화시키고 전노협 사업장들을 파괴하려고 한다는 (확신-인용자)이 있으니 '어떤 행태를 해도 나는 용서받고 너는 제재받을 것'이라는 자신감이 문제였지요. 노조는 조직력과 투쟁으로 버티는데 이런 자신감 있는 사용주를 상대하기가 어려운 거죠."[125)]

정권은 상반기에 이어 하반기에도 업무조사를 끈질기게 계속하였다. 경기노련 안양지구의 경우, 10월 말부터 11월 초에 걸쳐 업무조사 공문이 17개 노조에 발송되었다. 이 가운데 12개 사업장 노조대표들이 업무조사 거부를 공동결의하고 이를 시청 측에 전달하자 시청에서 비공식적으로 조사를 철회하겠다고 답변하였다. 그러나 업무조사는 철회되지 않았다. 대우전자부품노조에는 "11월 29-30일에 업무조사를 실시하겠다"는 내용의 노동부 공문이 접수되었다. 위원장이 금강공업 집단분신투쟁으로 수배 중인 것을 기회로 삼아 노조를 와해시키려고 한 것이었다. 그러나 조합원들은 근로감독관을 위협하고 수모를 주어 몰아내는

통쾌한 싸움으로 대처하였다. 양규헌 위원장의 증언을 들어보면;

> "기본은 업무조사 거부투쟁인데 전술은 사업장 조건에 맞게 하는 거죠. 본때를 보여야 된다는 게 간부들의 판단이었으니깐. 남성들은 바깥에서 쇠파이프로 막 쾅쾅 치고 화염병을 들었다 놨다 하고. 여성 동지들은 업무조사 나온 근로감독관 귀싸대기를 때리고 '니 돈이냐? 이 새끼야!' 이러면서 패버렸거든. 그 땐 여성동지들이 어렸잖아요? 걔들이 '나이도 어린 게 왜 이래?' 그러면 '야, 나이도 어린 애들한테 맞아 봐.' '이거 오늘 다 죽여버려.' 그렇게 하니깐 걔들이 도망가는데 그걸 여성동지 하나가 잡았더니, 걔들이 '술집 여자마냥 왜 이래?' 이랬다고. 말 한마디 잘못하면서 이게 폭발이 돼 가지고 완전 난리가 났어. 직원들이 다 내려와서 말리고. 동지들이 계란을 걔들에게 퍼부어버리고 거기에 고춧가루 갖다 씌우니까 사람 꼴이 아니지. '걔들이 갈 때 다른 사업장 가면 정말 죽겠다는 생각을 하게 만들자'가 핵심이었지. 그러고 나서 간부들이 '저놈들이 업무조사를 최초로 여길 나왔는데 저걸 우리가 깸으로써 운동에 뭔가를 기여 한다'는 자부심을 가지고, 특히 여성 동지들이 대단했죠." [126)]

전노협 탈퇴공작과 사수투쟁

노태우 정권은 업무조사에 이어 집요하게 전노협 탈퇴압력을 가해 조합원들을 위축시키려 하였다. 이러한 정권의 탈퇴 공작에 대해 조합원들의 분노 또한 컸으나 탄압을 받았던 노조들이 지역에서 중심적인 역할을 했기 때문에 다른 노조들과 연대투쟁을 기대하기 어려웠다. 더욱이 많은 지도부들이 구속이나 수배 상태였기 때문에 노조활동이 극도로 위축돼서 힘 있는 대응이 어려웠다. 먼저 경기남부지역에서는 정권과 자본 그리고 한국노총이 이미 전노협을 탈퇴했거나 가입하지 않은 사업장들을 동원해서 마치 전노협 탈퇴가 집단적으로 진행되는 듯한 쇼를 연출하기도 하였다. 4월 2일 신문에 보도된 전노협 탈퇴 관련 기사를 보면;

> 〈경기도 내 28개 노조 전노협 탈퇴하고 한국노총에 가입키로 결의〉
> 1990년 4월 2일 경기도내 28개 노조가 전노협을 탈퇴하고 한국노총에 가입키로 결의하였다. 경기남부노련 소속 우진제관 노동조합과 성노협 소속 세원공업 노동조합, 부노협 소속 로렌스시계 노동조합 등 28개 노동조합(조합원 3천 5백여 명)이 전노협을 탈퇴하기로 결의하였다. 노조 위원장들은 3일 오전 11시 한국노총 경기도 지역본부에서 모임을 갖고 각기 경기남부노련, 성노협, 부노협 등 전노협을 공식 탈퇴하고 한국노총에 정식 가입키로 결의하였다.[127]

전노협은 바로 조작된 전노협 탈퇴공작에 대한 반박 성명서를 통해 진상을 폭로하였다. 인노협에서도 전노협과 지노협 탈퇴를 유도하는 공작이 나타났다. '인노협 탈퇴 노조협의회' 라는 정체를 알 수 없는 곳에서는 선전물을 통해 "전노협과 민주노조운동은 공산주의 사상에 물든 불순세력의 허수아비이자 조합비를 횡령하는 파렴치범" 이라며 인노협을 흠집 내기 위해 극성을 부렸으며 심지어 인노협을 음해하는 개인명의의 선전물이 나돌기도 하였다.[128] 그밖에도 탄압국면에 편승해서 자본가들의 탄압도 같이 나타났다. 진흥정밀, 진영스텐다드 등에서는, "노조의 인노협 가입 때문에 회사가 기관들로부터 제약을 받아 사업도 제대로 못 하겠다" 라고 하거나, 창포제과는 "인노협을 탈퇴하면 물량을 확보해주겠다" 라는 식의 비열한 짓을 하였다. 심지어 한국데크리코는 회사가 '노조활동시정지침'[129]을 노조로 보냈는데, 면회자 사내출입금지, 불법현수막부착금지, 불법단체 및 타사와의 연대투쟁의식 고취 및 찬양 · 고무 · 선동성 벽보부착금지 등 단체협약까지 무시하면서 노조활동을 무력화시키고자 하였다.[130]
마창노련에서도 여러 노조에서 업무조사 거부투쟁이 벌어지고 소환과 고발이 잇따르면서 탈퇴 압력이 거세게 불어닥쳤다. 그 결과 한일단조, 만호제강, 부영공업, 한국강구 등 노조가 마창노련 탈퇴를 결의했고(3.10), 수출지역의 시티즌(3.14)도 탈퇴하였다. 3월 10일에 6개 탈퇴 노조대표자들은 창원 노동복지회관에서 공동기자회견을 열고 마창노련 탈퇴를 발표하였다. 그러나 이 가운데 3개 노조는 2월 24일 제2차 마창노련 정기 대의원대회에서 제명된 노조였고, 시티즌노조는 대의원대회에서 탈퇴여부를 결정하기 전에 위원장이 일방적으로 마창노련 탈퇴를 발표한 것이었다. 마창노련은 3월 24일 '6개 노조 탈퇴 기자회견에 대한 마창노련의 입장'이란 성명서를 통해 "기자회견은 경찰, 보안사, 안기부 등 관계기관이 배후조종한 것이며 마창노련의 명예에 흠집을 내고 단결력을 무너뜨리려는 의도"라고 강력히 비난하였다.[131] 마창노련은 마창노련 · 전노협이라는 연대조직의 필요성을 선전하기 위해 다음과 같은 교육선전물을 만들어 돌렸다.

> "1989년 현대중공업노조의 파업투쟁 때 마창지역 노동자들이 50여 일 동안 항의연대투쟁을 전개한 결과 현대중공업 민주노조를 지켜냈을 뿐 아니라 마창지역 임투 분위기도 고양되었습니다. … 진정한 연대정신이란 개별 노조들이 각각 무엇인가를 얻기 위한 연대가 아니라 개별 노조들의 참여를 통해 전체를 강화하는 연대를 합시다."[132]

그 결과 마창노련 가입노조들의 전노협 탈퇴 압력에 대한 대응은 보다 적극적으로 나타났다. 특히 한국중공업, 현대정공, 경남금속 등의 노조는 대의원대회와 총회의 의결로 마창노련 탈퇴공작과 음모를 폭로하고 저지해 마창지역과 전국 노동자들에게 큰 격려와 용기를 안겨주었다.

이상에서 본 것과 같이 여러 지역에서 나타난 정부와 자본가들의 전노협 탈퇴강요는 협박과 회유, 노조 분열 유도의 방식으로 이루어졌다. 자본가들은 '전노협을 탈퇴하지 않으면 회사 문을 닫겠다' '주문계약을 할 수 없다'는 등 협박을 일삼았고, 노조간부들에 대해서는 신원조회를 했고 심지어 집안에다 압력을 가해 탈퇴하도록 강요하기도 하였다. 또 '전노협 탈퇴시 조합원 해외여행, 특별보너스 지급' 같은 회유의 미끼를 던지거나, 조합들 사이를 이간질해서 분열시키려 하였다. 1990년 전노협을 와해하려는 정권의 탄압은 전노협에게 막대한 피해를 입혔지만, 경기노련 대우전자부품노조 조합원의 힘으로, 마창노련 조합원의 힘으로, 그리고 각 지노협의 조합원, 간부와 활동가의 힘으로 전노협은 사수되었다.

전노협 사수를 위한 중앙의 단식농성투쟁

지도부가 구속·수배된 악조건 속에서도 전노협은 전국적으로 전개된 탄압에 맞서 강력한 투쟁을 전개해 노동운동 탄압의 부당성을 사회적으로 폭로하고 민주세력과 연대를 통해 최소한 방어선을 구축하지 않으면 안 되었다. 그러나 상황은 그리 녹록하지 않았다. 지역에서 동원력의 한계 때문에 전국적 대중투쟁을 벌이기에는 상황이 어려웠다. 결국 전노협은 '전노협 사수를 위한 철야 단식농성투쟁'을 결의하고 서노협 단위노조 대표자, 전국 업무조사 해당 노조 대표자, 전국노운협이 주도

적으로 참여하기로 하였다. 이러한 결정과정에 대해 전노협 편집국 박정애의 증언을 보면;

> "1990년 탄압에 대한 분쇄투쟁을 어떻게 할지 논의 끝에 '지도부라도 단식농성을 하면서 탄압을 폭로하고 대응하자'라는 의견이 있었는데, '지방에서 올라올 수도 없고 단위노조에선 3월부터 임금인상투쟁을 해야 하는데 상황이 어렵다' 해서 반대하는 의견이 많았는데. 무언가 할 수 있는 것이 부족한 상황이었죠. 그래서 최소한 중앙조직이 할 수 있는 전술로서 명동성당에서 2박 3일 단식농성을 하기로 했죠." [133]

4월 6일 오후 4시, 명동성당에서 '노동운동탄압 저지와 전노협 사수를 위한 철야 단식농성투쟁' 이 시작되어, 서노협, 경기노련, 인노협, 전국노운협 등에서 150여 명이 참여하였다. 지도부의 농성이 시작되자 경기노련, 인노협, 서노협 조합원들의 지지방문이 이어졌다. 이에 대해 전국노운협 사무국장 김형준의 기록을 보면;

> "조합원이 위원장을 지원 방문해 힘차게 '동지가'를 부르는 모습을 보면서 그 누가 대중이 침체되었다고 할 것인가! '위원장님 힘내세요.' 얼싸안고 위원장을 격려하는 모습은 뜨겁고 진한 동지애였다." [134]

그러나 4월 7일 새벽에 내리기 시작한 비는 농성장 분위기를 바꿔놓았다. 텐트가 새서 농성장에 물이 넘쳐 어수선한 분위기였으며, 위원장 직무대행이 진행한 '현 시기 노동조합운동의 현황과 과제' 를 둘러싼 토론은 침묵만이 흐를 뿐이었다. 그때 성당 밖에서 유인물을 배포하던 한 노동자가 경찰에 연행당하자 농성자 열 명이 몸싸움으로 그를 구출하는 과정에서, 갑자기 농성장에 긴장감이 돌았다. 더불어 '천주교 교육재단 해직교사복직을 위한 기도회' 에 500여 명의 교사와 노동자가 참여하면서 분위기가 고조되기 시작하였다.[135)]

이처럼 농성투쟁은 애초 결의보다 축소되어 전개됐으나, 전노협은 조합원의 사전 조직화에 큰 의미를 부여하며 이 투쟁을 단위노조의 임금인상투쟁 분위기를 활성화시키는 계기로 삼았다. 단위노조에서도 상집간부들이 철야농성을 벌였고, 노조마다 보고대회를 개최하거나, 농성장방문과 소집회를 개최하였다. 퇴근 후에도 조합원들은 가두홍보, 노동부 항의방문, 노동부 관할 사무소를 항의방문, 항의전화걸기 등을 하였다. 각 노조마다 상황에 맞는 동조투쟁을 전개하면서 서서히 분위기가 살아났으며 4월 8일 '임금교섭 중간보고, 노동부장관 퇴진, 노동운동탄압 분쇄 결의대회' 를 통해 철야단식 농성투쟁을 마쳤다.

전노협 중앙위원회 회의장 침탈과 항의투쟁

1990년 전노협 탄압의 마지막을 장식했던 사건은 전노협 중앙위원회 침탈이었다. 12월 20-21일 양일간 전노협 제11차 중앙위원회가 서울 우이동에서 열렸다. 단병호 위원장은 구속, 직무대행을 맡은 김영대 수석부위원장과 최동식 사무총장이 현상수배 된 상황이어서 전노협 중앙위원회는 출범 이후 한 번도 사무실에서 제대로 된 회의를 열지 못하였다. 12월 21일 아침식사를 마친 참석자들이 회의 속개를 준비하던 순간, 160여 명의 백골단이 회의장 일대를 포위하고 폭력을 휘두르면 들어왔다. 권총으로 위협하고 갖은 욕설과 폭언을 퍼부으면서 참석자 31명을 연행해갔다. 전노협 직무대행 김영대의 증언을 들어 보면;

"그때는 어떤 의사결정도 결정이지만 전체적인 공유를 위해서 1박 2일 워크숍으로 잡기로 했던 거 같아요. 전날 미리 몇 시간 전에 가봐서 아무 문제가 없대. 근데 초기에 회의를 거기서 한 번 했던 적이 있어요. 우리가 왔다 갔다는 거를 알고 경찰이 와서 확인을 했더라고. 그니까 '다음에 오면 신고해라' 이렇게 얘기를 하고 갔겠지. 현상금도 약간 붙어 있었고. 그니까 육칠 개월 뒤에 왔으니까 주인이 긴가민가하다가 내가 인사하니까 그때 알아먹은 거 같아요. 깜짝 놀라더라고. 그러고 저녁 먹고 자고. 밤사이 신고를 한 거 같아요. 그때 겨울이니 밤에 출동하기 어려우니까 아침에 전경 동원해서 거기 에워싸고 들어온 거죠. 제가 연행된 거고." [136]

중부경찰서로 끌려간 김영대는 따로 조사를 받았다. 그러자 나머지 연행자들은 일체 조사에 응하지 않은 채 '김영대 직무대행 즉각 면회와 석방'을 요구하며 경찰서 안에서 항의농성을 하였다. 당시 연행되었던 조직국장 임동섭의 증언을 보면;

"전노협 중앙위 회의해서 전체가 다 유치장에 들어갔어요. 저도 거기 있었는데 형사과가 농성장이 된 거예요. 철장 안에서 우린 나름대로 구성해가지고 '우린 죄가 없다. 무슨 연유로 우리가 들어왔냐?' 노래 부르고 분반 토론하고 집회하고 그랬어요. 아무튼 반나절쯤 경찰서를 떠들썩하게 만들어 놓고 나온 거예요." [137]

중앙위원회 회의장 침탈은, 그동안 정부가 전노협와해를 위해 총력을 기울였으나 성공하지 못하자 다가오는 1991년 임투의 기선을 제압하기 위해 벌인 선제공격이었다. 중부경찰서 밖에서의 투쟁은 전노협 중앙에서 중부서 항의방문을 벌이면서 시작되었다. 수도권 5개 지노협의 100여 명 간부들이 항의방문을 했고, 오후 6시 김영대를 제외한 전원이 석방되었다. 그러자 석방된 중앙위원과 서노협, 인노협 등 60명, 전농, 전민련, 민중당 등 80여 명이 농성에 참가하였다. 이런 분위기를 받아서 지역에서는 대자보 게시, 플래카드 부착, 항의리본 달기, 항의전화하기 등이 전개되었고, 서울, 인천, 부산, 마산, 창원, 대구, 광주, 경기남부에서는 항의농성에 돌입하였다.

이상에서 본 바와 같이 노동운동의 새로운 장을 연 1990년은, 전노협 건설투쟁으로 시작해서 지도부 구속과 이념공세와 업무조사 그리고 탈퇴압력 등의 총체적 탄압에 대한 5월 전국총파업과 각 지역투쟁으로 조직 사수를 하며 지나갔으며, 이어지는 탄압에 대한 투쟁과 저항 속에서 저물어갔다.

중앙위원 연행 규탄 농성

3 전노협이 꿈꾼 세상, 노동해방과 평등사회

전노협의 강령 – 자유와 평등사회

> 우리는 오늘 전국노동조합협의회의 깃발을 높이 들어 이 땅에 자주적이고 민주적인 노동운동의 새로운 역사가 시작되었음을 엄숙히 선언한다.
> (전노협 창립선언문)

창립 전후로 노태우 정권은 전노협을 '급진좌경 불순세력' 으로 몰아갔지만, 이와 반대로 1991년 노동운동 세력 일부는, "전노협의 전투적 조합주의는 무슨 주의라고 이름 붙일 정도의 이념체계나 전망이 없다"라고 비판하였다. 그렇다면 실제 전노협은 어떤 지향을 갖고 있었을까? 우선 전노협은 자신의 정치 · 사회적 지향점을 강령과 창립선언문에서 다음과 같이 표현하였다.

> 노동자의 처지를 근본적으로 변화시킬 수 있는 경제사회구조의 개혁과 조국의 민주화 · 자주화 · 평화통일의 달성을 천명하고 이를 위해 제 민주세력과 굳게 연대하여 자유와 평등사회를 실현하고, 노동자와 전민중의 언론 · 출판 · 집회 · 시위 · 사상의 자유 등 민주적 제 권리를 쟁취한다.

위의 내용은 1990년 조건에서 노조가 내걸 수 있는 가장 진보적인 내용이었다. 그 핵심은 '자유와 평등의 사회' 인데, 이는 전노협이 선언한 '민주화' 의 과제라는 모호한 표현과도 연관된 것으로, 문맥과 그 시기 전노협이 놓여 있던 노동운동진영의 이념 지형에서 볼 때, 절차적 민주주의의 확립을 지양하면서 '사회주의적 지향'을 은연중에 내포한 것이었다.

그런데 왜 강령에 이렇게 모호한 표현을 사용했을까? 그 이유는 전노협이 출범 전부터 정부로부터 '좌경 · 불온' 노동단체로 낙인찍혀 있었고, 보수언론의 시각도 이와 크게 다르지 않았기 때문에 전노협의 강령과 창립선언문은 무척 신중하게 상황을 고려해서 작성되었던 것으로 보인다. 이런 상황을 반영하듯이 민주화를 위한 전국교수협의회도 심포지엄을 통해 전노협 건설의 정당성을 아래와 같은 근거로 지지하였다.

> "민주화를 위한 교수협의회 등이 전노협 창립을 앞둔 1월 18일 심포지엄을 갖고 전노협 건설의 당위성을 주장하면서 전노협을 지원하였다. 이 심포지엄에서 최장집 교수는 '전노협 준비위가 밝힌 11개 항의 강령을 살펴보면 조직의 목표를 민주화와 복지의 증진, 평화와 통일에 두고 있어 정부나 경제단체가 우려하고 있는 체제전복적 요소나 좌경급진적 요소는 전혀 나타나지 않고 있다. … 지극히 온건하고 체제 내적일 뿐만 아니라 대부분 노동자들의 일반적인 요구를 그대로 담고 있기 때문이다'고 주장하였다." [138]

이런 이유 때문에 전노협 운동이념을 창립선언문과 강령으로 해석하는 데는 주의가 필요하다. 달리 말하면 전노협의 지도부와 선진 노동자들의 운동이념은 강령에 명시된 것보다 훨씬 더 변혁적이었다. 단적인 예로 파업 현장이나 집회에서 일상적으로 외쳐졌던 '노동해방', '평등사회 건설'이란 구호를 전노협의 핵심 이념이라고 말해도 그 누구도 부정하지 않을 것이다.

노동해방과 평등사회

그렇다면 노동해방이란 구호는 언제부터 외쳐졌던 것일까? 정확한 시기를 확인하는 것은 쉽지 않지만 김승호의 증언에 따르면 1985년도 하반기 이후 노동운동 세력 내부에서 '노동해방가'와 함께 처음 외쳐졌다고 한다.

> "'노동해방가'를 배운 게 1985년인가 그때쯤 된 거 같아요. 구동파(구로동맹파업) 나고 난 다음에 그게 좀 불렸을 거예요. '해방춤'도 추고. 비밀집회하면 그걸 부르곤 했죠. 실제로 사회과학적인 학습이 매우 부족했잖아요, 그러니까 '노동해방이란 게 어떤 초과착취라는, 그런 데서부터 해방돼야 되겠다' 하는 그런 의미에서 보편적으로 쉽게 받아들여졌죠. '계급을 폐지하고, 더 깊은 의미에서 계급해방 얘기한다'는 것까지는 아니더라도 아주 낮은 수준에서의 해방 지향이고, 그것이 계급해방까지 분명화 되진 않았지만 왜곡시키지 않으면 그런 식으로 발전해 갈 방향성을 가지고 있는 것이었죠." [139]

1987년 대투쟁을 거치고 노동자들이 연대와 단결의 폭을 넓혀 나가면서 일부 생산직 노동자들 사이에서 '노동해방'을 외치기 시작하였다고 한다. 그러다가 1988년 11월 전국노동자대회 때, 마창노련 노동자들이 '노동해방'이라고 쓴 머리띠를 두르고 노조 지도부들이 '노동해방' 혈서를 쓰면서, 전국 노동자들이 함께 외치기 시작하였다. 다시 김승호의 증언을 들어보면;

> "1987년 대투쟁 때 '노동해방가' 부른 데 별로 없을 겁니다. '인간답게 살고 싶다.' 대중 자생성이니까. … 그나마 제조, 금속 노동자들 쪽에서 지역 연

대 틀이 이루어지면서 교육 끝나거나 행사 끝나고 뒤풀이하면 춤추고 노래도 부르는 정도였고. 노동법개정투쟁하기 위해서 북한산 올라갔을 때도, '악법철폐' 이렇게만 했지. 노동자대회 당일 날 왔을 때도 노동해방을 결의한다는 것을 사전에 공유하지는 않았던 것으로 알고 있어요. 그런데 새벽에 마창에서 올라오면서 머리띠에 '노동해방' 딱 해가지고 올라왔거든요, 아주 신선했죠. 내가 볼 때는 문성현 동지나 전국노운협 사무국장 최한배 동지나 이런 쪽에서는 '이 참에 아주 색깔을 분명하게 하자'라는 얘기들이 있지 않았나 싶어요. 21개(지역 · 노조-인용자) 대표들이 면도칼로 다 잘라 가지고 혈서로 '노동해방' 썼잖아요. 만세 부르고. 전부 기립해 가지고 찬성하고 그걸 또 앞세워서 행진하고 했는데 거기에서 보듯이 노동해방이란 오랫동안 억압당하고 착취돼왔던, 우리 노동자들에게는 자연스러운 지향이었고 그것을 담은 것으로 일단 표현된 것입니다." [140]

전국 노동자들이 함께 외쳤던 노동해방! 그런데 노동해방을 함께 외치던 전노협 지도부들과 선진 노동자들, 그리고 조합원들, 노동운동가들은 같은 생각, 같은 꿈을 안고 그 구호를 외쳤을까? 그렇지 않다면 서로 다른 꿈을 실어서 외쳤던 것일까? 우선 노조간부들은 '노동해방이 바로 평등사회' 라고 생각한 경우가 많았다. 마창노련 홍지욱의 기억을 보면;

"처음에 노동해방은 '일 안하고 논다'고 단순하게 생각하기도 하였어요. 차차 민주노조를 알고 전노협이라는 조직을 알고 싸우면서 체득된 인식은 노동해방은 전노협의 가치이고 상징이었던 평등의 가치가 실현되는 그런 사회였어요. 일 안 하고 공짜로 잘 먹고 잘사는 세상이 아니라 '건강하게 일하고 건강하게 생활하며 사회 평등이 실현되는 사회'가 노동해방사회라고 인식하였어요."[141]

광노협 의장 박종현의 증언처럼 구체적인 사회상을 그리지는 못했지만 '노동자가 행복하게 사는 사회' 라고 생각한 경우도 있었다.

"(전노협이 지향하는 사회-인용자) 거기에 대해 진지하게 어떤 상인지 구체적으로 스스로 그려보지 못했고 구호만 외치는 수준이었어요. 노동해방이 되면 우리들은 지금보다 더 좋은 조건이 될 것이라는 사고를 했는데, 결국 그것은 우리들이 함께 책임지고 만들어가는 과정이 없이는 될 수 없는데 남이 이루어줄 거라는 착각도 하고 우리는 구호만 외치고 끝나는 거지, 구체적으로 만들어가는 과정, 어떤 사회여야 하는 게 토론도 없고. 그걸 누가 만들어주는지 생각 없이 했죠. 남이 외치니까 그거 좋은 거 아닌가 간부들도 그렇게 생각하였죠. 구체적으로 노동해방은 우리가 모든 인간이 행복한 사회일 것이고 소외된 사람 없고 차별이 없고, 생각은 복잡하게 다양할 뿐이죠."[142]

마창지역 김상철은 이 시기 조합원들은 노동해방을 '노동의 대가를 받고 인간답게 살 수 있는 세상' 이라고 생각했고, 이런 노동해방에 대한 이해는 그만큼 노동자들은 노동현실의 모순에 대해 분노했기 때문이었다고 증언한다.

"'국가보안법, 조합원 교육이나 정치적 억압과 경제적 착취에서 벗어나는 게 노동해방이다.' 이렇게 돌려서 얘기했지만 노동해방에 대해 조합원이 정확한 의미를 알았겠어요? 단지 노동자들이 인간답게 살고 삶의 질이 높아지고 억압받지 않고 탄압받지 않고 일한 만큼 받아 가고 이렇게 사는 거

오순도순 사람대접 받아가면서, 이런 수준이지. 당시 노동해방은 노동자들이 분노에 찬 목소리로 외쳤어요." [143)]

그렇다면 노동운동가들은 어떤 생각이었을까. 전국노운협 김승호의 증언처럼 활동가들은 사회주의 사회를 지향하고 있었고, 그 대중적 표현으로서 노동해방이란 구호를 외쳤다.

"거기에서(전국노동자대회-인용자) 보듯이 노동해방이란 오랫동안 억압당하고 착취돼왔던 노동자들에게는 자연스러운 지향이었고 그것을 담은 것으로 일단 표현된 것입니다. 그걸 점차적으로 내용을 발전시켜야 하는 문제였는데 '노동해방 예스! 했으니까 바로 사회주의다'라고 생각하는 부분들이 좀 있었죠. 사회주의를 바로 노동해방에다 적용시키려 그러는데. 내가 볼 때는 이거는 좀 조급하였다고 봐요. 사노맹(남한사회주의노동자동맹)만 그런 게 아니고 인민노련(인천지역민주노동자연맹)도 그렇고. 사실은 대중의 자기 발전 과정을 통해서 그것과 목적의식적인 지도가 결합이 돼서 그게 변화되어야 하는데, 그런 과정으로 보지 않고 '지도만 하면 저 정도 나왔으니까 사회주의로 될 수 있다'고 봤던 거 같습니다." [144)]

이처럼 모두 같이 외쳤던 노동해방은 노조간부들과 노동운동가들, 그리고 조합원 사이에는 서로의 의식에 따라 그 안에 담았던 내용에 약간의 차이들이 있었다.

"활동가들은 사회주의라고 생각을 한 거구요. 어떤 사회주의를 그리느냐에 따라, 북한을 그리느냐 러시아 소비에트를 그리느냐 차이는 있겠지만. 일정하게 훈련된 간부들은 '이게 사회주의구나'를 이해하는 거고, 그렇지 않은 간부들은 좀 이거를 '평등사회'라고 하는 것. 그니까 막연하게 평등하게 간다. 노동자들이 공돌이 공순이 취급받지 않고 인간답게 사는, 월급 제대로 받고 그 현장에서 쪼인트 안 까이고 아니면 비인간적인 취급받지 않고, 가족들하고 단란하게 살고, 그런 정도였죠. 그리고 조합원들은 '내가 노동을 안 하는 것'부터 시작해 가지고 '평등하게 사는 것', '인간 대접 받고 사는 것' 이런 거였죠. 조합원들이 이 평등사회를 사회주의라고 생각하진 않았던 거 같아요. 노동을 안 하는 사회가 된다, 뭐 이런 식으로 공상 과학적으로 생각하는 사람들도 있었고요." [145]

투쟁하는 곳에 나부낀 노동해방 깃발

1987년 이후 노동운동의 운동이념을 압축해서 표현했던 노동해방이라는 구호에는 저마다 처한 상황과 의식에 따라 여러 수준의 요구 내용이 담겨 있었다. '저임금 장시간 노동의 철폐를 통한 최소한의 노동조건의 쟁취나 노사간의 자율적 교섭 권리의 확보'를 의미하는 것으로부터, '노동' 그 자체로부터의 해방, 임금인상이나 노동조건의 개선만이 아니라 노동악법 철폐, 노동운동 탄압분쇄, 독점재벌의 해체가 전체 노동자계급의 공동의 요구로 주장되었다. 나아가 비록 추상적인 수준이었지만 사회주의 사회에 대한 열망도 노동해방이라는 구호로 표현되었다.

이런 차이가 있었지만 이 구호가 중요했던 것은 노동해방이란 하나의 표현에는 노동운동의 복원 과정에서 노동자들의 기나긴 역사적 열망이 담겨 있었기 때문이다. 동시에 노동자들의 변화에 대한 열망을 담은 현실의 실천 구호이기도 했기 때문이다. 노동해방이란 구호는 구체적인 대안적인 사회모델을 제시했다기보다는 비인간적이고 착취적인 노동현장을 변화시키려는 노동자들의 강한 열망을 담은 이념적 구호였다.[146] 그런 면에서 1987년 이후 노동해방이라는 구호는 오히려 현실적이었고, 노동자계급의 투쟁과 실천 슬로건일 수 있었다. 이에 대해서 임동섭의 증언을 들어 보면;

> "처음에는 노동해방이란 게 사실 마음에 확 와 닿는, 노동자로서 노동의 대가가 아니고 노동력의 가치, 인간으로서 최소한도 삶을 살아야 되는 부분에 대해서 사람들 맘대로 규정되는 것인데…. 노동해방이란 자본가와 정권에 개미로서의 민중들이 계속 끊임없이 싸워내야 되는, 그런 구호로서의 노동해방이 아닌가. 그래서 노동해방이라는 단어 자체는 추상적이어도 거기에 우리 스스로에게 자꾸만 다져내는 결의 같은 것들을 순간순간에 확인하는 그런 단어가 아니었나. 정말 절실하게 우리가 싸워야 조금씩 만들어 나가고, 또 싸워나갈 사람들을 모아내고 거기서 서로 힘을 받아가고 서로를 확인하는 거죠. 그런 구호였던 거 같아요."[147]

노동해방만큼 노동자들의 가슴을 울렸던 것은, 전노협의 깃발 위에 새겨진 '평등사회 앞당기는 전노협' 이었다. '평등사회' 는 1990년 3월 28일, 29일 부산에서 열린 제3차 중앙위원회에서 전노협이 추구하는 것을 안팎으로 한눈에 알릴 수 있는 캐치프레이즈로 결정되면서 사용되기 시작하였다. 이 회의에서는 '민주사회-전노협' 을 사용하자는 주장이 있었고 이에 반대하여 "민주사회라는 의미는 상당히 중요하고 전노협이 추구하는 바이기도 하지만, 보수야당이나 심지어 민자당까지도 민주를 남발해 그 의미가 희석되어 있다. '평등사회'로 하자는 두 주장이 잠시 대립했으나 '평등사회'로 결정하였다. 전노협 직무대행 김영대는 그 의미를, "노동자뿐 아니라 땀 흘리며 일하면서도 소외받고 있는 도시빈민, 농민 등 모든 민중의 요구를 한데 모아 평등사회를 앞당긴다는 것이 전노협이 추구하는 바"라고 밝혔다.[148]

> "평등사회라는 게 나쁜 말도 아니고 그게 '약간의 그런 사회주의적인 냄새가 나는 거 아니냐?' 이런 얘기는 있었죠. 다 같이 노동자가 평등을 추구하는 거는 당연한 거고 그런 점에서 평등사회 건설이라는 거지. 민주사회 주장도 있었는데, 그때 막 커온 길을 보면 약한 거죠. 또 와 닿지 않는 그런 분위기였던 거 같아요."[149]

평등사회에 대한 바람은 자본주의가 끊임없이 구조적으로 재생산하는 경제적·사회적·정치적 불평등에 대한 비판을 의미한다. 구체적으로 보면 공장에서 차별과 위계는 신규채용은 물론 임금과 승진, 복리후생, 교육훈련 기회 등에서부터 성차별, 나이차별, 능력차별, 지역차별, 학력차별, 직무차별, 출신국차별 등에 이르기까지 지속적으로 만들어졌다. 전노협은 이처럼 노동사회의 다양한 차별과 불평등을 해소하고자 하였다. 다른 한편에서는 전노협으로 결집한 민주노조운동은 단지 600여 개 노조, 20만 조합원의 이해만을 위해 투쟁하는 조직이 아니라, 천만 노동자와 가족, 나아가 4천만 민중의 삶의 질 향상을 추구하면서 이들에 대한 정치적·경제적 차별을 없애고 평등사회를 이룩하기 위해 투쟁하겠다는 열망과 의지를 담은 것이기도 하였다.

전노협의 중심 구호인 '천만노동자 총단결로, 노동해방 쟁취하자'는 추상적인 수준이지만 변혁 지향적 의지를 표현했던 것이다. 그뿐만 아니라 '평등세상 앞당기는 전노협'이란 슬로건도 초보적인 수준이기는 하지만 자본주의 사회의 계급적 불평등에 대한 비판을 담고 있었다.

전노협의 노선 – 자주성 · 민주성 · 연대성

전노협의 운동이념이 역사적이고 사회적 조건으로 다소 애매했던 데 비해, 전노협의 운동노선은 선명하였다. 전노협은 창립선언문에서 스스로를 "한국노총으로 대표되는 노사협조주의와 어용적 · 비민주적인 노조운동을 극복하고 자주적이고 민주적인 노동운동을 전개해나갈 수 있는 새로운 조직적 주체"임을 밝혔고 "정권과 소수 재벌의 억압과 수탈을 제거하여 4천만 국민의 자유와 행복을 실현하기 위해 제 민주세력과 힘차게 연대해 나갈 것"을 다짐하였다.

특히 "비인간적인 노동조건을 개선하고 노동기본권을 쟁취함으로써 노동자의 인간다운 삶을 확보하기 위해 가열찬 투쟁"을 전개하고 "광범한 노동자가 참여할 수 있는 경제적 이익 실현을 위한 투쟁으로 대중적인 노동조합운동"을 전개하겠다고 선언하였다. 전노협은 이를 통해 자주적인 운동세력과 연대하고 투쟁하는 민중연대노선을 지향하며, 그 기본은 기층대중의 경제적 이익 실현을 위한 대중적인 노조운동에 두겠다고 천명했던 것이다. 이러한 운동노선은 이념과는 달리 전노협의 지도부에서 현장 조합원에 이르기까지 널리 공유되었다.

또한 전노협은 조직방향에 대해서 창립선언문을 통해 밝혔다. 그 핵심 내용은 "민주노조운동의 조직역량의 확대 · 강화, 업종별 · 산업별 공동투쟁과 통일투쟁, 기업별노조 체제의 타파와 산별노조의 전국 중앙조직 건설" 등이었다. 전노협의 노선 또는 활동방향에 대해 하나씩 검토해 보면, 우선 전노협의 노선은 '자주성'을 지향하였다. 이는 무엇보다도 노동자들에게 굴종을 강요했던 어용화된 한국노총의 노사협조주의·타협적 노조운동을 부정하는 것이었다. 이에 대해 전노협 위원장 단병호의 당시 인터뷰 기사를 보면;

> "다소 어려움이 있더라도 차제에 노총과의 관계는 적어도 조직 면에서 만큼은 분명히 선을 그어야 한다고 봅니다. 각종 권리와 의무행사를 전노협에 집중함으로써 전노협을 상급단체로 확실히 세우지 않으면 안 된다고 생각합니다."[150]

이것은 경제안정에 협력할 것을 요구하는 정부의 대가 없는 협력의 요구, 기업의 생산성 향상을 위한 노사협조주의를 거부하고 노동자의 자주성을 견지한다는 것과 그 맥을 같이하였다. 한국노총의 협조주의와 타협성은 사실상 정부와 사용자가 강제해온 것으로 노동자의 양보와 굴복을 의미해왔기 때문이다.[151]

자주성이란 비민주적 작업장 통제, 노조 불인정, 기업별 노조체계라는 제도적 억압, 노동3권의 제약에 대한 반대투쟁이고, 국가의 폭력적·제도적·이데올로기적 개입에 대해 반대하며 노사협상의 자율성 확보를 의미하였다. 탄압으로 일관해온 노동정책에 맞서 자주성을 쟁취하는 것은 궁극적으로 노조운동이 자본주의적 착취와 지배에 명백히 대항하는 운동으로 발전하는 것을 의미하며, 그것은 최종적으로는 '정치적 자주성', 즉 노동자의 독자적 정치세력화로 귀결되는 것이다.

다음으로 전노협의 자주성은 조합원의 요구를 바탕으로 하는 '민주성'과 분리할 수 없었다. '민주성'이란 창립선언문에서 밝힌 "기층대중의 경제적 이익실현을 위한 대중적 노조운동"을 의미한다. 좀 더 직접적으로 민주성은 노조운동이 노동자들의 요구와 힘에 의지하고 대중의 요구와 바람을 직접적으로 반영하는 '대중 주체의 운동'이 되어야 하는 것을 의미한다. '민주' 노조운동이라는 표현에서도 드러나듯이, 1987년 이후 민주노조운동의 가장 주요한 동력은 노동자계급 자신의 아래로부터 민주주의에 대한 요구였다. '조합원 총회' 민주주의는 1987년 이후 민주노조운동이 쟁취한 가장 소중한 성과 가운데 하나였다.

그렇다면 독재정권의 노동운동 탄압이란 상황에서 민주노조운동의 자주성과 민주성을 견지할 수 있는 방식은 무엇이었을까? 그것은 노동자들이 그동안 선택해온 '비타협적 투쟁', 즉 전투성을 발휘하는 방법 이외에는 없었다. 그런데 일부에서 전노협의 '전투성'에 대해 비판의 목소리가 존재했는데, 단적인 예로 "파업이 마치 민주노조운동의 지표라도 되는 듯하며", 이에 근거하여 "전노협은 투쟁만능주의" 라거나 또는 "전투성이 비효율적일 뿐만 아니라, 전투성은 임투승리를 위한 노동조합주의의 전술에 불과"하다는 것이다. 이런 주장은 나아가 전투성의 결과가 '대중성의 상실', '노조 간의 분열'로 귀결되었다고 주장한다.[152] 한편 이러한 비판에 맞서, "전투성은 전술로서 매우 불가피했을 뿐만 아니라, 매우 유효한 전술", "전투성은 단순히 화염병을 들고 싸우는 호전성이 아니라, 노사협조주의에 대한 거부이고 파쇼적 탄압에 대한 굴복의 거부"이며 나아가 "노동자의 자부심이고, 노사대립관계에 대한 과학적 인식에 기반한 것"[153]이라는 반(反)비판도 있었다. 또한 "그동안의 엄청난 탄압에도 민주노조운동이 생존할 수 있었던 것은 바로 전투적 기풍 때문"이라고 하면서, 오히려 "전투적 기풍은 강화되어야 할 민주노조운동의 소중한 기풍이고 전통"이라는 반박도 제기되었다.[154) 문제는 자주성과 민주성이 아닌 '전투성' 이 논란이 된 사실 때문이었는데, 생각해보아야 할 것은 자주적인 노조활동조차 보장하지 않는 자본가와 독재정권의 탄압에서 투쟁을 통하지 않고서 어떻게 노조의 자주성과 민주성을 지킬 수 있을까를 둘러싼 문제였다. 전투성은 노선이라기보다 극심한 탄압 국면에서 강제된 노동자들의 활동 방식이었던 것이다. 노조의 전투성은 민주노조운동의 기풍으로 자리 잡아갔으며, 그 과정에서 자본가들의 계급적 연계에 대항해 기업별노조체계 속의 노동자들이 연대성을 발전시켜나가기 위해 자연스럽고 또 의식적으로 추구해야 했던 것이다. "민주노조운동은 바로 연대투쟁"이라는 자각도 조합원들 속에 뿌리내리는 것은 당연한 모습이었다.

마지막으로 '연대성' 은 기업별 울타리를 뛰어넘는 지역 · 업종별 연대, 그리고 전국적인 연대투쟁을 통해 민주노조운동의 운동노선으로 자리 잡아왔다. 이는 '계급적 단결 의식' 을 표현하는 것으로, 자본에 의해 분리된 경계를 계급적 단결로 뛰어넘고자 하는 요구와 바람을 집약한 것이었다. 전노협의 활동방향에 대해 압축적으로 표현한 부산노련 의장 이성도의 증언을 보면;

"대중들이 전노협을 지지하고 동의한 것은 무엇인가? 나는 그것이 곧 전노협의 운동방향이라고 봐요. 그들은 첫째는 자주성보다는 민주성을 더 앞에 둔다. 민주적인 절차화 과정, 조직운영. 둘째는 어떠한 경우에도 자본이나 권력으로부터 지배받거나 영향을 받거나 조종당해서는 안 된다는 자주성의 문제. 세 번째는 계급성의 문제인데, 노동법과 이 사회제도 전반을 개선해야 되는 방향으로, 그 최종적 해결방안은 계급성이 담보되어 있다고 봅니다."[155)

4 전노협의 자주성과 민주성

"1990년 1월 22일 정권과 자본의 탄압에도 불구하고 '전평 이후 최초의 자주적 노동조합 전국조직'인 전노협은 출범하였다. '천만 노동자의 민주적 자주적 구심이며 노사협조주의적인 노총과는 대립되는 노동자의 중심'이며 '자주적인 산별노조의 중앙조직을 건설하기 위한 과도적 조직'이라고 조직의 성격을 밝혔다." [156)]

전노협의 중앙조직과 조직체계

전노협은 기업별노조 조직체계를 극복하고 산별노조 조직체계를 구축하는 것을 목적으로 했던 '과도적 조직체'로서 지노협을 조직의 골간으로 삼았다. 이는 1987년 이후 민주노조운동의 성과를 최대로 활용한 것으로서, 지역은 노조 간 연대투쟁의 핵심 공간이었다. 1987년 노동자 대투쟁 이후 성장한 민주노조들은 자연스럽게 지노협으로 결집했기 때문에, 전노협이 지노협을 골간 조직으로 삼았던 것은 당연하였다. 그러나 기업별노조체계를 바탕으로 한 협의체라는 조직 틀은 사업의 결정과 운영, 집행력과 지도력의 관철에 일정한 한계로 작용하였다.

전노협의 조직운영은 실무집행을 담당하는 활동가 중심의 사무총국과 모든 사업의 결정권을 가지고 있는 중앙위원회를 중심으로 이루어졌다. 규약상 조합원들의 최고의사결정 권한은 총회와 대의원 대회에 있었지만, 대부분 주요 사업에 대한 결정은 중앙위원회 또는 대표자 회의에서 이루어졌다. 대부분 중앙위원들은 지노협의 대표자 혹은 간부, 주요 단위사업장의 노조대표자들이었다. 1994년 11월 이전까지 전노협 중앙위원회는 약 1개월에 1회 정도 개최됐으며 회의 안건 역시 전노협의

모든 사업을 포괄하였다.[157)]

이러한 전노협의 조직구성은 몇 가지 특징이 있다. 우선 그 구성 및 자격에는 지노협과 업종협을 기본으로 하면서도 '해고자'를 포함하였다(규약 제2장 제6조). 중앙위원회는 전노협의 임원, 가입 지노협 · 업종협의 대표 및 지노협 · 업종협 대표의 추천을 받아 대의원 대회에서 선출하는 것으로 정하였다. 여기서 주의할 것은 "단 지노협 · 업종협을 대표하는 중앙위원의 배정은 각 지노협 · 업종협별 전노협 파견대의원 30인 이하의 경우 지노협 · 업종협 대표자를 포함하여 2인을 배정하고, 파견 대의원 30인 이상인 경우 30인마다 1인씩 추가(규약 제4장 제3절 제22조)"한다는 것인데 이는 상대적으로 조합원 규모가 작은 지노협이나 업종협의 의사결정 과정에 참여를 보장하려는 것으로 보인다. 특히 주의해서 볼 것은 대의원의 배정사항인데, "대의원 배정은 가입 지노협 · 업종협의 조합원이 1만 명 이하인 경우에는 조합원 100명당 1인씩 배정하고, 1만 명 이상인 곳은 1만 명까지는 위의 사항을 적용하나 1만 명을 초과하는 조합원 500명당 1명을 추가한다(규약 제4장 제2절 제20조)"라고 규정하였다. 이것은 전노협이 대의원의 배정을 조합원 수에 비례하되 소수 조직의 의사도 반영될 수 있도록 배려하는 것을 원칙으로 삼았으며, 또한 각 단위노조마다 최소한 1명씩은 대의원을 낼 수 있도록 배려하였다는 점에서 가능한 한 조합원들의 의사를 반영하려 노력하였다는 것을 엿볼 수 있다.

그러나 전노협의 조직운영은 많은 어려움을 겪었는데, 이는 결성 초기부터 대부분 중앙위원들이 구속 · 수배되는 상황이었기 때문이다. 이에 대해 전노협 직무대행 김영대는 당시 중앙위원회 상황에 대해 다음과 같이 말하는데;

"수배되면 사무실의 상근자 한 분이 항상 수행을 붙었죠. 연락도 해야 되고 또 소통을 해야 되니까. 그때는 최동식 의장도 수배 상태여서 둘이 같이 옮겨가면서 생활을 한 적도 있어요. 주로 수배생활 때는 일상적인 거는 안 했고 회의는 중앙위 결합을 해서 정기적으로 열었고요. 주로 성당이나 학교나, 숙박할 수 있는 데서 했고 . 그리고 지역에도 투쟁, 무슨 발대식 있으면 얼굴 내밀고 연설하고 사라지는 경우도 좀 있었고요."[158)]

정권은 대의원대회까지 탄압하여 전노협은 선봉대를 조직해 대회를 치르는 것 자체가 투쟁이었다. 한석호는 해산시기를 제외하고 모든 대의원대회가 봉쇄당하였다고 다음과 같이 증언하고 있는데;

"전노협이 결성되고 1990, 1991년 업무조사로 처음에 치고, 그 다음에 대의원대회 하고 전국노동자대회는 철통 봉쇄를 하면서 못하게 하는. 그래서 전노협 대의원대회와 노동자대회는 항상 선봉대들은 이걸 사수하는 역할 … 대의원대회도 사수 들어갔죠. 대의원들도 비공식적으로 '어디로 모여라' 그래서 모이고 나면 경찰들이 또 학교를 봉쇄하고. 그럼 학생들하고 같이 대의원대회 사수하고. 그거는 해산 대의원대회만 빼놓곤 그랬을 거예요."[159)]

한편 전노협의 사무총국은 1990년 2실 9국으로 출발하여 1994년 2실 14국으로 분화되어, 업무의 전문성을 강화시켰다. 그러나 사무총국의 규모가 방대하여 비효율적인 운영문제가 제기되기도 했고, 국장과 부장이 결원되었을 때 이를 메울 인원이 부족하기도 하였다. 또한 사무총국의 각 국장은 전노협 초기에는 지역에서 차출된 대표자가 담당했지만, 국장의 공백으로 부장들이 국장의 역할을 담당해야만 하는 상황도 간

혹 일어났다. 결국 이런 업무의 과중은 중앙위원뿐 아니라 실무집행을 담당했던 사무총국 활동가들에게도 똑같았다. 이들은 부족한 인원으로 전노협의 전국사업을 기획 · 준비 · 실행 · 평가까지 담당한 실질적인 일꾼으로 전노협의 운영을 묵묵히 해내었다. 전노협 사무처의 김종배는 사무총국의 사업에 대해 다음과 같이 말하고 있는데;

> "(핵심사업은-인용자) 대표자회의나 중앙위원회의에서 규정받지만 사실은 실무단위에서 먼저 사업의 전체 내용이 준비되고 그것이 대표자회의의 의사를 수렴하는 과정으로, 즉 역으로 이루어졌죠. 사무총국이 사업을 추진할 때는 총국에 있는 부서 특히 정책, 상집의 개별구성원들의 판단을 근거로 토론을 통해 사업방침이 결정되고 그런 방침이 대표자회의나 중앙위원회에 올라와서 결의를 거쳤어요." [160]

전노협 기금마련을 위한 전시회

그러나 전노협은 상근자들에게 생계비조차 지급하지 못하였는데, 한석호는 "그나마 활동비만 지급되어 출장 갈 때는 갈 차비만 들고 가서 돌아올 때 지역에서 쥐어준 차비로 올라왔다" 라고 하였다. 생계에 쪼들리면서도 헌신적으로 활동한 상근자들이 없었더라면 전노협이 과연 제대로 운영되었을까? 전노협은 1년이 지나서야 이들에게 월 10만원 정도의 활동비를 지불하였다.

그런데 왜 전노협의 재정은 이처럼 취약했을까? 그 이유는 조합원이 내는 1인당 월 200원의 의무금만으로는 전노협의 사업을 꾸려가는 데 턱없이 모자랐기 때문이다. 그나마 의무금조차도 제대로 납부되지 못하였다. 중앙위원회나 정기대의원대회 때마다 '의무금 납부체계의 강화 및 개선' 안건을 채택했지만 별다른 성과를 거두지 못하였다. 심지어 "최소한 해당지역의 의무금은 월마다 납부하도록 한다"[161] 고 자체결의를 할 정도였다. 그렇다면 전노협은 재정문제를 어떻게 해결했을까? 사무총국에서 재정사업팀을 두어 자체 해결을 꾀하기도 했지만 역시 가장 든든한 후원자는 전노협 후원회였다. 전노협 결성을 지원하던 전노협 지원공동대책위는 전노협이 건설되자 1990년 9월 5일 전노협 후원회로 모습을 바꾸었다. 후원회는 전노협 재정의 많은 부분을 지원했는데, 6년 동안의 공식 후원금이 모두 2억 3천만 원에 이르렀다.[162]

조직운영의 민주성 문제

조직 안팎으로 어려운 상황 속에서 전노협은 어떻게 조직운영을 했을까? 전노협의 조직운영 방식은 중앙조직과 지노협이 어떻게 상호 결합하였는지 판단할 수 있는 중요한 사안이었다. 일부에서는 전노협의 운영 방식이 '내리꽂기식'이라고 비판했는데, 전노협 편집부장인 박정애는 "그런 얘기는 1991년 임투 평가, 구체적으로 5 · 18총파업에 대해 중앙에서 강압적으로 때리는 것으로 평가"하면서 나온 것이라고 한다.[163] 김종배나 한석호 역시 비슷한 증언을 하는데;

> "내리꽂기식 사업의 대부분의 내용은 탄압에 대한 투쟁이었죠. 자기조직을 깨고 들어오는 적을 막기 위해서는 가능한 모든 힘을 동원해야 되는데, 그

런 힘의 동원과 투쟁의 기간이 길어지면서 초기의 당연했던 인식이 식상되어지고, 그러한 과정에 나온 말이었죠." [164)]

"내리꽂기식이라고 하는 게, 전노협의 전투적 조합주의, 이거에 대한 문제제기를 그런 식으로 중앙 사무총국의 몇 사람이 얘기하고, 지역 가서도 얘기를 하니까 지역에서 거꾸로 올라오게 만드는 측면이었고." [165)]

'내리꽂기' 방식은 극심한 탄압을 받으면서 긴박하게 대처해야 했던 1990년 5월 총파업이나 1991년 5월 총파업 같은 결정을 내리는 데 있어서 불가피한 것이었고, 당시 전노협 안팎의 조건에서 어쩔 수 없었다는 기억들이 많다. 이에 대해 전노협 부위원장이었던 양규헌은 다음과 같이 말하고 있는데;

"지역과 중앙과의 괴리 부분에 대해서는 일정 동의를 하지만, 1990년 전노협 건설되고 한 2-3년 동안 우리 조직의 상황을 봐야 됩니다. 사실은 중앙위원회를 하려면 중앙위원 40명 중 반도 참석하기 어려운 조건이었죠. 구속되고 수배자도 상당수 있었고, 그래서 지역과 중앙과의 사업에서 문제가 있었다면 이유는 그런 것이었다고 봐요. 그리고 지역에 있는 상근 역량이나 지도력이 다 중앙위원이죠. 문제는 건설된 이후 탄압에 대응하기가 매우 급박했던 거였어요. 탄압에 총체적으로 대응을 하면서 일상적인 사업을 도외시한 점은 없지 않았다고 봅니다. 그래서 그것이 단위노조로 가서는 사업들이 사전공유를 통해서 하나의 결의로서 모아질 수 있는 그런 조건이라기보다는 내리꽂기식으로 떨어진 것이 아니냐 이런 점이 있었다고 보죠. 어찌 보면 민주노조운동의 역사가 짧았기 때문이기도 하고, 또 한편으로는 엄청난 탄압에 대응하다 보니까 노동조합 조직운영원리 부분에 대해서 아직까지 대중적으로 얘기할 여지가 없었다고 봐야 합니다." [166]

전노협은 지노협 의장들로 구성된 중앙위원들이 사업결정권을 갖고 있었기 때문에 각 지노협 의장들은 각자의 판단을 모아 공동결정을 내렸다. 그럼에도 전노협의 운영을 둘러싸고 제기된 문제는 지노협 간의 역량 차이를 어떻게 조율하는가, 또 지노협에서 전노협의 결정을 집행하는 데 필요한 중앙의 지원과 지도력이 미흡한 데 있다는 것이었다. 부산노련 의장 이성도의 증언을 보면;

"내리꽂기식 사업을 하였다는데, 저는 인정하지 않습니다. 왜냐하면 중앙위원회의 의사결정 과정에 전노협 사무총국이 회의준비나 회의 때 설명을 하기도 하고 나름대로 사무총국의 기조가 있고 일정한 영향을 주었다는 생각이 듭니다. 그렇더라도 중앙위원들이 결정을 다 했습니다 물론 지역마다 편차가 있는데 평균적 내용으로 조율해서 결정을 하다 보니까 거기에 도달하지 못하는 지역이 있죠. 그래서 결정사항을 집행할 때, 소위 지역 지도력이 정치적 부담, 예로 부산 같으면 '총파업을 하자'는 사안을 가져왔을 때 부담스럽단 말이죠. 그럼 그 부담을 완화시켜 주거나, 원활하게 집행할 수 있게 중앙지도부가 결합해서 지도해주는 과정이 충분하지 못한 측면에서 중앙의 역할이 부족한 점은 있었죠." [167]

실제 지역 간의 역량차이 문제는 지역과 중앙사업을 결합시켜야 하는 지역지도부의 고충을 보여주는 것이기도 했는데, 광노협 의장 박종현의 증언을 들어보면;

"중앙위원회 참여시에 어렵다는 판단이 든 경우도 있었지만 대부분 받아들였죠. 어려우면 어려운 대로 하면 되기 때문이었죠. 그러나 단위노조의 조직력이 불충분할 때 조합원은 조직내부가 충실하지 못하면 그 이후의 단계는 보지 않아요? '내 일도 못하는 것이 무슨 지역사업이냐'는 비판도 있기에. 지역사업이 잘되는 것도 단위노조가 잘되었을 때 가능한 것 아닌가 이런 것을 중심으로 보면 단위노조 실정에 안 맞는 것도 있죠. 단위노조에게는 중앙지침이 엄청 짐이 되죠. 그래서 갈등도 많았죠." [168)]

그밖에 전노협과 지노협의 의견은 지역의 부서별 모임에서 중앙의 부서로 모이거나 지노협으로 모아져 전노협 중앙위원회를 통해 소통되었다. 다시 한석호의 증언을 들어보면;

"실제 이중 검증을 할 수 있는 구조가 있었잖아요? 부서별 모임이나 이런 게 다 전국적으로 있었으니까. 심지어 사안이 있으면 부서들도 의견들을 만들었거든요. 선봉대 보면 지역별로 선봉대 의견 모아가지고 지역운영위에다 올리고, 문선대 모이면 뭘 하였다, 조통부장 모임에서는 어떤 얘길 하였다, 이런 것들을 모아 지노협 의장들이 갖고 올라오는. 물론 그거 일일이 보고는 안 했지만. 그렇게 안 해 가면 지역에서 막 의장보고 뭐라 그러기 때문에 다들 그때는 대가 세 가지고 지노협 의장한테 '똑바로 하세요!' 막 이러죠." [169)]

한편 내리꽂기식 활동 방식에 대한 문제제기는 전투적 투쟁노선 때문에 조직률이 급속히 떨어져서 전노협의 조직기반이 흔들렸다는 주장으로 이어졌다. 그렇다면 실제 전노협의 조직상황은 어떠했을까. 또한 조직률이 감소하였다면 전노협의 조직력을 심각하게 훼손한 것이었을까?

출범 당시 전노협 참가 노조는 600여 개로 전체 노조의 5.8%를 차지하였고 약 20만 명의 조합원이 전노협에 가입하여 전체 조합원 총수의 8.6%였다. 하지만 1년이 지난 뒤 조합 수는 약 47.8%, 조합원 수는 44.9%로 감소한다.[170] 1년 사이에 조직률이 감소한 이유는 무엇이고 그 결과는 전노협에게 치명적인 것이었을까. 이에 대해 사무총국 상근자들은 조직률 감소는 정부의 탄압과 휴폐업 때문이었다고 지적하면서 조직률 하락 자체가 전노협에 미치는 영향은 크지 않았다고 한다.[171] 김종배의 증언을 들어보면;

위장폐업 분쇄를 외치는 여성노동자

> "전노협이 탄압으로 훼손된 시기는 조직력이 절반으로 줄어든 1990년 5월 총파업까지이고, 탄압에 의한 이탈은 이것이 처음이자 마지막이었죠. 그 다음이 휴폐업에 의한 이탈이고. 그것도 그시기로 마지막이었죠. 전노협이 안정된 것은 1992년부터, 1992-93년은 조직을 유지했고, 1994년 신집행부가 들어서면서 조직이 약간 확대되었고. 정확히 말하면 이전에 부풀려진 조직이 있었다면 이제는 알짜만 남게 된 것이고."

그렇다면 노동자들은 전노협을 어떻게 인식했을까? 노동자들은 상급조직인 지노협에 대해서 "같이 싸우는 조직, 민주노조가 모인 틀" 정도로 인식했으나, 전노협에 대해서는 "우리 조직, 우리가 사수해야 하는

조직"이라는 인식을 갖고 있었다고 한다. 한석호의 증언을 들어보면;

"조합원들이 '인노협은 내 조직, 상급 조직'이라는 개념보다는 인노협, 학출, 그 다음에 단체 활동가들, 이게 같은 범주로 우리가 싸움을 하는 것 도와주는 데. 그리고 '민주노조들이 모이는 틀' 정도였죠. 그리고 지침의 개념이 아니라 같이 결정했으니 집행한다. 형식적으론 지침에 충실했지만 조합원들이 받아들이는 거는, 우리가 힘을 합쳐 해야 된다는 아주 초보적인 거였죠. 전노협 시대가 되면서 현장의 조합원들이 '전노협(은) 우리 조직이다'는 의식을 가지게 되죠. 전노협은 우리가 사수해야 될 조직. 물론 이게 연맹체계와 상급조직이고 이런 개념은 아니더라도 '우리 운동의 구심이고 우리 노동조합의 구심'이다. 그리고 전노협활동가에 대한 상당한 신뢰를 가졌죠." [172]

한국노총의 노조들과 달리, 전노협 소속의 노조들은 전노협을 상급조직으로 한다는 것을 꼭 밝혔다. 노동자들의 전노협 지도부에 대한 신뢰는 마창노련 홍지욱의 증언에서도 알 수 있다;

"(전노협-인용자) 지도부들은 하느님 정도로 대단하게 보였어요. 실제 실천도 했으니. 지방에 있더라도 소식지라든지 결정되는 거 보면 헌신성이 느껴졌고요. 실제 책임감, 단병호 위원장이라든지 지역 지도부들이 책임지는 모습이, 내용이 현장에 전달되었죠. 구속되면 마음 아픈 정도가 아니라, 음으로 양으로 보호하고 돈 내려 하고. 마창에서는 구속될 때마다 항의하는 가두시위가 매일 벌어졌어요. 신뢰가 확실했어요." [173]

5 모두가 하나였던 전노협

전노협 결성으로 정권과 어용노조인 한국노총 등은 긴장하였다. 전노협이 결성되던 날, 3당 합당을 추진하여 지배체제의 안정을 꾀하던 정권은 "전노협은 급진좌경세력, 정치주의적 노동운동의 진원지"라고 공격하였다. 한편 1987년 이후 노동자들이 민주노조를 중심으로 독자적인 조직화를 추진하면서 기존 조직 위상이 흔들리고 있던 한국노총은, "전노협은 위험한 조직 경쟁자이지만, 정부와의 무모한 싸움을 주도하고 있는 정치조직이기에 결국 대중조직으로 활동하기보다는 와해되거나 대폭 약화될 것이 분명한 단체"라고 비난하였다.[174)]

그런데 전노협에 참여하지 않은 다른 민주노조운동 세력인 대공장노조와 업종노조는 전노협을 어떻게 인식했을까? 또 1987년 노동자 대투쟁 이후 민주노조운동과 궤를 같이 해온 노동운동단체들은 전노협과 어떤 관계를 맺었을까? 이에 대해 살펴보기로 하자.

전노협과 대공장노조 · 업종노조

대공장 노동자들은 왜 전노협 건설에 참여하지 않은 것일까? 전노협 시기 울산 현대자동차와 현대중공업은 전노협 참가에 적극적이었다. 두 노조의 위원장은 『전국노동자신문』에 전노협 결성에 참여하지 않았지만 뒤 이어 참여할 것이라고 의지를 밝혔다.

> "현대중공업 노조위원장 선거가 끝나는 1990년 3, 4월경이면 울노협을 정식으로 띄울 수 있을 것이며 전노협 건설을 적극 지지하고 힘닿는 데까지 열심히 함께 투쟁할 계획입니다. … 전노협은 시대적 사명입니다. 확신을 갖고 전진합시다."[175)]

울노협, 건설 무산으로 민주노조운동 역량이 분산되었다.

그러나 상황은 그리 좋지 않았다. 울산 현대자동차노조 선거에서 이상범 집행부가 당선되고 이어 현대중공업노조에서 1990년 1월 19일 이영현 위원장이 당선되면서, 두 대공장을 중심으로 울노협(울산지역노동조합협의회) 건설의 움직임이 나타나자, 정권과 자본은 바짝 긴장하였다. 무엇보다도 전노협을 깨뜨리기 위해서는 울노협 건설을 저지해야만 하였다. 정권은 2월 9일에 파업 구속자들의 재판을 보러 가기 위한 조합원들의 집단조퇴에 대해 업무방해 혐의를 씌워 이영현 위원장을 구속시켰다. 거기에 현대자동차 이상범 위원장은 현대중공업 공권력 투입에 항의하여 4월 30일 비상총회에서 결정한 파업투쟁을 5월 4일 일방적으로 중단시키더니, 5월 22일 총회에서 부결된 임금인상안을 그 다음 날 직권조인하였다. 이런 상황에서 위원장 불신임이 제기됐으나 0.3%가 부족해서 부결되고 말았다. 이어 이상범 위원장은 6월 21일, "연대활동보다는 노조 내부 문제에 주력하겠다"라며 울노협과 현총련 의장직을 사퇴하였다. 결국 울노협 건설은 무산되고 현대자동차노조와 현대중공업노조는 전노협에 참여할 기회를 놓쳐 민주노조운동의 역량이 분산되었다. 비록 두 노조의 전노협 가입은 미뤄졌으나, 여전히 울산 노동운동은 울노협과 전노협 지향성이 강하였다.[176]

따라서 전노협은 대공장노조를 전노협에 가입시키려는 노력을 계속하였다. 1990년 하반기부터 전노협은 대공장노조 안에 있는 노조민주화추진위원회들과 교류를 하였다. 특히 1990년 들어 많은 대공장에서 어용노조를 뒤집고 민주파 집행부가 등장하면서 12월에는 16개 대공장노조의 협의조직인 '연대를 위한 대기업노동조합회의(연대회의)' 가 발족하였다. 연대회의는 "정권과 자본의 탄압에 맞서 공동으로 대응한다"는 목표를 세웠다. 연대회의에는 대우조선, 금호타이어, 아세아자동차와 같이 위원장 선거에서 전노협 가입을 공약한 사업장이 있는 반면 대우자동차나 포항제철처럼 전노협 가입을 주저하는 사업장도 있었다. 연대회의는 업종, 규모, 사업장 조건별로 큰 차이가 있는 느슨한 조직이었지만 대공장노조들을 결집해서 전노협에 집단가입하기 위한 사전준비단계의 조직이라는 의미를 지니고 있었다. 이에 대해 당시 (주)통일노조위원장의 생각을 들어보면;

> "이 조직(대기업연대회의-인용자)이 전노협과 다른 별도의 대기업조직으로 자기완결성을 갖는 것이 아님을 분명히 할 필요가 있었고, 그래서 명칭에 '연대'가 붙게 된 것이다. 목표는 분명하였다. 대우조선은 이미 위원장이 전노협 가입을 공약하고 당선되었는데, 현재의 탄압정세 속에서는 대우조선만 움직이면 당연히 집중 탄압을 받을 것이다. 따라서 차제에 민주집행부가 들어선 대기업 사업장들을 함께 묶어 갈 필요가 있었다." [177]

그런데 16개 사업장 가운데 이미 전노협 가입 사업장이거나 전노협 가입공약을 내걸고 당선된 3개 사업장까지 포함하면 3분의 2가 넘는데도 굳이 별도의 연대 틀을 구성할 필요가 있었을까? 이 의문에 대한 답은 두 가지였다. 하나는 민주파 집행부가 당선된 대공장은 아직 조직력이 취약하여 전노협에 바로 가입하면 집중 탄압을 받을 것이 부담스러웠기 때문이었다. 다른 하나는 대공장노조들의 조직을 만들어 이

대공장노조들의 연대는 자본과 정권의 집중 탄압을 받았다.

후 전노협이 아닌 새로운 노동운동의 구심으로 '대공장 동력론'을 생각하는 입장이 등장했기 때문이다. 대공장 동력론의 등장으로, 이후 민주노조의 조직발전 전망과 관련하여 전노협을 확대 강화하여 산별노조로 발전시켜갈 것인가, 아니면 대공장노조를 중심으로 별도의 구심을 꾸려서 산별노조로 만들어갈 것인가라는 조직 전망을 둘러싼 차이가 연대회의 내에서 존재했던 것이다.[178]

실제로 일부 대공장노조들이 대공장노조들만의 구심을 만드려고 하자, 지노협 소속 대공장노조들이 제동을 걸었다. 결국 대공장노조들은 1991년 임투를 전노협과 같이 하면서 이후 전노협 가입 문제를 논의하기로 했던 것이다.[179]

이러한 대공장의 조직방향을 둘러싼 혼란이 전노협에서도 나타나자, 중앙위원회에서는 "전노협 대기업 특별위원회 사업이 지노협 강화라는 원칙을 방기하고 지노협과 토론 없이 진행되어 온 점은 명백한 오류"라고 평가하기도 하였다.[180]

이런 와중에 1991년 전노협과 연대회의가 전국투쟁본부(전국투본)를 구성하여 공동임투를 진행하려고 하자 이들의 연대 움직임에 위협을 느낀 정권은 1991년 2월 10일 대우조선 파업투쟁 지원을 논의하였다는 이유로, 즉 제3자개입 혐의로 연대회의 간부 67명을 연행해 핵심노조의 위원장들을 구속시켰다. 대공장 노동자들의 저항이 곳곳에서 있었지만 전국

적인 힘으로 모아지지 않고 이후 연대회의는 동력을 잃고 해체된다.[181]
한편 전노협에 참여하지 않은 업종노조들도 전노협의 대표성을 부정하는 것은 아니었다. 전문노련 위원장의 증언을 들어보면;

> "전노협에 참여하지 않는 대부분의 조직들도 전노협의 대표성을 부정하지는 않았다. 대부분은 불참을 결정한 것이 아니라 여러 조건상 당분간 참여를 유보하는 것임을 분명히 했고, 실제로 비참여 노조의 대표들도 먼저 가라, 곧 뒤따라가겠다는 것이었고 당시에는 실제 그런 생각이었다."[182]

업종노조들도 전노협의 대표성을 인정했지만 바로 참여하지 않았던 이유는 무엇일까? 이에 대해, "경제적 조건, 사회적 지위, 의식 등에서 제조업 노동자들과 비제조업 사무전문직 노동자들 사이에는 많은 차이가 있"기 때문이라고 한다. 즉, "사무전문직 노동자들은 제조업 노동자들과는 달리 상대적으로 매우 조심스럽고, 온건한 투쟁 형태를 취할 수밖에 없고, 계급주의적이고 투쟁주의적인 담화는 기피대상"이었기 때문이라는 것이다.[183] 또한 "사무전문직 업종노조들은 독자적 연맹체를 구성한 다음 한국노총 내에서 합법성을 획득하려는 데 주된 관심이 있었기 때문"이라는 주장도 있다. 따라서 업종노조 지도부들의 소극적인 자세가 큰 영향을 미쳤다는 주장도 있다.[184]
그러나 언론노련이 한국노총을 상급단체로 인정하지 않고 독립노조로 길을 걸어가고 있었고, 노총민주화론은 이미 부정되어 독자적인 전국조직의 필요성에 대해 합의된 상태였기 때문에 이런 생각은 적절하지 않다는 견해도 있다. 그렇다면 핵심적인 이유는 무엇이었을까. 그것은 허영구의 증언처럼 '자본과 정권의 탄압에 대한 두려움' 때문이었다;

"사무금융노조는 노조 탄압이 오면서 전노협과 조직적으로 연대하는 부분에 대해 사용자 측에서 문제 삼고 나올 것이며 동시에 조합원들의 동요가 예상된다는 것입니다. 병노련의 지역조직은 전노협의 지역조직과 이미 많은 연대활동을 하고 있습니다. 그런데 연대활동을 하는 것과 하나의 조직으로 묶이는 것에는 차이가 있습니다. 예를 들면 전노협 가입 노조들에게 업무조사가 들어가는 식으로, 다양한 탄압이 올수 있음을 예상할 때, 그러한 탄압을 받을 경우 조직의 약화를 가져올 수 있다는 것이지요." [185)]

전노협 지도부도 자본과 정권의 탄압에 대한 두려움 때문에 업종노조들이 전노협에 참여하지 않았고, 전노협 결성 이후에도 같이 활동하는데 부담스러워 하였다고 판단했다. 이후 1990년 5월 KBS 방송민주화투쟁에 대한 공동지원을 모색하는 과정에서 만들어진 업종회의는 전노협과 계속 갈등을 일으켰다. 이에 대해 전노협 직무대행 김영대는 아래와 같이 증언하는데;

"업종회의로 대표되는 사무전무직 노조들은 전국노동자대회나 집회와 행사 때마다 명칭, 기조, 슬로건 등에서 전노협과 끊임없는 대립, 갈등을 일으켜요. 특히 전태일 열사 정신계승 관련 전국노동자대회 때마다 대회명칭에서 뺄 것을 요구했죠. 그들은 전태일을 잘 모를 뿐만 아니라 너무 과격하기 때문에 정서적으로 거부감을 느낀다나. 업종노조들의 탄압에 대한 두려움은 전노대까지 이어져요." [186)]

이런 업종회의의 움직임에는 정권의 분할지배전략도 한몫했는데, 이는 산업별 구속 노동자 비율을 통해 확인할 수 있다. 1988-95년 구속자총 2,354명 가운데 사무전문직 업종회의 노동자 수는 전교조를 포함하여 221명인 9.4%정도를 차지할 뿐이다. 전교조로 구속된 101명을 뺀다면 그 비율은 5%(119명) 정도였다. 이는 당시 구속된 금속 노동자 1,099명의 1/10이었다.[187)]

이처럼 전노협으로부터 거리를 두고 있던 업종회의와 일부 대공장노조의 지도부들은 전노협을 "상징적 대표성은 인정할 수밖에 없으나, 함께 하기에는 부담스러운 조직"으로 여겼다. 하지만 1990년 말 연대회의가 만들어지고 1991년 ILO공대위가 만들어지면서 전노협을 바라보는 시각에 변화가 나타났다. 이에 대해 김종배의 증언은 귀 기울일 만하다;

> "'전노협이 중소사업장 중심'이라는 말은 연대회의가 출범하면서 만들어진 말이고, 그러면서 전노협 중심성의 한 축이 훼손당한 것이다. 그 뒤 ILO 공대위를 결성하자 '전노협은 제조업 중심이다'고 얘기되면서 다시 한 축이 훼손당하면서 '전노협은 제조업 내의 중소사업장이다'는 틀로 바라보게 된 것이다."[188)]

전노협과 전국노운협

한편 1980년대 노동운동은 1987년 이후 전개된 민주노조운동과 어떤 관계였을까? 일부에서는 1980년대 노동운동은 민주노조운동이나 전노협과 단절되었다고 주장하기도 한다. 그러나 이 시기 노동운동의 주된 흐름은 자연발생적인 것이었지만, 이를 의식적이고 조직적으로 발전시키려 한 것은 1980년대 노동운동진영이라는 주장도 있다. 김승호의 증언을 보면;

> "1987년 대투쟁 이후 노조들이 전체적으로 주된 동력으로 작용한 요소가 자

생성이 더 크다고 보는 것이죠. 목적의식적 요소가 있어도 조직적 · 계획적으로 지도하지 못하는 상태였다는 의미에서 자생적인 것이지 100% 자생적인 건 아니었잖아요? 그런데 '이 자생성을 극복해야 된다' '자생성을 내버려두면 다시 무화될 수도 있으니까 목적의식적으로 관여해서 계획적인 운동으로, 노동조합 운동체가 나오게 해야 된다' 하는 걸로 관여를 하죠."[189)]

실제로 1980년대 노동운동진영은 1987년 이후에도 전국 곳곳에서 활동하였다. 이들은 현장에서 민주노조건설 활동을 벌이거나, 지역에서 노동단체를 결성하여 교육 · 조직 · 투쟁 지원 활동을 전개하였다. 그밖에 비공개 정치조직운동도 활발히 전개하여 노동자들이 단위사업장에 머물지 않고 정치적 각성을 할 수 있도록 노력하였다. 특히 지역의 노동단체들은 지노협 결성에서 지렛대 역할을 했는데, 전국노운협이 결성되고 난 이후 12개 지노협의 결성에서 노동단체들이 결합하였다.[190)]

한편 현대엔진투쟁을 전국 차원에서 지원하기 위해 1988년 3월 5일 '노동조합탄압저지 전국노동자공동대책협의회(전국공대협)' 를 구성하였다. 이 과정에서 노동운동단체들이 앞장서서 4월 2-3일과 5월 1일 전국집회를 주도하면서 노동운동탄압저지투쟁을 벌였고, 하반기에는 노동법개정투쟁을 벌였다. 이후 전국공대협은 민주노조들을 추동하여 6월 3일 '노동법 개정 전국노동조합 특별위원회(노조특위)' 를 구성하였다. 노조특위를 시작으로 1987년 이후 생겨난 민주노조들이 전국 차원에서 공식적으로 연대하기 시작하였다.

전국공대협 구성원들은 정세에 신속하게 대처하고 사업수행의 책임과 추진력을 담보하기 위해 상설적인 '공동투쟁체' 가 필요하다는 데 의견을 모아 1988년 6월 7일 전국노동운동단체협의회(전국노운협)를 결성하였다. 전국 노동단체들이 정치적 입장을 떠나 '공동실천을 위해' 하나의 조직으로 결집했던 것이다. 전국노운협의 결성에 관해 김승호의 증언을 들어보면;

> "1988년 임투할 때까지만 해도 목적의식적 행동을 하는 단위조차도 거의 분산이 돼 있었으니까. 그래서 '노동운동하는 단위들부터 우선 통일적인 대오를 가져가지고 노동조합운동에 대해서 통일적으로 지원 지도를 하자' 해서 전국노운협이 만들어진 걸로 알고 있어요. 물론 전국노운협에서는 정치운동에도 방점을 두거나 하는 부분도 있고 다양하게 있었지만 대체로 노동조합운동을 좀 더 효과적으로 지원 지도하자라는 생각을 가지고 만들었어요." [191]

전국노운협은 "전국적이며 공개적인 상설공동체, 민주노조운동을 지원 · 강화하고 민주노조운동보다 앞서 가는 자주적인 운동체, 노동운동단체의 전국단일대오의 과도기적 형태"로 조직의 위상을 설정했고, "노동운동의 발전을 도모하고 노동자가 주체가 되어 자주 · 민주 · 통일과 노동해방을 실현하는 것"으로 활동 목적을 정하였다. 이후 전국노운협은 민주노조운동과 여러 사업을 통일적으로 벌여나가면서, 노동법 개정 공청회를 개최하고 노조대표자들과 10월 6일 '전국노동법개정투쟁본부'를 결성하였다. 또한 전국노운협은 전국회의 결성과 운영과정에서 영향력을 발휘하였고, 임투 시기에는 전국투본과 지역투본의 실무집행력을 담당하였다. 더 나아가 전국노운협은 정치운동의 대표성을 부여받아 전노협 건설투쟁에 결합하여 정책기획과 대중적 토론을 조직하였다. 이후 전노협 건설을 위한 준비소위원회에도 전국노운협 대표

1인이 전국회의 중앙집행위원의 자격으로 참여해 1989년 12월 17일 준비위 발족까지 중요한 역할을 담당하였다.[192] 실제로 전노협이 창립된 이후 상근활동가는 총 44명이었고 각 지노협 상근활동가 수는 전체 130여 명인데, 이 실무집행력을 전국노운협이 거의 담당하였다. 김종배의 증언을 들어보면;

> "결성초기 80% 정도가 전국노운협에서, 나머지 15% 정도는 노동교육협회, 5% 정도는 반합법 정파조직에서 수혈하였고요. 상임집행위원회는 전국노운협 60%, 노교협 40% 정도의 역량으로 구성되었어요."[193]

그뿐만 아니라 전국노운협의 활동가들은 신규노조결성, 노조민주화, 선봉대 조직, 소모임 조직 등 단위노조나 지노협에서 감당할 수 없는 여러 사업들을 담당하였다. 정권의 탄압에도 전국노운협의 활동은 단위노조와 지노협, 전노협을 사수하고 발전시켜나간 주요 힘이었다.

그러나 1990년 하반기부터 전국노운협 내부에서 조직 위상을 둘러싼 입장의 차이가 불거지기 시작하였다. 일부에서는 전국노운협을 정파조직을 배제한 '선진노동자 중심의 조직'으로 재편할 것을 주장했고, 이에 반대하는 세력은 전국노운협을 '공동투쟁을 위한 협의체'로 세워내고자 하였다. 결국 전자는 전국노운협에 잔류하고 후자는 '전국노동단체연합(전국노련)'으로 분리되고 또 다른 일부는 합법정당을 추진하던 '한국사회주의노동당' 세력으로 분화되었다. 이후 전국노운협은 특정한 정치적 입장을 가진 조직으로 왜소화되고, 1993년 전국노동조합대표자회의(전노대) 결성과정에서 노동운동단체의 참여가 배제되면서 노동운동단체는 새로운 방향을 모색해야 했다.

6 조직적 깃발을 흔들었던 전국총파업투쟁

지속적인 전노협 와해공작과 노동운동에 대한 탄압 속에서도 전노협은 조직사수와 민주노조단결의 확대, 그리고 조합원들의 생활조건 개선을 위한 임금인상투쟁을 전개하였다. 전노협은 1990년 임투의 방향을 노동운동탄압저지를 중심으로 생활조건개선과 역량강화, 민주노조세력의 연대와 정치의식 강화, 그리고 민족민주운동진영과의 연대확보 등으로 정하였다. 이를 실현할 구체적인 실천 방식으로는 공동임투의 전개와 대공장 등 역량이 강한 주요사업장 노조를 '선도적으로 배치' 하여 역량을 전략적으로 활용하도록 시도하는 것이었다. 전노협의 공동 임투 기획은 지역 · 업종 · 전국별 공동투쟁체계의 구성(12-3월)→요구안 확정을 위한 총회(3월)→교섭시기 집중(4월)→쟁의발생신고 집중(4월말)→총력투쟁(5-6월)→임투 마무리(6월 이후) 순으로 기획되었는데, 이러한 진행은 이후 거의 관례처럼 굳어졌다.[194] 이는 한편에서 기업별노조체계를 극복하고 전국 조합원의 단일전선을 형성하는 계기로 삼아 이후 산별노조건설과 민주노조 총단결을 위한 토대를 구축하기 위한 것이었고, 다른 한편 정부의 임금억제정책을 무력화시키기 위한 것이었다.

1990년 공동 임금인상투쟁

정권과 자본은 전노협 결성 초기부터 노조에 대한 업무조사 실시와 임금억제 정책 등 각종 지침을 통해 반(反)노동자적이고 폭력적인 본질을 노골적으로 드러냈다. 전국회의가 '전노협 창립준비위원회' 로 전환하면서 대부분 사업은 전노협 건설사업에 집중되었기 때문에, 1990년 임투는 사전준비가 매우 부족한 상태에서 시작되었다.

임금인상투쟁본부는 지역의 공동투쟁 단위였다.

전노협은 소속 노조 460개와 60여 개의 미가입 사업장을 포함해 모두 520개의 노조가 참여한 임투본을 구성하였다.[195] 대부분 지노협들도 준비기간이 부족했으나 핵심간부 교육, 조합원 교육, 조사사업, 요구안 작성, 임투 체계 구성을 진행하였다. 부노협의 임투 준비 과정을 보면;

> "2월 3일과 4일에는 노조지원 단체와 부서의 대표들이 참석하는 부노협 확대 집행위 수련회를 개최하여 임투의 세부실천계획을 수립하고 공유하였죠. 그리고 2월 5-10일 사이에는 각 지구별로 '임대위'를 구성하고, 부노협 학교와 대의원교육, 지구별 간부교육, 임투문화교실, 지구체육대회 등 다양한 방법을 통해 계획을 공유시키고 결의를 모아나갔어요. 20일에는 '임투지침서'를 발간하였고, 3월 7일 '임투 속보' 1호를 발간하여 임투에 관한 전달 매체도 만들었습니다. 2월 14일에는 '전노협 사수 및 보수야합 분쇄를 위한 백기완 선생 강연회'를 개최하기도 했죠."[196]

그밖에도 일일찻집, 강연회 등 노조마다 다양한 시도를 통해 임투 분위기를 높여나가려 하였다. 부노협의 중심사업장인 대흥기계노조의 경우를 보면;

> "저희는 준법투쟁으로 잔업거부, 화장실 줄서기, 5분전 밥 먹기 등을 거쳐

봄맞이 대청소를 결행했어요. 대청소 투쟁은 플래카드를 앞세우고 전 조합원이 방탄조끼 같은 몸 벽보를 하고 빗자루를 들죠. 몸 벽보에는 '23.3% 임금인상, 주택문제 해결' 같은 요구를 선명하게 적고요. 주민홍보물도 준비했죠. 그러고 전 조합원이 빗자루를 들고 각 부서를 돌고 공장 주위를 청소합니다. 다 끝나면 구호와 함께 현장으로 복귀하는 거죠. 생산을 중단하면서 회사에 타격을 가하는 거고 조합원도 많이 참여합니다." [197]

또 지역 차원에서는 교섭기에 '90임투 승리 전진대회'를 통해 분위기를 반전시키고자 하였다. 서노협은 30여개 노조 위원장의 감옥 결단식을 행사에 배치했고, 대구와 인천에서는 대회 후 투석전을 벌이기도 하였다.[198] 전국적인 임금인상교섭이 진행되어 3월 20일-4월 20일 사이에 전체의 절반에 이르는 127개 노조가 교섭에 집중하였다. 그러나 교섭시기의 일치는 업무조사, 교섭기피, 핵심역량 제거와 무력화, 조합원 개개인의 협박, 이념공세 등으로 어려웠다.[199] 부노협의 경우를 보면;

"자본가들이 경단협의 지침에 따라 임금인상 가이드라인 7% 설정, 무노동 무임금 적용, 법을 악용한 노조간부 고소고발 등 공세를 강화했죠. 거기에다 공동 임투 대열을 교란하려고 교섭지연작전을 구사하고, 비밀 교섭을 요

노동자들의 집단행동. 화장실 줄서기, 밥 같이 먹기

구하면서 각개격파 전술을 써요. 그런데 우리는 이 전술을 효과적이고 조직적으로 격파하지 못하면서, 공동행동을 조직하지 못하는 거예요."[200]

이처럼 자본의 이데올로기 공세와 탄압을 뚫지 못하고 조합원의 참여도 제약받게 되자, "정부에서 세게 나오는데 이번에는 7%만 받고 끝내자" "이러다 다칠라, 주는 대로 받자" "올해는 그냥 넘어가고 다음에 싸우자"는 등 불안과 우려의 목소리도 나왔다.[201] 그럼에도 지노협은 상황을 변화시키려는 여러 시도를 하였다. 인노협 코스모스노조의 경우를 보면;

"우리는 준법투쟁을 머리띠 매기, 리본 달기, 몸 벽보에서부터 작업시작 전 노동가 부르기, 라인별 농성, 점심시간 집회에 잔업거부, 집단휴가, 물량 줄이기 같은 아무리 간단한 행동이라도 전 조합원 같이 하는 행동을 많이 해요. 그러면 사장이 바싹 가슴을 졸아요. 조합원 토론으로 방법을 찾고 상황 변화에 따라 강도를 조절하는 게 중요한 거 같아요." [202]

전노협은 임투가 자본 측의 공세로 교섭이 지연되자 공동 임투 일정을 조정하였고, 동시에 4월 1–30일에 교선국, 조직국, 문화국을 주무 부서로 하고 고문단, 자문위원단, 지도위원단을 중심으로 '1990년 임금인상 투쟁 선전팀'을 구성하여 집중적인 선전선동을 하였다. 4월 하순부터는 지역별 · 공단별로 핵심사업장을 중심으로 한 공동준법투쟁을 활성화시키려 했고, 쟁의돌입과 쟁의가능 사업장을 집중 배치하도록 독려하고 쟁의발생신고를 공동으로 맞추어 내는 등 여러 시도를 하였다. 인노협의 경우 신고 전날 위원장단이 철야농성을 하고 함께 쟁의신고를 하는 것을 적극 검토하기도 했고, 타결사업장의 경우 투쟁성과가 공유될 수 있도록 "7% 임금억제를 무너뜨렸다"는 것을 선전하여 쟁의사업장 지원기금 조성을 결의하도록 하였다. 더불어 선전물을 상황에 맞게 배포하였다.[203)]

이러한 전노협과 지노협의 공동 임투 전선 형성을 위한 노력은 KBS노조투쟁, 현대중공업의 골리앗투쟁 등 노동운동탄압에 맞서 전노협이 5월 전국총파업투쟁을 벌일 수 있는 힘이 되었다. 거꾸로 총파업을 계기로 조합원은 더욱 자신감을 갖고 자본가들의 공동전선을 급격히 무너뜨렸다. 그에 따라 협상도 빠르게 진척되었다. 부노협의 경우를 보면;

> "우리는 현중, KBS방송국노조 탄압을 계기로 전국적인 노운탄 전선이 형성되고, 물가, 주택 등 민생파탄이 반민자당 정서로 급격히 고양되자 노동자들도 투쟁열기가 급격히 되살아나요. 자본가들은 이를 억제하려고 임투타결에 적극성을 보여요. 그래서 조합이 안정돼 있는 대흥, 동양, 신우, 풍원, 유신, 아륙, 연합, 우신, 영실업, 아크 등은 대부분 타결됩니다. 그런데 타결과 함께 투쟁열기가 빠르게 가라앉으면서 다시 분위기 퇴조를 가져와 이후 남은 노조들의 임투에 도움을 주지 못하고 어렵게 임투를 전개하여 6월초에 이르기까지 임투를 진행하죠. 특히 파업에 돌입한 경우는 예외 없이 직장폐쇄하고, 장기화되면 공권력을 투입하는 과정을 겪으면서도 하반기까지 파업을 진행해요." [204)]

대구노련의 경우 4월 30일 이후 동국제강, 영풍제관 등 10여 개 사업장이 일제히 쟁의발생신고에 들어갔고, 임금동결을 주장해오던 자본 측은 노조의 요구를 전폭 수용하겠다는 태도를 보였다. 경기노련 안산지구의 경우, 덕부진흥, 대동정공 등 10여개 노조가 일제히 교섭이 타결됐고, 인천은 남일금속, 경일화학 등 인노협 핵심사업장이 1-4일 사이에 노조측 요구대로 전격 타결되었다. 특히 일당 1,800원 인상을 요구해온 남일금속은 3일 저녁 간부들이 철야농성에, 4일에는 총파업에 들어갔는데 자본 측이 먼저 교섭을 요구하면서 노조의 요구를 100% 수용함으로써 순식간에 타결이 이루어졌다. 이 시기 전국적으로 쟁의발생신고에 들어간 사업장은 400개였으며 그중 전노협소속 사업장만도 120여 개에 이르렀다.[205)]

그러나 이와 달리 자본가들이 7%에서 한 발짝도 양보하지 않으면서 노조의 파업에 라인폐쇄, 직장폐쇄 등으로 대응하기도 하였다. 서울, 마창, 경기남부 핵심사업장들, 광주 대우전자 하청업체, 대구 염색공단 등에서 각 사업장에는 정부의 '전노협 가입노조에 대한 임금교섭 지침'이 시달되기도 하였다. 특히 5월 10일 치안 관계 장관 기자회견에서 '쟁의엄단 방침'을 밝힌 이후 급격히 늘어난 구속과 파업 사업장에 경찰력을 투입하는 등 탄압이 거세졌다. 5월 10일 열린 지역대표자회의는 "어느 때보다도 총력을 집중, 공동대응이 필요하다"는 데 대한 공감대가 형성되었고, 전노협은 '현 정세와 투쟁방향'이라는 주제의 강연을 전국적으로 진행하면서 공동투쟁의 결의를 모아가려고 하였다.[206)] 5월 총파업투쟁 이후 전반적으로 임투가 활성화되어 쟁의신고, 쟁의돌입, 타결이 급증하고 있었으며 특히 5월 10-25일 사이에 임투가 집중되었다. 임투에 돌입했던 노조 가운데 40% 정도가 타결되었고, 타결액은 평균 20%(시간급 1,500-1,800원)의 높은 인상률을 보였다.

결국 전노협 원년인 1990년 임투는 전노협에 대한 정권과 자본의 집중적인 탄압에도 불구하고 공동투쟁의 상을 만들려는 시도를 하였고, 조직력을 바탕으로 무노동 무임금을 무력화시키는 등 노동조건개선과 높은 임금인상을 쟁취해냈다. 또한 5월 총파업을 통해 단위노조의 교섭력을 강화시켜 높은 타결률을 보여 연대투쟁의 중요성을 확인하였다. 그러나 공동 임투에서 시기집중은 준비기간까지는 공동준비가 가능했으나, 교섭 이후부터 단위노조별로 개별화되는 모습을 보이기도 하였다. 이에 대해 나우정밀 사무장 김덕종은 다음과 같이 증언하였다;

> "조합원들은 공동 임투에 대해서는 당연하게 받아들였던 거 같아요. '우리만 하는 거보다는 같이 공동으로 해야 탄압도 덜 받고 버텨나갈 수 있다'라는 생각이 있었죠. 공동 임투하면 '시작해서 끝까지 같이 가야되는 거'라고 생각을 했는데, 그런데 준비 과정에서 시기 맞추기는 같이할 수 있었고, 대신에 투쟁기에 접어들면, 회사 측에서 제시안을 내놓으면 타결을 안 할 수가 없잖아요? 그러면 타결 시점에서는 먼저 끝나는 사업장이 있고 끝까지 남는 사업장이 있고. 그랬을 때, '공동 임투라는 걸 내걸고 했는데 그 부분을 어떻게 할 거냐?' 이런 게 좀 숙제로 남게 됐던 거 같아요." [207)]

민주노조사수를 위한 1990년 5월 전국총파업투쟁

1990년에 들어서 정권은 전노협에 대한 집중적 탄압을 가하는 한편 장기집권을 위한 포석으로 KBS방송사를 장악하고자 하였다. 정부가 3월 18일 서기원을 KBS사장에 임명하자 이에 반대하며 방송민주화를 주장하는 KBS노동자들은 투쟁을 시작하였다. KBS노동자들이 제작거부를 하자 정권은 공권력으로 개입하는 등 투쟁이 확산되어갔다. 다른 한편 정권은 4월 20일 현대중공업 노조간부를 구속하는 등 대공장에 대한 탄압을 늦추지 않았다. 이에 4월 21일 조선사업부 조합원들이 아래로부터

KBS노조파업과 울산 현대중공업 골리앗 투쟁. 전노협은 총파업으로 이 투쟁을 사수했다. (1990.5)

투쟁을 벌이면서 파업투쟁에 돌입하자 4월 28일에 공권력이 투입되었고, 78명의 결사대는 '골리앗' 농성에 돌입하였다. 이어 현대자동차와 울산 현대계열사 노동자들이 연대파업을 벌였고, 매일 만세대 민주광장을 중심으로 가두투쟁을 전개하였다.

지노협에서도 이들의 투쟁을 지지했는데, 4월 25일 마창노련은 23개 노조가 참가한 비상대표자회의를 개최해 투쟁을 결의했고, 4월 27일 서노협은 "현대중공업에 공권력이 투입되면 5월 3, 4일 파업에 돌입할 것"을 밝힘으로써 현대중공업 문제는 바로 전노협의 문제로 확대되었다. 이런 분위기가 모아져 현대중공업에 공권력이 투입된 바로 다음 날인 4월 29일 전노협은 13개 지역, 중앙위원 20여 명이 참석한 가운데 비상중앙위원회를 개최해 총파업투쟁을 결의하였다. 총파업 결의에는 "총체적인 탄압에 대해서 계급적으로 어떻게 대응할 것인가"라는 문제의식을 바탕으로, 총체적 대응을 하지 않았을 때는 전노협만이 아니라 지노협도 버티기 어렵다는 판단도 깔려 있었다.[208] 전노협의 결정에 따라 지노협들도 회의를 갖고, 30일부터 단위사업장별로 대의원대회나 조합원총회를 열어 파업돌입을 결의하기로 하였다.

전노협의 1990년 5월 총파업투쟁의 결정은 정권의 탄압을 뚫고 민주노조운동이 한 단계 높은 수준으로 발전할 수 있느냐를 둘러싼 '민주노조운동의 전진과 후퇴의 분수령' 이자 '전노협의 사활을 건 투쟁' 의 성격을 띠었다. 이에 전노협은 1987년 이래 민주노조운동의 조직적 성과를 바탕으로 전국적으로 통일된 요구를 걸고 처음으로 연대파업을 기획하였다.

전노협은 5월 1일 오후 5시 서울대에서 '세계노동절 101주년 기념 노동운동탄압 분쇄 및 민중기본권 쟁취를 위한 전국노동자대회' 를 열었으며, 전국 14개 지역에서도 현대중공업 등 노조탄압을 규탄하는 집회를 가졌다. 5월 1일 총파업에는 51개 노조 10만 9천 명이 참여하였다. 각 지노협의 총파업을 구체적으로 살펴보면, 우선 5월 총파업에 불을 붙인 마창투본은 4월 30일 26개 노조가 참여한 비상대표자회의에서 5월 1일부터 총파업을 벌일 것을 결의하였다. 이어 각 단위노조는 중식시간 집회, 조합원 총회, 출정식, 구속결단식 등을 통해 총파업 결의를 모으고, 퇴근 후 경남대에서 '시민운동본부 발족대회 및 현중 공권력투입 규탄대회' 를 개최한 뒤 산발적 시위를 하다가 해산하였다. 밤에는 마창투본 대표자 6명과 30여 명의 상집간부와 대의원, 그리고 열성조합원들이 마창노련 사무실에서 철야농성을 벌였다.[209)]

마침내 총파업 첫날인 5월 1일, 마창지역은 26개, 조합원 2만 3천 명이 파업에 참여하였다.[210)] 부노협은 35개 노조 위원장과 노조간부 300여 명이 30일 오후 7시 확대 간부회의를 열어 5월 3, 4일 총파업을 결의하였다.[211)] 다음 날인 5월 1일 부노협은 격렬한 가두투쟁을 벌여 파출소 2곳을 타격하고 전경차 1대를 전소시키고, 현대자동차, 현대증권, 민자당 사무실을 타격하자 춘의파출소에서 칼빈 소총 5발을 쏘기도 하였다.[212)] 또 성남노련, 경기남부노련 소속 조합원들은 경찰의 원천봉쇄로 대회가 무산되자 거리로 진출해 밤늦도록 격렬하게 시위를 벌였다. 부산노련에서는 노동자, 대학생 8천여 명이 메이데이 기념식을 갖고 거리로 나와 격렬한 시위를 벌였다. 인노협과 노동단체들은 저녁에 인하대에 2,500여 명이 참석하여 기념식과 문화행사를 가졌다. 광주 · 전남지역 노동단체들도 각각 노동절 기념행사를 가졌고, 충남에서는 조치원경찰서에 대학생들이 화염병을 던지는 등 각 지역에서 대부분 집회를 열고 격렬한 가두투쟁을 벌였다.

한편 수감 중이던 단병호 전노협 위원장 등 60여 명도 단식농성에 들어갔다.[213)] 이밖에 전국 대학들도 이날 노동절 기념식을 갖고 여러 도시에서 시위를 벌였다.[214)]

전노협의 총파업투쟁 결정이 내려졌을 때 많은 사람들은 과연 어느 정도 이루어질 수 있을까 우려의 눈초리를 보냈다. 그러나 4월 30일 울산 12개 현대계열사의 파업을 필두로 5월 1일 마창과 부산에서 일제히 시작된 투쟁에는, 전국 민주노조가 전면파업, 부분파업, 집단조퇴, 중식시간 총회투쟁 등 동원할 수 있는 모든 수단을 동원하여 참여했으며, 구속노동자들까지 교도소와 구치소에서 단식농성으로 투쟁에 참여하면서 역사적인 전국 총파업을 성사시켰다. 그동안 전노협에 가해졌던 탄압을 생각해볼 때 엄청난 투쟁력이었다.

이후 투쟁 분위기는 방송사노조들의 제작거부 연대투쟁으로 더욱 확산되었다. 전노협 전국총파업을 몇 시간 앞둔 4월 30일, 정부는 KBS노조에 2차로 공권력을 투입해 조합원 333명을 강제연행하고 경찰병력으로 KBS 건물 전체를 장악하였다. 이에 조합원들은 명동성당으로 이동하려 했으나, 명동성당이 경찰에게 원천봉쇄되자 MBC로 이동하였다. 이후 KBS, MBC, CBS의 3개 방송사 노조가 함께하는 방송 제작거부 연대투

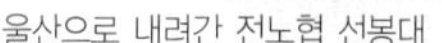
울산으로 내려간 전노협 선봉대

만세대 앞 노동자들의 투쟁

쟁의 막이 오르자, 전국 노동자들의 사기는 더욱 높아갔다.

5월 3일부터 수도권 지역의 노조가 파업에 참여하면서 77개 노조 10만여 명, 5월 4일 145개 노조 12만 명이 파업을 벌여 비로소 전국적인 투쟁 전선이 형성되었다. 그러나 경남과 수도권 일부를 제외한 다른 지역에서는 총파업 참여가 낮았고 파업도 부분적 · 한시적 성격을 띠었다.

5월 4일에는 언노련, 전노협, 전대협 등 전국 52개 단체 대표들이 'KBS · 현대중공업노조탄압분쇄 국민회의'를 결성하고, "KBS · 현대중공업에 투입된 경찰력철수 · 구속노동자 · 민주인사전원석방과 원상복귀 · 서기원 KBS사장 내무부장관 등의 인책사퇴" 등을 요구하였다.[215] 이런 와중에 5월 3일 정권의 무자비한 탄압이 또 한 명의 젊은 목숨을 앗아갔다. 마산 (주)통일 노조대의원 이영일이 온몸에 신나를 붓고 불을 붙인 뒤 회사 3층에서 '군부독재타도', '노동운동탄압중지' 등을 외치며 투신하였다. 이에 3천여의 전 조합원은 작업을 거부한 채 노조탄압규탄집회를 벌였다. (주)통일, 대림자동차, 세신실업 등 1,600명이 병원 안에서 진상보고대회 겸 '노조탄압분쇄 및 이영일 열사 추모집회'를 가진 뒤 가두투쟁을 전개하였다.

하지만 5월 1일부터 시작된 총파업은 지역과 사업장에 따라 투쟁력 차이가 두드러졌고, 충분한 사전조직화도 부족하였다. 이에 대해 전노협의 현주억과 양규헌은 기억하기를;

"전략을 짜면서 각 지역을 생각하게 됐다. 투쟁이 가능한 지역도 고려하고 대외적으론 이렇게 표방하지만 대내적으로 파업이 하루, 이틀 등 가능한 기간은 어떤가, 파업이 안 되면 다른 방식은 없는가, 등 자체 문제를 고민하게 되었다. 어렵게 총파업을 치렀다. 의미는 있지만." [216)]

"부정적으로 보는 시각에도 일리는 있는데 문제는 단위사업장 내부의 조직력이 미약한 사업장은 급작스럽게 어떻게 하기는 어려웠더라도 그렇지 않은 사업장에서 그 당시에 왜 총파업을 해야 했는지를 충분히 설득해내지 못한 부분에 대해 한계나 아쉬움이 있다." [217)]

거리로 진출하는 노동자들

그럼에도 5월 9일이 민자당 창당일이었기 때문에 5, 6일 휴일에도 투쟁의 흐름을 유지하며 7일부터 새롭게 투쟁대오를 꾸려 9일 반민자당투쟁으로 집중해야만 하였다.

5월 9일 전국에서는 '해체 민자당, 퇴진 노태우'의 구호와 거센 함성이

거리를 뒤덮었다. 물가 폭등과 집값 상승 등으로 쌓여 있던 국민들의 분노가 불을 뿜어대기 시작하였다. 서울에서는 3만여 명이 오후 6시 30분 시청 앞 광장, 신세계 앞 분수대를 꽉 메우고 시위를 시작하여 미국문화원, 파출소, 전경차, 지프차 등을 불태웠다. 이날 집회는 1987년 6월 이후 최대인파가 모인 것으로, "해체 민자당, 퇴진 노태우"를 외치며 퇴계로5가부터 남대문까지 완전히 장악하고 을지로와 종로 일대까지 진출하였는데 명동 일대는 마치 '해방구'와 같았다.

각 지역에서는 총파업 이후 조직력이 훼손되는 등 어려운 조건 속에서도 투쟁에 참여하였다. 아래 속보를 통해 알 수 있듯이 부천의 상황도 마찬가지였다.

> 오후 6시 50분경 부천역 소신여객에서부터 노동자, 학생들이 가두로 나와 국민은행 앞 도로를 점거한 채 약 30분간 '민생파탄, 물가폭등 노태우 정권 타도하자'는 등의 구호를 외치며 가두투쟁을 벌였다. 이후 남부역에서는 시민들에게 9일 투쟁의 의의를 선전하며 마무리 집회를 갖고 해산하였다. 9일 투쟁에 참여한 노동자, 학생은 약 200여 명 정도. 동참한 노동자들의 부족함에도 상당한 안타까움을 느낌에도 이 인원으로 30분간 가두를 점거하고 투쟁했다는 것은 참여 노동자의 선도적인 투쟁력과 의지가 있음에, 이는 높이 평가되어 마땅하다… 부천의 노동자가 부천역을 점거하고 투쟁할 때 시민들이 박수로 호응해주고, 시위도중 최루탄이 날려도 흩어지지 않고 가두시위에 관심과 열의를 보여준 점이다.[218]

전노협은 노동운동탄압분쇄, 전노협사수를 내세우며 현장을 조직하였지만 5월 총파업을 반민자당 투쟁 전선으로 이어 가는 데는 한계를 보였다. 결국 5월 총파업은 정치적 성격으로 파급력이 컸음에도 반민자당투쟁 전선에서 전노협이 민중민주세력을 주도하는 역할을 하지는 못하였다. 전노협 김종배의 증언을 들어보면;

> "총파업투쟁은 엄밀하게 말하면 조직사수투쟁이었고. 그러나 당시의 상황을 놓고 보면 정치투쟁적 성격을 많이 갖고 있죠. 왜냐하면 파쇼적 지배체제에서 벌어지고 있는 탄압에 대응하는 투쟁은 이미 국가 권력적 수준에서의 대응이었기 때문에. 그러나 투쟁의 전선이 폭발적으로 진행되면서 전체 민중연대투쟁, 반민자당투쟁으로 전선을 확대해 가는데 오히려 노동진영은 그 투쟁으로부터 이탈하고 있었죠. 정치적 이슈를 가진 투쟁을 전노협이 주도적으로 참여할 수 있는 역량이나 전체 국면을 끌어가는 역량도 없었고. 반민자당투쟁을 계기로 노동진영은 완전히 따로 싸우는 과정에 들어갔죠." [219]

전노협과 국민연합은 5 · 9투쟁으로 고양된 정세를 계속 유지시켜 반민자당투쟁을 확산시키기 위해 5월 9일부터 명동성당에서 무기한 단식철야농성에 들어갔다. 그러나 5월 10일 최후의 결사대 51명이 골리앗을 내려옴으로써 골리앗농성이 마무리되고, 또 5월 18일 KBS노조도 제작에 복귀함으로써 전국 노동자들의 투쟁 분위기는 급속하게 가라앉았다. 한국전쟁 이후 최초의 전국적인 총파업인 1990년 5월 총파업은 지역 간의 차이와 기업별노조체계의 한계, 반민자당투쟁 전선을 주도하지 못한 문제 등 여러 한계를 남겼지만, 민주노조운동의 힘에 정권과 자본의 심장은 서늘해졌다. 5월 총파업이 가능했던 이유는 우선 1987년 노동자대투쟁의 성과로 출범한 전노협의 존재를 들 수 있다. 다음으로 공권력에 의한 탄압에 대한 공통적인 분노 속에 공동투쟁의 필요성을 공감한 점 그리고 여론의 지지를 확보한 점 등을 들 수 있다. 무엇보다 가장 큰 성과는 자주적이고 민주적인 노조운동의 구심으로 전노협이 자리 잡게 된 것이었다. 이에 대한 양규헌의 증언을 들어보면;

"총파업으로 전노협이 사수되었죠. 물론 투쟁으로 많은 사람들이 구속되고 해고됐어요. 투쟁을 통해서 느낀 것이 있다면 첫째, 올바른 중앙조직이라는 것을. 계급적 조직으로 만들어내기 위해서 산별에 대한 중요성을 투쟁에 참여하는 노동자뿐만 아니라 전체가 인식하였다고 보고, 둘째는 이전까지 막연했던 자본가 권력에 대한 본질을 구체적으로 이해해내는 데 도움이 됐고. 그런 가운데서 현재 우리가 우리의 최소한의 요구를 돌파해 나가기 위해서 앞의 조직적 과제가 제기된 것이고, 두 번째 분명한 상대를 규정한 측면에서 의식적 측면이 있었다고 보이는데, 물론 그때 파업을 할 수 없었던 사업장들도 있었죠. 그럼에도 파업에 같이 참여하는 과정을 거치지 않았다면 기업별노조의 의식에서 새로운 산별에 대한 관점의 변화가 가능했겠는가 하는 측면이 있어요." [220]

7 동지의 죽음을 딛고 다시 전국총파업투쟁으로

1991년 공동 임금인상투쟁

1990년 전면적인 탄압에 맞서 전노협은 사수되었지만, 1991년에도 탄압은 계속되었다. 하지만 물가폭등과 부동산 투기로 인한 주택 문제, 산업구조 조정과정에서 야기된 고용불안 문제 등이 확대되면서 노동자와 민중의 생활조건은 벼랑 끝으로 내몰리고 있었다.

전노협은 일상 사업으로 조직력 강화에 총력을 기울이는 동시에 노동운동탄압저지투쟁을 벌일 것을 1991년 사업기조로 수립하였다. 이에 따라 임투 시기에는 전국적 공동 임투를 조직하기 위해 현장토론 활성화를 통해 조합원의 주체적인 참여를 유도하는 한편, 지도부의 집행력 강화와 중간간부의 양성에도 중점을 두고자 하였다. 또 전노협은 연대회의와 '물가폭등 저지와 노동기본권 수호를 위한 전국 임금인상 공동투쟁본부(전국공투본)'를 구성했으며, 지역공투본 역시 지노협을 중심으로 대공장 · 업종 · 중간노조를 포괄하려 하였다.

이처럼 1991년에는 임투 준비가 비교적 짜임새 있게 이루어지는 듯 했으나, 지역공투본은 예정된 2월 말까지 구성되지 못했고 대부분 탄압, 행사, 대의원대회 등 지역 현안문제 때문에 4월 초로 구성이 연기되면서 각 지역 간 공동대응도 이루어지

민주노조 총단결의 시작, 공동투쟁.

지 못하였다.[221] 그럼에도 1991년 임투 준비의 특징은 지노협이 소속 노조 이외의 미가입 노조나 대공장 · 업종조직과의 연대를 적극적으로 모색한 것이다. 그 예로 인천투본과 부천투본의 상황을 보면;

> "인천투본은 3월 15일 출범해, 인노협, 노조활성화추진위, 대공장노조 연대모임, 대우자동차노조, 병원노련 인천지부, 택시노련 인천지부, 전교조 인천지부 등 7개 노조단체와 68개 노조가 참여했죠." [222]

> "부천투본은 3월 28일 구성했는데 부노협, 부금사(경원세기가 포괄하고 있는 사업장-인용자), 노총 부천시협의회, 지역금속노조 등 40개 사업장이 참여했죠. 이런 구성을 바탕으로 부노협은 미가입 노조와 연대 사업, 지역적 공동투쟁을 활성화시킬 방안을 모색했는데, 비록 무산되었지만 대흥기계노조, 경원세기노조, 동양에레베이터노조 등 3사 노조와 결합하여 지역임투의 동력을 만들려 하였죠." [223]

조직과 조합원을 잇는 일상활동. 투쟁을 위한 철저한 준비

또 다른 임투 준비의 특징은 교육이나 활동기조를 공유하는 데서 한 걸음 나아가 조합원을 임투의 주체로 세우기 위한 단위 사업장의 현장토론이나 임투준비위원회를 구성했던 것이다.

> "서노협은 조직적으로는 중앙지구단위사업장으로 이어지는 임투준비소위원회를 조직, 특히 1990년의 결의가 단위사업장 임투에 관철되지 못한 경험을 바탕으로 준비기부터 각 단위의 결의와 계획을 통일시키는 방법으로 처음으로 35개 노조에서 단위사업장 임투준비소위원회를 구성한 것이다." [224)]

> "성남노련은 임투 준비사업으로 분임 토의의 활성화를 위한 방침과 사례 교육, 분임 토의의 지도방안에 대한 교육 등을 진행시켰다. 한편 임투를 위한 문화교실, 임투전술 공동교육 등도 전개하였다. 예로 오텔코노조는 '분임 토의 활성화로 '91임투 승리'라는 목표를 내세우기도 하면서 10명을 1개조로 41개 분임조를 구성하여 매주 토론을 진행하고 간단한 개인 실천사항을 결의해내기도 하였다." [225)]

성남투본은 실제 공동 임투가 가능한 12개 사업장을 중심으로 노조대표자 간담회를 열어 공동투쟁을 전개하려 했고, 그 원칙으로 아래와 같은 8개항을 결의하였다.[226)]

성남지역 노조대표자 간담회 결의 사항

1. 한 자릿수 임금인상 억제 선을 반드시 돌파한다.
2. 무노동 무임금을 분쇄하여 단체행동권을 사수한다.
3. 구속자 발생 시 조기 석방, 원직 복직을 위해 총력을 집중한다.

4. 부당한 노동부 지침을 반드시 분쇄한다.

5. 선 타결의 경우 타 노조에 미칠 영향을 고려하여 사전에 대책을 논의한다.

6. 노조나 노련에 대한 공권력의 불법적 침탈이 있을 경우 즉각적으로 공동 대처한다.

7. 장기파업 사업장에 대하여 문제 해결을 위해 공동으로 총력을 다한다.

8. 지역, 전국적 투쟁을 지원하기 위한 쟁의기금을 공동으로 마련한다.

전반적으로 임투가 늦어지면서 교섭돌입 집중시기도 연장되어 4월 4일 전국공투본 산하 노조 중에서 106개 노조가 교섭에 돌입하였다. 4월 25일에는 296개 노조가 교섭에 들어갔으며, 타결된 노조는 35개(기본급 기준 20.8%), 쟁의발생신고 노조는 18개(수도권이 13개)였다.
이 시기에는 기초의회 선거 이후 여세를 몰아 대우조선, 대우자동차 등을 필두로 노조에 대한 극심한 탄압이 가해졌고, 이에 대한 공동대응이 주된 과제로 제기되었다. 전면적인 대응을 위해 전국적 공동투쟁 전선을 조직하기 위해 각 지역별로 확대 간부회의, 철야농성, 구속자문제에 대한 규탄투쟁 등을 벌였다. 그러나 탄압에 대한 대중적인 공동투쟁은 저조하였다. 이런 상황 때문에 쟁의발생신고 집중기간을 4월 22일에서 5월 4일까지로 조정하는 등 일정이 계속 미뤄지면서 공동임투는 실질적으로 무산되어 각개 약진하는 모습으로 이루어졌다. 더욱이 교섭기간에 전반적으로 자본가들은 교섭을 연기하거나 회피했으며, 특히 대공장에 대한 탄압으로 교섭이 진전되지 않았다. 당시 인천투본의 교섭 상황을 보면;

"인천투본은 단위사업장의 임투준비 상황 때문에 4월 10일까지 교섭 돌입, 4월 20-30일 사이에 쟁의발생신고, 5월 10일 이후 쟁의돌입 등으로 일정을 재조정해야 했죠. 그러나 교섭에 들어가자 다수의 사업장에서 자본 측이 한 자리 임금인상 방침을 고수하면서 교섭이 지지부진해져요." [227)]

이처럼 교섭에 진척이 없고 임투 분위기가 위축되자 지역에서는 이를 변화시키기 위한 여러 시도를 하였다. 아래 서울투본은 서명운동 및 집회를 열었다.

"서울투본은 전국 공동 임투의 주요 방향으로 설정된 '전 노동자적 요구'를 조직화하는 차원에서 노동부장관에 대한 구속 서명운동을 전개했고, 4월 18일에는 서명운동과 관련하여 구로지구에서 단위사업장별 집회를 7개 노조에서 개최하였다. 그리고 이러한 전 노동자적 요구를 집약시키는 노동절 투쟁을 전개하기 위한 사전 대중사업으로 4월 24일 13개 노조에서 노동절 기념주간 선포식을 가졌다." [228)]

그밖에 부노협처럼 공동준법투쟁을 전개하는 경우도 있었다.

"저희는 각 지구별로 공동준법투쟁을 조직하고, 간부들은 지역행사에 적극 참여하면서 투쟁열기를 높여나갔어요. 실천사업으로는 임금교섭 현황 보고 및 모의교섭과 '노동부 지침 철폐, 임금인상 · 단체협약갱신 투쟁 완전 승리' 현수막 및 리본 공동부착, 투쟁사업장 지원방문 등을 전개했죠." [229)]

한편 5월 들어 강경대 군 치사 사건과 박창수 위원장 의문사 사건이 일어나자 전노협은 공동 임투 전선을 형성하기 위한 노력을 바탕으로 민중투쟁과 총파업투쟁으로 맞섰다. 이런 전국의 투쟁 분위기는 임투에도 영향을 주었다. 5월 3일 쟁의발생신고를 한 노조는 58개(결의 22개), 파업에 돌입한 노조는 21개로 4월 25일 이후 일주일 사이에 임투가 빠르게 진척되었다. 5월 10일에는 쟁의발생신고 71개(결의 16개), 파업 중인 노조가 18개였고, 5월 13일에는 파업노조가 43개로 늘어났다. 5월 31일에는 쟁의발생신고를 한 노조가 50개, 파업에 돌입한 노조가 47개, 타결된 노조가 231개(50%)로 6월 중순까지 흐름이 이어졌다. 5월 31일까지 파업투쟁을 전개한 노조 수는 모두 82개인데, 이 중 72개 노조가 5월에 집중적으로 파업에 돌입하였다. 특히 5월 13일부터 5월 18일 사이에 집중해서 53개 노조의 임금교섭이 타결되었다.

"서노협은 5월 10일까지 쟁의발생신고를 한 노조는 공동 임투 일정인 5월 1일 이전에 신고한 8개 노조를 포함해 모두 21개였고, 5월 18일 이전까지 7개 노조가 파업투쟁을 전개하였다. 이 시기에는 정치투쟁 참여가 광범위하게 이루어지자, 5월 14일과 18일 구로공단에서 가두시위를 비롯하여 지구별 공동 출정식과 가두행진, 단위사업장별 보고대회 등이 잇따라 전개되어 위축되었던 임투 분위기를 일신하고 투쟁 동력을 이끌어냈다." [230]

"인천지역의 공동 임투는 대체로 5월 9일과 18일 총파업 투쟁을 경과하면서 마무리되었다. 타결된 사업장들은 임금인상을 2,000원 내외로 달성하여 정부의 한 자릿수 임금억제 정책을 무력화시켰다." [231]

그러나 1990년 5월 총파업과는 달리 전국적인 공동투쟁 전선을 중심으로 투쟁이 집중되지 않았으며, 여전히 현장의 파업투쟁은 대부분 수세적이었다. 아래 성남투본의 사례를 보면;

"성남투본의 공동 임투는 5월 18일 총력투쟁시기를 전후로 대부분의 사업장에서 매듭지어졌다. 그러나 오텔코, 영문구, 소예산업 등 중소 사업장에서는 자본가들이 불성실한 교섭태도와 직장폐쇄 등으로 노동자들은 이에 맞서 완강하게 파업투쟁을 전개하여 투쟁이 장기화되는 양상을 나타냈다."[232]

6월 들어 대부분 노조에서 임투가 마무리됐지만, 타결되지 않은 사업장은 파업투쟁 중이거나 교섭이 지연되면서 장기화되었다. 1991년 7월 9일을 기준으로 85%가 타결됐으며 평균 타결률은 18% 수준에 머물렀다. 결국 1991년 공동 임투는 457개 사업장이 공투본에 참여해 평균 5만 4,954원(17.5%) 임금인상을 쟁취해 1990년보다 2만 4,524원이 높아졌고 요구 관철률도 1990년보다 5.7% 높아졌다. 그 이유는 물가상승으로 노

현장에서 이루어지는 조합원 토론

동자들의 임금인상 요구가 높아졌고, 5월 정세의 고양 그리고 조직적인 사전준비가 예년보다 충실했기 때문이다.

하지만 공동 임투를 통한 조직의 확대강화와 투쟁의 수준에서 1990년과 1991년은 큰 차이가 없었다. 오히려 파업 발생 건수는 6월 22일을 기점으로 1990년이 246건이었던 데 비해 1991년에는 총 177건으로 쟁의신고 이후 파업에 돌입한 비율은 1990년 22.2%에서 1991년에는 15%로 낮아 졌다. 투쟁을 통해 단위노조의 한계를 돌파할 전망이 보이지 않자 조합원들이 파업을 기피하는 경향이 생기기도 해, 실제로 부분파업을 위주로 투쟁이 진행되기도 하였다.[233)]

다른 한편 1991년 임투에서는 지역투본의 결속력을 다지기 위한 새로운 시도인 '1991년 임투실천강령' 제정, 각 지역별 공투본 규율 선포 등 공동실천의 결의를 높이기 위한 노력을 하였다. 또한 미가입 노조와 중간노조를 견인할 목적으로 지역 공투본 구성과 더불어 전국 차원에서 연대회의, 업종회의를 포괄한 범민주노조진영의 공동전선 구축이 시도되었다. 그 결과 전국적으로 공투본 참여 노조가 확대되었고 지역적으로 마창, 경기 등은 공투본 사업을 통해 지노협의 조직 기반을 넓히기도 하였다. 이처럼 1991년도 전노협의 공동 임투 시도는 기업별노조체계라는 조직구조의 한계에서도, 공동 임투의 상을 확인시켰고, 분산된 노동자의 힘을 지역과 전국으로 모아나가기 위한 중요한 활동이었다.

의문의 죽음에 맞선 1991년 5월 총파업투쟁

1991년 전노협은 연대회의와 전국투본을 결성해 전국 공동 임투를 추진하는 과정에서, 다시 정권의 지속되는 노동운동탄압에 맞서 전국 총파업투쟁을 벌여야 했다. 그 계기는 2월 10일 대기업연대회의에 참석한

67명의 노조간부가 강제 연행당하고 7명이 구속된 것이다. 전노협 중앙위원회는 바로 철야농성에 돌입했고, 연대회의의 10개 노조도 부분파업과 전면파업을 벌이거나 규탄대회를 열었다. 이어 전노협은 3월 9일과 10일 명동성당에서 '수서비리 규탄과 노동운동탄압분쇄' 를 위한 철야농성을 벌였고, 4월 17-19일에는 전국에서 '노동운동탄압중지와 구속노동자 석방을 위한 전국노조간부 철야농성' 과 4월 21일에는 '구속노동자 석방과 노동운동탄압분쇄를 위한 권역별 노동자대회' 를 열었다. 이 과정에 독재정권은 기어코 대학생을 죽음으로 몰아 그 본질을 드러냈다. 반민자당 투쟁이 한창이던 4월 26일 강경대 군이 시위 도중에 백골단에게 구타당해 사망한 것이다. 다음 날인 4월 27일 51개 사회단체는 '고 강경대 열사 폭력살인 규탄과 공안통치 종식을 위한 범국민회의' 를 결성하면서 '결사투쟁' 을 선언하고 거리로 나왔으며, 비리정권을 규탄하며 4월 29일, 5월 1일, 5월 3일 연이어 학생들이 분신하였다. 노동자들도 5월 1일 14개 지역에서 '세계노동절 102주년 기념대회' 를 시작으로 가두로 나왔다. 시위 대오는 갈수록 커져 '백골단 해체의 날' 인 5월 4일에는 20만 명이 21개 도시에서 가두투쟁을 벌였다. 투쟁 분위기가 전국으로, 전 계급으로 빠르게 확산되어갔다.

박창수 위원장의 의문의 죽음과 시신탈취 사건

시위가 확산되고 있던 5월 6일 새벽, 연대회의 사건으로 구속된 박창수 한진중공업노조 위원장이 안양병원 마당에서 의문의 시체로 발견되었다. 박 위원장은 2월 11일 수감되어 강경대 학생 타살 사건이 있은 직후 서울구치소 안에서 양심수들과 함께 4월 30일부터 "노정권 퇴진, 백골단 해체, 국가보안법 철폐, 노동운동 탄압중지"를 요구하며 단식농성을

시신을 탈취하기 위해 영안실 벽을 뚫은 백골단. 정권퇴진을 외치며 거리로 나선 노동자들

하고 있었다. 이런 박 위원장의 죽음은 정권이 연대회의 간부구속을 시작으로 대기업과 전노협의 연대를 막으려는 집요한 탄압 과정에서 일어난 것이다. 그럼에도 언론은 박 위원장의 죽음을 투신자살로 보도했고, 검찰도 10일 "박 위원장은 수감 생활 중 노조활동에 염증을 느껴 자살하였다" 며 중환자실에 있던 "박 위원장이 링거를 꽂고 7층에서 투신하였다" 고 왜곡하기 급급하였다.

이날 박 위원장의 사망 소식을 듣고 안양병원으로 몰려온 노동자 · 학생들은 경찰과 격렬한 몸싸움을 벌여서 병력을 철수시켰다. 저녁 7시경 퇴근한 노동자들과 학생들이 모여 '박창수 열사 구속 살인 규탄 및 노동운동탄압규탄대회' 를 열었다.

전노협은 박 위원장의 죽음에 어떻게 대응을 했을까? 전노협은 곧 바로 한진중공업노조, 업종회의, 연대회의, 전국노운협, 전국노련(준)과 같이 비상대표자회의를 열고, '고 박창수 위원장 옥중살인규탄 및 노동운동탄압분쇄 전국노동자대책위원회(노대위)' 를 구성하였다. 노대위는 곧바로 투쟁방향을 논의해, "5월 9일 전국의 노동조합이 총파업을 벌인다"는 결정을 한다.[234]

한편 부산 한진중공업노조는 5월 6일 시신 사수와 진상규명을 위해 120명의 조합원을 안양병원으로 올려 보냈고, 현장에서 100여 명이 비상대기를 하면서 농성을 시작하였다.

하지만 5월 7일 정권은 박 위원장의 시신을 다시 탈취하려 하였다. 설마 하던 일이 일어났던 것이다. 새벽 4시와 6시 30분에 두 번이나 영안실을 침탈하려 했으나 실패하자, 낮 12시 50분 다시 경찰은 영안실 벽을 해머로 부수고 분향소 안으로 밀고 들어와 노동자들을 연행하였다.[235] 정권은 시신을 폭력적으로 강탈함으로써 스스로 '박창수 위원장을 살해' 했음을 자인한 셈이었다. 이날 저녁과 5월 8일 저녁에 노동자들은 시신을 되찾기 위해 돌과 화염병을 던지면서 안양병원 진격투쟁을 치열하게 벌이다가 28명이나 구속되었다. 한진중공업노조 조합원들은 사내 규탄집회에서 시신탈취와 강제부검은 '제2의 살인' 이라며 가두투쟁에 나섰다. 노대위는 기자회견을 갖고 다음과 같은 투쟁의지를 밝혔다.

노태우 정권 퇴진 투쟁에 나선 전노협 (1991.5.9)

"5월 7일부터 5월 9일까지 전국 단위노조 및 지역 지구별로 간부 철야농성을 전개하고 5월 9일 오후 3시부터 단위노조별로 하루파업에 들어가 고 박창수 위원장 '옥중살인 규탄 및 노동운동 탄압 분쇄 결의대회'를 벌인다. 또한 5월 15일부터 5월 18일 동안에 총파업 등 전면투쟁을 전개해나갈 것이다." [236]

노대위와 진상조사단은 5월 10일 기자회견을 통해, "박 위원장이 안양 병원에 입원해 있을 당시 안기부 요원이 몇 차례 전화를 하고 방문한 사실이 있었다"는 사실을 폭로하였다. 노대위는 안기부 개입 공작에 대한 선전과 투쟁을 집중하였다. 박창수 위원장을 두 번이나 죽인 노태우 정권에 대한 분노는 이내 전국적으로 번져 각 지역에서 농성투쟁을 벌였다. [237]

5월 9일 총파업투쟁

6공화국 이후 최대 규모의 시위인 5월 9일 국민대회는 전국 곳곳에서 50만의 민중이 참여해 정권을 뒤흔드는 상황으로 발전하였다. 이날 강경대 군, 박창수 위원장의 타살과 잇따른 학생들의 죽음에 분노한 민중들이 '해체 민자당, 타도 노태우'를 외치며 거리로 나왔다. 시위는 87개 지역에서 일어났으며, 대오를 갖춰 도심을 완전 점령하고 최루탄과 물대포를 쏘는 경찰을 무장 해제시키면서 밤늦게까지 시위를 벌였다.
전국투본 98개 노조에서는 시한부 총파업 지침에 따라 작업을 중단하고 총회를 열었다. 5만여 노동자들이 '노태우 퇴진을 위한 1차 국민대회'에 참가할 것을 결의하고 거리로 나왔다. 다른 노조들도 중식시간에 집회를 갖거나 잔업을 거부하고 가두시위에 참가하였다. [238]
일찍부터 투쟁의 불이 붙었던 안양에서는 2만 명이 '오늘의 투쟁은 민자당 타도투쟁'이라며 노태우 화형식을 벌였고, 부산에서는 7만 노동자 · 학생 · 시민들이 투쟁에 참여하여 "살인정권퇴진", "민자당 해체"를 외치며 격렬한 가두투쟁을 벌였다. 1991년 5월 투쟁은 1987년 6월 항쟁 이래 최대의 투쟁이었다. 울산에서는 현대정공 1천 명과 현대자동차 8천 명의 노동자들이 각각 결의를 다진 후 국민대회에 참여하였다. 마창노련의 14개 노조 역시 파업을 한 뒤 가두투쟁을 벌였다. 부천에서 11개 노조에서 2시간씩 임시총회를 한 뒤 "퇴진 노태우"의 구호를 외치며 가두시위를 하였다. 부천역에는 1만 명이라는 사상 최대의 인파가 모여 완전한 해방구가 되었다. 한 시민은 "민생을 파탄시키고 사람을 때려죽이는 노태우 정권은 즉각 물러나야 한다"고 열변을 토했고, 대흥기계의 한 조합원은 "정말 속이 시원하다. 우리 노동자도 승리할 수 있다"며 자신감을 보였다.[239] 서울에서는 구로공단의 9개 노조가 파업에 돌입한 뒤 가리봉역에서 집회를 갖고 시청 앞 국민대회에 참가하였다. 이런 노동자들의 투쟁은 학생들의 동맹휴학, 시민들의 참여와 맞물리면서 정권의 목을 조여 갔다.

이때 검찰은 국민연합의 강기훈을 정권을 비판하는 유서를 남기고 자살한 김기설의 유서를 대필했다며 구속했다. 언론은 5월 8일부터 연일 반정부 운동진영의 도덕성에 흠집을 내기 시작하였다. 서강대 총장 박홍은 죽음의 배후에 '검은 세력'이 있다며 마녀사냥을 부추겼고, 김지하도 "죽음의 굿판을 당장 걷어 치워라"며 운동권을 성토하는 데 앞장섰다.[240]

이런 이념 공세에도 노대위는 5월 11일에 '고 박창수 위원장 옥중살인 규탄 및 노태우 정권 퇴진 노동자 결의대회'를 열고 정치투쟁의 전면에 나섰다.

5월 18일 총파업투쟁

5월 9일에서 5월 18일로 이어지는 노동자들의 정치총파업은 노동운동의 일보전진이었다. 또한 총파업은 1991년 임투를 활성화시키는 지렛대가 되었으며, 학생운동 중심의 노태우 정권 퇴진투쟁을 조직적으로 뒷받침해나감으로써 반독재투쟁 전선의 확대에 기여하였다. 5월 10일 열린 전국공투본 및 대공장노조 연석회의와 5월 15일 전국의 노조대표자 및 단체간부 등 700여 명이 참석한 '고 박창수 위원장 옥중살인 규탄과 폭력통치 종식을 위한 전국 노동조합 총력투쟁 결의대회'에서 5월 18일 총파업을 결의하였다. 지역에서도 15-16일에 대표자회의 등을 열어 결의를 다지고 준비에 들어갔다.

마침내 5월 18일 총파업은, 42개 노조 파업, 4시간 파업 25개 노조, 2시간 파업과 집단조퇴 등 38개 노조, 휴무사업장 20개 등으로 진행되었다. 그밖에 지역과 노조의 사정에 따라 중식시간 집회, 잔업거부 후 동시 퇴근을 하여 '광주항쟁 계승 및 폭력살인, 민생파탄 노태우정권 퇴진 제2차 국민대회'에 조직적으로 참가하여 노태우 정권 타도를 목청껏 외쳤다.

> "살인정권 탄압정권 투쟁으로 박살내자 ! 옥중살인 은폐조작 노태우정권 퇴진하라! 노동자는 독가스, 학생은 쇠파이프 노태우정권 퇴진하라! 전국 총파업으로 노태우정권 타도하자!"

이날 국민대회가 40-50만으로 확산된 것에 비해 노동자들의 총파업은 약 9만여 명 정도였다. 서울에서는 22개 노조 8천여 명이 파업을 결의하고 구로공단역에서 천여 명이 가두행진을 한 뒤, 시청 앞 국민대회에 참여하였다. 10만 명이 모인 서울대회에는 전노협 깃발을 중심으로 노동자들의 조직적인 참여가 두드러졌다. 부산에서는 부영극장과 가톨릭센터에서 모여 시내 곳곳에서 산발적으로 시위를 벌였다. 성남투본은 23개 노조 조합원들이 1시간 이상의 파업을 벌였으며, 울산에서도 현총련이 18개 노조 총 6만 3,092명이 중식시간 규탄집회를 하고 국민대회에 참여한 뒤 격렬한 전투를 벌였다. 한진중공업, 대우정밀, 태평양화학, 기아기공, 세일중공업이 파업에 들어갔고, 대우기전, 서울지하철공사, 풍산금속 등은 점심시간 규탄집회 후 제2차 국민대회에 조직적으로 참가하였다.

투쟁의 마무리

한편 강경대 열사 대책위원회는 '민주정부수립을 위한 대책위원회'로 명칭을 바꾸고 명동성당을 근거지로 삼아 투쟁했으나 광역선거 문제, 투쟁의 지속과 내용 문제를 둘러싸고 내부 의견대립이 심화되었다. 6월 8일 5차 국민대회 이후, 합의부검과 타협적인 장례투쟁을 거치면서 분위기가 가라앉았다. 6월 24일 국민대회로 투쟁은 막을 내렸다.

어느덧 노동자들의 투쟁도 5 · 18총파업 이후 분위기가 가라앉았다. 거기에 6월 3일 정원식 총리가 한국외국어대에서 학생들에게 달걀 세례를 받자 여론을 등에 업은 정권은 국면을 반전시키면서 6월 4일부터 전국 투쟁사업장에 공권력 침탈을 잇달아 자행하였다. 투쟁 중인 부산의 대우정밀, 서울의 태평양화학과 세원, 인천의 동신공업, 대구의 파티마병원 등에 공권력이 투입되면서, 박창수 위원장 의문사규탄투쟁의 긴장감도 빠르게 떨어져갔다. 노대위는 "6월 초 집중적으로 강화되는 노동자탄압을 저지하며 명동성당을 중심으로 한 투쟁 전선을 유지한다"

는 방침을 세워 투쟁 중인 대우정밀, 한진중공업, 태평양화학 등을 중심으로 상경 집중투쟁을 계획하였다. 그러나 6월 12일부터 한진중공업 노조만이 상경해 진상규명투쟁을 벌이다가 16일 부산으로 내려갔을 뿐이었다.[241)]

한편 6월 18일 노대위를 확대 개편한 국민회의 산하에 '노동열사 고 박창수 위원장 전국노동자 대책위원회(장례대책위)'가 활동을 했으나, 투쟁이 뒷받침되지 못했기에 성과는 없었다. 이때 경기남부와 부산 대책위의 '29일 장례' 요구가 있었고, 한진중공업노조까지 조업재개 움직임이 가시화되었다. 더 이상 장례를 미룰 수 없다고 판단한 장례대책위의 일부 대표자와 집행 책임자들은 6월 22일 회의에서 6월 29일 장례를 결정하였다. 결국 7월 1일 박창수 위원장은 양산 통도사 앞 솥발산 공원묘지에 묻혔다.

5월 총파업과 장례투쟁을 둘러싼 쟁점들

1991년 5월 총파업은 정치파업으로 민중민주운동에 노동자들이 조직된 대오로 참여하여 반독재투쟁 전선에 크게 기여함으로써 노동운동의 정치적 발전 가능성을 보여주었다. 5월 9일을 기점으로 노동자들이 투쟁에 적극 참여하면서 5, 6월 투쟁전선을 확대하고 투쟁의 수위를 높여내는 데 기여하였다.

그러나 5월 총파업을 둘러싸고 다양한 평가가 제출되면서 노동운동진영 내부의 차이가 부각되기 시작하였다. 특히 1991년 9월 전노협 사무총국을 통해 차이가 크게 드러났다. 주요 쟁점은 먼저 총파업 방식을 둘러싼 '과도한 투쟁 전술'이라는 주장이 제기되었다.[242)]

> "현재 전노협의 역량상 전면적 정치요구를 통한 총파업은 무리이다. 총파업 또는 부분파업은 대중의식, 조직역량강화의 관점에서 요구와 전술이 결정되어야 한다."(교육부장)
>
> "노동조합이 총파업의 내용을 정치적으로 하는 것은 옳지 않다." (조직국원)

이와 달리 '총파업투쟁을 통해 전노협의 상징성이 확인됐다' 는 주장도 제기되었다.

> "당시의 조건 속에서 전노협이 총파업을 했기 때문에 민주노조의 구심으로서 전노협의 상징성을 확인할 수 있었고 5 · 18총파업은 역동적인 5월의 정세에 대한 노동자의 정치적 대응이었다는 점, 총파업투쟁의 성과가 곧바로 가시적인 성과로 드러나지는 않겠지만 5 · 18총파업을 선언했기 때문에 부분파업이라도 가능했고 그렇지 않았다면 1시간 총회투쟁도 어려웠을 것이다."(조직국원, 쟁의국원)

또 쟁점은 총파업의 조직과정을 둘러싼 문제로, 일부는 '아래로부터의 조직' 을 철저히 하지 못하였다는 것을 문제로, 다른 이들은 "전노협은 중앙조직이기에 위로부터의 조직화를 오히려 명료화하면서 아래로부터의 조직화가 가능하다"라는 제기도 있었다. 이것은 전노협의 성격을 어떻게 보는가를 둘러싼 차이로 이후 전노협 활동 방식을 둘러싼 논쟁의 싹이 되었다.

마지막으로 고 박창수 위원장 장례투쟁을 둘러싼 평가에서는 장례시기 결정을 둘러싼 이견이 있었다. 대체로 장례 결정은 불가피했으나 장례 원칙과 의의를 살리지 못하면서 근본적인 목적이 간과되었던 점과 지도부의 일관된 입장이 부족하였다는 비판이 있었다. 또 과정의 비민주성에 대한 비판도 제기되었으며, 이런 비판은 결국 지도부의 장례투쟁을 바라보는 관점의 문제에 초점이 맞추어졌다.[243)]

이렇게 여러 논쟁을 낳은 5월 총파업은 1991년 임투에 유리한 분위기를 조성하고 아울러 고 박창수 위원장 옥중살인으로 상징되는 노동운동 탄압을 정치적 쟁점으로 부각시켰다. 또한 전노협 · 업종회의 · 연대회의 3자 사이에 단결의 기운을 높여낸 것 역시 긍정적인 성과였다. 그러나 5월 총파업은 고 박창수 위원장 옥중살인 규탄투쟁을 임투와 충분히 결합시켜내지 못한 한계를 보였다. 조합원이 참여할 수 있는 정치적 선전선동이나 시국토론회 같은 정치파업을 위한 사전 조직화사업의 부족도 그 이유였다. 따라서 조합원들은 임투와 박창수 위원장 옥중살인으로 드러난 노동운동 탄압분쇄투쟁을 분리시켜 바라보았다. 그 결과 전국적으로 노동운동 탄압분쇄 전선을 힘 있게 구축하는 데 한계가 있었고, 합법적 임투와 결합하지 못한 총파업 전술이 구사되자 단위노조에서는 그 당위성은 인정하면서도 집행에 부담을 가졌다.

한편 전노협은 총파업을 전개하면서 5, 6월 정치투쟁에 조직적으로 참여하여 연대활동을 했지만, 민중운동에서 주도적인 역할을 수행하지 못하였다.

8 전노협의 불꽃, 선봉대

사수대 · 파자대 · 정방대

1988년 11월 13일 연세대에 모인 5만여 노동자 대열의 맨 앞에 있는 자줏빛 선연한 선봉대 복장의 위용을 보며 가슴 뿌듯한 감동을 느끼지 않은 이는 없을 것이다. 노동자 선봉대들이 손가락을 깨물어 하얀 천 위에 피로 붉게 쓴 '노동해방'의 글씨를 높이 치켜들었을 때, 함께 '노동해방'을 외쳤던 사람이라면 가슴속 깊이 노동해방을 아로새겼으리라.

그런데 전노협 선봉대는 언제부터 왜 만들어졌을까? 1987년 7 · 8 · 9월 노동자 대투쟁 이후 빠르게 성장해 온 민주노조운동의 발자취는 '폭력과 대항폭력의 역사'라고도 할 수 있다. 식칼과 쇠파이프를 휘두르는 구사대와 최루탄, 지랄탄을 앞세운 경찰의 폭력에 맞서 노동자들은 무장을 해서 스스로를 지키기 시작하였다. 이러한 사업장에서 투쟁경험을 바탕으로 1989년 각 지역에서 지역 정방대, 파업자위대 그리고 선봉대 등이 결성되었다.

지역선봉대는 1989년 마창노련의 정방대 활동에서 시작되었다. 마창정방대는 1989년 4월 세신실업 구사대 폭력에 바로 출동해 구사대를 물리치고 연행 노동자를 석방시키는 쾌거를 이루었고, 이후 구사대 폭력에 대한 공동대응, 공동선전 · 선동을 하는 선봉대 활동의 모범을 보여 서울, 인천의

투쟁의 선봉 마창련 정당방위대

파업자위대(파자대), 경기, 부천 등 여러 지역에서 선봉대를 구성하도록 자극하였다. 광노협도 1989년 노동해방선봉대로 출발하여 선진노동자의 대오가 만들어졌다. 전북노련 역시 1989년 하반기 가두투쟁에서 공권력에게 무력하게 당한 뒤 선봉대를 결성하였다. 이들 노동자 전투부대들은 명칭과 지역조건에 따라서 조금씩 역할이 다르기도 했지만 넓게 보아서 지역노동자 연대투쟁의 선진부대들을 선봉대라고 불렀다.

우선 전투성과 기동성으로 이름 높은 마창노련의 선봉대가 어떻게 활동했는지를 보면;

> "1989년 4월 10일 오전 8시 40분, 마창노련 5지구 (주)통일 2공장 가공부, 조회를 준비할 찰나 전화가 왔다. '선봉대 출동!' 수화기를 움켜쥔 가공부 선봉대장이 버럭 소리를 지르며 밖으로 뛰어갔다. '세신에 구사대야.' 순식간에 50여 명이 회사 정문 앞에 모였다. 잿빛 작업복 대열은 힘차게 달려 나갔다. 세신정문 앞 언덕길에는 이미 다른 공장 노동자들도 속속 도착하고 있었다. 이날 새벽 5시, 각목, 가스총, 쇠파이프로 무장한 구사대 200여 명이 잠자던 농성자 30여 명을 덮친 것이다. 600명이 대오를 짜고 뛰어 내려갔다. … 화염병을 던지며 우레와 같은 함성을 지르는 작업복의 파도에 구사대들은 저항 한 번 못하고 뛰기에 바빴다. … 28명의 구사대들을 체포하여 현장을 탈환하는 데 10분밖에 걸리지 않았다. 이날 저녁 창원경찰서로 끌려갔던 노조간부 10명이 구사대와 교환으로 석방되었다." [244]

위의 상황은 4월 10일 창원 세신실업에 침입한 구사대를 마창정방대의 비상소집으로 격퇴했던 그 유명한 투쟁의 현장이다. 작업 중이어도 비상연락을 받으면 언제든지 투쟁의 현장으로 달려가는 전투부대! 정방대라는 이름으로 더 널리 알려진 선봉대는 1989년 노동운동에 대한 탄압이 거세지면서 그 역할이 더욱 강조되었다. 선봉대는 공권력으로부터 마창노련을 지키기 위해 지역 공동대응 투쟁에 나서거나 대외 투쟁을 담당하는 타격대 역할을 하였다. 선봉대가 맡았던 역할 때문에 마창노련은 선봉대 활동의 목적을 노동자들의 연대의식과 정치의식을 발전시키는 데 두기도 했다.

그렇다면 선봉대는 어떻게 구성되었을까? 선봉대는 각 노조의 정방대원 가운데 10% 인원(단위노조별 80명당 1명 꼴)으로 선발된 상집간부, 대의원, 열성조합원으로 구성되었다. 정방대는 각 노조 규약에, "구속자 적립금은 쟁의기금 중 30%로 항상 예치할 것, 생계비 지급할 것, 석방 후 완전복직" 등을 규정하며 노조 안에 확고한 조직으로 자리 잡아갔다.

얼핏 보면 정방대는 투쟁만 하는 조직처럼 보이지만, 실제 정방대원은 '준간부로서 현장에서는 비조합원들 앞에 모범을 보이고 투쟁의 정당성을 설명하는 사람들, 뭔가 이론도 더 알고 있는 사람들' 로도 알려져 있다. 마창노련 선봉대장 허상식의 증언을 들어보면;

> "정방대는 노동자의식이 투철하고 선진 노동자들로 구성된다. 노조 집행부와는 별도로 노동자들 속에 존재하면서 노조의 민주성 · 대중성을 유지하게 하는 역할을 담당하기 때문에 노조의 튼튼한 중간허리라고 할 수 있다." [245]

마창정방대만큼 유명한 것이 인천의 파자대였는데, 처음에는 사업장의 규찰대로 시작하였다. 해고자와 현장 노동자들이 함께 조직한 인천 경동산업규찰대(기동타격대)가 그 예이다. 이것이 발전해 1988년 봄 동신전자 투쟁에 지역 노동자들이 함께 지원 · 연대하는 공동규찰대를 만들었다. 동신전자 공동규찰대는 곳곳에서 날뛰던 구사대를 연대투쟁으로 박살내버려 이후 인천에서는 공동규찰대를 조직하는 일이 널리 퍼졌다. 1989년 임투 공동규찰대는 파자대로 변화하여 지역 공동투쟁 체계에 포함되어, 대동프라스틱, US 같은 파업사업장에서 구사대로부터 투쟁을 보호하는 활동을 하였다. 동시에 신규 노조가 인노협에 가입할 수 있는 바탕을 마련하거나, 마미손 행진, 메이데이 가두투쟁 때는 과감한 전투를 하면서 투쟁의 열기를 고양시키기도 하였다. 이처럼 파자대는 선진노동자들의 의식을 강화시켜나가는 동시에 노동자들의 연대의식을 강화하는 데 기여하였다. 파자대는 아래와 같이 지구별로 모임구조를 갖고 운영되었는데, 주요 간사는 노동운동단체의 노동운동가들이었다.[246]

1989년 지구별 모임

1지구 : 대장(고려강철 조직차장) 간사(인천노운협 파견자 2인) 12개 노조 참여
2지구 : 대장(명성전자 회계감사) 간사(인천노운협 1인, 상담소협의회 1인) 11개 노조참여
3지구 : 대장(대진정밀 쟁의부장) 간사(없음) 6-7개 노조참여
4지구 : 간사(상담소협의회 2인) 10여개 노조 참여 (인노협)

이상에서 살펴본 바와 같이 1988년 이후 투쟁의 열기를 타고 지역 곳곳에서 선봉대가 만들어졌는데, 1989년 봄 파업의 열풍이 부천에도 몰아쳤다. 공장마다 파업투쟁의 깃발이 휘날리고 '싸우면 이긴다'는 신화가 만들어질 정도였으니 가히 그 분위기를 상상할 수 있으리라. 매일 풍원, 흥양, 연, 반도 등 사업장에서 투쟁이 벌어지고 지역 4 · 15총파업이나 전국 투쟁이 전개되면서, 투쟁의 선봉에 선 선진노동자들이 부노협 선봉대로 모여들었다. 그런데 선봉대는 투쟁 때만 모이는 것이 아니라 점차 부노협과 함께 움직이는 일상적인 조직으로 자리 잡아가면서 노

조활동의 선봉이 되는 선진노동자의 조직을 지향하였다. 따라서 선봉대원들은 목에 힘을 주며 대단한 자긍심과 자부심을 가슴에 품고 있었다. 양승철 선봉대원의 글을 보면;

> "선봉대는 메이데이 투쟁 때 전경차를 불태우고, 5월 총파업 때는 민자당사, 현대자동차 영업소를 불태우니까 춘의파출소에서 우리한테 총을 쏘기도 했어요. 투쟁하면 남자 선봉대원들은 꽃병(화염병)과 쇠파이프를 들고 용맹스럽게 싸웠고, 여자 선봉대원들은 꽃병에 불을 붙여 건네주고 보도블록을 깨고 악을 바락바락 쓰며 구호를 외치는데 무섭죠. 그리고 선봉대는 일상적으로 선동연습과 포복과 전투대오 연습, 꽃병 만들기와 투척 연습을 열심히 해요. 그래서 투쟁 때 제대로 싸우죠. 선봉대원들은 투쟁 문제만이 아니라 사업장문제를 놓고 머리를 맞대고 토론을 하기도 하고, 지역행사 때는 준비부터 마무리, 청소까지 하면서 속칭 '딱갈이'냐고 푸념도 하지만, 지역 일에 모두 앞장서는 헌신성이 있었죠." [247)]

그러나 선봉대의 발전이 결코 순탄한 것만은 아니었다. 1989년 임투 때 공단을 주름 잡았던 인천 파자대 대원은 '집회나 투쟁 때만 일방적으로 동원되었을 뿐, 선봉대 자체의 의식화 · 조직화를 위한 교육과 교양내용이 없다' 는 문제제기를 하기도 했다. 일부 조합원에게 선봉대는 전투부대로 비춰졌고, 선봉대원들도 투쟁의 형식에 걸맞은 의식을 갖추지 못하면서 하나둘 떨어져나가기 시작해, 임투가 끝날 무렵 선봉대가 일단 해체되기도 하였다.

> "대원의 참여율이 저조한데, 그 이유는 '몸으로 때우는 사람들'이라는 생각

을 극복할 수 있도록 적극적으로 홍보하지 못해서 부담을 갖게 되었기 때문이다. 대원들에 대한 훈련 및 의식강화가 빈약함으로 자신의 임무에 대한 책임성과 활동의 결과물이 즉각 노조의 강화로 나아가지 못하였다." [248)]

이러한 선봉대 활동의 한계를 극복하기 위해서는 지역마다 선봉대의 일상 임무를 찾아내는 것이 시급한 일이었고 이에 따라 자체 훈련프로그램이 개발되기 시작하였다. 부노협의 경우 선봉대 학교를 만들었는데, 이 학교는 부노협 결성이전부터 여러 활동에서 모범적이었던 선진 노동자들이 중심이 되어 운영되었다.

"부노협은 선봉대 학교를 개설하여 1기 선봉대원 20여 명을 배출하였다. 선봉대 학교는 정신교육, 선동교육, 제식훈련, 집단체조, 가투실습 등을 교육내용을 하여 2박 3일간 개최되었다." [249)]

지역선봉대들의 다양한 경험은 민주노조운동이 지역공동투쟁으로 발전해가던 노동운동의 진전을 반영하는 것으로 지노협 건설과 사수에서 중요한 힘이었다. 또한 지역선봉대는 지역투쟁을 한발 넘어서서 전국 차원에서 메이데이, 광주순례단, 전국노동자대회 투쟁을 주도하기도 하였다. 특히 광주순례단의 경우 노동문제를 중심으로 싸워왔던 노동자들이 '민중 속의 노동자' 로서 자신을 새롭게 돌아보고, '혁명광주는 계속되고 있다' 는 슬로건을 현실로 만들어낼 사람이 바로 노동자라는 사실을 어렴풋하게나마 체득하기도 하였다. 1989년 노동법개정투쟁에서 선봉대는 발대식을 성공적으로 치루면서, 전노협 건설투쟁의 선봉대오로 발돋움하였다.

전노협 선봉대

나를 따르라 노동형제여! 우리는 선봉대
자주 민주 통일의 선봉, 전노협 선봉대
캄캄한 조국 분단된 조국 군부독재 총칼 판치는 조국
이 목숨 다 바쳐 노동해방이 온다면
가져가거라 이 내 목숨, 해방의 제단에 바치오리다
아~ 투쟁으로 말하라. 전노협 선봉대!
'전노협 선봉대가'

한편 지역 선봉대를 둘러싸고 나타난 문제점은 전노협 건설을 앞둔 제 9차 지역 · 업종별 노동조합 전국회의에서 선봉대의 위상을 둘러싼 논의로 이어졌다. 논의 결과 선봉대는 조직선봉대로 규정하고 쟁의국에서 조직국 산하로 개편하여 전노협 강화와 탄압 돌파의 역할을 부여받게 되었다. 이에 따라 전노협 선봉대는 전투와 선동으로 투쟁을 확산시키고 집회를 사수하며 지도부를 경호하는 임무와 취약한 단위사업장과 지노협의 지도력을 보완하는 준간부로서 역할을 수행하는 것, 소모임 활동의 주체로 나서는 것, 미가입 노동자의 조직화 등을 주요 임무로 삼았다. 이런 실천을 통해 선봉대는 기업별 의식을 극복하고 전노협과 지노협에서 없어서 안 될 중요한 일꾼으로 자리매김하게 되었다. 이에 대해 선봉대장 임동섭의 증언을 들어보면;

"그간 선봉대라 하면 많은 사람들이 밤낮으로 투쟁, 투쟁, 투쟁만을 부르짖는 조직으로 생각하죠. 상반기 선봉대의 활동이 실제 그러했고요. 그러다 보니 임투시기 이후에는 활동이 정체되고, 투쟁의 성과물 또한 축적되지 못한 것이 사실이죠. 이를 평가해 내면서 선봉대의 위상을 새롭게 정립해요. 기존의 선봉대는 쟁의국 산하 하부조직으로 전투선봉대, 투쟁선봉대의 성격을 띠고 있었지만, 이후로는 조직국 산하의 조직선봉대로서의 위상을 갖추게 되었죠. 조직선봉대라 함은 파업투쟁, 가두투쟁 때 대열을 보호하고 전투력을 담보하는 기존의 선봉대의 위상과 더불어, 일상적인 시기의 조직강화를 위한 자체훈련, 교양사업, 대중에게 동력을 불러일으키는 선동가의 임무를 지니는 선봉대를 말합니다." [250)]

'조직선봉대'로 역할이 부여된 선봉대는 단위노조, 지노협과 전노협을 떠받치는 노조의 중심 조직이었고 자체 활동을 통해 노조와 지노협, 전노협을 강화시켜나갔다. "앞장서는 선봉대, 그러나 혼자 가지 않는 선봉대"라는 표현처럼 선봉대는 선동과 홍보를 통해 조합원들을 투쟁으로 떨쳐 일어서게 하였고, 조합원들과 함께 나아가는 투쟁에서 앞장섰다.

전노협 선봉대

1990년 임투를 맞아 선봉대의 역할은 더욱 높아졌다. 정권과 자본의 탄압이 심해지자 민주노조를 보위하는 선봉대의 구성이 시급해졌던 것이다. 서노협 선봉대장 유구영은, "1987년 이후 조합의 양적 발전에 걸맞은 질적인 발전을 이루고 간부중심이 아닌 조합원 중심의 연대활동이 되기 위해 간부와 조합원을 연결시키는 중간허리로서의 선봉대가 1990년 민주노조운동을 한 걸음 발전시키게 될 것"이라고 강조하기도 하였다.[251)]

여러 지역 선봉대 가운데 전노협시기 부상된 선봉대가 대구노련의 선봉대였다. 사업장에서 투쟁준비를 하면서 대구노련의 지도로 선봉대가 구성되어 투쟁의 중심역할을 담당한 모범적인 모습을 보였다. 특히 1990년 남선물산과 태화에 대한 공권력 침탈은 노동자들에게 정권의 폭력성과 싸워야 할 적을 분명히 깨닫게 하여 '함께 싸우지 않으면 깨진다'는 의식을 갖게 하면서 연대투쟁에 떨쳐 일어서는 계기가 되었다. 이때 선봉대가 조직되면서 투쟁을 주도하게 되었는데,[252)] 태화 선봉대 활동을 구체적으로 살펴보자.

태화의 정방대는 실제로 파업을 이끌었다고 할 만큼 중요한 역할을 담당하였다. 열성 조합원 15명이 정방대에 참여해서 낮에는 파업 프로그램을 주도하고 밤에는 규찰하고 포스터를 부착하며 헌신적으로 활동하는 모습에 조합원들조차 감동하였다. 이에 머물지 않고 정방대는 준법투쟁 기간 중에 출퇴근 시간을 이용해 회사 앞 공단 사거리에서 풍물대와 함께 선전선동을 수행하면서 1990년 임투 분위기를 염색공단에 널리 알리는 지역 선동대로서 활동을 하였다. 매일 오후 8시 진행되었던 정방대 모임은 하루를 평가반성하고 내일의 투쟁을 계획하는 시간이었고, 정방대의 조직규율과 소속감을 높이는 데 도움이 되었다. 5월 1일부터 시작하여 50여 일간의 파업투쟁 기간 동안 정방대는 네 차례에 걸친 공권력 침탈에 맞서 격렬하게 싸웠고, 야간규찰을 서면서 투쟁을 사수해낸 파업자위대의 역할을 하였다. 또한 많은 집행부가 구속되자 지도부의 공백을 정방대가 보완하기로 하였다.[253]

한편 전노협 선봉대는 선봉대장단 회의가 점차 안정적으로 운영되고 선봉대의 위상을 보다 분명히 해나가면서 '전노협 강화와 탄압돌파'를 위해 여러 사업을 벌였다.

> "선봉대 학교를 거치면서 마침내 도달한 결론은 조직선봉대, 즉 열성조합원의 선봉대였다. 지역에서 지구로, 다시 단위노조까지 조직을 구성해 자체교육, 토론, 집행, 평가까지 함으로써 조직의 민주적 운영으로 생명력을 되살려야 한다는 것이다. 또한 단위노조에서는 튼튼한 허리가 되어 기업별노조의식을 타파하는 중핵으로서 역할을 담당하는 것이다."[254]

10개의 지노협을 포함하는 전노협 선봉대의 구체적인 활동은 어떤 것이었을까. 우선 전노협 선봉대의 위상 정립과 인식 확대를 위해 '지역순회 선봉대 간담회' 개최, 『전노협의 불꽃! 선봉대가 부른다!』 같은 홍보용 소책자 발간과 『선봉대자료집-1』, 『선봉대 활동 사례집』을 발행하였다. 다음으로 전투, 선동, 경호, 투쟁 지원을 전개하였다. 전노협 선봉대는 1월 22일 전노협 창립대회에서부터 5월 20일 광주노동자대회, 11월 11일 전국노동자대회 등에서 경찰의 침탈에 맞서 대회 사수와 투쟁 결의를 촉발시키는 투쟁을 전개하였다. 특히 5월 현대중공업 노동자들의 골리앗 투쟁 때는 선봉대원을 울산으로 파견해 지원투쟁을 벌였다. 이때 지원투쟁을 구체적으로 살펴보자. 1990년 4월 29일의 비상중앙위원회에서 '전노협 선봉대를 울산에 무제한 파견하겠다'는 방침을 결정하자, 전노협 선봉대원들은 '전노협 선봉대 울산파견 의의와 파견 시 임무'를 가슴 깊이 새기며 울산으로 내려갔다. 그 요지는 울산에 전노협 선봉대의 투쟁성과 연대정신을 아로새기고, 각 지역에 돌아가서 총파업 분위기를 선동하는 것이었다. 아래는 '전노협 선봉대 울산파견 의의와 파견 시 임무'다.

> "전노협이 투쟁하는 모습을 울산 조합원들에게 가시화시키는 '전노협 선동대'로서의 역할을 수행한다. 이는 향후 울산이 전노협의 튼튼한 기반이 되게 하는 유리한 토대 형성에 일조할 것이라는 의의를 갖는다. 또한 파견대원들은 울산 상황을 지역 조합원들에게 생생히 보고하는 울산 상황 선동대의 임무를 수행한다. 이를 통해 지역의 총파업 분위기를 고양시켜낸다. 나아가 비록 짧은 기간이지만 단일대오로의 투쟁을 통해 적의 물리력에 타격을 가하고 이를 통해 울산의 투쟁이 힘을 갖고 지속되도록 한다."

이때 울산으로 내려갔던 전노협 선봉대에는 6개 지역 114명과 학생들을 포함하여 200여 명이었다. 이들은 도중에 검문을 받았지만 모두 변장과 여유 있는 행동으로 경찰들을 비웃으며 무사히 통과할 수 있었다. 5일 새벽에 격전지인 울산 동구에 도착한 선봉대는 6일 사천세대 앞 공터에서 전노협 깃발을 중심으로 모여 '골리앗은 외로운 늑대가 아니다'라는 선전물을 배포하며 투쟁을 벌였다. 특히 이들은 현대중공업 경찰 봉쇄선을 힘으로 뚫고 전노협 깃발을 휘날림으로써 골리앗 농성자들에게 깊은 감명을 주어, '역시 전노협'이라는 평가를 받았다.

전국 투쟁지원뿐만이 아니라 선봉대는 전노협, 지노협, 단위노조의 조직강화를 위한 활동을 벌였다. 이는 지도부를 보강하는 역할뿐만 아니라 취약한 지역과 단위사업장의 활동을 지원하고 보조하는 선봉대의 역할이기도 하였다. 또한 어용노조 사업장의 미조직 노동자, 탄압으로 해고된 노동자들을 가입시켜 전노협과 지노협으로 묶어 세우는 역할을 수행하였다. 마지막으로 선봉대장 회의를 매월 1회 진행하고 전노협 선봉대 수련회를 통한 조직 강화사업과 선봉대 확대 · 강화를 위한 대중사업을 전개하였다. 이에 대한 한석호의 증언을 들어보면;

"전국 선봉대는 월 1회 계속 지역을 돌아가면서 회의했어요. 1년에 한 번씩 2박 3일 수련회 하면서 훈련시키고. 그 다음 지노협 별로 계속 교육이라든가, 또 싸움 자체가 교육이니까 집회 있으면 선봉대들이 나가 화염병 들고 쇠파이프 들고 돌 깨고 파출소 부수고. 그 다음에 지노협들은 일주일에 한 번 선봉대 책임자 회의를 진행해요." [255)]

1991년 덕유산에서 제2차 전국 선봉대 수련회가 열렸는데 12개 지역, 60개 노조, 160명이 참여하였다. 이 수련회는 '1991년 하반기 전노협 사업의 출발점이자 선봉대 재건의 토대를 마련하고 전노협 강화라는 분명한 목표를 갖는다' 는 취지에서 진행됐다. 『전국노동자신문』에 조직국 한석호가 쓴 수련회 보고기사를 재구성해서 그 진행과정을 살펴보면 다음과 같은데;

"첫날, 선봉대원들은 두근거리는 가슴을 안고 수련회 입단식에 참여하였다. '우리는 자랑스러운 전노협의 선봉대원으로 전노협 강화를 위해…' 전국선봉대장의 발언으로 수련회가 시작된다. 각지에서 올라온 이들은 밤새워 무용담으로 이야기꽃을 피웠다.

둘째 날, 늦게 잠들었음에도 선봉대원들은 '6시다. 기상!' 소리에 벌떡 일어나 구보와 함께 하루를 시작한다. 아침식사 이후 대원들은 단병호 위원장과의 시간을 가졌다. 단 위원장이 '전노협의 하반기 사업은…' 사업 설명을 하자 선봉대원들의 질문이 잇달았다. '그것이 5월 총파업이 제대로 평가된 사업계획입니까?' '전노협과 지노협의 현재 상황은 어떻습니까?' '휴업, 폐업으로 노조들이 축소되었는데, 우리 역량은 괜찮습니까?' 질의응답이 예정시간을 초과하면서 열띠게 진행되었다. 오후에는 실전훈련을 중심으로 한 극기 훈련인데, 크게 호신술과 실전훈련의 두 개 과정 및 실전훈련에서의 최루탄 적응, 봉술, 철조망 통과 등 4단계로 진행되었다.

마지막 날에는 지역별 결의시간과 조별 마무리시간을 거쳐 폐단식을 진행하였다." 256)

참석자들은 "처음에는 속아서 왔다는 생각을 했는데 최루탄 실에서 고통을 느껴보고 전국의 동지들과 함께 고민하면서 정말 잘 왔다는 생각을 하였다" "전국의 대원들을 보면서 전노협을 느끼고 싶었는데 폭풍으로 인해 울산, 경주, 대우조선 등의 동지들이 오지 못한 것이 섭섭하다" "단사로 돌아가면 노조가 전노협에 가입하도록 힘을 쓰겠다" 등의 소감을 밝혔다. 이처럼 단위 사업장의 규찰대와 정방대에서 1988년

선봉대 훈련, 최루탄가스를 참으며 구호 외치기, 체력훈련

이후 지역선봉대로, 그리고 1990년 전노협 선봉대로 발전하면서 가장 큰 성과는 다음의 글에서 드러난 것처럼 노동자들의 의식을 성장시켰던 것이다.

> "'처음에 집회 때 독재정권 물러가라! 하는 구호가 많았지만 지금은 모두 노태우 정권 타도하자!'지요. 우리의 투쟁 상대가 개별 자본가만이 아니라 전체 자본가임을, 이들을 철저히 비호하는 국가권력임을 몸으로 깨닫고, 투쟁 속에서 '적'과 '아'를 구분하게 되었죠. 그리고 승리를 위해서는 말이 아니라 행동이 필요함을 알았어요. 노동자의 해방은 자본가와 노동자 간의 힘과 힘의 대결임을, 승리를 위해서는 '정의로운 무장력'이 필요함을!" 257)

또한 선봉대는 노동자들을 훈련시키고 투쟁력을 드높였다. 규율성과 조직력을 강화시켰고 무기제작법을 익히며 원천 봉쇄를 돌파하는 방법, 가두전투 시 병력이동 전술 등을 훈련하였다. 이제 노동자들은 거듭되는 투쟁 속에서 산업예비군, 산업전사라는 불명예스런 이름을 집어던지고 불의와 폭력을 때려잡는 노동해방투사로 나섰던 것이다. 한 걸음 더 나아가 선봉대는 노조를 민주적이고 대중적으로 움직이는 힘이었다. "선봉대는 준간부이다"라는 말처럼, 열성조합원들의 조직으로서 조합원을 이끌고, 흔들리는 집행부를 때로는 밀어붙이고 때로는 받쳐주는 민주노조의 튼튼한 기간조직 역할을 했던 것이다.
그러나 1992년 이후 선봉대 활동은 침체된다. 그 이유 가운데 하나는 김영삼 정권이 등장하면서 노동통제 방식이 세련되게 변화했기 때문이며, 다른 하나는 민주노조운동의 변화 때문이다. 또한 몇 년 동안 선봉대원들은 아무런 대가없이 숱한 전투를 치르면서 지쳤던 것도 원인이라

고 할 수 있다. 이에 대한 조직국의 한석호 증언을 들어보면;

"(선봉대가 침체된 이유는-인용자) 두 가지인데, 하나는 현장의 탄압 방식이 그전까지만 해도 구사대에다가 경찰들이 최루탄 쏘면서 치고 들어오는 건데 1992년 넘어 쫌 세련된 방식으로 쟤네들이 현장을 뚫고 들어오잖아요. 신경영 전략이니, 다물단이니 이렇게 치고 들어오면서 한쪽에선 계속 회유하는. 그러면서 선봉대의 필요가 다운되는 당시 조건이 있고, 그 다음에는 그것과 맞물리면서 선봉대를 하면 힘들잖아요? 계속 화염병 던지고 돌 던지고. 막 분위기가 있을 때는 두려운 것도 덜 했는데 분위기가 다운되기 시작하면서 사람들이 두려움이라든가 심리적인 갈등들도 생기는 거고." [258)]

선봉대 활동의 침체와 해소는 전노협활동의 부침과도 맥을 같이 하였다. 전노협 후반기 들어 일부에서 전투적 기풍이 사라지면서, 선봉대를 노조체계 안에 두지 않게 되면서 결국 선봉대는 사라진 것이라고 볼 수 있다. 김종배의 증언을 들어보면;

"열기가 올라오는 노동자를 담아내는 그릇이 당시의 노조체계로는 어려웠고. 그것을 담아냈던 것이 문선대와 선봉대였죠. 이것이 2단계 논쟁으로 넘어가면서 '지역, 전국의 상시적 조직체계로 할 것이냐, 선봉대장을 임원으로 할 것이냐'로 붙었고. 이것은 '대중조직의 구조에 선진노동자 조직을 편입시킬 것이냐 말 것이냐' 하는 의미였고 선봉대의 대장을 임원으로 하는 것은 선봉대의 정책결정 권한이 상당히 높게 부여된다는 것을 의미하는 것이에요. 그러나 선봉대를 조직체계에 안는 것이 좌절되었죠." [259)]

결국 선봉대는 1993년까지 명맥을 유지하다가 1993년 노동자대회 때 질서유지대로 이름이 바뀌고 그 뒤에 단위사업장에서 활동하다가 사라졌다. 민주노조의 역사에서 선봉대원들처럼 헌신적인 투쟁과 활동을 펼치면서 높은 자긍심을 가졌던 경우는 드물었을 것이다. 자신의 조직과 활동에 자긍심을 갖는다는 것, 그리고 노조 안에서 다양한 선진노동자들이 성장할 수 있는 공간이 필요하다는 김종배의 증언은 귀 기울여 들을 필요가 있다;

"전노협이 산별조직을 지향했던 것이라면, 해고자들을 선봉대에 담아내고, 적극적으로 논의도 끌어내고 했어야 했죠. 선봉대 출신이 전노협 지도력으로 상당히 성장했어요. 물론 대중조직이 수용할 수 없는 많은 내용이 나오겠지만, 수용할 것만 수용하면 되는 것이죠. 선봉대는 실체가 있었고, 그 속에서 노동자들이 명예와 자부심으로 활동했기에. 만약 부서체계로 안착하였다면, 조직부 산하에 두어 일상적으로 계속 사업을 할 수 있게 하여 다양한 노동자를 배출하는 활동을 했어야 했죠. 고정화되어 있는 노조체계에 새로운 변화와 발전과 활력을 기대할 수 있었을 겁니다."[260]

9 전노협 사수의 의미와 과제

전노협은 창립 과정에서부터 정권과 자본의 총체적 탄압에 맞서 '창립대회 사수' 나아가 '전노협 사수' 투쟁으로 그 활동이 집중되었다고 할 만큼 치열한 투쟁의 시기를 보냈다. 그 투쟁의 과정은 단위 사업장 자본가를 뛰어넘어, 정권을 중심으로 한 총자본과 총노동간의 대립이란 성격을 띠었다. 이는 전노협이 기업별노조체계 속의 중소사업장을 조직기반으로 출범했으나, 대공장노조나 업종노조에 가해지는 탄압도 전체 민주노조운동에 가해지는 탄압으로 받아 안아 전국 총파업투쟁으로 민주노조운동을 사수해내면서 '전국 중앙조직' 으로서의 위치를 확인받는 과정이기도 하였다. 나아가 전노협은 일상 활동 속에서도 노동자들의 이해에 기반을 둔 공동실천을 통한 '민주노조운동의 총단결' 을 위해 지속적으로 연대활동을 시도하였다. 이처럼 민주노조운동과 전노협의 사수를 위한 두 차례에 걸친 전국 총파업투쟁과 민중연대투쟁, 그리고 전국적 공동 임금인상투쟁을 통해 조합원들은 전국적인 시야를 확보할 수 있는 경험과 함께 일정한 계급적 정치의식이 성장하였다. 그 결과 조합원들은 가슴에 '전노협' 과 '노동해방' 에 대한 염원을 깊이 새겼다. 이는 인노협 사무처장 김기자의 증언처럼 "전노협이 건설되면 노동자가 당당하게 정권과 맞붙으면서 노동해방 된 사회를 꿈꿨던" 노동자들의 바람을 담기 시작하였다는 것을 의미한다.

"현장에서는 '전노협을 결성하면 얼마나 좋은가' 다 설레는 마음들이었죠. 그니까 희망이고 꿈이고…. 전노협이 만들어지면 저부터도 '엄청 세상이 바뀐다' 이런 기대에 부풀어 있었으니까. … '전국조직은 정부를 대상으로 해서 노동자를 대변하는 조직 … 정부랑 교섭도 하고, 전국 회사 대표자하고 교섭도 하고 그런 식으로 간다.' 그래서 단위사업장에 떨어지는 탄압이라든가 그런 곤혹스러운 일들은 줄어드는 상을 가지고 있었죠. … 그러니까 굉장한 거죠. 그게 '노동자가 정치세력화가 되는 거다.' … 그 희망이라는 거는 거의 '노동해방'이 되는 거 같았죠." [261]

그러나 전노협은 성과 못지않게 여러 어려움에 부딪혔다. 우선 집중적인 탄압으로 전국적 지도력과 집행력을 크게 훼손당하면서 사업을 체계적으로 집행하는 데 한계를 보였다. 특히 투쟁에서 조직역량을 바탕으로 한 사업기획과 계획된 사업에 대한 충분한 사전준비나 사후대책이 부족하였다. 민중투쟁에 대한 조직적 결합과 주도력에 있어서도 한계를 보였다.

이런 성과와 어려움은 전노협 활동에 여러 과제를 안겨주었다. 우선 전노협은 민주노조운동을 대중적으로 활성화시켜내고 동시에 조직을 안정화시켜야 할 과제를 안았다. 이를 위해 일상 활동에서 대중기반을 강화하는 동시에 전노협의 지도력을 강화하기 위한 노조간부나 선진노동자들을 조직하기 위한 조직사업을 체계적으로 추진해야 하였다. 또한 전국조직으로서의 위상을 견고히 하고 '민주노조운동의 총단결' 을 위해서는 대공장노조나 업종노조와의 결합을 강화할 구체적 방침과 계획으로 공동투쟁을 조직화해나가야만 하였다.

더욱이 상황에 의해 제한된 방식으로 표현되었던 전노협의 지향인 노동해방과 평등세상 건설을 위해, 노동자계급만이 아닌 민중생존권을 지키고 민중의 권리를 확대시켜나가기 위해서는 민중운동진영과 결합을 높이고 주도성을 강화해나가야 할 과제를 안게 되었다.

3 흔들리는 전노협 깃발

1 총액임금제 분쇄투쟁에서 현총련 연대파업까지 : 1992년과 1993년 투쟁

1991년 박창수 열사 의문사 규탄투쟁과 총파업을 통해 민주노조운동의 연대투쟁이 정점에 이르렀으며, 그해 하반기에 상당수 대공장노조에 민주노조 집행부가 들어섰다. 그러나 1992년 들어 정세는 노동운동의 힘이 약화되는 방향으로 역전되었다. 전노협 건설 직후 2년간 중앙위원 40명 전원이 회의에 참석하는 것조차 쉽지 않을 정도로 탄압에 맞서 조직 사수도 힘겨운 상황이었다. 그밖에도 노조활동에 열성적인 조합원들에 대해서는 노무과 직원들이 '조심하라' 고 경고를 하는가 하면, 심할 경우 고향집에 형사가 왔다 가는 경우도 있었다. 당시 노동운동에 대한 국가의 통제는 경상남도에서 작성한 노조간부 200여 명에 대한 개인별 신상카드를 통해서도 어느 정도 짐작할 수 있다. 그 명단은 창원, 마산, 울산 등 공단지역 분규예상업체 노조간부 200여 명을 대상으로 한 것이었는데, "이 카드에는 순화대상 조합원의 인적사항은 물론 가족, 친구 관계, 성향, 영향력 행사자 등이 낱낱이 기록돼 있으며 담당 대상을 배정받은 시 · 군의 과장, 계장 등이 노조간부들을 개별적으

로 순화하도록 하고 이들의 활동 상황과 거취를 날마다 보고하도록" 되어 있었다.[262)]

한편 노태우 정권 말기 지배 블록 내부의 균열과 이에 조응하는 민주노조운동의 조직적 확대, 정부의 ILO 가입 등 민주노조운동 간 연대를 위한 유리한 조건이 만들어졌다. 하지만 1990년 11월 20일 ILO에 가입한 이후에 정부는 ILO헌장의 기본정신인 노동기본권 보장을 거의 이행하지 않았다.[263)] 또한 1993년 현대그룹노동조합총연합(현총련) 투쟁으로 시작된 전국투쟁전선의 구축과정에서 노동운동 내 패배감이 강했으며 1992년 대선을 통해 김영삼이 당선되자, 이전과 다른 통치형태와 정세 인식을 둘러싼 – 주로 부르주아 민주주의의 실현 여부 등 – 혼란이 가시화되었다. 김영삼 정권 초기 이른바 '분할지배' 전술이 가시화됐으며, 실현되지는 못했지만 노동법 개정 협상의 장에 민주노조운동을 끌어들이려고 하기도 하였다. 대표적인 예가 '이인제 발육론'이었다. 당시 『주간노동자신문』은 김영삼 정부와 이인제 장관 개혁파에 힘을 실어 노동법 개정 등 노동자들에게 유리한 정책이 나올 수 있다고 주장하며, 노조의 자제를 촉구하다가 비판을 받기도 하였다. 이른바 '정치적 개량의 현실성' 여부를 둘러싼 논의가 진행되었고, 이 과정에서 민주노조운동의 중심을 놓고 내외부적인 논쟁이 가속화된 점이 1991년 하반기부터 1993년 '전국노동조합대표자회의(전노대)' 결성까지 전노협을 둘러싼 정세 변화였다.

1990년부터 시작된 경기후퇴 과정에서 경제위기론과 전투적 노동운동과 그에 따른 급격한 임금인상이 한국 경제의 체질을 약화시키는 주범이라는 인식이 언론을 통해 확산되었다. 정부도 1990년에는 10% 일 더하기 운동과 한 자릿수 임금인상정책을 펼쳤으며, 1991년에는 정부투자기관 및 출연기관, 30대 그룹 주력기업, 지역적으로 임금교섭에 영향이

자본의 30분 일 더하기 운동과 노동자들의 분쇄투쟁

큰 사업장과 기타 고임금 직종 등 약 300여 개 기업을 '임금교섭 선도부문'으로 지정하여 교섭을 조기에 타결토록 유도하는 등 주요 사업장을 중점적으로 감독하는 임금억제정책을 펼쳤다. 1992년에는 모든 정부기관을 동원하여 '총액임금정책'을 강력하게 추진하였다.

동시에 1991년 1월 12일 정부산하에 '산업평화특별대책반'을 구성하고 같은 해 6월 노조에게 손해배상청구소송을 제기하는 등 노조와해공작을 진행시켰으며 노동법의 자의적 해석으로 전면적 탄압도 전개하였다. 이러한 정책전환의 배경은 1990년까지 노동정책이 공권력 투입 등 물리적인 억압과 동시에 노동자의 진출을 가로막는 제도적 장치의 구축을 핵심으로 하였다면 1991년 하반기 이후에는 5개 경제단체와 상공부는 '5대 일 더하기운동 전진대회'를 추진하여 경제위기의 원인을 노동자의 고임금과 낭비로 몰아세우고 노동자와 일반대중 간의 분열을 노렸던 것이다.

이에 맞서 전노협은 1992년 총액임금제 분쇄투쟁을 전개하였다. 출범 이후 전노협은 임단협투쟁을 통해 임금인상뿐 아니라 조직확대를 추진해왔다. 이 시기 임 · 단협투쟁은 공동투쟁 체계의 구성(12-3월) → 요구안 확정을 위한 총회(3월) → 교섭시기 집중(4월) → 쟁의발생신고 집중(4월말) → 총력투쟁기(5-6월) → 임투 마무리(6월 이후) 순서

로 진행되었다. 구체적인 1992년 전노협 임투의 목표는 다음과 같았다;

> “임금인상투쟁은 조합원들의 생활상의 요구라는 점에서 가장 대중적이고 기본적인 투쟁이다. 또한 60여% 노동조합의 임금인상투쟁이 상반기 단체협약갱신 투쟁과 맞물려 있다. 따라서 임금인상투쟁은 주요한 관심 속에서 전개되는 중심투쟁사업이다. 1992년 임금인상투쟁의 성공적인 전개는 1992-1993년의 권력재편 과정에서 전체 민주노조운동의 발전 정도를 결정짓는 중요한 변수로 작용할 뿐만 아니라 하반기 노동법 개정 투쟁을 힘 있게 전개하기 위한 준비단계가 될 수 있다는 점에서도 중요하다. … 특히 총선을 이용한 보다 적극적이고 공세적인 대응으로 투쟁 분위기의 활성화에 주력할 필요가 있다.” [264)]

특히 상반기 단협을 갱신해야 하는 노조가 61.4%에 달하는 상황에서 주 44시간 노동을 통한 생계비 확보, 임금구조 개선 그리고 경영개선과 인사경영 참여권 확보 등을 목표로, 전노협은 지역 · 업종 · 그룹별로 공동 임금인상투쟁을 최대한 조직하고자 하였다. 하지만 노조마다 임금수준이 다르고 노동자 구성도 달랐기 때문에 모든 노조가 요구액(율)을 통일할 수는 없었다. 그렇지만 지역 · 업종 · 그룹별로 일정 수준 내에서 요구액(율)을 일치시킬 수 있었으며, 임금인상에 대한 공동준비 - 공동계획 수립, 공동교육, 공동조사, 요구안 공동발표회 등 - 투쟁 시기 집중 등이 강조되었다.[265)]

이를 위해 전노협은 1991년 말 중앙위원회를 열어 임금인상투쟁체계를 확정하고 임금인상투쟁 준비에 돌입하고자 하였다. 하지만 노동자정당추진위원회(노정추)와 국회의원 총선거에서 후보전술문제를 둘러싼 전노협 내부 이견으로 지역과 전국 차원의 임금인상투쟁 준비가 공동으로 진행되지 못하였다. 결국 단위노조는 정권과 자본의 공세에 노출된 채 개별적으로 임금인상투쟁을 준비할 수밖에 없었다.

"1992년 임투는 사무총국 전체를 임금인상투쟁 체계로 전환하였던 기존 방식을 탈피하여, 상임집행위원회 등 기존 조직 체계를 토대로 하면서 비상근 임원진과 중앙위원들이 전국에 적극 결합하여 적극적으로 투쟁을 전개하기로 했습니다."

"걱정스러운 점은 노정추 문제 등으로 조직 내부 갈등으로 인한 중앙과 각 지역 조직력이 이완된 점입니다. 아직도 중앙사무처의 임금인상투쟁 체계는 거의 움직이지 않고 있습니다."

"지금이 2월인데 예년이면 가동되던 단위노조 임투 준비는 제대로 진행되고 있지 못하고 진행 중인 노조도 설문조사나 시장물가 조사 등 실무적 차원에 머물고 있습니다."

"더 큰 문제는 총액임금제 등 정부와 자본이 강제하는 이데올로기 공세를 막아내며 조합원을 투쟁의 주체로 세우지 못하고 있는 점입니다. 아직도 현장은 움직이지 않고 투쟁을 피하려는 패배주의적 분위기도 보입니다." [266]

또한 지역을 포괄하면서 임금인상투쟁 방침을 총체적으로 협의하고 조정해야 할 전국임금인상투쟁본부장단 회의는 1992년 4월 2일에 열린 제22차 중앙위원회에 들어서 본부장을 선출하는 등 구성 자체가 늦어졌다. 특히 회사 측과 정부의 언론 매체를 활용한 경제위기론 등 이념공세에 대한 대응이 수세적이었다. 단적인 예로 창원 세일중공업은 1991년 연말부터 '회사가 어렵다'는 이유로 위기감을 증폭시키기도 하였다.[267]

그럼에도 임투 준비기에 6차례에 걸친 임금인상투쟁소위원회 회의를 개최하고 교육, 선전, 조사, 문화활동 등을 전개하였다. 1992년 총액임금제 분쇄투쟁 방향은 기본적으로 총액기준 5% 임금억제 대상 사업장 노조인 상시 근로자 500인 이상 사업체 – 서비스업은 300인 이상 사업체 – 와 정부 및 지방자치단체, 투자 · 출연기관 등을 중심으로 투쟁을 조직하되 투쟁의 주요내용은 '총액임금제 분쇄' 였다.[268] 임금인상투쟁의 전개과정에서 전노협 중앙위원회는 쟁의발생신고를 노동절을 전후로 한 4월 말–5월 초에 내고, 5월 11–20일 사이에 쟁의에 돌입하기로 투쟁 일정을 조정하였다. 이후 4월 10일에는 205개 노조 대표 478명이 모여 '총액임금제 저지를 위한 전국노동조합 대책위원회' 를 구성하였다. 이에 정부는 30대 재벌에 대해 총액임금제를 수용하도록 압력을 가하는 한편, 정부투자 · 출연기관에 대한 문책 협박 등 제재를 가하였다. 하지만 3월 9일 정부관련 노조에서 공무원의 편법 임금인상을 폭로하고, 18일에는 총액임금제 대상사업장 1,434개 가운데 저임금의 대명사인 섬유, 전기, 고무 업종이 280여 개가 되는 등 정부에서 선전해오던 명분이 거짓으로 드러나는 등 총액임금제 실시 명분이 약해지자, 4월 16일에는 경기지역 대책위원회가 구성되는 등 공동대응이 모색되면서 임투 분위기는 고조되었다.

하지만 현장에서 임금인상투쟁은 쉽게 진척되지 않았다. 3월 전국 임투 현황 자료를 보면 수도권 몇 지역을 제외하고 제대로 진행이 되지 않았다. 서울, 부천 그리고 인천의 경우 임투본을 구성해서 교육, 선전 및 임투전진대회를 진행하였다. 하지만 부산과 마창지역은 공동투쟁본부(공투본)는 구성되었지만 진행상황이 없어서 단위노조 중심의 준비만이 이루어졌다. 또 구미와 전북, 광주지역은 법정관리, 휴 · 폐업 등으로

민주노조운동의 공동실천으로 확산된 총액임금제 저지투쟁

임투 준비가 전혀 이루어지지 못하는 등 서울, 인천, 부천, 경기 등을 제외하고는 임투 체계를 논의 중이거나 단위노조를 중심으로 준비 중인 수준이었다.[269] 교섭시기, 임금수준, 투쟁의 조건 등이 상이했던 기업별노조체계에서 특정한 날에 파업을 집중하는 총파업투쟁이 단위노조에 현실적인 부담을 안겨주게 됨으로써 총파업투쟁은 하루가 아니라 일정한 시기에 쟁의돌입을 집중하는 총력투쟁으로 투쟁의 형태와 수위가 조절되었다. 1992년에도 이러한 시기집중을 바탕으로 공동 임금인상투쟁을 전개하였다.

이처럼 시기의 집중, 요구의 통일, 공동전술의 구사 등으로 이루어졌던 1992년 공동투쟁전술은 기업별노조체제에서 가능했던 최선의 공동투쟁이었다. 4월 17일 개최된 전국임금인상투쟁본부장단 회의에서도 '총액임금제 적용대상 노조대표자회의'에서 결의된 내용들에 대해 해당사업장만이 아니라 지역의 전체 사업장들이 공동실천의 전개를 강조했다. 특히 지역 차원의 "총액임금제 저지를 위한 노조 대책위원회를 구성할 때 지역의 전체사업장이 참여하는 대책위원회를 구성하는 것이 중요하다"고 지역 차원 연대를 위한 공동투쟁 기구의 구성을 강조하였다.[270] 그러나 임단투의 마무리는 각 노조에 따라 개별적으로 이루어지는 경향이 존재하였다. 김덕중의 증언은 다음과 같다;

"당시에 공동 임투하면 처음에 같이 시작해서 끝까지 같이 가야 되는 거라고 생각을 했는데 사실은 체계 자체는 그렇지 않잖아요. 근데 처음에 같이 가야 된다, 이래서 시기도 맞추고, 준비 과정에서 시기 맞추기는 같이 할 수 있었고, 대신에 투쟁기에 접어들면, 사 측에서 사실 제시안을 내놓으면 안 할 수가 없잖아요, 그러면 타결 시점에서는 먼저 끝나는 사업장이 있고 끝까지 남는 사업장이 있고 이렇게 되잖아요. 그랬을 때 공동 임투라는 걸 내걸고 했는데 그 부분을 어떻게 할 거냐, 이런 게 좀 숙제로 남게 됐던 거 같고." [271]

이런 공동임투 준비를 경기남부지역과 부천, 서노협 등 지노협에서 확인해볼 수 있다. 경기남부지역은 30여 개 노조에서 일상적으로 현장토론이 정착되었고 준법투쟁도 활발하게 이루어졌다. 뿐만 아니라 4월 10일 경희대에서 열린 '총액임금제 저지를 위한 전국노동조합 대책위원회 결성대회' 에도 전국에서 가장 많은 100여 명의 노조위원장들이 참석했고 한양대에서 열린 5월 1일 집회에는 1,500여 명의 노동자가 참여하였다. 이러한 조직적 결집의 결과 1992년 임금인상투쟁에서 전노협 평균 인상률 15%를 능가하는 19%의 임금인상을 쟁취하였다.

특히 부천의 대흥기계, 동양엘리베이터, 경원세기 등 3개 사업장은 지속적인 연대활동을 통해 전국적으로 파업투쟁의 모범을 보이며 평균 20%가 넘는 임금인상을 쟁취하였다. 이런 연대가 가능했던 원인은 충실한 사전조직화 때문이었다.[272] 부천 3사의 공동투쟁전술 운영원칙은, "① 투쟁의 성격이 단위사업장의 틀을 뛰어넘기 때문에 장기적 투쟁 관점하에 장기투쟁전술을 대비하고 운영한다. ② 부천 3사의 연대투쟁전선을 확고히 유지해야 하며 전국적 투쟁을 추동하여 자본과 정부

측과의 일차적인 투쟁전선을 형성한다. ③ 3개 노조 중 단위사업장의 타결 여부는 3개 노조 임원진 회의에서 결정한다" 등이었다.[273] 부천 3사는 당면과제에 대한 공동인식에 머무르는 것이 아니라 일상적인 연대활동을 지속적으로 전개해왔다. 초기에는 주로 위원장 간의 교류에 그쳤지만 임원진의 정기적 모임을 가지면서 낮은 차원의 3사 연대투쟁을 전개하였다. 비슷한 임금인상안 마련, 교섭요일 맞추기, 준법투쟁 시기 맞추기, 사안별로 가능한 공동투쟁 실천 등을 통해 임금요구안을 100% 가깝게 관철시켜내고 연대투쟁에 대한 상호 자신감과 신뢰를 쌓았다. 그 밖에 단위사업장 간 단결의 폭을 강화하기 위한 임원진회의, 부서부장단회의 등을 12월부터 정례화하고 1992년 3월까지는 월 1회, 4월부터는 주 1회, 파업돌입 직전에 4회의 상임집행위원회 회의를 가졌다.[274] 당시 부천 투쟁에 관여했던 부노협 박양희의 증언은 다음과 같다;

> "교섭할 때도 교차집단교섭 보고대회로 했어요. 동양에레베이터 위원장이 대흥 가서 하고, 대흥 위원장이 동양에레베이터에 가서 하고 이런 식으로 까지 하고, '끝까지 함께 간다.' 이런 식으로 계속 상대 조직의 대중에게 대표자가 가서 보고대회 하면서 확인시켜주고."[275]

그 외에 서노협 서부지구는 서울 영등포구, 강서구, 마포구 등지에 있는 노조로 구성되었으며, 1992년 임금인상투쟁 당시 10개 노조가 긴밀하게 연대활동을 하고 있었다. 서부지구의 노조는 위원장단회의나 부서부장단회의를 통해 1988년 이후 일상적으로 공동활동을 지속해왔다. 특히 세원, 세풍전자, 유원기업, 제일전산, 한국린나이, 영등포기계공단, 용마피혁, 대윤공영, 동양에레베이터, 승용전자 등 노조는 연대활동을 꾸준히 하였다. 1992년 서노협은 '공동준비, 시기집중, 공동행동 모색, 조합원과 함께 하는 공동 임금인상투쟁'을 주요 슬로건으로 하여 다음과 같은 투쟁 기조를 설정하였다.

① 투쟁이 예상되는 사업장과 조직력이 있는 사업장을 선배치하고, 나머지 사업장들은 지지 엄호해나가면서 최소한의 공동행동을 같이 배치해 들어가야 한다.
② 공동 임금인상투쟁에서 시기집중은 중요하며 특히 공동 준비과정에서 현안문제가 있는 사업장과 역량이 약한 사업장에서는 같이 보조를 맞추어 나가고, 시기를 집중시키기 위해서 더욱 치밀한 준비가 필요하다.

서부지구는 준비기 동안 간부의 조직적 결속력과 조합원의 역량 강화를 목표로 지구 간부 교육, 선동 훈련, 간부 단합대회, 임금인상투쟁 문화학교, 교섭위원 교육 등 지구 차원의 공동 사업을 전개하였다. 임금인상투쟁 문화학교와 교섭위원 교육에 미가입노조가 대거 참석해 지구 간부들과 함께했으며 준비기 동안 공동 활동을 강화하였다.
이상에서 본 바와 같이 1992년 임투는 정부의 총액임금제에 맞서는 것과 탄압으로 훼손된 조직을 복원하는 이중의 과제를 안고 출발하였다. 전노협은 1월 13일 1992년도 임금인상 요구율을 전년도보다 3.2% 오른 25.4%로 확정함으로써 정부의 임금인상 억제목표에 정면으로 도전하였다.

공동임투와 연대 확대

앞서 본 것처럼 이 시기 전노협 임단협투쟁은 첫째, 기업별체계를 극복하기 위한 전술로 '공동임투'의 전국적인 전개를 통해 연대를 확장하였다. 둘째, 임단협투쟁의 형태였지만 실제 요구는 임단협에 국한되지 않고 해고자 복직, 노동운동탄압 분쇄 등 다양한 요구를 결합하였다. 셋째, 임단협투쟁의 주요 관심이 1992년까지는 임금인상 액수였지만 그 이후에는 정부의 총액임금제에 맞서 임금억제 이데올로기 분쇄와 노조간의 공동 활동이란 중대한 성과를 낳았다. 그 외에도 요구안을 준비하는 과정에 일찍부터 진보적인 연구자들을 결합시켜 과학적인 요구안을 만들었고, 동시에 전문연구자들을 노조운동에 직간접적으로 결합시키는 효과도 거두었다.

특히 1992임단협투쟁에서 주목할 점은 1990년과 1991년 정권의 탄압으로 위축된 조직적인 힘을 회복하는 동시에 총액임금제를 무력화시키기 위해 공동 임투와 시기집중, 요구통일 그리고 공동전술 구사로 특징지어지는 주요 사업장 선도 배치투쟁 등의 형태로 목적의식적으로 배치한 점이었다. 그 외에도 정세변화에 따른 준법투쟁과 단위노조 조직력 강화에 집중한 유연한 전술 등이 구사되었다.[276)]

앞서 소개한 부천 3사 공동 임투에서는 공동 임금요구안, 투쟁 정당성에 대한 가족협조요청 통신문 발송, 3사 합동확대간부회의를 통한 공동 준법투쟁 결의, 합동체육대회, 집단조퇴 및 시민 홍보전 등을 전개하였다.[277)] 또한 서노협 서부지구 단위사업장들은 지구 차원의 공동 준법투쟁은 아니었지만, 아래와 같은 다양한 준법투쟁을 개발하여 적극적으로 실천하였다.

> "저희 노조에서는 20-30분마다 노래 부르기, 리본달기, 구호부착, 노래테이프 틀기, 전 조합원 대자보 작성, 전 조합원 점심 먹기, 몸 벽보 등 일상적 실천을 조직했습니다."(제일전산)

"저희 세풍도 리본달기, 주 1회 노래 배우기, 마스크 쓰기, 현장 동시 진입, 사복입기 등 준법투쟁을 조직적으로 전개했습니다."(세풍)

"저흰 특히 사무실 직원과 축구시합, 비디오 관람, 반장과 확대간부 간담회, 교섭위원 머리띠 매고 현장 순회, 잔업거부, 임시총회 등 프로그램을 진행했습니다."(린나이)[278]

다만 부천 3사의 사례에서 보여지듯이 투쟁의 마무리는 투쟁을 강화하는 방향에서 공동 집행한다는 방침이 실천되지 못하였다. 타결 과정이 각 단위사업장별로 전개되면서 타결시기, 타결수준, 조합원의 상태와 노조 내부의 상황에 의해 타결 이후 일부 단위노조는 후유증을 앓기도 하였다. 부노협 박양희의 증언은 다음과 같다;

"그때 유일한 실수, 오점이 뭐냐면요. 요구안을 통일시키지 못한 거예요. 그래서 사업장마다 요구하는 게 달랐어요. 대흥기계가 1,830원. 경원하고 동양엘리베이터가 2,100원인가? 200원 대 그렇게 돼가지고 경원하고 동양이 조금 더 높았고 대흥기계가 낮았죠. … 마지막 또 타결이 안 되었죠. 그래서 경원세기하고 동양이 굉장히 심한 배신감을 느꼈는데 한편으로는 대표자는 '다 들어줬는데 그럼 어떡하겠냐?' 그건 이해가 가는 거잖아요. 다 들어줬는데도 안 끝낼 수는 없는 거잖아. 근데 인제 간부들은 난리가 났었던 거죠." [279]

더불어 경기남부지역도 1991년을 능가하는 투쟁성을 보였다. 30여 개 노조에서 일상적으로 현장토론이 정착되었고 준법투쟁도 활발하게 이루어졌다.

전노협 강화를 걸고 투쟁한 세일중공업노조(1992)

특히 마창노련의 세일중공업노조는 총액임금제 분쇄, 전노협 강화를 걸고 1992년 투쟁을 주도적으로 전개하였다. 회사 측은 3월 28일 1차 교섭을 갖고 상견례를 한 이후, 4월 3일 2차 교섭과 4월 10일 3차 교섭 때 사장이 교섭석상에 참석하지 않고 임금을 체불하여 투쟁열기를 위축시키려 하였다. 또한 본공장에 물량이 없는데도 물량이동을 하지 않고 퇴사자에 대한 보충인원을 충원하지 않아, 물량부족으로 작업 전면 중단과 고용불안을 야기함으로써 투쟁을 왜곡시키고자 하였다. 이에 노조는 4월 10일 임금이 체불되자 곧바로 전 간부가 본관 항의농성을 전개했고, 전 조합원이 참석한 가운데 항의집회를 가졌다. 11일부터는 노조간부 전원이 무기한 철야농성을 전개하였다. 노조 집행부는 5월 27일 파업 찬반투표를 앞두고 26일부터 전 간부 철야농성에 들어갔다. 3월부터 임금인상 · 단체협약 갱신투쟁을 시작한 세일중공업노조는 지역과 전국 임금인상투쟁 일정에 맞춰 계속 파업투쟁을 지연시키다가 5월 27일 조합원 91.23% 찬성으로 파업을 결의한 이후 5월 28일부터 부분파업에 돌입했고 5월 30일과 6월 1일에는 2일간 전면파업을 실시하였다. 이에 회사는 작업거부에 대한 무노동무임금 적용 등으로 위협했으나, 조합원들은 95% 이상의 참여율을 기록하면서 투쟁위원회의 지침에 따라 집회나 파업 프로그램에 참여하였다. 6월 11일부터는 강도 높은 전면파업에 돌입하면서 공권력 투입에 대비하였다.

그런데 세일중공업노조가 서울 지하철노조의 파업 돌입을 통해 전국 연대투쟁이 확대될 것을 기다린 보람도 없이, 6월 17일 서울 지하철노조는 총액 5% 인상에 직권조인을 하고 말았다. 세일중공업노조는 실망을 넘어 심각한 타격을 입게 되었다. 동시에, 농성 대열은 점차 약화되었다.[280] 이제 안준환 위원장 등 노조간부 10명은 노조사무실 2층 옥상에서, 황선엽 부위원장 등 5명은 32미터 높이의 굴뚝에 올라가 '총액임금제 철회', '경찰병력 철수', '노조탄압 중지' 등의 요구를 내걸고 결사항전에 들어갔다. 경찰은 파업 9일째인 19일 새벽 5시 헬기, 페퍼포그, 중장비 등의 진압장비와 전투경찰·백골단 1,200여 명을 동원하여 정문과 후문, 옆문 등 3개 출입문에 설치된 철 구조물 바리케이드를 치우고 "불법분규를 중단하고 자수하라"는 선무방송을 하면서 공장 안으로 진입해 전 공장을 장악하였다. 다음 날인 20일 경찰은 새벽 1시 소낙비가 억수같이 쏟아지는 틈을 타 농성장에서 가까운 공장 담 철망을 뚫고 진압작전을 재개하여 새벽 2시 30분경 옥상에 있던 12명을 연행하였다. 이어 오후 4시경 굴뚝에서 농성하던 김영조 수석부위원장 등 3명을 마저 연행하였다. 연행자 가운데 사전구속영장이 발부된 안준환 위원장 등 10명이 구속되고 박성식 대의원은 수배되었다. 김영조 수석부위원장 등 4명은 불구속 입건되었

총액임금제 저지는 전노협 강화로 가는 노동자들의 투쟁이었다.(세일중공업)

다 22일 오후에 풀려났다. 이에 맞서 조합원들은 19일 경찰이 투입되자 오후 5시 300여 명이 창원병원 앞에 모여 시위를 벌이고 이를 막는 전투경찰과 백골단에 맞서 격렬한 투쟁을 전개하였다.[281)]

이처럼 세일중공업노조는 전국 총액임금제 분쇄투쟁의 선두에 섰지만, 마창지역 연대투쟁은 취약하였다. 마창노련 운영위원회가 "쟁의발생 신고 사업장은 파업일정을 앞당기고 쟁의행위에 들어간 사업장은 즉각적으로 파업에 돌입하여 연대투쟁을 조직한다"고 결의했지만 지켜지지 않았다. 다만 6월 19일과 20일에 공권력이 투입되었을 때 창원대로에서 가두투쟁을 전개한 것이 가장 가시적인 연대였다. 이런 어려운 현실에도 세일중공업노조는 과감한 투쟁을 전개하며 전국적인 총액임금제 저지투쟁에 헌신적으로 동참했으나 투쟁 이후 경찰의 침탈과 지도부의 구속으로 인한 조직력 약화를 초래하였다.

미조직노조와 연대투쟁

무엇보다 1992년 임투에서 주목해야 할 사실은, 총액임금제 분쇄투쟁을 매개로 교류의 확대와 강화를 통한 미조직노조와 공동투쟁이었다. 총액임금제 분쇄투쟁은 미조직노조들과 전노협 간에 교류 필요성을 절감하게 하였다. 3월 중순 이후 정부가 총액임금 대상 사업장을 발표하자 전노협은 즉각적으로 짧은 기간에 미조직노조들과 연대투쟁을 조직하였다. 전노협과 업종회의 소속 노조뿐 아니라 한국노총 산하에 있으면서 거의 교류가 없었던 미조직노조까지 포괄한 426개 노조의 서명을 조직하고 총액임금제 대책위원회를 구성하여 대응함으로써 연대의 폭을 넓혔다. 이를 통해 전노협과 참관 및 교류 노조는 두 배 이상 증가했으며, 1992년 전노협 소속 및 관련 노조 조합원 3천 명을 대상으로 실시

한 '노동자의식 조사' 결과를 보더라도 93%가 전노협에 대해 긍정적으로 평가하였다.[282)]

물론 거의 모든 지역에서 지노협을 중심으로 미가입노조를 광범위하게 포괄한 공투본(또는 공대위, 대책위 등)을 구성하여 공동 임금인상투쟁을 전개했다. 그러나 임금인상투쟁 이후 미가입노조의 결합 강화와 전노협 가입까지 발전되지는 못하였다. 투쟁본부가 서울, 부천, 경기, 대구, 부산, 전북 등에만 구성되어 투쟁 과정에서 미조직노조를 조직적으로 결합시키지 못한 지노협이 많았다. 또한 미가입대공장노조와 지노협이 없는 지역의 경우 전국투쟁본부에 결합을 추진하지 못하였다.[283)]

이는 임금인상투쟁 준비기부터 결합하여 다양한 사업과 공동의 투쟁을 토대로 확보된 연대와 결합이 아닌 임금인상투쟁 과정에서 사안별 계기에 의해 이루어진 일시적인 연대활동이 갖고 있는 한계였다. 이런 한계는 지속적이고 일상적인 교류와 연대활동의 중요성을 보여주었다.

그럼에도 각 지노협의 성과는 적지 않았다. 서노협은 총액임금제 분쇄 서명 작업을 통해 연대의 폭이 넓어졌다. 특히 1992년에는 서울시 투자기관 노동조합협의회가 서울지역 임투본에 공식적으로 참가하는 등 업종노조와 연대가 강화되었다. 물론 공동 임금인상투쟁을 통해 가입한 노조가 없어 즉각적으로 성과가 나타나지 않았지만 이후 조직력 · 결합력을 높일 수 있는 계기를 만들었다.[284)] 또한 경기노련은 총액임금제 적용 사업장을 광범위하게 조직하는 등 다양한 사업을 전개하였다. 마창노련 역시 한국노총 산하 금속노련 소속의 광범위한 노조를 지역 대책위원회로 조직해 총액임금제 저지투쟁에 동참시켰다.

여기서 지적해야 할 점은 이른바 전노협 위기론자의 주장과 달리 전노협 조직률은 탄압 등으로 약화되었으나, 1992-93년 지속적인 공동교섭과 조직화 과정을 통해 연대의 폭이 확장되었다는 사실이다. 당시 전노협 조직률 하락에 대해, 전노협 위원장 단병호는 한 좌담에서 다음과 같이 반론을 제기했다;

> "실제로 전노협과 사업을 같이 하고 있는 사업장들은 540여 개 사업장, 조합원 22만 정도 됩니다. 저는 이러한 부분들이 가입이냐 아니냐는 차이는 있지만 민주노조와 같은 것으로 보고 있습니다. 이 부분들이 가입을 안 했기 때문에, 돈을 안 내기 때문에 전노협과 별개로 보는 것은 잘못된 시각이라고 봅니다."[285)]

1992년 임금인상투쟁의 성과를 살펴보면, 1992년 전노협 가입노조와 연대 사업 노조의 평균 임금인상액은 기본급을 기준으로 5만 1,187원(14%)으로 1991년 인상률 17.5%보다 3.5% 낮아졌으며 임금인상 요구 관철률 역시 61%로 1991년 68%보다 낮아졌다. 임금교섭 상황을 보면 교섭 개시, 마무리, 쟁의 시기 등은 1991년에 비해 늦어졌다. 임금교섭 개시일이 1991년에는 4월 하순에 86%가 교섭에 들어간 데 비해, 1992년에는 5월 중순에 들어서 83%가 교섭에 들어갔다. 또한 1992년 임투 시 쟁의발생신고를 한 노조는 671개 노조 가운데 218개(32.5%), 파업노조는 76개(11.3%)로 1991년에 42.9%, 22.8%에 비해 그 비율이 낮아졌다. 반면 파업에 들어간 노조 비율을 보면, 1992년 쟁점이 된 총액대상 노조 가운데 18개(13.0%)가 파업에 돌입하여 일반노조(10.9%)보다 파업 돌입 비율이 높았다.[286)] 수치상으로 보면 정부의 총액임금제 실시는 실제로 실패했다. 정부의 강력한 임금억제정책 때문에 협상의 여지가 극도로 제한되었던 자본가들은 임금인상률은 정부의 방침을 수용하는 대신 사내

근로복지기금 설치, 현물급여 지급, 성과배분적 변동상여금 연말 지급 등의 이면합의를 통해 노조를 설득하였다. 노조도 총액 기준 5% 이상의 임금이 기업에 대한 정부의 제재를 우려하여 사용자가 제시하는 각종 복리후생 방안을 수용하는 방향으로 총액임금제를 우회해 가는 경향이 적지 않았다. 그 결과 1992년 1-9월의 명목임금 상승률이 16%에 달했고, 이면계약에 따라 임금체계가 더욱 복잡해짐으로써 오히려 정부가 애초에 목표했던 임금체계의 단순화와 임금억제라는 목표는 실패로 돌아가고 말았다.[287)]

그러나 '92임단협 투쟁의 한계도 존재했다. 예년에 비해 총액임금제를 제외하고는 전국적 쟁점이 될 만한 사안이 없었고 대공장노조의 투쟁도 전국적 공동투쟁을 촉발하기에는 역부족이었다. 이러한 조건에서 전노협은 경제적인 요구를 중심으로 공동 임금인상투쟁을 시도했지만 시기의 집중은 거의 이루어지지 못하였다. 총액사업장과 비총액사업장의 단결, 총액사업장의 한정된 범위, 투쟁 가능한 소수 사업장의 부담, 조직사업 부재로 준법투쟁도 거의 이루어지지 못하였다. 특히 총액임금제 대응에 있어서 임금인상률을 둘러싸고 5%냐 10%냐에 한정돼 투쟁이 전개된 측면도 존재하였다. 다시 말해서 정부의 5% 억제선을 무너뜨리는 것도 중요한 의미를 갖지만, 임투가 임금인상률을 중심으로 염두에 두고 진행된 것은 정부와 자본 측의 또 하나의 노림수로부터 자유롭지 못했다는 것이다. 바로 총액임금제가 장기적인 노동통제정책의 일환임을 조합원에게 설득하는 데 한계가 존재하였다.[288)]

신노동정책의 파산

1993년에 들어서 노동쟁의 건수와 참가자 수, 노동손실일 수, 파업성

향 등 모든 지표에서 노동쟁의는 점차 감소하였다. 쟁의 건수는 1993년 144건, 1994년 121건, 1995년 88건으로 적어도 숫자상으로는 1980년대 전반기를 방불케 할 정도로 줄어들었다. 파업참가자 수도 1993년과 1994년 모두 10만 명을 약간 상회하는 데 그쳤다. 이처럼 파업 건수와 노동손실일 수 등이 크게 줄어들었음에도 그로 인한 경제적 손실은 거의 줄지 않았는데, 그 이유는 이 시기 파업들이 주로 수출부문의 대공장 노조에서 발생했기 때문이다. 특히 뒤에서 다룰 1993년 현총련 연대투쟁은 김영삼 정부 노동정책의 시험대였다. 전노협은 1993년 임투를 위해 1992년 12월 9일, 30차 중앙위원회를 통해 '임금인상투쟁, 노동법개정투쟁 소위원회' 구성을 확정하고 소위원회 위원장에 김영대 수석부위원장을 선임하였다. 이어 각 지역에서도 '임금인상투쟁 소위원회'를 구성하여 사무처장이나 임원 가운데 책임자를 선임하였다. 또한 소위원회에서는 전국공투본으로 투쟁 체계의 명칭을 정하고, 노동운동단체와 결합하여 공동투쟁본부를 구성하는 방안도 논의되었으나 각각 독자적으로 구성하고 사업과정에서 긴밀한 협의를 바탕으로 내용적 결합을 강화하기로 하였다.[289]

하지만 공동 임금인상투쟁은 노 · 경총 임금합의가 늦어져서 예년보다 다소 늦게 시작되어 3월 하순에 들어서 각 지역 임투본부가 구성되고 전진대회 및 간부 수련회 등이 진행되었다.[290] 이로 인해 예년에 비해 교섭기간이 길어졌고 교섭 시작이나 타결 등의 집중도 또한 떨어졌다. 전노협 조사에 따르면 4월에 이르러 조사대상 585개 노조 가운데 244개(41.7%)가 요구안을 확정하고 104개 노조(17.8%)가 교섭에 들어갔다. 이는 1992년에 비해 10일 정도 늦은 것이었다.[291] 1993년 임투는 6-7월에 들어서 절정을 이루었는데, 특히 현대정공 울산공장의 직권조인 이후 현총련 연대투쟁이 활성화되면서 6월 말-7월 초에 쟁의발생신고와 파업돌입 및 교섭타결이 집중되었다. 애초 1993년 임투는 '거의 힘없이 흘러갈 것', '분위기가 안 뜬다'는 간부들의 예상과 달리, 단위노조 차원의 준법투쟁과 부분파업은 완강하게 진행되었다.[292)]

특히 아폴로산업노조 파업에 대한 공권력 투입은 문민정부 노동정책의 본질을 드러내는 전주곡이었다. 아폴로산업노조는 2월 19일부터 교섭을 시작했으나 57개 단협 사항이 타결되지 않자 4월 17일에 쟁의발생신고를 내고 28일 조합원 91.2% 찬성으로 하루 2시간씩 파업을 전개하였다. 하지만 합법적인 절차를 거친 파업임에도, 5월 6일 새벽에 아폴로산업에 전경 200여 명 등 경찰력을 투입하여, 간부 3인을 강제 연행해서 구속시켰다.[293)] 이후 250여 명의 조합원들이 현장을 지키며 6일간 농성을 지속한 끝에 고소고발 취하와 구속자 석방을 관철시켰다. 이처럼 아폴로산업노조투쟁이 승리하기까지 경주지역 노조들의 연대투쟁이 큰 밑받침이 되었다. 광진상공, 일진산업 등 지역노조들은 경찰력이 투입된 6일 이후에 농성 조합원들을 몰아내려는 구사대에 맞서 현장을 사수하는 연대투쟁을 전개하였다. 또한 경주공단 노조대표자회의는 조합원 속보와 시민홍보물 등을 신속하게 제작해서 아폴로산업노조 투쟁의 정당성을 확산시켰다.[294)]

한편 1993년 임금인상투쟁은 문민정부 출범 이후 정부가 내건 '고통분담'의 논리가 영향력을 발휘하였다. 또한 우루과이라운드 협상의 타결 임박 등 국제화 · 개방화의 추세에 따른 경제여건의 불확실성 증가, 산업구조조정에 따른 고용불안 등으로 노조의 교섭력이 상당히 약화된 조건 속에서 진행되었다. 노조의 교섭력을 약화시킨 또 다른 원인은 1990년대 초 이래 정부와 자본의 불법쟁의에 대한 민형사상 고발과 고소, 손해배상청구, 노조간부에 대한 징계 · 해고 · 수배 · 구속 등 공세가 계속되어 이에 정면으로 맞서던 노조들의 지도력이 상당한 타격을 입었기 때문이었다. 더불어 수년간 계속된 장기간에 걸친 임단협투쟁, 격렬한 파업, 공권력 투입 등에 다수 조합원들이 일종의 피로감을 느꼈기 때문이다. 이를 반영하듯이 1993년 임투를 둘러싼 주 · 객관적 조건에 대해 전노협은 아래와 같이 판단하였다;

> "현재 전노협을 둘러싼 정치 · 경제적 조건은 경기침체와 고용불안 등으로 임금인상 요구 및 타결 수준이 예년에 비해 낮아질 수밖에 없다는 것이다. 또한 과거 군사 정권과는 달리 여론의 지지를 일정 확보하고 있는 김영삼 정권 초기에 정부가 최우선적 과제로 설정하고 있는 임금억제 정책과 정면으로 충돌할 수밖에 없었고 노총 · 경총 합의가 임금억제 가이드라인으로 활용된 점, 대통령 선거 패배 이후 민족민주운동의 입지가 상대적으로 약화됨에 따라 노동자들의 임금투쟁이 별다른 보호막 없이 정권과 직접적으로 맞부딪칠 수밖에 없었던 점 등이 현재 조직적 침체를 좌우한 요인들이다. 하지만 동시에 공권력의 노골적 탄압이 일시적으로 완화되면서 조직과 투쟁을 활성화할 수 있는 합법적 공간이 확대되었고 노동자 대중의 생활상의 불만과 요구가 높아진 전노협을 비롯한 민주노조진영 주체의 조건은 투쟁에 유리한 지점으로 지적되어야 할 것이다. 하지만 1993년에 들어 민주노조진영이 양적 · 질적으로 확대, 강화됨과 더불어 전노협, 업종회의, 현총련, 대노협 등 민주노조진영이 전국노동조합대표자회의로 결집함에 따라 1993년 임금인상투쟁을 활성화할 수 있는 조직적 주체가 확대된 점은 또 다른 가능성으로 지적되어야 할 것이다." [295]

4 · 1임금합의 무력화

또 하나 지적할 점은 1993년 임투가 노 · 경총의 4 · 1중앙임금합의에 크게 영향을 받았다는 사실이다. 노 · 경총의 임금인상률에 대한 합의가 산하 노조에 구속력이 있었던 것은 아니지만, 정부가 여기서 합의된 인상률을 일종의 가이드라인으로 삼아 '지도' 에 나섰다. 또한 많은 기업들이 합의된 임금인상률을 고수하려고 하여 이보다 높은 임금인상률을 요구하는 노조들과 많은 갈등을 일으켰기 때문이었다. 더군다나 김영삼 정부 전반기 노동정책은 노태우 정부와 뚜렷한 차이를 보이지 않았다. 가장 근본적인 이유는 김영삼 정부 자체가 3당 합당이라는 권위주의세력과 보수적 자유주의세력의 정치연합에 기초한 근본적인 한계를 지니고 있었기 때문이었다. 노사관계 안정 기조 정착, 노사협의회 활성화, 총액임금제의 지속적 실시, 노동법 개정 전향적 검토 등은 노태우 정부의 노동정책과 다름없었다. 심지어 김영삼은 민자당 총재 취임연설에서 민주화 과정에서 여러 가지 무질서와 혼란이 싹텄고 그것이 한국 사회를 병들게 한 것을 '한국병' 이라고 불렀다. 그는 한국병이 "국민 모두가 제자리로 돌아갈 때 치유될 수 있다"고 밝히고, 이를 위해 '강력한 정부' 를 만들어 '변화와 개혁' 을 통해 '신한국을 창조' 하겠다고 강조하였다.[296] 하지만 김영삼 정부 초기에는 노동정책을 둘러싼 두 가지 상반되는 입장이 어느 정도 균형을 이루면서 온건파가 실패하면 강경파가 득세하고 강경파가 실패하면 온건파가 득세하는 양상을 보였다. 시대착오적이고 정당성이 결여된 강경파의 논리는 잠시 후퇴하고 온건파의 논리가 김영삼 정부 전반기 노동정책을 주도해나갔다. 대표적인 사례가 이인제 노동부장관의 실험이었다.

구체적으로 신노동정책은 개별적인 수준에서는 고통분담론에 기반을

노경총 밀실합의 거부

둔 임금억제, 노동법 개정 유보, 고용보험제의 도입을 통한 고용안정 도모, 원활한 인력수급을 위한 신인력개발 정책 등으로 가시화되었으며 장기적이고 거시적인 수준에서 '사회적 합의주의' 에 입각한 신협력체제 구축을 목표로 삼았다. 이전 시기 노동운동 탄압의 대표적인 수단은 주요 노조간부에 대한 사법적 대응이었다. 하지만 1992년 이후 구속노동자에 적용되는 법이 '집회 및 시위법, 공무방해법, 국가보안법' 등에서 '업무방해, 폭력행위관련법, 노동쟁의조정법' 으로 변화하였다. 이는 노사관계에 대한 국가의 직접적인 개입 방식에서 노동관계법과 일반형법을 통한 노조운동에 대한 통제양식이 변화하고 있음을 보여준다. 특히 1992년 권력재편기에 정부는 '총액임금제와 노 · 경총 임금합의를 통한 임금인상억제', '경제위기 노동자 책임론', '세계화와 국가경쟁력 담론' 등 이데올로기적 공세를 강화하였다. 신노동정책의 임금정책은 크게 두 가지 측면에서 살펴볼 수 있는데 하나는 임금교섭 관행의 개선과 다른 하나는 임금체계의 개편이었다.[297] 이는 이미 6공화국 후반에 노동부가 제출한 총액기준 임금교섭 지도대책이라는 지침에 기반을 두었던 것이다. 우선 임금교섭 관행의 개선과 관련하여 핵심적인 것은 노사 간 자율합의였다. 구체적으로 노사 상급단체 간 사회적 합의에 기초한 임금결정 관행을 정착시키겠다는 것이었다. 이는 1993년 4월 한국노총과 경총 간의 임금인상합의안을 만들어내는 것으로 가시화되었다. 이에 따라 1993년 임투의 핵심은 한국노총과 경총 임금합의를 둘러싼 문제였다. 이는 표면상으로는 경제단체들이 제안하는 형식으로 추진되었지만 실제 정부에 의해 사전에 조율된 것이었다. 1989-92년까지 정부주도의 임금억제정책이 민주노조운동의 강력한 반발에 부딪혀 실효를 거두지 못하자 노사중앙조직이 임금인상률에 합의하는 형식으로 임금 가이드라인을 정하고자 하였다. 이러한 임금정책의 전환은, "민간기업에 대해 임금 인상가이드라인을 제시하지 않겠다(1993년 1월 9일 최각규 부총리 발표)", "노사 간 자율결정을 원칙으로 한다(1월 13일 노동부 업무현황보고)", "임금상한선 제시와 같은 방법은 가급적 사용하지 않을 것이다(민자당 정책위 사회경제분야 공약 실천방안)" 등의 양상으로 나타났다.[298] 임금억제정책 자체에는 찬성하면서도 정부에 의한 일률적인 임금인상폭의 결정과 강압적인 시행에 대해 내심 불만을 가지고 있던 자본 측도 정부의 이러한 임금정책의 전환을 환영하고 나섰다.

이에 한국노총은 1993년 1월 27일 회원조합 대표자회의를 열어 이 문제를 논의한 끝에 사용자단체의 회담 제의에 응하되 9.2-12.5% 범위 내에서 교섭할 것과 노사 간의 중앙단위 임금협상이 끝날 때까지 한국노총의 임금인상지침을 제시하지 않기로 결정하였다.[299] 한편 민주노조진영은 노·경총 임금합의 시도에 대해 노동운동을 통제하려는 기도로 파악하였다. 그 근거로 노동부 업무계획인 ① 노조결의에 대한 심사와 노조 업무조사 강화 ② 울산 · 마창지역 선도기업에 대한 집중관리로 분규 요인 사전 제거 ③ 분규다발업체, 외부세력과 연계된 업체 등 분규취약 업체 202개에 대해 정기적인 지도 점검 실시 ④ 불법분규 발생 시 공권력의 신속한 집행 ⑤ 생산성 향상을 위한 노사자율적 캠페인을 벌이고 노동교육원 등을 통한 노사교육 강화 등에서 알 수 있듯이 정부가 주장하는 합리적 노사관계란 노사협조주의를 확산시키기 위한 대대적인 이념 공세의 일환이었다.[300)]

1993년 2월 24일 전노협 산하 331개 노조, 11개 업종연맹이 노 · 경총 임금교섭을 중단하라는 성명을 발표하면서, 한국노총은 교섭을 즉각 중단하고 그간 과정을 전면 공개할 것, 임금인상 자제의 필요성만 강조하지 말고 노동자의 힘에 근거해서 경제정의 등을 실현할 것을 요구하였다.[301)] 또한 조합원들의 반대서명을 받는 등 대대적인 반대운동을 전개하였다.[302)] 전노협은 노 · 경총의 4.7-8.9% 임금합의에 대해 정부의 임금억제안과 동일한 것으로 규정하고 지역 · 단위노조별 규탄 광고, 반대 서명운동, 항의방문 조직을 천명하였다. 경기노련과 대구노련 등도 규탄광고, 홍보물 배포 등을, 현총련과 대우자동차 등 대공장노조들은 4월 2일 성명서를 통해 합의 철회를 주장하며, 이들이 합의한 인상률에 전혀 구애받지 않을 것임을 밝혔다.[303)] 민주노조진영에서는 전노협이 일당 2,986원(기본급 89,587원) 정률 18.0%의 임금인상률과 더불어 학력 · 직종 · 남녀 간 차별 없는 단일호봉제 실시, 기본급 30만 원 미만 저임금과 30세 이상 기본급 40만 원 미만 일소(一掃), 기업의 경영상태 개선 요구 등을 통한 노조의 경영 참여 강화[304)] 를 지침으로 제시하는 등 노 · 경총 합의를 '밀실합의'이며 일종의 변형된 임금 가이드라인라고 비판하고, 이를 돌파하는 데 임투의 성패를 걸었다.[305)]

한편 1993년 임투는 교섭 방식에서 집단교섭 또는 공동교섭이 늘어났다. 특히 정부출연기관이나 금융기관에서 상급노조를 중심으로 공동 임금교섭의 시도가 증가하였다. 종래에는 섬유, 고무, 광산, 택시, 버스 등 일부 업종에서만 공동교섭이 있었지만, 1993년에는 금융노련과 업종회의 산하 전문노련, 사무금융노련에서도 공동 임금교섭을 요구하여 이를 관철시켰다. 실제 현총련 소속 울산지역 10개 계열사 노조들은 평균 15.18%의 임금인상요구안을 확정지었으며, 대우그룹 산하의 대공장 노조들도 20~30% 임금인상요구안을 제출함으로써 노 · 경총 임금합의를 밑으로부터 무력화시켰다.

이러한 밑으로부터 노 · 경총 합의를 무력화시킨 데 전국해고자복직투쟁특별위원회(전해투)의 적극적인 투쟁을 빼놓을 수가 없다. 전해투는 노 · 경총 간 4.7-4.8% 인상률 합의가 발표되자마자, 4월 7일부터 민주당사에서 단식농성을 전개했고 이는 1993년 임투 초반의 분위기를 상승시켰다. 같은 날 전국해고자 100여 명은 서울 기독교회관 7층 인권위원회 사무실에서 무기한 농성 및 철야농성에 돌입하며 문민정부의 환상을 널리 폭로하였다. 하지만 4월 23일 이인제 노동부 장관이 단식 해고자들과 면담 석상에서 경제 5단체장의 공동선언을 통해 복직을 적극 주선하겠다고 발표하자, 전해투는 농성 해산을 발표하였다. 그러나 장관의 구두 약속만을 믿고 농성대오를 해산한 것은 막 확산되던 지역투쟁의 열기를 가라앉히는 결과를 초래했다. 결국 이인제의 구두약속도 거짓임이 드러났다. 이후 이들은 법원으로부터 복직 판결을 받았지만 사 측은 복직 거부 및 복직 교섭을 거부했고, 복직 판결은 권유사항일 뿐 강제조항이 없다는 이유로 이들의 복직을 이행하지 않았다. 이에 5월 31일에 다시 전국 해고자들은 '전국해고자결의대회' 를 개최한 뒤, 마포 민주

김영삼 정권의 허구성을 폭로하는 해고자들의 단식 농성

당사에서 무기한 철야농성에 돌입하게 된다.[306]

한국노총도 경총과 중앙임금교섭이 자신들의 조직기반을 와해시킨다고 판단되자 김영삼 정부의 노동정책에 대한 지지를 철회하였다.

'4 · 1중앙임금합의'는 한국노총 내부에서도 강력한 반발과 비판에 직면하였다. 화학, 섬유, 금속, 금융 등 일부 산별노련은, 한국노총과 경총의 교섭이 진행되고 있음에도 합의 이전에 이미 독자적인 임금인상지침을 만들어 산하 조직에 시달하였다. 한국노총 산하 단위노조의 반발은 더욱 강했는데, 특히 대공장노조일수록 그러하였다. 단위노조들의 반발은 노 · 경총 중앙임금합의가 산하 노조들로부터 권한을 위임받은 적이 없기 때문에 비민주적이며 정당성을 결여하고 있다는 점, 노 · 경총이 합의한 임금인상률이 조합원들이 기대하는 임금인상 수준에 비해 턱없이 낮다는 점 때문이었다. 무엇보다도 정부와 한국노총, 경총이 가이드라인이 아니라고 강변했음에도 사용자 측이 이것을 근거로 협상의 여지를 좁혔으며, 정부도 사실상 임금 가이드라인으로 삼아 임금교섭

지도에 나섰다는 점 때문에 더욱 분노하였다. 점차 단위노조들은 4·1 합의를 '밀실야합'으로 규정한 전노협을 포함한 민주노조진영의 주장에 귀를 기울였으며, 많은 한국노총 산하 노조들이 지역 차원에서 민주노조진영과 공동투쟁을 전개하였다. 결국 4·1합의는 밑으로부터 투쟁에 의해 실질적으로 무력화되었다.

현총련 공동투쟁

1993년 임투의 정점은 현총련 공동투쟁이었다. 이 투쟁은 1993년 6월 5일 현대정공 울산공장의 임금교섭이 위원장의 직권조인으로 종결되자 즉각 현총련이 이를 현대그룹의 '공작'으로 규정하고 연대투쟁에 돌입하면서 시작되었다. 이 투쟁은 8월 19일 계열사 가운데 현대중공업이 마지막으로 임금교섭을 타결 지을 때까지 무려 석 달 이상 계속되었다. 특히 1993년 공동임투는 현대계열사 5개 사업장 조직(중전기·중장비·정공·종합목재·자동차)을 대상으로 별도 조직팀을 구성하여 임투계획 때부터 함께 만들어나간 결과였다. 이들 5개 사업장이 투쟁을 주도하면 나머지 사업장들과 연대가 자연스럽게 형성될 것이라는 구도하에서 진행된 것이었다.[307] 1990년 현대자동차와 1992년 현대중공업에도 현총련 의장 사업장의 직권조인으로 현총련의 공동투쟁이 붕괴된 경험이 있었기 때문이다.[308] 하지만 사 측의 교섭 지연으로 5월 1일 영남 노동자대회, 5월 22일 현총련 공동임투 전진대회까지 투쟁동력은 미처 형성되지 않았다.

이런 와중에 예상치 못한 상황이 발생했는데, 그것은 현대정공노조 위원장 김동섭의 직권조인 사태였다. 6월 4일 제14차 임금교섭에서 사 측은 2만 7,600원(4.7%) 인상안을 제시하며 더 이상은 내줄 수 없다는 입장을 밝혀 15분 만에 협상이 결렬되었다. 협상결렬 직후인 오후 3시에 현총련 공동의장이었던 현대정공노조 김동섭 위원장은 현총련 사무실에서 나간 뒤 행방이 알려지지 않은 채, 임금합의서에 직권조인하였다. 노조 측은 합의서가 직인이 아닌 무인으로 식별할 수 없을 정도로 짓눌려 찍혀 있는 점 등을 들어 위원장이 사 측에 납치 감금된 상태에서 무인을 찍었을 가능성이 크다고 보고, '임금합의서 강제 날인 효력정지 가처분 신청' 을 7일 법원에 냈다.[309)]

직권조인 사태가 발생하자 현총련은 6일 위원장단 긴급회의를 열고 직권조인 불인정, 강제조인 과정 진상규명, 현총련 차원의 총력 대응 및 공권력 투입 시 즉각 대응, 현대중공업과 현대자동차를 주축으로 임금인상투쟁일정과 결합하여 투쟁을 확대하며 공권력 개입의 명분 축소를 위한 투쟁을 조직한다는 기본 방향을 결의하였다. 이런 상황에서 이인제 노동부 장관은 6월 22일 울산에 내려와서 현대정공노조 쟁의의 해결

현총련 공동투쟁

을 시도하였다. 당시 현대정공에 대한 공권력 투입은 전 계열사 연대투쟁으로 비화될 것이 우려되었기 때문이었다. 그만큼 현총련 연대투쟁은 전국적인 사안이었다.[310)]

1993년 공동투쟁은 이전 시기 공동투쟁 계획과 동일했고, 핵심사업장에서 위원장의 직권조인이 발생한 것까지도 동일하였다. 하지만 1993년이 달랐던 점은 직권조인에도 공투전선이 붕괴되지 않았고, 오히려 현총련을 중심으로 7월 7일과 7월 23-24일 두 차례 걸쳐 연대총파업을 성공적으로 조직했다는 사실이다. 7월 7일에는 10개 노조 6만 3,000명이, 그리고 7월 23일에는 현대중공업노조 등 7개 노조가, 7월 24일에는 4개 노조가 연대파업을 벌이는 등 공동투쟁전선을 거의 막바지까지 성공적으로 이끌어나갔다.[311)]

하지만 공동투쟁과 별개로 이미 민주노조운동 내에는 정권과 관계를 맺는 데 있어서 변화의 조짐이 보였다. 7월 7일 현총련 사무실 압수수색, 언론의 왜곡보도, 사전구속영장 발부 등으로 현총련의 투쟁 방침은 8일 이후 '각 단위 사업장별 투쟁, 이후 재결집' 으로 변경됐으며, 7월 15-20일까지 '평화기간' 을 설정하고 정상조업하기로 결정하였다. 현총련은 협상 결렬 이후 전개될 상황에 대한 구체적인 대응책이 없이 총파업을 한다는 막연한 방침만을 가지고 있었다. 결국 현총련의 이런 투쟁 전술은 7월 7일 현총련 총파업이란 성과를 잇지 못한 채, 정권과 자본이 원하는 투쟁수위로 맞추는 결과를 초래하였다.[312)] 이런 와중에 정부의 긴급조정권이 발동되고 현총련 차원의 공동대응은 성명서 발표 이외에 없었다. 또 23일 임단협 잠정 합의안이 투표를 통해 50.08%로 가결됨에 따라 현대자동차노조가 긴급조정권을 수용한 뒤 임투는 단위노조별 타결로 마무리되었다.[313)]

현총련 투쟁과정에서 '조기종결론', 즉 긴급조정권이 떨어지면 심각한 문제가 발생한다고 정부 측 안의 수용 여부를 둘러싸고 논쟁이 존재하였다. 예를 들어서 "이미 해놓은 협상도 무효화된다. 조직 보전하자. 해고자 구속이 많다. 또 붙으면 남는 게 없다"는 견해와 "이미 내놓은 건 회사가 거둬들이지 못한다. 투쟁 동력이 된다. 버텨보자"는 견해로 갈렸다. 그 상황에 대해 당시 현대자동차노조 해고자복직투쟁위원회 위원장 이상욱은 다음과 같이 증언하였다;

"긴급조정권을 받을 거냐 말 거냐에서도 첨예하게 집행부 동지들하고 대립했고 갈등과 논쟁 또한 치열했습니다. 조직이 위태로울 정도로. 한쪽은 성과급 투쟁에서 이렇게 깨졌는데 긴급조정권 또 받으면 조직이 무너지는 거 아니냐, 한쪽에서는 아니다, 대중들을 봐라. … 그런 거 아니다. 우리가 긴급조정권 받으면 전국적으로 이후에 이런 쟁의를 하면 정부가 그런 걸 계속하게 될 텐데 현대자동차에서 한번 좀 하자. 저 같은 경우는 후자죠. 뭐 싸우고 던지고 깨지고 뭐 난리가 아니었죠. 그런데 갑자기 긴급조정권 또 받아들이더라고. 그러면서 많은 아픔이 있었죠."[314)]

이처럼 긴급조정권 발표 직후 노조는 이를 받아들여 공동임투전선에 오점을 남겼다. 긴급조정권 수용은 이전 시기와 달리 정부와 노조 간 문제해결 방식이 변화한 결정적인 사례라고 볼 수 있다. 당시 상황에 관한 현대자동차노조 위원장 윤성근과 전노대 권영길의 증언은 다음과 같다;

"(긴급조정권에 대해-인용자) 준비를 못했죠. 그렇게 나왔을 때 어떻게 투쟁할 거라는 그런 게 없었죠. 투쟁지도부를 이끌어갈 역량이 부족했던 거죠. 그거는 자인할 수밖에 없고. 또 우리가 9개월 동안 노동조합이 초토화 됐던 그런 기억들. 그런 것들이 맞물리면서 (투쟁을-인용자) 접게 되는 거죠. 이거를 가지고 통과하자고 된 거고 …. 결과적으로 긴급조정권이 들어왔을 때 파업선언하고 갔어야 되는데 준비가 안 되어 있다 보니까 위원장으로서 '가자' 하기가 참 어렵더라고요. 아쉽습니다. 운동적으로나 이런 것들이 치고 나갔으면 노동조합도 좀 더 발전 안 됐겠나 싶은데." 315)

"당시 여러 경로에 의한 접촉이 있었던 것으로 안다. 그리고 전과 달리 노조탄압이나 고용문제 대책 촉구 등을 통해 청와대로 항의방문을 하러 가면 별 문제없이 만나 대화할 수도 있었다. 창구는 사회문화수석실이었다. 정부 내 개혁파로서 문민정부 시대에 이제는 제도적 틀 속으로 들어와 합법적 활동을 하는 것이 바람직하고 가능한 것이 아닌가, 이런 생각을 하고 있는 것으로 보였다." 316)

이처럼 1993년 문민정부의 등장 이후 이른바 '협상을 위한 투쟁' 이란 이전과 다른 양상이 등장하였다. 그렇다면 1991년 하반기에서 1993년에 걸친 전노협의 투쟁은 어떻게 성격이 규정되어야 할까? 1991년 총파업 이후 약화된 조직력에도, 그간 업종 및 노동단체와 연대투쟁의 경험을 바탕으로 결성된 ILO공대위를 기점으로 전노협은 조직력을 재건하기 시작했고, 공동임투와 시기집중을 통해 미조직 노조와 연대라는 민주노조의 외연을 확장했으며, 밑으로부터 노총과 경총 임금합의를 실질적으로 무력화시켰다. "전노협 사수하고 산별노조 건설하여 노동해방 쟁취하자" 라는 전노협 사수투쟁은 그 자체가 정치투쟁이었으며, 이는 전노협이 지노협을 중심으로 전국적으로, 목적의식적으로 배치된 투쟁들이었다.

2 민주노조 총단결 : ILO공대위에서 전노대 결성까지

ILO공대위와 민주노조 총단결

2부에서 본 것처럼 1990년과 1991년 총파업은 1987년 이후 성장한 민주노조 연대투쟁의 정점이었다. 하지만 1991년 총파업투쟁은 다른 선택의 여지가 존재하지 않았던 전노협 지도부의 마지막 대중투쟁이었다. 이후 전노협의 조직력은 대폭 약화되었으며, 일상사업의 체계가 거의 가동되지 못하였다. 지노협 조직은 마창과 경기남부 지역을 제외하고는 움직이기 어려운 상태였고, 1991-92년 초반을 넘어서며 중앙의 대부분 회의는 갈등과 의견 대립의 장이 되었다. 그럼에도 1991년 하반기 'ILO기본조약 비준 및 노동법 개정을 위한 전국노동자 공동대책위원회(ILO공대위)' 결성은 1991년 투쟁 과정에서 축적된 전노협, 업종회의 그리고 노동운동단체 간의 경험을 바탕으로 민주노조운동진영을 묶어내려는 조직적 성과였다. ILO공대위는 1992년 노동자대회를 계기로 공대위-지역공대위 강화를 내걸고 공동투쟁을 전개했으며, 전노협을 중심으로 한 민주노조운동의 공동투쟁체였다.

업종노조들의 연대

1991년 하반기에 정부의 ILO가입과 노동부 장관의 노동법 개악 발표를 계기로 전노협 등 민주노조진영은 '모든 정치세력이 개혁의지를 표방'하는 상황이 도래하여 노동법개정

투쟁에 보다 유리한 국면이 전개될 것으로 기대하고 노동법개정투쟁에 적극적으로 나섰다. 전노협은 이제까지 노동법개정투쟁이 '상반기 임단협투쟁, 하반기 노동법개정투쟁(노개투)'식으로 도식적인 것이었다고 스스로 비판하고, 단기 목표인 1991년 노동법개정투쟁의 목표뿐 아니라, 1992-93년 권력 재편기를 겨냥한 중기적인 목표도 설정하여 적극적으로 노동법개정투쟁에 나섰다. 구체적으로 전노협은 1991년 노동법개정투쟁의 목표를 노동운동 탄압을 적극 폭로하고 노동법 개정 요구를 정치적으로 부각시키며, 노동법 개악 기도를 저지하고, 이를 계기로 민주노조진영의 연대투쟁 체계를 마련한다는 데 두었다. 또한 노동법개정투쟁의 중기 목표는 노동법 개악 및 전반적인 노동통제정책을 저지하고, 자주적 단결권 확보와 전노협, 업종연맹 등의 합법성을 쟁취하며, 민주노조 총단결의 조직적 구심을 확보한다는 데 두었다.[317)]

이러한 목표를 추진하기 위해 민주노조진영은 이제까지의 일회적 공동투쟁, 사안별 연대투쟁을 극복하고 노동법 개정이라는 보편적 투쟁과제를 수행하기 위한 공동의 조직체가 필요하다는 데 인식을 같이하게 되었다. 이러한 공동조직체를 결성함으로써 전노협, 업종회의 등으로 분산되어 있는 민주노조들을 결합시켜 영향력을 극대화하고, 민주노조 총단결도 앞당길 수 있다고 보았다. 이런 정세 속에서 전노협, 업종회의, 전국노동운동단체협의회(전국노운협), 전국노동운동단체연합(전국노련) 등 네 개 조직이 참여하는 ILO공대위가 결성되었다.

ILO공대위는 대표자회의 산하에 전노협 1인과 업종회의 1인으로 구성되는 상임 공동대표를 두었으며, 상임 공동대표 밑에는 전노협, 업종회의, 노동운동단체를 두었다. 최고의결기구인 대표자회의는 전노협 6명, 업종회의 6명, 전국노운협과 전국노련 각 1명 등 총 14명으로 구성하여

부정기적으로 운영됐는데, 1992년 3월부터 월 1회로 회의를 정례화하였다. 구체적인 사업과 관련하여 ILO공대위는 출범하자마자 1992년 10월에 공청회를 통하여 노동법 개정 시안을 마련한 뒤 국회에 노동관계법 개정에 관한 청원을 제출하였다.[318] 이와 더불어 1991년 11월 10일 여의도 둔치에서 6만 명의 노동자들이 참가한 가운데 '전태일 정신 계승과 노동법 개정을 위한 전국노동자대회'를 성공적으로 개최함으로써 노동법 개정을 요구하는 노동자들의 의지와 민주노조 총단결의 구심으로서 ILO공대위의 위상을 높였다.

10월에서 12월까지 광주, 부산, 마창, 대구, 인천, 서울, 경기, 전북 등에 공대위가 구성되었고, 1992년 2월에는 부천에도 공대위가 구성되었다. 초기 지역공대위는 조합원들의 충분한 공감대를 충분히 형성하지 못하고 지역별 조직력 편차, 상층 간부 연대라는 한계가 지적되었다.[319]

이처럼 1992년까지 전국공대위와 지역공대위는 조직적으로 독립되어 있어 전국과 지역 간의 사업이 유기적으로 연결되지 못해 효과적인 사업이 이루어지지는 못하였다. 그럼에도 ILO공대위 결성으로 전노협에 가입하지 못했던 업종회의 노조 간의 조직적 결합력이 강화되었고, 노동악법철폐투쟁을 중심으로 민주노조 총단결 흐름이 형성되었다. 비록 전노협은 가입조직이 절반으로 축소되어 조직력이 약화되었지만 700여 개 노조, 30만에 달하는 조합원이 전노협에 조직적으로 참관하거나 교류할 정도로 민주노조운동의 외연은 확장되었다. 그밖에도 ILO공대위가 '노동법개정투쟁'을 위한 '사안별 공동투쟁체'로 출발하였지만, 민주노조 총단결을 위한 조직 발전을 적극적으로 도모하는 조직적 구심으로 발전할 가능성을 배제하지 않았다는 점에서 향후 조직적 발전 가능성을 내장한 것이었다.[320] 하지만 1993년 6월 ILO공대위는 조직발전이 아니라 해소되었고 민주노조진영은 전노협과 업종회의, 대공장노조가 결합한 '전노대'를 결성하였다. 전노협의 노동법개정투쟁은 출범 이후 지속적으로 전개되었지만 1991년부터 1993년까지 가장 활발하였다. 특히 1991년 ILO공대위 결성을 기점으로 약 2년여 동안 노동법개정투쟁은 민주노조진영의 핵심적인 투쟁 사안으로 자리잡았다. 이는 노동운동에 대한 정부의 탄압이 강화되면서 정부와 자본에 의해 노동법 개악이 공공연하게 제기되었기 때문이었다. 정부와 자본은 1991년 하반기부터 자본의 유연한 노동력 이용을 보장하기 위해 개별 노사관계법(근로기준법)을 개악하고자 하였다. 정부는 '노동관계법 연구위원회'를 통해 1992년 8월 말까지 법안을 마련하고 정기국회에 상정하려 했으나 법안 마련 시한을 1993년 2월로 연기하였다. 이는 노동통제 강화와 일방적인 노사관계 재편을 위해 근로기준법을 중심으로 대대적인 개악을 단행하려는 의도에서 비롯되었다. 또한 정부는 노동자대중의 요구와 국제적 압력에 직면해 있는 ILO기본조약 87호 비준은 언급하지 않은 채 '건강진단에 관한 조약', '공업 및 상업에 있어서 근로감독에 관한 조약', '고용정책에 관한 조약' 만을 비준하고자 하였다.[321)]

노동운동 총단결을 향한 전국노동자대회 (1992)

이에 맞서는 1992년 노개투의 목표와 구호로는 첫째, 87호 조약 비준과 노동법 개정 및 개악 저지(ILO 기본조약 87호의 비준을 쟁취하자,

정권과 자본의 노동법 개악기도를 저지하자). 둘째, 조직역량 확대 · 강화와 민주노조 총단결 〔광범위한 중간노조를 조직하고 지역 공대위(지역 노조대표자회의)를 활성화하자, 지노협 조직력과 단위노조의 조직역량(현장 소조직 활동 일상화 등)을 강화하자, 노동법 개정 · 고용보장에 대한 전국노동조합의 공동대응을 조직하자, 대중투쟁을 활성화하자〕. 셋째, 민중연대투쟁과 민주대개혁의 쟁취(경제의 민주적 개혁 대안을 제시하고 국민적 공감대를 획득하자) 등이었다.[322] 1991년 10월 결성 이후 ILO공대위의 주요 사업은 아래 〈표〉와 같다;

〈표〉 ILO 공대위 주요 사업진행 현황

일시		사업내용
1991	10.9	■ ILO공대위 발족, 1차 대표자회의에서 공대위 사업계획 검토
	10.11	■ ILO 조약 비준 및 노동법 개정 공청회
	11.10	■ '전태일 정신 계승과 노동법 개정을 위한 전국 노동자대회' 개최, 6만여 노동자 참여
	11.10-11.13	■ 노동법 개악 저지와 노동악법 개정 촉구를 위한 공대위 대표자 철야 농성투쟁 전개, 공대위 대표자를 비롯하여 총인원 88명 참석
	11.20-12.10	■ 지역순회 정치강연회 : 총선과 임투에 대비한 노동자계급의 총단결, 공동요구를 중심으로 부각하고 대중화
	12.12	■ 공대위 대표자 수련회, 전노협 11명, 업종회의 14명, 전국노운협 3명, 전국노련 3명 등 총 32명 참석 ■ 전국공대위 대표자 수련회에서 '1987년 이후 민주노조운동의 현황과 과제', '1992년 민주노조운동의 실천방향', '1992-93년 권력교체기 민중진영의 대응방향' 등 논의
	12.13	■ 총액임금제와 시간근로 도입에 대한 공청회, 150여 명 참석
1992	1.17-1.18	■ 현총련 대표자들과의 간담회. 현자노조 집행부가 수정 제의한 8개항 수락을 주요 내용으로 기자회견
	2.15	■ 3차 ILO공대위 대표자 회의
	2.20	■ ILO 기본조약 87조, 98호 위반내용에 대한 전노협, 업종회의 명의의 제소 및 제소에 대한 ILO공대위 대표자 기자회견
	3.27	■ 총액임금제 저지를 위한 ILO공대위 대표자 기자회견
	3.30	■ ILO공대위와 서울지역공대위 대표자 간담회
	4.1	■ 5차 ILO공대위 대표자회의
	4.10	■ 총액임금제 저지를 위한 적용사업장 노조대표자회의 개최
	4.20	■ 전국 동시다발 간부 철야농성 및 노동부 항의방문. 총액임금제 철회 조합원 서명용지 배포
	5.2	■ 전국 동시다발로 세계 노동절 기념 대회 개최

〈표〉와 같이 전노협은 노동법개정투쟁에 대한 교육, 선전 등을 진행했으나 초반에는 대중적인 열기를 끌어 모으지 못하였다. 단위노조 위원장들조차 노동법개정투쟁에 대한 내용을 충분히 공유하지 못하였다. 하지만 ILO공대위 대표자들은 1991년 11월 10일 철야농성을 거치면서 노동법개정투쟁과 전국노동자대회의 중요성에 대한 토론을 통해 그 내용을 전 조직적으로 공유할 수 있었다. 전노협은 대회전까지 교육선전, 체육대회, 등반대회 등을 통해 조합원의 참여와 의지를 끌어올릴 것을 결의하였다. 11월 3-9일은 전태일 열사 정신 계승과 노동법 개정을 위한 실천 주간으로 선포했으며, 각 사업장마다 리본 달기, 전국적 대국민 선전전 그리고 노동열사 묘소 참배 등을 실천하였다.[323] 또한 1992년 들어 민주노조운동은 ILO에 한국 정부의 단결권 침해를 제소해서 노동법 개정에 대한 국내외적 관심을 불러 일으켰고 6만여 노동자가 전국노동자대회를 개최하며 노동법 개정을 촉구하고 민주노조 총단결을 결의하였다.[324]

이런 성과가 있었지만 1992년 노동법개정투쟁의 한계는 그 요구가 5월 1일 노동절투쟁에서 일회적으로만 제기된 점이었다. 초반에 노동법개정투쟁은 대중투쟁의 계기가 없는 상황에서 목적의식적인 사업추진이 어려웠고 지노협의 지도집행력이 불안정해서 사업집행이 쉽지 않았다.

ILO공대위를 중심으로 다시 불붙은 노동법개정투쟁

특히 1991년 대표자 간의 교류를 1992년에는 간부 차원의 연대로 확산시키고 대표자회의를 월 1회로 정례화시키며 정책, 선전, 국제, 문화 등 일상적 결합을 높이고자 했으나, 여전히 지노협의 지도집행력이 취약하여 중앙의 지침이 중간간부를 통해서 조합원대중 전체에게 공유되고 추진되지 못하였다.[325)]

1992년 하반기 노동법개정투쟁은 중앙 지도부의 순회 간담회를 시작으로 간부 조합원 교육과 현장토론, 깃발서명, 선봉대 구성, 지역 문화제, 체육대회와 영남권 등반대회, 공개질의서 제출과 대표자 결의대회, 걷기대회, 전국노동자대회 조직위원회 구성과 11월 8일 전국노동자대회 순으로 진행되었다. 하반기에 들어서 전노협은 상반기 임금인상투쟁 과정을 통해 흐트러진 조직을 노동법개정투쟁으로 집중시켜내면서 정비해나갔다. 노동법개정투쟁에 대한 교육 선전을 통한 노동법개정투쟁의 중요성을 확산시키고, 사전 조직화의 부족과 단위노조들의 어려운 조건에도, 미가입노조까지 포함하여 광범위한 노조를 대회 조직위원회로 결합시켜, 11월 8일 전국노동자대회가 규모 있게 꾸려진 것은 중요한 성과였다. 하지만 노개투의 성과를 전국노동자대회 이후 대통령선거 시기 사업으로 연결시키고 발전시키는 데는 실패하였다. 또한 대통령선거를 앞둔 시기에 노동법 개정의 문제를 사회적인 여론과 정치적 쟁점으로 발전시키는 데도 한계를 드러냈다.[326)]

불협화음과 동상이몽 : 전노협과 업종회의

한편 전노협의 ILO공대위 결성은 전노협 가입 노조가 축소됐지만, 확대된 민주노조진영을 결집시키고자 하는 긍정적 측면도 존재하였다. 하지만 총단결과 조직발전전망에 근거해서 민주노조운동이 결집된 것이 아니었기 때문에 공대위 내 업종회의와 전노협 간의 마찰도 적지 않았다. 단적인 예로 노동자대회와 노동절투쟁에서 투쟁기조, 명칭, 집회기조 및 슬로건 등 사안마다 양자 사이에는 다소 불필요한 논쟁이 반복되었다. 왜 거리 행진을 해야 하는가, 전태일 정신이란 문구를 넣을 것인가 여부 혹은 사소하게 집회에서 전노협 위원장이 개회사를 할 것인가 아니면 업종회의 의장이 할 것인가 등을 둘러싼 논란이 반복되었다. 당시 노동자대회에 대한 전노협 평가는 다음과 같았다;

"대회에서 단병호 전노협 위원장 연설을 뺀 결정은 조합원대중의 정서를 제대로 파악하지 못한 결정이었다. 또한 이를 전노협 상임집행위원회에 위임한 점도 잘못으로 지적되었다. 지도부의 결정은 행진에 대해 비중을 두기보다는 대회를 성공적으로 치를 수 있겠는가라는 점에 비중을 두었다. 그러나 대회 장소가 변경되면서 애초의 행진계획이 수정되는 과정에서 수세적으로 대국민 선전전으로 대체되었다. 이에 따라 지도부에서 조합원의 투쟁열기를 반영하여 사전에 치밀하게 행진계획을 준비하지 못한 점에 대한 비판이 제기되었다." [327)]

"본 대회에서 전태일 열사 정신 계승에 대한 내용이 빠진 점이 문제로 제기되었다. 11월 전국노동자대회는 매년 전태일 열사 정신을 현재적 의미로 계승하고 당면 노동자 투쟁에 대한 대중적 결의를 다지고 투쟁을 선동하는 자리가 되어왔다는, 노동자대회의 의의에 근거한 평가였다. … 평화적 · 합법적 전술기조를 채택하여 비합법 대회보다 전술운용의 폭을 넓힐 수 있었음에도 불구하고 행진을 포기해 참여한 조합원 대중의 욕구와 조직적 힘을 분산시켰다. 이는 전술기조와 운용을 깊이 있게 사고하지 못한 때문이었다." [328)]

이런 현상은 전노협과 전태일이 지니는 과격한 이미지 때문에, 업종회의 측이 조합원을 집회 등에 참석시켜야 하는 데서 오는 어려움, 이른바 화이트칼라가 블루칼라와 다른 '정서'의 문제로 설명되곤 하였다. 하지만 이러한 차이를 불러온 이유는 한마디로 '탄압'이 핵심이었다. 초기 전국회의에서 전노협으로 넘어가는 과정에서 업종회의가 전노협에 참여하지 않았던 이유도 정부의 탄압이 현장에 들어올 경우 조합원들이 이를 조직적으로 받아 안고 가기에 부담스러운 부분이 존재했기 때문이었다. 업종회의 등 사무직 정서에 대한 전문노련 허영구, 마창노련 홍지욱 그리고 현주억의 증언은 다음과 같다;

"(업종회의-인용자) 간부들은 대외연대에 대해서는 대단히 비판적입니다. 대외활동을 많이 하고 있는 간부들은 실제로 상당히 고전하고 있는 것이 현실입니다. 조합원들은 근로조건의 개선을 기업별체계로 할 것을 선호하고 내부에서 집행부가 근로조건을 개선해주기를 바라면서도 그게 현실적으로 안 된다는 것을 인식하고 조직적으로 상급단체에 위임하거나 법외연맹에 기대하는 이중적인 모습을 보이고 있습니다."[329]

"함께해야 한다는 것은 큰 차원에서는 동의가 됐는데, 워낙 정서적으로 달라서 … 당시 확실히 화이트칼라였기 때문에 거리가 멀게 느껴졌어요, 느낌이. 구체적으로 고민은 해보진 않은 거 같은데, 당시의 기억으로는, 한편으로 권영길 언론노조위원장이 초대 위원장으로 한다는 게 그게 이해가 안 될 정도였죠. 그땐 제조업이란 말도 안 쓰고, 실제 전노협이 중심이고, 실천이던 뭐든 그런 게 있는데 지도력이 새롭게 만들어지면서 한편으론 의아했고, 그 정도로 사무직에 거리감이 있었죠. 크게 같이 해야 한다는 것은 동의했으나 좀 그랬던 거 같아요."[330)]

"사무직 노조를 제조업 다루듯이 하면 문제가 심각해집니다. 나도 우리 조합에서는 말을 바꿔서 얘기했어요. 계급의식, 노동자계급의식. 한마디로 못했어요."[331)]

당시 업종회의의 경우 집행력이 취약한 상태에서 전노협이 주도했던 ILO공대위는 안정적 조직은 아니었다. 초기 공대위에서 업종회의는 ILO공대위 운영의 전노협 주도성에 대한 경계가 적지 않게 있었기 때문에 이러한 경향을 부추겼다. 공대위는 대중적 토대 구축을 위한 지역공대위 강화와 전국적 결합력을 높이기 위해 6개 지역 순회간담회를 조직하였다. 하지만 업종회의의 지역조직이 이루어지지 못한 상황에서 업종회의 지역조직 구성과 강화가 선행되어야 한다는 이유로 이는 중단되었다.[332)] 결국 지역공대위의 경우, 활발한 실천이 조직되지 못했는데, 부천지역과 경기지역만이 상반기 투쟁의 성과로 지역공대위를 확대해서 구성하였을 뿐 전노협과 업종회의에 가입되지 않은 단위를 포괄하지 못하여 중앙과 지역의 공대위가 조직적으로 결합하지 못하는 한계를 드러냈다.[333)] 애초 ILO공대위 대표자회의에 참여한 업종대표자들은 결정과 집행에 있어 개별 연맹에 대한 관장력이 취약했기 때문에, 이를 보완하기 위해 개별노조들이 직접적으로 참여할 수 있는 지역공대위를 강화하고 지역공대위를 의결구조와 운영구조에 포괄하는 것이 바람직하였다. 하지만 업종회의는 전국연맹체 결합 형태였고 지역단위조직이 없었기 때문에 지역공대위 차원의 결합은 거의 전노협 산하 지노협에 맡겨져 있는 상태였다.[334)]

그밖에도 ILO공대위의 조직적 위상과 당시 정세를 바라보는 전노협과 업종회의 간의 시각 차이도 존재하였다. 전노협의 경우, ILO가입에도 정부의 대노동정책에 근본적인 변화가 없을 것이라고 판단을 했다. 반면 업종회의는 변화된 정세 속에서 합법화를 통해 시민권을 획득하려는 목표를 자체적으로 지니고 있었다. 이런 시각 차이는 ILO공대위로는 대중적인 일상 사업을 강화시켜내기 어렵다는 점과 민주노조운동의 조직발전 전망과 관련하여 통일된 입장을 갖고 있지 못했기 때문에 발생했을 것이다. 그뿐만 아니라 ILO공대위 조직발전을 둘러싼 논의도 순탄치만은 않았다. 먼저 업종회의는 공대위 개편에 관해, ILO공대위 운영 실태를 감안할 때 현재 ILO공대위 조직운영 체계가 개편될 필요성은 인정하지만, 개편의 내용은 ILO공대위 대표자회의의 구성과 운영문제로 제한시켰다. 다시 말해서 ILO공대위의 위상은 문자 그대로 노동법 개정과 ILO 기본조약의 쟁취를 위한 공동투쟁체 이상도 이하도 아니며, 민주노조 총단결을 위한 논의의 필요성이 있다면 ILO공대위가 아닌 별도의 논의의 장을 마련하는 것이 타당하다고 주장하였다. 반면 공대위 결성을 주도했던 전노협의 경우 ILO공대위가 지금까지 사업에서 민주노조 총단결의 구심으로 객관적인 위상을 인정받아왔고, ILO공대위 사업의 성과와 이후 민주노조운동의 조직발전과 관련하여 더욱 중요하게 제기되고 있는 전선체로서 갖는 임무와 역할을 고려해야 한다는 입장을 표명하였다.[335)]

총단결의 중심에 선 전노협

전노협은 기업별노조 체계하에서는 전국적인 공동투쟁을 활발히 전개해나가는 것이 어렵다는 판단하에 조직발전 논의를 본격적으로 진행하였다. 또한 조직발전 논의와 함께 전국적 공동전선을 확대 · 강화하여

1992년 전국노동자대회는 전노협, 업종회의, 대공장, 미가입 1,071개 노조와 47개 단체가 함께 조직해내었다. 1993년에 들어서 한국노총과 한국경영자총연합이 합의한 1993년 '노 · 경총 임금합의' 거부투쟁을 공동으로 조직하면서 사안별 공투체에 머물러 있었던 ILO공대위를 발전적으로 해소하고, 민주노조진영의 공동사업추진체로서 '전국노동조합대표자회의(전노대)' 를 건설하였다.[336] 1987년 이후 성장해온 민주노조를 가장 크게 포괄할 수 있다는 점에서 전노대의 의미는 대단히 중요하며, 이를 어떻게 발전시켜나갈 것인가는 민주노조운동의 이후 성격과 전망에 직결되는 매우 중요한 문제라고 밝혔다.[337] 하지만 이는 1992년 결의한 공대위 강화라는 결정과 배치되는 것이었다.

전노대 결성 과정을 구체적으로 살펴보자. 먼저 2월 26-27일에 전노협 중앙위원 9인을 포함하는 노동단체 대표 45인은 노동자대회 조직위원회 대표자 수련대회를 통해 1992년 노동자대회에서 밝힌 민주노조 총단결의 원칙을 확인하고 민주노조운동의 전국적 조직발전 방안으로 '대공장노조가 공대위에 참여해서 이를 확대강화하자는 안' 과 '공대위는 이미 역사적 한계를 지니므로 전국 민주노조진영 전체를 포괄하는 새로운 민주노조의 틀 마련' 에 대해 논의하였다.[338] 이에 따라 대표자들은 공동사업과 민주노조 총단결을 위한 주체 구성을 위한 위임위원회를 전노협, 업종회의, 현총련, 대우자동차노조, 대우조선노조, 풍산금속노조로 구성하여 2차례 회의를 거쳐 '새로운 틀' 로서 '전국노동조합대표자회의' 를 제안하였다.

이후 3월 19-20일에 노동자대회 조직위원회 대표자 2차 수련회에서는 민주노조 총단결을 이루어내기 위한 방안을 논의한 끝에 공동사업을 통해 총단결 조직을 꾸릴 바탕을 만드는 데 합의하고, 모든 민주노조들이 모여 공동사업을 추진할 기구로 전노대를 빠른 시일 내 결성할 것을 결정하였다.[339] 결국 1993년 4월 19일 2차 조직위원회 대표자회의에서는 전국노동조합대표자회의란 위임위원회안과 노동법 개정과 생존권 확보를 위한 전국노동자공동대책위원회 두 안을 놓고 12시간에 걸친 토론에도 결론이 나지 않자 이를 표결에 부쳐, 10대 9, 1표차로 '전국노동조합대표자회의안' 으로 결정되었다. 위원회는 ILO공대위 활동이 노동법 개정으로 과제가 제한되어 있고, 그 구성도 제한되어 있는 한계를 지적하고, 이를 넘어선 새로운 틀이 필요하다는 인식 아래 공동사업 추진체에 관한 합의문을 작성하였다. 합의문에는 전노대는 공동사업추진체이며, 각 조직의 상급조직이 아님을 아래와 같이 문서상으로 밝혔다.[340]

전국노동조합의 공동사업 추진체 위임위원회 합의문

전국 노동조합의 공동사업 추진체 위임위원회에서는
명칭과 성격에 대해 아래와 같이 합의한다.

첫째, 공동사업 추진체의 명칭은 '전국노동조합대표자회의'로 한다.

둘째, 전국노동조합대표자회의의 성격은 다음과 같이 규정한다.

전국노동조합대표자회의는 공동사업 추진체이다.

전국노동조합대표자회의는 각 조직의 상급 연합조직이 아니다.

전국노동조합대표자회의의 재정은 의무금의 형태가 아닌
사업별 분담금으로 충당한다.

1993년 4월 22일

전국노동조합협의회, 전국업종노동조합회의,
현대그룹노동조합총연합, 대우그룹노동조합협의회

전국노동조합 대표자회의 결성 (1993.6.1)

합의문에 드러난 바와 같이 전노대는 산업별 · 업종별 조직들에 근거한 상급 연합조직이 아니라 민주노조진영의 현실을 반영하여 업종 · 지역 · 그룹별 조직단위를 기초로 민주노조들을 광범위하게 포괄하고 있었다. 업종별로는 전국 단위를 기준으로 하여 업종회의 소속 11개 연맹과 전국지역의료보험노조총연합 및 전국건설일용노조가 포함되었고, 지역별로는 제조업노조를 중심으로 하여 전노협 소속 11개 지역과 경주와 포항지역이 포함되었다. 그룹별로는 현총련과 대노협 소속 노조들이 포함되어 결성 당시 총 1,145개 노조, 40만 7천 명이 참가하였다. 업종 · 그룹별 조직단위의 경우에는 포괄 조직이 명료하나 지역별의 경우 전노협 소속 지노협이 지역별로 모두 건설되어 있지는 않았으며 지역 내 민주노조들도 지노협에 전부 가입하고 있지는 않아 분명하게 분류되어 있지 않았다. 따라서 지역별 조직들은 지역마다의 실정을 반영하여 지노협, 지역노조대표자회의(지노대), 공대위 등 다양한 명칭과 형태로 전

노대에 결합하였다.[341)]

더불어 집행단위로 4개 조직의 집행책임자로 이루어진 집행위원회를 두었고, 집행위원장으로 허영구를 선출하였다. 집행위원회는 필요에 따라 부서회의를 소집해서 운영할 수 있도록 했는데 총무반, 정책반, 선전반으로 구성되었다. 하지만 전노대 집행체계는 민주노조진영의 공동사업 추진체로 여러 사업을 전개해야할 전노대의 조직 위상에 부응하지 못하였다. 집행위원회는 대노협과 현총련이 밀도 있게 결합하지 못했기 때문에 ILO공대위와 마찬가지로 전노협과 업종회의 중심으로 운영되었기 때문이다.[342)]

그렇다면 1992년 노동자대회에서 ILO공대위 강화를 결의했음에도 전노협 주도로 전노대가 결성되었던 배경은 무엇일까? 그 배경은 첫 번째, 전노협과 업종회의 이외에 현총련과 대노협 등 민주노조진영의 양적 확대로 이를 포괄할 수 있는 새로운 연대 틀이 요구되었기 때문이다. 두 번째, 임금인상, 고용안정, 노동법개정투쟁 등 노동자들의 당면 과제를 중심으로 총자본을 상대로 한 전국적 공동사업의 요구가 높아졌기 때문이다. ILO공대위가 이런 과제를 수행해왔지만, ILO공대위는 ILO 기본조약 비준과 노동법 개정으로 제한된 성격이 강했으며, 대공장 노조들의 조직적 참여가 어렵다고 판단했기 때문이다.

하지만 새로운 연대 틀인 전노대 결성과 관련해서 조합원들 사이에는 노동운동의 개량화 우려, 전노협 해소를 전제로 한 것이 아닌지 혹은 민주노조운동의 전국적 구심으로서 전노협의 의의와 역할이 축소되는 것은 아닌지에 대한 우려가 제기되기도 하였다.[343)] 전노대 결성 과정에서 가장 쟁점이 되었던 사항은 투쟁을 중심으로 한 '투쟁체' 인 "…을 위한 전국노동자공동대책위원회"라는 위상을 사고하는 입장과 조직적 상급기관은 아니나 민주노조진영이 요구하는 포괄적 사업을 최대한 공동으로 수행하는 안정감을 지닌 '대중조직의 연합체'라는 전국노조대표자회의를 지지하는 입장을 둘러싼 문제였다.[344] 전노협과 업종회의 역시 전노대 결성에 긍정적이지만은 않았다. 초기 업종회의는 전노대 결성에 대해 ILO공대위보다 한 단계 높은 조직이 될 가능성이 높고, 전노협과 좀 더 연계될 가능성이 높기 때문에 반대 입장을 표명하였다. 전노협 내부에서도 전노협 중심성의 해체와 개량화 그리고 투쟁성 상실을 우려하였다. 이런 우려에도 전노대는 공동사업을 통해 총단결의 바탕을 확산해야 한다는 의미에서 공동사업추진체이며 상급 연합조직이 아님을 명시하였다. 하지만 몇 달 뒤인 10월에 전노대는 민주노총으로 가기 위한 상급조직이 되고 말았다. 더불어 전노대 결성은 이전 시기 ILO공대위와 달리 노조의 연합체라는 다른 질을 지닌 연합조직, 다른 식으로 표현하자면 전국노운협과 전국노련 등 노동운동단체와 결합력이 약화된 조직의 출범을 의미하였다. 전노협 결성 과정부터 노동운동단체들은 지노협과 단위 노조들과 연관 속에서 공동투쟁을 조직해왔다. 하지만 전노대 결성은 노동운동단체를 포괄하는 공동사업을 통하여 노동운동의 정치성을 강화하기보다는, 노조들만의 조직을 시급히 건설해서 형식적으로 새로운 조직을 만드는 데 초점이 맞추어져 있었다.[345] 전국노운협 김승호의 당시 상황에 관한 증언은 다음과 같다;

"1991년 박창수 싸움하면서 보니까 아, 이거 역시 노동운동단체나 이런 부분들하고 같이 가야 된다는 게 드러났죠, ILO공대위가 나타나지요. ILO공대위로. 근데 그게 다시 또 나중에 가면 또 정파에 의해 깨집니다. 운동단체 폐지하는 거로 다 깨지면서 노동조합 혼자 맡기는 걸로 갔는데, 결국 그러면서 운동단체들이 노동조합 내 하나의 정파로 전락해버리고 그러면서 변혁성이 약화되는 과정으로 왔죠. 우리나라에서 유럽처럼 고전적인 정치운동이나 전위정당 운동이 발전되어 있었다면 딱 분리해서 하는 것이 맞을 수도 있는데, 정치운동도 사실은 그렇게 제대로 힘을 갖고 있지 못한 상태에서 교조적으로 인제 지도한다, 정치는 지도만 하면 되고 노조는 전달벨트론 개념이거든요, 쉽게 얘기하면. 그런 걸 제일 전형적으로 주장한 데가 인민노련이지요. 전달벨트론이었거든요. 그래서 노동운동단체와의 관계를 그냥 완전히 독립적으로 가져가자는 쪽이었습니다." [346]

김승호의 증언처럼 전노협 강화와 전노대 강화의 관계를 둘러싸고 전노협 내에서 논란이 있었다. 전국노운협을 중심으로 제기된 전노대에 대한 문제제기의 배경에는 사무전문직노동자의 조직인 업종회의나 그룹별 조직인 현총련, 대노협과 달리 전노협과 전노대는 조직위상이나 조직목표가 대동소이했기 때문이었다. 전노협은 강령을 통해 자주적인 산업별 조직에 근거한 전국 중앙조직을 지향한다고 천명했으며 전노대 또한 문건을 통해 이를 명확히 하고 있지는 않지만 유사한 목표를 추구하였다. 그리고 전노협의 조직대상 또한 전노대와 일치하였다.[347] 이러한 양자 간의 관계를 둘러싼 불명료함은 결과적으로 전노협의 과제를 전노대로 해소하거나 혹은 전노협을 민주노조의 구심이 아닌 업종회의 등 다른 조직과 동일한 '전노대의 일주체' 로 만들었다. 결과적으로 전노협 중심성은 심각하게 훼손되었다. 반면 전국노운협과 달리 김영대는 전노대를 둘러싼 논쟁에 대해 다음과 같이 증언하고 있는데;

"전노대 논쟁이 된 거는 결국은 투쟁체냐 조직체냐 두 가지가 섞여 있는 거예요. 하나는 '투쟁체로 갈 거냐? 다른 하나는 대중조직 조직체로 안정적으로 갈 거냐?' 그니까 싸움을 중시하는 사람들은 이걸 투쟁본부를 주장하고 거기에 당연히 단체가 들어오는 걸로 돼 있죠. 그리고 이후에 조직과 여러 가지를 중시한 쪽은 전국노동자대표자 회의해서 '노동조합을 별도로 해서 대중조직의 진짜 그 발전해나간 단계의 첫 단추를 여기서부터 시작하자.' 이렇게 하는 거에 대한 주장이에요.[348)]

더욱이 쟁점이 되었던 점은 1993년 4월 '10대 9'라는 표결 결과가 보여주는 바와 같이 전노대 결성은 전노협 한계론과 위기론의 자장 안에 있던 활동가들의 주도로, 다른 식으로 표현하자면 '상층 지도부와 간부들의 일방적인 결정으로 전노협을 부정'하는 과정이란 비판이었다.[349)] 이를 반영하듯이 1993년 5월 14일 전노협 중앙위원회에서는 전노대 결성 취지에는 동의하지만 전노협과 지노협 방침 없이, 지역의 의사 수렴도 없이 전노대를 상층 중심으로, 그것도 다수결 투표로 결정한 것에 대한 문제가 제기되면서 발족식 일정 재검토가 제기되었다. 그러나 이 과정을 자세히 살펴보면 전노협은 의사수렴 등 '절차상' 문제에 대해 문제제기를 했지, 전노대로 가는 것 자체에 대해 크게 반대하지 않았다. 이는 전노대로 가서도 공대위와 마찬가지로 전노협이 이를 주도할 수 있을 것이라는 판단이 존재했기 때문이 아닌가 싶다. 전노협 위원장 단병호는 당시 상황을 이렇게 설명하고 있다.

"그런 양대 의견들이 전노협 해산되기까지 내부에 있었는데 사실상 그게 팽팽하게 간 거는 1993년 말까지라고 보이고 … 1993년 말이 지나면서부터는 대체적으로 전노협 중심으로 모으기는 어렵다. 그렇다면 빨리 새로운 조직으로 전환시키자. 대신 전노협 사업의 기풍이라든가 내용을 어떻게 반영시킬 것인가. 1994년 이후부터는 고민이 그 쪽으로 이동을 하는 거죠."[350]

물론 전노협 중앙이 각 지역에 토론 지침을 전혀 내리지 않았던 것은 아니었지만 기층 조합원 토론이 쉽지만은 않았을 것이다. 전노협은 결성에서 운영에 이르기까지 지역과 단위노조 현장토론을 그 특징으로 하는 조직이었다. 이를 바탕으로 조직적 책임을 담보하고 투쟁을 전개해왔다. 하지만 1992년 이후 현장토론은 약화되었으며, 중앙에서 현장토론 복원이 언급되었지만 당시 조직적 상황에서 간단치 않은 문제였다. 임단협투쟁과 같은 조합원의 요구조건과 결부된 문제와 다소 거리감이 존재했던 조직재편 문제를 둘러싸고 조합원들에게 현장토론을 확대하는 것에는 한계가 존재하였다. 한석호는 당시 상황을 다음과 같이 증언하고 있다;

"전노대 만들어지는 과정은 그냥 몇 번 가서 회의하고 오더니 간다고 해가지고 그냥 가는 이런 거였던 거 같고, 그니까 투쟁과 조직력이 막 떨어지는 거죠. 전노협 초창기만 해도 전노협에서 뭔가 결정한다, 그러면 그리고 요번에 무슨 문제가 있다 그러면 지노협에서 논의들을 해와요. 의견들을 수렴을 해왔거든요, 토론들을 하고, 대표자회의를 해서. 사업장별로도 하고 그 다음에 정파들도 사업장을 통해서건 대표자회의를 통해서건 논의들을 해오고 그래서 우리 지노협은 이런 입장입니다, 우리 지노협은 이런 입장입니다, 이렇게 했거든요. 그런 게 아주 활성화되어 있었어요, 초창기만 해도. 근데, 이게 이년 삼년 가면서부터는 약화되는 거야." [351]

이처럼 결정 과정, 의사수렴, 노동운동단체의 참여를 둘러싼 논란에도

1993년 전노협 주도로 이루어졌던 전노대 건설로 민주노조진영의 연대조직은 확대되었다. 그동안 그룹별 대공장과 일부 지역의 경우 사안에 따른 내용적 결합에 머물렀다면, 전노대는 각종 회의 및 활동에 결합, 사업분담금 납부를 통해 공동사업의 책임주체로 나설 수 있게 되었다. 하지만 전노대는 여전히 지역별 조직이 정비되어 있지 않았고 현총련과 대노협의 참여도 아직 제한적이었다. 지역별 조직의 경우 전노대 내에서 여전히 전노협이 상당한 책임을 맡고 있었다.[352] 그 결과 전노협의 기본조직인 지노협이 사업을 떠맡게 됨으로써 조직적 과부하로 작용하기도 하였다. 지노협은 자신의 고유한 사업뿐만 아니라 지역공대위와 지역노대의 사업까지를 수행해야 하였다. 결과적으로 연대조직은 확대됐지만 연대활동의 수준을 높이기 어려웠고, 전국과 지역의 집행체계에 혼선이 나타나는 역기능이 초래되기도 하였다.

3 혼돈에 빠진 전노협

1992년, 전노협은 정치적으로 매우 어려운 판단이 필요한 시점이었지만 조합원들에 대해 효과적인 정치적 지도력을 발휘하진 못하였다. 1991년 여름, 현실 사회주의권 몰락 그리고 1991년 5월 투쟁 패배 이후 운동 진영에서는 대안 상실이나 지배권력의 변화된 통치 방식에 맞는 운동 방식을 둘러싼 이야기들이 적지 않았다. 그렇다면 전노협은 어떠했을까? 지식인들처럼 급격하진 않았지만 민주노조운동과 전노협도 예외는 아니었다. 특히 권력재편기라는 상황 속에서 전노협은 과도적 전국 노동조직으로서 감당하기 쉽지 않은 조직적 · 정치적 결정이 요구되었다. 하지만 전노협은 두 차례에 걸친 선거에서 일관되지 않은 조직 방침을 결정했고, 정파 균열에 따른 조직 분열에 적극적으로 대응하지 못하였다.

전국연합 창립

이처럼 복잡한 상황 속에서 1992년 정세를 전노협은, ① 1992년 국내정세의 핵심 문제는 권력재편을 둘러싼 지배집단의 음모와 이를 분쇄하고 참다운 민주정부를 수립하려는 진영 간의 대치선, ② 총선 투쟁 강화를 통해 반민자당 투쟁전선 형성, 민주정부 수립을 위한 투쟁 전개 등으로 판단하였다. 구체적으로, ① 민자당의 14대 국회 점령을 저지하고 민족민주운동진영의 의회 진출을 확보, ② 전국연합과 공동사업, 공동투쟁을 통해 노조운동진영의 통일과 단결을 강화, ③ 전노협 정책 요구 강령과 전국연합 총선 강령을 조합원 대중과 충분하게 토론, 내부적 통일 단결을 강화하고 조합원 정치의식을 확대하는 동시에 임투 준비의 활성화 등에 기여하는 것을 총선의 목표를 삼았다.[353] 이를 반영하듯이 1991년 하반기에 결성된 전국연합에 전노협도 가입했으나 전국연합의 과도한 정치적 성격을 대중조직인 전노협이 받아들이기 어려워 조직적 부담이 발생하기도 했다. 이 문제에 대해 전노협 위원장 단병호는 한 좌담에서 다음과 같이 언급하였다.

> "상설연합을 만든다면 그야말로 대중조직들이 부담 없이 참여하고 그들이 자기 문제로 싸울 수 있는 조직체를 만들어야 한다고 봅니다. 이러한 조직을 우선 만들어가지고 그 속에서 발전되면서 더 큰 사업을 할 수도 있다고 봅니다. 그런데 상설연합의 위상을 너무 높이 잡아놓다 보니 … 대중조직으로서는 참여할 수도 없고 하자니 부담을 느껴 어려움이 있게 된다는 말이죠."[354]

이처럼 다소 부담이 존재했으나 대부분 지노협이 이미 가입한 상태에서 전노협의 전국연합 가입은 어쩔 수 없는 선택이었다.[355] 1991년 5월 투쟁을 성과로 민족민주운동의 정치적 구심으로 전민련과 대중운동의 연합인 민중생존권위원회의 결합 필요성이 제기됐으며, 이 과정에서 전국연합은 각급 대중조직의 연합체로 결성된 것이었다.

전노협과 1992년 국회의원 총선거

하지만 1991년 5월 투쟁의 여파가 끝나기 전인 11월, 노동운동 내에 커다란 파도가 몰아치고 있었다. 그 출발은 한 장의 서명에서부터 시작되었다. 11월 말쯤부터 시작된 서명 작업은 지역 내 여러 활동가들이 개입된 것이었다. 노동자정당추진위원회(노정추) 혹은 한국사회주의노동당(한노당)은 1991년 후반부터 노동운동 활동가들과 간부들을 흔들어댔다. '고백'과 '청산' 그리고 '변화'라는 말들이 유행처럼 퍼져나갔다. 이들은 비합법적 전위정당 노선을 실천적으로 폐기하고 공개적인 노동자정당 노선을 전격적으로 선언하며 '지상'에 등장하였다. 이들의 변화는 '신노선'이라고 불렸고 월간 『길』 등을 통해 설파되었다. 이들은 노동계급 내 정치활동이 가두에서 시위 투쟁으로 국한되는 경향이 존재하며, 이는 전노협 활동에도 투영되었다고 비판하였다. 노동운동 위기론과 연관된 이들의 주장은 전노협이 과도하게 정치투쟁에 나섬으로써 전노협 본연의 사업에도, 노동자정당 건설 사업에도 충실하지 못한다고 비판하였다. 이들은 선거라는 합법적 투쟁 수단을 개량적이라고 보는 입장을 비판하며, 일상적 시기보다 정치에 대한 대중의 관심이 몇 배나 고조되는 선거 시기에 선거투쟁 이외의 방법으로 정치투쟁을 벌인다는 발상 자체가 터무니없는 생각이라고 주장하였다.[356] 흔히 이들의 노선 전환은 '우회로'라고도 표현되었는데 당시 월간 『길』에 실렸던 이야기를 빌리면 다음과 같다.

"… 여기서 제기할 수 있는 기본정신은 사회주의 노동자정당 건설로 곧장 나아가는 것이 아니라 하나의 우회로를 설정하는 것이다. 즉 사회주의자들이 보수야당의 헤게모니를 부정하고 민중의 정치세력화를 위해 투쟁하는 노동조합 지도자들, 열성 조합원들과 사민주의자(사회민주주의자-인용자)들을 포함하는 다양한 좌파세력들과 함께 하나의 대중정당을 만들어 노동자들의 정치적 역량을 신장하는 데 주력하는 것이다. … 그 우회로를 선택할 경우 우리는 1979년에 창당된 브라질의 노동자당을 하나의 모범으로 상정할 수 있다."[357]

노정추는 1991년 11월 15일경부터 전국 20여 개 지역에서 노동운동 간부들과 활동가들을 대상으로 개별적인 지지서명을 받기 시작하였다. 12월 16일에 전국 20여 개 지역에서 노동자정당 건설추진 서명 작업을 시작해서, 광노협 의장 박종현, 부노협 의장 한경석, 구미노협 의장 김길용, 인노협 의장대행 김기자, 서노협 부의장 김경은 등 241명의 서명을 받았

민중당 창당 발기인대회

노동자 정당 건설 추진위원회 발족 기자회견

다.[358] 노정추는 한노당을 창당하고 1990년 11월 창당한 민중당과 통합하여(1992.2) 총선에 대응하였다.

노정추 주장대로 과연 노동운동은 위기이며 전노협은 정치세력화를 위해 대중정당으로 나아가야 하는가에 대해서는 부정적인 생각이 적지 않았다. 적지 않은 조합원들은, '무슨 노정추야. 노조에서 동의내지 논의조차 거치지 않고 튀어나온 조직을 어떻게 지지할 수가 있나' 등 노동운동 위기와 대중정당에 대해 회의적인 생각이 상당수였다. 노정추 등장을 둘러싼 논란은 조합원들의 문제가 아닌 간부나 활동가 사이의 논란거리였다. 노정추의 급작스런 등장에 따른 지역 내 양상에 대해 서노협 사무처장 민경민은 다음과 같이 증언하고 있다;

"민중당 건설할 때는 (전노협이-인용자) 그냥 휩쓸리지 않았어요. 그런데 한노당 건설하면서는 엄청 내홍을 겪었지. 조합의 주요 직책에 있는 사람들이 서노협의 공식 단위하고도 어디하고도 전혀 얘기 없이 가입하고 들어와서 하자, 이렇게 찔러버리니까 아무도 동의가 안 되는 거지. 대중조직에서 책임 있는 지도부가 한노당 출발했다고 회의 와서 같이 하자고 들이밀고. 대중조직 지구위원회까지 다 영향을 미쳤으니까. 대중조직이 어려워졌던 시기 같아요 그게 출발하면서. 본격적으로 되니 안 되니 그 논쟁이 격화되면서 … (한노당 등장에 대한 조합원의 관심은-인용자) 전~혀! 우리조차도, 현장에 있는 어디 지구위원회나 위원장조차도 민중당 이후에는 딱 엎드려져 있던 상황에서 한노당이 튀어나오니까 이게 뭐야? 민중당 실패한 거 같은데? 그때도 동의 없이 갔다고 하는 평가였는데 이번에도 또 튀어나오니까 정파를 안 따지더라도 이거는 같이 논의해서 해야 될 일인데 저런 방식으로 나온다, 하면서 상당히 부정적인 인식이 많았죠. 그래서 그걸 선호했던 동지들이 거의 지도력에서 물러나는 과정으로 가고. 새롭게 지도력이 구축되어 들어가는 시기였는데 어려운 시기였지, 새로운 지도부 만드는 거가. 견디지 못하고 나가고. 지도력이 안 먹히는 시기였어요."[359]

또한 이들이 주장했던 노동운동 위기론 역시 '과장된 현실 인식'에 기초한 것이었고 현실 운동의 전개와는 거리가 존재하였다. 1991년을 전후해서 등장했던 노동운동 위기론과 노정추 간 관계에 관해 전국노운협 김승호도 다음과 같이 증언하고 있다;

"우선 노동운동 위기론에 대한 걸 얘기하면 이게 민중당에서 나온 얘기잖아요. 제일 먼저 민중당 김문수가 한 얘기란 말입니다. 여기에 노동위원장이 노회찬 동지였고, 노회찬, 김문수 선에서 나온 얘기였고 그 핵심이 전망 부재잖아요. 전망이 없다. 그러니까 개혁노선으로 가야 된다. 전망이 없다는 것은 변혁 전망이 없다는 거고 소련이 망했기 때문에. 변혁 전망이 없다면 개혁 전망으로 가야 되는데 전노협에서, 노운협이 뒤에서 자꾸 전투적이고 변혁적이고 하면서 붙잡고 앉았는데 그리 해가지고는 노동운동의 전망이 없다. 전노협의 노선을 바꿔라, 노선을 온건 합리로 바꾸라는 건데 이게 의회주의로 가고 그렇게 하잔 얘기잖아요, 의회주의로. 실제로 이게 민주노총 건설을 통해서 관철된 노선이죠, 민주노총 때는. 이게 민중당 쪽에서 이른바 NL 쪽보다는 PD 쪽에서 먼저 나왔단 거를 잘 주목해야 됩니다. 우리 흔히 PD는 좌파고 NL은 우파고 그렇게 얘기하는데 지금 현실도 그렇고 과거에도 그렇고 더 먼저 꺾어진 것이….”[360]

전노협도 노정추에 대해 ‘공식적인 지지 선언’을 하지 않았다. 1992년 1월 9일 전노협 중앙위원회는 오랜 시간 지속되었는데, 그 이유는 중앙위원들 사이에 노정추를 둘러싼 찬반양론 때문이었다.[361] 노정추를 지지할 경우 불어닥칠 엄청난 조직적 위기에 대한 우려란 이유 이외에, 전노협 포괄 사업장과 별도로 민중당은 전노협 미가입 대공장 사업장이나 현장조직을 포괄하고 있었기 때문에 지속적으로 전노협 중심의 산별전환에 의문을 제기해왔던 맥락에서 양자는 공생 관계라기보다 서로 경쟁적인 관계였기 때문에 ‘지지 선언’은 쉽지 않았을 것이다.

아직 태어난 지 얼마 되지 않았던 전노협 조합원들에게 ‘노동자 정치’라는 것은 피부에 쉽게 와 닿지 않는 문제였다. 1992년 선거에서도 전노협은 쉽게 방향을 잡지 못하였다. 수도권인 서울, 안산 그리고 창원에서는 노동자 후보 간 경쟁이 일어나기도 했고, 이런 갈등은 선거 후 조직 대립 양상으로 퍼져 마창노련에서는 몇 년간 지도부 구성은 물론 임금인상 공투본도 조직하기 어려울 정도였다.

전노협 중앙도 찬반양론이 거듭됐고 노정추 추진이라는 전노협 외부

요인이 전노협 간부들 사이에 갈등을 부추겼다. 1992년 전노협 시무식 때 대부분 사안에 대해 중립적 입장을 말하던 단병호 위원장조차 이례적으로, "노정추에 반대하며, 전노협 임원과 실무자들은 노정추 추진위원이 될 수 없으며 추진위원은 전노협에서 탈퇴해야 할 것"이란 의견을 내비쳤다고 한다. 그만큼 전노협으로서 노정추 지지는 조직적인 부담으로 다가왔던 것이다. 하지만 1월 14일 속개된 중앙위원회 논의에서 회의에 참석했던 20명의 중앙위원 가운데 11대 9로 노정추에 중앙위원이 서명한 것을 문제 삼아서는 안 된다는 의견이 다수를 이루었다. 전노협 제20차 중앙위원회에서는 전노협 조직원의 정치참여에 대해 세 가지를 결정하였다. 결정 사항을 보면, ① 전노협은 **조합원의 정치활동**을 규제하지 않으며, 그것은 **보장되어야 한다**, ② 전노협 임원의 경우 직함 사용을 **자제한다**, ③ 전노협 임원은 정당 참여시 대외적으로 이름을 사용하는 것과 **공공연한 정당활동을 하는 것을 자제토록 한다**라고 결정하였다(강조는 인용자). 중앙위원회가 이런 판단을 한 배경에는 정치활동 규제 자체가 불가능할 뿐 아니라 전노협의 분열을 가져올 수 있다는 판단을 공유했기 때문이었다. 대부분 전노협의 단결을 고려해서 '너무 지나친 의견 대립'을 지양하려는 것이 주된 분위기였으며, 표결 처리도 이루어지지 않았다.[362] 하지만 이는 1990년 4월 20일에 열렸던 제4차 중앙위원회의 결정 사항인, "전노협의 임원, 중앙위원, 지역 · 업종협의회 임원은 조직내외의 여건을 감안할 때, 정당활동을 하는 것을 당분간 자제…"와 배치되는 것이었다.[363] 당시 전노협 중앙위원회와 전노협 내 상황을 전노협 위원장 양규헌은 다음과 같이 증언한다;

"한노당은 한국의 객관적 정서에 맞지 않다고 부정적인 의견이 전노협 내에 다수였어요. 그럼에도 불구하고 한노당은 전노협의 중앙위원들이 상당 수가 포함돼 있었거든. 그렇게 되면서 전노협 내부가 정치적으로 갈라지는 계기가 되는 거죠. 어느 정도냐면 그냥 '가냐?' '간다.' 이런 게 아니라 아주 치열한 논쟁, 감정까지 담긴 논쟁이 있었기 때문에. 그건 지역에서도 마찬가지예요." [364]

하지만 문제는 간단하지 않았다. 지노협에 선거 투쟁 지점이 존재했지만 분위기는 가라앉았다. 이윽고 3월 3일 중앙위원회에서는 각 지역과 단위노조에서 임투 준비가 제대로 이루어지지 않고 조합원들의 분위기가 가라앉아 있는 것을 고려해서, '조합원들의 총선참여를 조직할 것'을 중요한 총선투쟁의 원칙으로 정했다. 구체적인 사업으로 전노협 요구에 대한 현장토론, 조직적인 유세장 참가와 선전, 대국민홍보 등을 펼치고자 하였다.[365] 이는 임투와 총선투쟁 모두 조합원의 대중적 참여도가 낮았음을 드러내는 것이었다. 실제로 전노협 중앙에서 총선 관련 활동은 3월 17일 선전물 6만 3천 부 제작과 배포, 지역에서 홍보물 제작이나 유세장 투쟁 등이 계획되었지만 전국적으로 추진되지는 못하였다.[366] 물론 총선에서 패배가 전노협의 패배는 아니었지만, 전노협의 정치세력화를 위한 운동 역시 성공적이지 못하였다. 총선이 끝나자 전국연합, 전국노운협 등은 민중당의 개량주의를 비판하였다.[367] 전노협 역시 민중당의 실패가 그 자체로 정치세력화의 실패는 아니라고 판단하였다. 당시 현실 진단을 보면 소련과 동구권의 변화에 따라 탈냉전 분위기는 고양되었지만 한국은 아직 분단체제에 따른 이념적 대립과 국가보안법의 현존 등 진보정당이 실현되기 어려운 조건임을 강조하며, 오히려 중요한 점은 민중진영의 조직 · 사상적 통일의 부족이라고 진단하였다.[368]

전노협 조합원들의 정치의식 자체가 낮았던 것은 아니었다. 노동법개정투쟁에서 보이듯이, 1987년 이후 노조 활동가들은 당면 문제를 해결하기 위한 노동자 정치세력화에 많은 관심을 지니고 있었으며 이는 전노협 강령에도 반영되어 있었다. 이른바 '노동자의 정치적 지위를 도모한다' 는 것이 그것이었다. 따라서 당시 정치세력화의 실패를 '조합원의 낮은 의식' – 물론 기업별노조 체제하에서 한계를 인정한다고 해도 – 으로 돌릴 수는 없을 것이다. 하지만 전노협과 조합원들이 '노동자 정치' 에 대해 전체 조직의 문제로 받아 안는 데는 한계가 존재했을 것이다. 특히 단위노조와 지노협 산하 일반 조합원들에게 노동해방 그리고 노동자 정치는 여전히 추상적인 문제로 다가왔다. 더불어 노정추 문제, 선거와 후보 결정 등을 둘러싼 논의는 대부분 간부와 활동가에 국한된 것이었으며 지노협이나 단위노조 차원에서는 큰 문제는 아니었다. 오히려 문제는 정치활동의 방침은 존재했으나 노동법개정투쟁 등과 결합되어 집행이 제대로 이루어지지 않았다는 점이었다. 이는 총선 직전 『전국노동자신문』의 아래와 같은 '주장' 에서도 확인할 수 있다;

"지금 민중진영의 대응은 그리 바람직스럽게 진행되지 못하고 있다. 전노협도 마찬가지다. 조직 내 정치적 통일성과 집행력이 관철될 수 없는 한계를 안고 있기 때문이다. … 또 한편으로 대중투쟁의 뒷받침 없는 선거 그 자체만을 통한 정치세력화 논의는 반성되어야 한다. 선거공간을 통해 노동자의 요구를 부각시키고 이를 투쟁으로 조직해 이를 기초로 민중의 요구를 충실히 대변할 수 있는 후보와 결합해가는 것이 올바른 실천이다. 현재 전노협을 비롯한 각 대중조직은 투쟁을 준비하고 조직하는 데는 충실하지 못하다." [369]

간부층에서 후보문제로 진을 빼다가 정작 조합원 대중이 선거투쟁에 적극적으로 참여하지 못하는 결과를 초래했던 것이다.[370] 또 하나 지적해야 할 사실은 입장에 따라 정치적으로 갈라지는 것은 인정을 하더라도 적어도 대중조직에 대한 일정한 규칙을 인정해야 하였다. 예를 들어 노정추 회원이지만 노조의 간부로 일하고 있다면 대중조직에 우선적으로 복무해야 하는 것이 원칙이었다. 적어도 대중조직 간부라면 대중조직인 노조에 대한 입장을 먼저 고려하고 책임져야 했으며 결국 노정추나 민중당도 대중조직에 대한 책임이 전제되지 않았기에 오히려 지노협이나 단위노조 조합원의 관심으로부터 벗어나 있던 것이었다.

1992년 대선, 일찍이 갈라선 길

한편 전노협 그리고 민주노조운동진영에게 총선과 임단협투쟁 등에서 무력감을 겪은 조합원들을 어떻게 대선에서 노동자 정치의 주체로 세울 것인가는 고민스러운 문제였다. 1992년 7월에 열린 제25차 전노협 중앙위원회는 민주노조운동의 통일과 발전을 위한 유리한 조건을 마련하기 위한 대선 투쟁의 방침으로, "이 시기에 전노협이 제반 사업을 배치함에 있어 일차적으로 고려해야 할 점은 무엇보다도 민주노조진영의 통일과 발전을 위한 유리한 조건을 만들어내고 생산적인 활동을 전개해야 한다는 점이며, 이 점은 너무나도 당연하다고 할 수 있"음을 밝혔다. 이에 근거한 '전노협의 대선 투쟁 원칙' 으로 ① 노동현안의 선거 공간에서 정치쟁점화 및 대중투쟁으로 발전, ② 전노협 내부 민주노조운동 통일성 향상, ③ 전국연합의 통일성 향상 및 민중진영 연대강화, ④ 민중운동의 정치세력화 모색 등 네 가지로 결정하였다.[371]
전노협은 통일된 정치방침의 부재에 따른 조직적 혼란을 극복하고자 했고 조직적인 대선 방침을 지니고 전국연합을 견인하고자 하였다. 하지만 이는 말처럼 간단하지 않았다. 우선 당시 전노협 내부 상황을 살펴보면, 전노협 '조직발전 소위원회'는 후보문제에 대해서는 이견이 존재했지만 단일한 독자후보를 내고 이를 통해 민주대연합을 실현하고, 이를 위해 민주당을 견인함으로써 민중주도 민주대연합을 추진할 것을 제안하였다. 다만 이런 방침은 민주당의 견인과 전국연합 내 단일한 방침 결정을 전제로 이루어질 수 있었다. 1992년 7월 28일 제26차 중앙위원회에서는 대통령선거 방침 중 후보전술에 대하여 지역의 논의 결과를 중심으로 질의와 응답을 한 끝에, 무기명 투표를 실시하였다. 투표 결과는 121명이 투표하여 1안 찬성 70표, 2안 찬성 45표, 기권 6표로 결정을 내리지 못하였다. 이를 바탕으로 중앙위원회에서는, "첫 번째, 전노협은 다수 의견인 독자후보 전술을 방침으로 하여 다수 정신을 살려 투표를 하도록 할 것. 두 번째, 전국연합 결과가 전노협 대선 방침과 다르다고 하여도 전노협은 그 결과를 준수하며 지노협도 이에 따를 것. 세 번째, 전노협은 공개적이며 민주적인 후보전술을 채택하기 위한 투표 방법으로 무기명 비밀투표로 할 것을 전국연합에 제안할 것, 마지막으로 절충안이 제기되거나 돌발적 사태가 발생한 때 중앙위원회 회의는 정회를 요구하며 재론하도록"할 것을 결의했다.[372)]

이처럼 전노협은 대중조직으로서 부담을 가졌지만, 적어도 이번 대선에서는 노동자의 정치세력화를 위한 일보를 내딛기 위해 독자후보안을 통해 전국연합을 견인해내고자 하였다. 여기까진 총선에 비해 진일보한 입장이었다. 하지만 문제는 전국연합이었다. 10월 10일 전국연합 제2차 임시대회에서 다시 1안과 2안을 표결에 부쳐, 1안이 재적 인원 1,094명 가운데 3분의 2인 761표를 얻어 통과되어 범민주후보단일화론으로 대선 방침이 확정되었다.[373] 이러한 방침 결정은 전노협이 단일한 대오로 대선투쟁을 전개하는 데 장애물이었다.[374] 전국연합이 민주당과 정치협상을 통한 후보단일화론을 결정하게 되자, 민중운동의 대선에서 통일적 대응은 현실적으로 불가능해졌으며, 그간 민중후보를 주장해온 민중대통령후보 선거대책본부는 독자적인 행보를 분명하게 하였다.[375] 하지만 이미 전노협의 정치방침 결정 이전에 조직적 통일성을 가져갈 가능성은 높지 않았다. 대선을 전후로 한 각개약진에 관한 전국노운협 김승호의 증언은 다음과 같다;

> "노동운동 안에서 정치세력화 문제가 공론으로 쟁점이 되는 거는 1992년에 처음이라고 볼 수 있는데, 그때 전국연합이 만들어졌잖아요, 만약 전국연합이 김대중 비판적 지지를 안 하고 독자성을 분명히 하면서 갔으면 정치세력화 문제가 덜 복잡했을 거예요. … 그런데 신(新)김대중 그분들이 연합 안에서 말은 '독자' 하지만 실제로는 비판적 지지노선으로 가버린 거예요, 대부분. 다른 쪽에서는 백선본(백기완 민중대통령 후보 선거운동본부-인용자) 해가지고 따로 가는거고 백선본하고 어차피 비지(비판적 지지그룹-인용자)들은 뭐라 그래도 다 김대중 지지할 거다, 그러니까 전국연합 안에서 해봐야 다 헛수고다 하면서 서로 결론을 짓고 있는 거잖아요. 그니까 그 안에서 생산적 논의나 합의를 만들어내기 위한 노력이 실제로 안 기울여졌어요. … 결국 각개약진하게 되잖아요. 형식상으로 전국연합 대의원대회에서 정치방침에, 선거방침 토론을 할 적에도 내가 나가서 정치연합에 대해서는 열어놓되 독자의 입장을 가지고 나가야 된다고 했는데 이미 PD파들이 손을 뺀 상태기 때문에 … 구색 갖추기용으로 토론 나가서 연설을 했고 실제로 약간의 표 차를 가지고 정책연합하는 거를 결정했죠."[376]

이런 결정에도 1992년 11월 24일 전노협은 '대선 및 2단계 노동법 개정 투쟁 조직화 지침' 을 800부 제작하여 배포하고, 전국적으로 아직 선거대책기구가 구성되지 않은 지역 · 지구는 신속히 선대본을 꾸리고 공정선거감시활동, 선거참여운동, 선거 홍보전, 유세장투쟁 등을 적극적으로 전개할 것을 천명하였다. 또 총력선거투쟁기(12월 11-18일)에는 투표참여운동, 부정선거감시운동 등을 강조하였다.[377] 하지만 정치활동의 방향 자체가 소극적인 데다가 현장의 분위기와 열기는 가라앉은 상태였다.[378]

이후에도 전노협은 전국노동자대회 조직위원회에 참여한 노조들을 대선 시기 노동자대책위원회로 전환해 공동의 사업을 실천함으로써 민주노조 총단결로 나아가는 계기로 삼고자 하였다. 하지만 각 지역을 사전에 충분히 조직하지 못함으로써 이 계획은 무산됐고 업종회의와 전노협이 국민회의 전국노동자선거대책본부에 형식적으로 참여하는 수준에 그치고 말았다. 이후 전노협은 '민주대개혁과 민주정부 수립을 위한 국민회의(국민회의)' 라는 전국연합 차원의 조직 아래에서, 1992년 11월 13일 국민회의에서 제안한 '국민회의 전국노동자선거대책본부(노동자선대본)' 에 11월 18일 열린 제29차 중앙위원회 회의 결의로 노동자선대본을 구성하기로 하였다. 국민회의는 전국연합 외부에 존재했던 민주당 지지 재야세력으로 이루어진 조직이었으며, 노동자선대본에는 전노협, 업종회의, 현대자동차노조, 대우자동차노조, 풍산금속노조 등 대공장노조와 전국노운협과 수도권노동단체연석회의가 참여하였다. 노동자선대본에서는 단위사업장 차원의 리본 달기나 중식집회, 바른 투표하기 운동본부, 지역 순회 방문, 포스터 발간을 전개하였다.

대선 직후 전노협의 자체 평가를 보면, 먼저 후보문제와 관련해서 전노협 내부에 다양한 정치적 견해가 공존하고 전노협이 대중조직이라는 특수성을 감안하여 전체의 의견분포를 확인하되 대외적으로 공식화하지는 않았다. 하지만 다수의 의견을 기조로 전국연합에서 의견을 개진하되 전국연합의 결정에 따르고 전국연합에서 단일안으로 결정하지 않으면 후보전술을 집행하지 않는 것을 원칙으로 하였다. 이러한 전노협의 방침은 총선 시기에 분명한 입장을 내지 못함으로써 조직 내의 혼란을 가져왔던 점을 고려한 최선의 결정이었다. 이 방침의 결정에 이르기까지 조직 내에서 광범위한 토론을 조직하여 하부의 의견을 수렴하려고 하였지만, 실제 지역에서 충분한 토론이 이루어지지 못함으로써 조합원의 의사를 반영하는 측면에서는 대단히 취약하였다. 또한 전국연합 차원에서 후보전술이 첨예하게 대립될 경우 대의원 각자의 판단에 맡길 수밖에 없었던 한계도 드러냈다.

노동해방과 노동자 정치

1992년 정치세력화 국면에서 전노협을 포함한 노동운동진영은 보수 정치세력과 완전히 결별하지 못했으며, 과거 재야운동과 부분적인 합종연횡을 거듭하였다. 이는 전국연합 등 재야운동이 아직 분명하게 분화되지 않은 노동자운동을 민주대연합이라고 불리는 제도권 정치세력의 영향력하에 두려는 시도를 반복함으로써 강화되었다.

주목되는 사실은 정치세력화 방침을 둘러싸고 반복해서 등장했던 '정치적 · 조직적 통일성' 에 대한 강조이다. 이 시기 전노협이 가장 신경을 썼던 문제는 정치활동 그 자체보다 오히려 정치활동이 전노협이나 민주노조운동의 통일성에 악영향을 주지 않는 한에서 책임감 있는 실천에 대한 강조였다. 이는 1992년 정치방침을 둘러싼 전노협의 인식에서도 드러나는데, "… 전노협은 전국연합 내에서 단일한 방침이 마련되도록 최선을 다해야 한다. 그러나 전국연합 차원에서 만에 하나 단일한 방침이 수립되지 못할 경우 후보전술을 집행하지 않아야 할 것이다. 그러나 전노협이 전국연합의 책임 있는 주체라 할 때 이후의 상황에 대하여 적극적으로 고민해야 할 책임이 있다"[379] 라고 천명하였다.

이처럼 전노협은 노동운동 내의 정치적 입장에 따라 분화된 노선과 실천에 휘말려 전노협과 민주노조운동의 대오가 흐트러지는 것을 우려했고 이를 최소화하는 데 노력을 집중하였다. 이 점은 "총선과 대선 때는 노동진영의 통일 단결된 대응을 조직하지 못한 채 조직 내적인 갈등과 분열 속에서 무기력한 모습을 보여 민중운동진영 안에서 노동진영의 위상을 높여내지 못한 것도 부인할 수 없다"라고 언급한 1993년 단병호 위원장의 신년사에서도 확인해 볼 수 있다.

이런 언급은 초기 노조 운동의 정치적 입장에 따른 분열이 전노협이란 조직의 위기로 갈 것에 대한 경계의 맥락에서도 이해할 수 있다.[380] 하지만 1991년 하반기 이후 노정추문제가 불거지면서 이른바 정파 내지 노선이 적나라하게 외부로 드러났다. 다시 말해서 전노협 외적인 문제로 전노협 내부에 균열이 깊이 아로새겨진 것이다. 그러나 노정추문제나 선거와 후보 결정 등을 둘러싼 논의는 대부분 간부와 활동가에 국한된 것이었으며 지노협이나 단위노조 차원에서는 큰 문제는 아니었다. 오히려 중요했던 문제는 정치활동의 방침은 존재했으나 노동법개정투쟁 등과 결합되어 집행이 제대로 이루어지지 않았다는 점이었다.

더불어 문제는 노동자에게 정치라는 것이 무엇인가, 노동정치라는 미래의 전망에 대한 생각들이다. 전노협에게 노동자 정치란 분명 선거에서 집권하는 것을 의미하는 것은 아니었을 것이다. 조합원에 기반을 둔 노동자정당도 존재하지 않았으며 조합원들은 정치에 많은 관심을 가지고 있으나, 노동자정치의 의미에 대해 심각하게 고민한 상태는 아니었다. 자칫 잘못하면 전노협 조합원들에게 선거는 후보, 당선의 문제로 협소화될 수 있었다. 선거 시기 전노협 정치방침에 대해 전노협 위원장 양규헌의 증언은 다음과 같다;

> "노동조합 후보를 내면서도 하나같이 생각했던 것은 '당선을 전제로 하지 않는다. 지금 현재 노동자들이 처해져 있는 상태, 조건을 선전 선동하는 데 초점을 맞춘다.' 이게 대체적으로 선거 전술이죠. … 두 가지가 다 있으니까. 그게 두 가지가 다 합의가 된 거죠. 그러니까 '당선 가능성이 없다'고 하는 거 하나가 있고, 하나는 '당선 가능성이 약간 있더라도 선거 공간에서 선전과 선동 우선'이지. 두 가지가 결합된 걸로 가는 거야. 묘하게 조화가 된 거지." [381)]

물론 1992년 선거에서 '아직 민주당을 지지해야 한다' 고 생각한 조합원들도 존재했을 것이고, 노정추처럼 민중후보가 공공연히 대중들을 설득해야 한다고 믿은 조합원들도 있었을 것이다. 어쩌면 1987년 민주화 과정에서 정치참여가 배제되었던 조합원들에게 아직 선거는 자신들의 문제가 아닌, 좀 더 많이 배운 자들의 것 또는 내 고향 정치인이 대신해주는 절차로 이해되었을지도 모른다. 혹은 이도저도 결정을 하지 못하는 전노협을 갑갑하게 느낀 조합원들도 분명 존재했을 것이다. 그들은 공개적이든 아니면 술자리에서 분통 터짐을 동지들에게 호소했을지도 모른다. 1992년은 정치의 해였다. 봄에는 총선, 겨울에는 대선. 선거로 노동자들이 정당을 만들고 정치의 주체가 될 거라는 꿈을 갖기도 하였다. 하지만 두 번 모두 조합원들에게 정치는 희망보다 분열과 고민을 안겨주었다. 1987년 당시 노동해방과 평등세상이라는 말만 들어도 설레던 때가 있었다. 바보 천치처럼 당하고만 사는 노예 같은 삶이 아니라 인간답게 살 수 있다는 희망이 있었다. 돌이켜보면 그때 그 희망은 노동해방이란 좀 추상적인 말이었던 것 같다. 전노협 깃발만 봐도 가슴이 뛰고 단병호 위원장 연설만 들어도 두 눈에서 눈물이 흐르는 감동과 노동자 정치는 다소 다른 문제였다. 아직 창립된 얼마 안 된 전노협에게 노동자 정치라는 모습은 잘 와 닿지 않았다.

하지만 아직도 풀리지 않은 숙제는 노동해방을 위해 노동자들에게 정치가 무엇이냐는 것이다. 전노협은 1992년에 조합원들에게 '노동자들에게 정치란 이것이다' 라고 제시해주지도 못했고, 단위사업장나 지역에서도 적극적인 토론보다 분열로 혼란스러운 면이 더 많았다. 노조와 대중적인 논의를 전혀 거치지 않고 수면에 등장했던 한노당(혹은 노정추)을 둘러싼 문제도 현장과 유리된 과장된 면이 없지 않았다. 1992년 상황에서 전노협 지도부가 특정한 정치적 입장을 지지할 경우 다가올 분열과 조직적 위기를 최대한 제어하고자 했지만 이런 고민은 현장까지 내려오지 못하였다. 1992년 한 해 동안 겪었던 노동자 정치는 아직도 현장 조합원의 고민이 아닌, 선진노동자들 혹은 활동가들만의 고민이었다. 1992년 벌어진 정치세력화를 둘러싼 갈등은 1993년 초반 조직발전 전망이란 본격적인 논쟁으로 가는 전초전이었다.

4 흔들리는 깃발 아래에서 : 전노협 중심론과 한계론

전노협의 딜레마 – 대공장노조의 전노협 가입

1990년 만들어진 전노협은 본래 하나의 깃발만이 펄럭였다. 그 깃발은 민주노조의 조직적 구심이라는 깃발이었다. 전노협은 투쟁을 통해 전국회의를 거쳐 지노협과 전국적인 민주노조의 구심으로 건설되었다. 당시 '한국노총 민주화론'이나 '전노협시기상조론'도 있었지만, 노동자들에게 전노협은 산별노조 건설의 모태이자 민주노조의 전국적 구심이었다. 전노협은 밑으로부터 투쟁과 대중적 논의에 기반을 둔 조직이었던 것이다. 하지만 1991년을 즈음해서 가속화된 전노협 조직발전 논의는 전노협 건설 시기와는 달랐다. 전노협 건설은 투쟁과 밑으로부터 힘에 기반을 둔 것이었지만 전노협의 해소와 민주노총으로 가는 과정에는 그것이 생략되어 있었다. 하지만 전노협 중심의 산별노조 건설 원칙은 애초부터 분명하였다. 1991년 전노협 위원장 단병호는 다음과 같이 밝혔다.

> "가장 중요한 것은 어떤 과정을 밟으면서 (산별노조가-인용자) 만들어지느냐 하는 것이 매우 중요하다고 봅니다. 산별조직은 만들어진 과정이나 방법이 조직의 성격을 규정한다고 봅니다. 그래서 산별을 가는 과정은 여러 가지 탄압과 악법들을 투쟁으로 극복하는 과정 속에서 산별이 만들어지지 않으면 아무런 의미가 없다고 봅니다."[382)]

민주노조의 전국적 구심인 전노협은 과도적 조직이었기 때문에 조직발전 논의는 결성과 동시에 시작되었다. 전노협이 결성되던 1990년 업종회의가 조직되고, 대공장노조가 민주화되면서 전노협은 조직재편의 논의를 맞이하게 되었다. 애초 전노협의 조직 구상은 전국중앙조직(national center) 건설을 위해 제조업과 비제조업 사업장을 전노협으로 총망라하는 것이었다. 하지만 앞서 ILO공대위의 실천 과정에서 업종회의와 갈등에서 드러나듯이 업종회의가 전노협에 가입할 것이라는 판단을 하는 것은 쉽지 않았다. 이런 저간의 조건은 전노협 성원 가운데 일부가 전노협 중심이 아닌, '새로운 조직적 틀'을 매개로 한 조직 건설을 모색하게 만든 배경이었다.[383)]

이런 고민을 1990년대 초반 전노협도 진행했던 것으로 보인다. 1990년 12월 '연대를 위한 대기업 노동조합 연대회의(연대회의)' 결성은 전노협의 위상에 의문을 던진 첫 번째 계기였다.[384)] 1990년 연대회의를 중심으로 대공장 민주노조가 결집하였을 때에는 '전노협 밖의 전노협'이라는 표현이 거부감 없이 사용될 정도로 전노협과의 '끈'이 강했으며, 대공장민주노조들도 연대회의의 결성을 전노협 가입의 징검다리로 생각했다. 1990년 한 해 동안 전국 7, 800여 개의 노조 가운데 약 절반가량인 4천여 개의 노조가 위원장 선거를 치렀고 그 가운데 약 70%의 노조에서 기존 위원장이 탈락하는 대대적인 집행부 교체 현상이 일어났다. 특히 대공장노조의 위원장 대부분이 이른바 '민주파'로 교체되었다. 드디어 대공장 민주노조 시대가 온 것이었다. 그렇다면 대공장 민주노조들이 전노협에 가입하면 진정한 민주노조의 구심으로 전노협의 확대 강화가 이루어질 수 있지 않았을까? 하지만 사정은 그리 단순하지만은 않았다.

쉽게 예상할 수 있는 것은 연대회의란 조직을 결성하는 순간, 자본과 정부의 탄압은 명확할 것이라는 사실이었다. 이른바 기간산업 노조운동의 전면적인 재편은 그만큼 전투적 노동운동의 구심인 전노협의 강화로 이어졌을 것이고, 자본과 정부는 어떠한 무리수를 두더라도 이를 막으려 했을 것이다. 과연 신생 대공장 민주노조들이 전노협에 가해지는 것보다 더 파상적인 탄압을 견뎌낼 수 있을 것인가 혹은 조직력 붕괴로 이어지진 않을까에 대한 우려는 동시에 존재했던 것이다. 이는 연대회의가 해산된 뒤 평가에서도 이어졌다. 이 문제에 관한 전노협 위원장 단병호의 주장은 다음과 같다;

"대공장노조들이 하나하나 묶여간다는 것은 저쪽(국가와 자본-인용자)에서도 도저히 받아들일 수 없는 것이어서 그에 대한 탄압이 엄청나리라고 봤고 따라서 탄압을 이기려면 자체 내의 대응 능력을 키워나가는 것이 무엇보다도 필요하다고 생각했습니다. 그러한 대응능력을 가져간 이후에 어떠한 형태로든 모아가야 하는데 이것이 부족한 속에서 과도하게 기대하고 성급하게 요구했던 부분들이 연대회의를 어렵게 만듦으로써 대공장노동조합들을 침체하게 만들었다고 생각합니다. … 이것이 또다시 연대회의로 갈 것이냐 하는 점에 대해서는 반대합니다. 기본적으로 제조업은 제조업으로 모아내야 한다고 봅니다."[385]

이런 기대 반 두려움 반이 섞인 말은 얼마 가지 않아서 현실화되었다. 민주노조가 되었음에도 '왜 대공장 민주노조는 아직도 전노협에 가입을 하지 않나?' 하는 의문이 터져 나왔다. 이들 대공장노조 상당수가 선거 당시 전노협 가입을 공약으로 내걸었지만 전노협 가입이 미루어지고 있었기 때문이다. 실제 우려대로 이들은 얼마 안 있어 전노협 가입보다 대공장노조 간의 연대, 즉 연대회의를 선택하였다. 이처럼 연대회의 결성 과정은 전노협에 가입하기보다는 독자적인 행보를 강화하는 방향으로 나아가려는 흐름을 보여주었으며 일부 대공장 지도부들의 정서도 자신들끼리 모여서 하려는 정서도 존재하였다. 당시 대공장노조 흐름에 관한 한석호의 증언은 다음과 같다;

> "다들 자기가 위원장 되면 전노협 가입하겠다고 공약 다 내걸었어, 금호타이어도 그렇고 당시에. 그런데 가입 안 했어요, 전노협으로 결합을 안 하는 거지. 위원장에 당선되고 나면 회사에서 너, 전노협 들어가는 순간 바로 구속이다. 그러니 들어가지 말고 그냥 해라. 할 수 있는 거 아니냐, 이런 압박들도 들어오는 거고 당연히. (가입을-인용자) 안 하고, 전노협 숫자는 계속 줄어들고. 그러면서 한쪽에선 그 봐라, 인제는 전노협만으로 안 되는 거 아니냐, 합쳐야 된다. 그니까 대공장연대회의(대기업연대회의를 지칭-인용자)를 만들 때도, 요게 애매했는데 대공장연대회의를 만들어서 대공장연대회의하고 업종회의하고 전노협하고 합쳐야 된다라고 하는 흐름이 있었고, 또 한쪽에서는 대공장연대회의를 만들어서 요걸 전노협으로 가입하도록 만들어야 된다, 두 가지 다 있었거든요, 자기 생각에 따라서." [386]

전노협 일부에서도 독자행보에 어느 정도 동조하는 경향이 있었다. 추측컨대 전노협 내 대공장독자조직을 사고하는 론자들과 전노협 외부의 민중당 노동위원회 등은 대공장노조들이 전노협의 투쟁 방식과 형태를 수용하기 어려웠을 것이라는, 즉 전노협으로는 대공장까지 안고 가기에는 틀이 협소하다는 판단을 하고 김문수 등을 통해 노조의 투쟁을 중지시키기도 하였다.[387] 하지만 현실에서 대공장노조들은 하나의 조직적 틀로 활동하기가 어려웠으며, 차라리 지노협과 공동 활동을 통해 개별적인 전노협 가입을 위한 조직 역량을 키우는 것이 합리적이었다. 이를 반영하듯 1990년 11월 22-23일 열린 제10차 전노협 중앙위원회 회의에서는 전노협 대기업특별위원회 사업이 지노협 강화란 원칙을 방기하고, 지노협과 토론 없이 진행되어온 점에 대해 오류라고 평가하며, 연대회의 사업 방침을 전면적으로 재검토하였다.[388] 하지만 민주노조 총단결의 핵심적 내용인 민주화된 대공장노조가 전노협에 가입하고, 이를 통하여 업종회의와 결합할 수 있는 기회를 전노협은 이후 과제로 넘겨버렸다. 여기서 또 하나 지적할 점은 상층 중심 논의의 한계였다. 대공장노조 역시 대의원대회나 총회 등 통해 조합원의 대중적 결의를 모아 전노협 가입을 추진했어야 했지만, 실제 그렇지 못하였다. 당시 연대회의를 둘러싼 전노협 가입 문제의 한계에 대한 민경민의 증언은 다음과 같다;

> "전노협의 한계는 1991년돈가 대기업연대회의 깨지는 과정. 그거에 대한 사업 방식이 잘못됐다. 우회에서 결합시켜보려고 했던 거. 정면승부를 했어야 한다. 전노협 가입 공약 걸고 나왔고 이거에 대한 지도력과 내부 사업을 어떻게 가져갈 건가에 대한 확고한 생각을 중앙 지도부들이 가졌는지 이거에 대한 의문이 있어요. 물론 그 시기에 그렇게 만들 수도 있는데 그걸 실현시키려고 한 지도력과 현장의 지도력이 결합되었으면 좋았을 건데 상층 중심으로 고민하다 보니까 묶어서 우회적으로 (간 것이다-인용자). 그건 대중조직의 운영원칙을 벗어난 거다. 총회에서 결의되고 조합원 선택에 의해서 실행해야 되는데 그걸 안 하는 풍토가 지금도 문제가 있다. 그렇게 해서 가입하면 되는 거지 그걸 안 하고 머뭇거리고 그런 게 자꾸 늘어나니까 한 번에 묶어서 하려고 하니까 정권이 그걸 가만 놔두나. 그런 한계가 있었다, 그 시기에 조직을 확대 강화하는 데 지도력과 현장이 결합되지 못하고 깨지면서 전노협이 그렇게 가는. 물적 토대들이 얘기했던 대로 제조업

들은 이전 폐업되고 업종은 계속 따로 가고 있는데 이게 한계였죠. 그 시기에 대중의 열망으로 나왔던 대공장의 열망을 결합시키지 못한 게 한계라고 봐요. 거기에 미치지 못한 전노협의 지도력, 열화와 같은 대중의 정서를 받아서 결단 못한 것." [389)]

하지만 1991년에도 전노협 사업의 핵심적 과제 가운데 하나로 '조직의 안정성 확보와 대공장 노조들을 대상으로 한 조직 확대'는 계속 이야기되었다. 이는 전노협의 조직발전 전망과 관련된 사업과 직접 연결되었다. 동시에 전노협이 전개한 대기업특위사업 역시 조직발전 전망 사업과 긴밀한 관계를 맺고 있었다. 1991년 전노협은 대기업특위사업을 통해 연대회의를 비롯한 대공장노조들과 임금인상투쟁, 단체협약 갱신투쟁, 노동운동탄압 저지투쟁 등 공동투쟁 전선 구축, 대공장노조들의 집행력 · 지도력 · 조직력 강화사업 지원, 대공장노조들의 전노협 가입 촉진, 그리고 노조민주화 추진위원회의 확대 · 강화를 지원하고자 하였다. 하지만 전노협의 구상과 대공장노조의 행보는 엇갈렸다. 1991년 현대자동차노조 파업 이후 조직력 이완, 1992년 현대중공업노조 위원장의 직권조인 등 대공장노조는 민주노조로서 지향을 분명히 하지 못하였다. 더불어 대다수 현대그룹 노동자들은 준비과정에서 출범조차 하지 못하고 퇴장한 울산지역노동조합협의회(울노협)나 전노협을 민주노조운동의 구심으로 받아들이지 않고, 현총련을 자신들의 대안으로 선택하였다. [390)]

그러나 문제는 대공장노조 지도부들에게만 있던 것은 아니었다. 조합원들 역시 1991년을 즈음해서 몰아닥친 경영합리화, 기업문화 전략 등 이데올로기적 통제 기제에 의해 회사와 노조 양자에 대한 이중몰입 혹은 무임승차의식이 강화되었다. 당시 대공장노조 조합원들은 두 가지 생각을 지니고 있었다. 하나는 노조는 필요하다는 생각이었다. 그 이유를 물으면 자신의 최소한의 생존을 위해서라고 말한다. 반면 노조 활동은 꺼리는 또 다른 생각을 가지고 있었다. 이는 당연히 관리자에게 한번 찍히면 작업장 위계질서에서 멀어지기 때문이었다. 묘한 현상은 현실로 드러났다. 파업찬반투표를 하면 70% 이상이 찬성했지만 실제 파업에 참여했던 노동자는 7천 명 가운데 몇백에 불과했다. 바로 파업과 노조의 집단행동은 찬성하되, 본인에게 불이익이 돌아오지 않는 수준에서 개인의 이익을 얻겠다는 것이었다.[391] 1987년 노동자 대투쟁 직후와 달리, 조합원들은 노조를 통한 집단적인 의사표시보다는 의례적이고 개인적인 선택을 했으며, 이는 기업만이 미래의 '가능성'을 담보해준다는 인식과 관련이 있었다. 이런 현상은 잘 보이진 않지만 대공장노조가 현장권력을 상실하고 목적의식적 활동이나 비전 없이 조합원들과 분리된 채 노동운동 상층부나 집행부의 명령과 지시만을 기다리면서 현안에만 허덕이는 '대리인'으로 전락했던 활동가들의 모습 속에서 찾아볼 수 있다. 이를 반영하듯이 전노협은 1992년 현대자동차 위원장 선거에서 민주파 윤성근 후보 당선 직후 대공장민주노조의 역할에 대해, "단지 그 규모, 파업의 전국적 파급력으로 제한하지 않았다. 오히려 대공장노조가 전체 노동자계급의 요구를 충실히 반영하며 전체 노동전선에 함께 나아갈 때 운동의 질적 발전이 있기에 대공장을 중요하게 본다"라고 언급하였다. 즉 자기중심적이거나 대공장노조가 갖는 자만과 우월감에 빠질 때 대공장노조의 중요성은 상실되고 만다는 것이다.[392]

다른 입장 – 위기론과 전노협 한계론

이런 와중에 민주노조의 조직적 구심인 전노협의 미래에 대한 '다른 입장'이 제기되었다. 전노협 조직발전 논쟁에서 현 단계 민주노조운동을 평가하는 두 가지의 상이한 시각이 존재하였다. 그것은 흔히 '전노협 중심론(중심론)'과 '전노협 한계론(한계론)'으로 불리는 논의들이었다. 아마도 처음 이런 다른 입장의 존재를 들었을 때 조합원들은 그 존재 자체가 의심스러웠을지도 모른다. '투쟁을 통해 사수해내 온 민주노조의 조직적 구심인 전노협이 민주노조에서 가지는 중심적 위치에 물음표를 단다는 사실' 자체가 쉽게 믿기지 않았을 것이다. 하지만 이런 의구심과 별개로 이는 향후 민주노조운동의 향방을 둘러싼 현실임을 부정할 수 없었다.

중심론과 한계론 모두 산별노조로 간다는 대의에는 동의하고 있었다. 하지만 중심론은 전노협으로 상징되는 민주노조운동의 투쟁성을 중시하면서 무리하고 형식적인 조직재편보다는 투쟁성을 계승할 수 있는 '운동과 그 조건들'을 강조했으며, 노조의 조직 원리도 가장 광범위한 연대를 확보할 수 있는 산업별형태를 강조하였다. 다른 한편 한계론은 전노협, 업종회의, 대공장노조를 모두 포괄하는 전국조직의 건설을 시급한 과제로 삼았으며, 조직 원리도 현실적으로 연대할 수 있는 업종별 단위를 선호하였다. 당시 논의 흐름에 관한 전노협 위원장 양규헌의 증언은 다음과 같다;

> "전노협은 민주노총을 저렇게 (시급하게-인용자) 건설하는 게 아니고 산별을 완성하는 가운데서 산별의 토대 속에서 그 중앙조직을 만들려고 했던 건데, 그 역할과 임무가 민주노총으로 이관된 거지. 이 점에 대해서는 나도

뒤에 생각하면 보다 치열하게 싸우지 못한 데 대한 아쉬움, 안타까움, 반성, 이런 건 있어요. 그건 전노협 내부가 민주노총 건설에 있어서 세 가지 견해가 있었거든? 하나는 뭐냐면 조기건설. 두 번째는 일정 정도 틈을 두고 건설. 하나는 앞뒤로 뭐 길게 내다보는 이런 거였는데 조기건설론은 김영대를 포함해서 이쪽 진영들, 민족주의 진영들의 한결같은 요구였고 두 번째는 단(병호-인용자) 위원장을 포함해서 이쪽이었고 … 결국은 그 '일정 정도 연대의 경험과 투쟁에 어떤 축적된 경험을 토대로 해서 건설하자.' 이건 하나의 메아리 없는 외침이 돼버린 거지. 그렇게 해서 오히려 두 번째로 타협을 한 거고 그게 채택이 된 거예요."[393]

1992년부터 전노협 내부에서 조직발전논의가 본격적으로 전개되었다. 중심론과 한계론의 정세인식, 조직건설경로를 둘러싼 차이들이 가시화되면서 양자는 이후 건설될 상급조직의 '조직주체'와 '조직원리'를 둘러싸고 의견을 달리 했으며, 전노협 활동에 대한 평가도 상이하였다. 특히 1992-93년 시기 논쟁의 중심은 조직주체, 즉 산별 조직화의 중심으로서 전노협의 위상과 관련된 논쟁이었다.

그렇다면 왜 이런 다른 입장들이 등장하게 되었을까? 1990년 창립 이후 정부와 자본 측의 전노협 무력화를 위한 구속, 수배, 공권력 투입 등 각종 탄압에 맞서면서 전노협은 조합원들의 가슴속에 '민주노조운동의 중심'으로 자리 잡았다. 그러나 모두가 이런 생각에 동의했던 것은 아니었다. 단적으로 '총파업만이 능사는 아니지 않은가', '언제까지 간부들에게 희생만을 강요할 수는 없지 않은가', '대공장과 업종노조와 함께 하려면 전노협도 기존의 투쟁중심적인 노선이나 활동 방식에 대해 다시 생각해볼 필요가 있지 않은가' 등 문제가 제기되었다. 그밖에도

1992년을 전후로 전노협의 '전투성' 을 둘러싼 학계와 일부 운동진영의 비판은 당시 전노협의 수세적인 현실과 맞물리면서 '전노협 중심성' 을 흔들었다. 하지만 대부분 조합원들은 여전히 전노협을 민주노조운동의 조직적 중심으로 사고하였다.

그러나 현실은 달랐다. 1992년 하반기와 1993년을 넘기면서 전노협 위기론은 가시화되었으며 전노협이 내세웠던 '평등사회와 노동해방' 이란 가치는 약화되었다. 특히 1991년경 정부의 강력한 탄압 속에서 대공장노조 민주화를 계기로 '전노협 중심론' 에 대한 문제제기가 조심스럽게 이루어지면서 조직발전문제가 비로소 '수면 위' 로 떠올랐다. 1990년 11월 중앙위원회에서 제기된 대공장동력에 입각한 산별노조로의 이행을 주장한 이른바 '대공장동력론' 혹은 '산별이행현실론' 이라고 불렸던 입장은 대공장노조의 민주화를 적극적으로 해석하면서 전노협이 중심이 되는 중소규모사업장의 전투적 노조운동으로는 산별노조로 이행하는 데 한계가 있으므로 대공장의 독자적인 전국조직 건설을 제안하였다.[394] 이들은 이미 1990년 즈음부터 자신들의 정치적인 토대로서 전노협은 취약하다고 판단했고, 별도의 조직 건설을 위해 노동운동 위기론 등을 부각시켰다. 당시 대공장동력론을 주창했던 민중당 노동위원회 김문수의 입장은 다음과 같다;

"전노협이 최근(1991년 10월 현재-인용자) 위기에 처해 있습니다. 그러면 이러한 전노협이 위기라고 볼 때 무엇이 위기냐 하는 것이 문제입니다. 저는 첫째로 노동조합은 조직 수를 모아야 하는, 이른바 쪽수가 중요하다는 것입니다. … 서울과 마창을 제외하고 전노협의 위신에 걸맞은 지노협은 없다고 생각합니다. 두 번째로 노동조합은 조합비라는 점에서 보아야 합니다. … 전노협은 자기의 존립기반의 기초인 조합재정이 출범이후부터 지금까지 악화일로를 걷고 있다고 보고 있습니다. 세 번째로 노동조합은 사회적 영향력이라는 점에서 보아야 합니다. … 요즈음 중산층만 그러는지 모르겠습니다만 전노협 그러면 고개를 절절 흔듭니다. 맨날 싸우기만 하는 과격단체의 대명사처럼 되어 있다고 봅니다. 특히 민중운동 내부에서도 전노협의 영향력이 오히려 초기보다 많이 감퇴하였다고 생각합니다. … 투쟁에서 투쟁일변도이고 승리를 위한 투쟁인지 투쟁을 위한 투쟁인지 구별이 되지 않습니다. … 그러한 면에서 지금까지 우리들이 빈번하게 구사해왔던 총파업은 빈소리를 늘어놓고 책임을 못 지는 것과 같은 것입니다."[395]

노동자들은 왜 짱돌과 화염병을 들었는가

이런 흐름에 대응해서 전노협은 중앙위원회 차원에서 조직발전 전망을 본격적으로 논의하고 준비하기에 앞서, '새로운 조직발전 전망이 요청되는 배경', '산업별노조 건설을 위한 제반 조건에 대하여', '현행 노동조합법의 틀 내에서의 검토', '산업별노조 건설의 경로', '산업별노조 건설을 위한 과도체의 불가피성', '민주노조 총단결의 발전을 위한 복무의 관점' 등을 주요내용으로 하는 '조직발전 전망에 대한 토론을 위하여' 라는 문건을 정책실에서 작성하여 사무총국의 토론을 조직하였다. 또한 1991년 내부에 '조직발전 전망연구팀' 을 만들었다. 이 연구팀은 일각에서 제기된 대공장동력론을 다음과 같이 비판했다;

> "아직 민주노조의 뿌리가 허약한 대공장노조를 지나치게 과대평가하고 있으며 산별노조의 건설은 임투,노동운동탄압 분쇄투쟁 속에서 조합원의 기업별 의식을 극복하는 '운동'이어야 합니다. 이 과정에서 전노협은 민주노조운동의 '일부분'이 아니라 '구심'이어야 합니다."

즉, 대공장동력론을 비판하면서 전노협 중심론을 강조하는 전노협의 의견이 강하게 반영되어 있었다. 이처럼 아직 '전노협 중심론' 이 논의의 주류를 이루었지만 실제로 전노협과 독자적인 조직으로 연대회의가 설정되었다. 이후 제기되는 '한계론' 이 상당 부분 대공장동력론이 주장했던 문제의식과 유사하다는 점에서 1992년 이후 논쟁의 신호탄이었다.

이듬해인 1992년 4월 29일에 열린 전노협 제23차 중앙위원회 회의에서 "조직발전 전망에 대한 논의는 지역이나 전노협 사무총국의 안을 중앙위원회에 제출하는 형식보다는 중앙위원회에서 논의의 일차적인 책임을 두고 논의해나가는 것이 바람직하다"고 판단하였다. 위원장 단병호, 사무총장 오길성, 경기노련 의장 양규헌, 광노협 의장 박종현, 중앙위원 문성현, 중앙위원 김진국 등 중앙위원 6명과 상임집행위원회 구성원 일부를 포함하여 '조직발전소위원회(조발소위)' 를 구성하였다. 이렇게 중앙위원회 중심으로 논의가 전개되었던 배경은 1991년 총파업 이후 전노협은 대부분 지노협이 축소되고 있고, 조합원과의 결합도 약해지고 있다는 데 위기의식을 느꼈기 때문이었다. 당시 전노협 조직 상황에 대한 한석호의 증언은 다음과 같다;

> "(전노협 조합원 수가-인용자) 13만까지 갔었나? 그러고 나서 계속 줄어들어요. 5년 내리 이렇게 줄어들거든요? 그(그렇게-인용자) 줄어드는데, 1994년인가? 1993년인가, 1994년(정도였을-인용자) 거예요. 그(전노협-인용자) 내부에서 조직국 중심으로 가동이 돼가지고, 팀을 짜가지고 실제 지노협이 어떤가 하는 것을 쭉 분석을 해요. 한 달여에 걸쳐 가지고. 의무금 내는 데, 회의 참석하는 데 쭉 분석을 해보니까 우리가 그때, 비공개로 한 3만여 명. 실제 전노협의 방침에 따라서 움직일 수 있는 데가 3만여 명밖에 안 된다, 이렇게 딱 나왔거든요."[396]

이런 상황을 타개하기 위해 조직발전소위원회는 전노협의 확대와 강화를 위한 구체적인 사업계획과 향후 민주노총과 산별노조로 조직발전을 준비하는 중장기적인 마스터플랜을 작성하여 보고하였다. 조직발전소위원회는 두 달간 집중적인 논의를 거쳐 1차 조직발전 전망에 대한 안을 마련하며 1992년 7월 18-20일 전노협 지도자 수련회에 토론 내용으로 제기하고 7월 20일 중앙위원회에서 토론 자료로 채택하여 논의하였다. 당시 수련회에서 지노협 임원들 간 논의에서는 전반적인 조직발전소위원회 보고서에 동의하면서, 각 지역의 참관 · 교류 노조 등 미가입 노조와 대공장노조와 연대사업에 대한 획기적인 전환이 필요하다는 점을 공통적으로 지적했으며, 조직발전소위원회가 제기한 산업별 업종분과위원회 구성에 대해서도 세밀한 검토의 필요성을 언급하였다.[397] 이처럼 조직발전소위원회 보고서는 당시 일반적이고 당위적인 차원에서

만 논의되던 민주노총과 산별노조 건설 문제에 대해 전노협의 입장을 밝힌 최초의 자료였다. 이를 통해 전노협 내 업종분과의 설립, 민노총 건설 경로 등 조직발전 방안들은 미분화되었던 쟁점들 – 1987년 이후 현재까지 단위노조, 지노협 그리고 전노협 사업에 대한 평가, 산별조직 건설과 민주노조운동의 중앙조직 건설을 위한 구체적인 사업내용과 방법, 이를 위한 지노협의 확대강화 방안 및 전노협과 미가입노조 간의 결합 방식, 공대위로 묶여 있는 업종회의와 이후 전망 등 – 을 수면 위로 대두시켰다. 조직발전소위원회가 제출한 '전노협 조직발전전망 토론 발제문' 가운데 중요한 내용을 보면 다음과 같다.

첫 번째, 최근 노동운동 위기라고 제기되는 진단은 엄밀한 분석이 필요하며 파업투쟁 수, 노조조직률 감소 등을 근거로 하는 위기론에는 동의할 수 없다.

두 번째, 노동조합운동이 위기에 빠져 있기 때문에 이를 극복하기 위한 새로운 대안으로 새로운 조직을 건설해야 한다는 식의 주장은 문제를 너무 좁게 파악하는 것이다.

세 번째, 향후 상당 기간 동안 노조운동이 1987년과 같은 고양기가 올 전망이 없다고 단정적이고 고정적인 정세인식을 하는 것은 옳지 않다. 오히려 목적의식적인 투쟁에 의해 전국적이고 전 계급적인 투쟁을 조직하는 것이 더 큰 과제이다.

네 번째, 최근 자본과 정권의 법적 · 제도적 통제가 관철되어 왔으며, 조합원의 요구 또한 다양해지고 무계급적이고 실리주의적 경향도 강화되어 왔다. 조합원은 승리의 전망이 보이지 않는 한 움직이지 않는다. 중요한 것은 전노협 사업이 이에 걸맞게 대중의 참여와 요구를 조직해

내지 못하였다는 점, 즉 사업내용을 보다 전문화하고 다양한 투쟁전술을 개발하고 보다 대중적인 투쟁을 조직해내지 못한 점이다.[398)]

또한 보고서에서는 지노협 위상에 관해, "전노협이 지노협의 산술적 합 이상의 것이라는 점은 분명하다. 그 전노협의 조직기반은 바로 지노협이다. 또 지노협은 지역 단위노조의 결집체이며 전노협 사업을 지역차원에서 통일적으로 집행하는 주요한 관장단위인 것이다. 그러므로 전노협의 조직강화는 지노협의 조직강화를 통해 가능하며, 지노협을 조직적으로 강화하는 일은 곧 단위사업장의 조직강화를 위한 주요한 방안이다. 또 지역의 중간노조 사업을 주도하고 업종분과 모임을 힘 있게 추진하기 위해서도 지노협의 강화는 필수적이다. … 산업별노조 건설 이후에도 조직의 내부적 강화를 위해 노조 지역조직은 반드시 강화되어야 한다. 그 지역조직은 자본과 정권의 탄압에 대한 공동 대응, 노조의 대국민 활동, 선거 시기 활동, 기타 민중연대 활동을 위한 지역의 주요 단위가 되어야 한다"라고 밝혔다.[399)]

이처럼 조직발전 논의는 1992년 9월 전노협 중앙위원회에서 시작되었다. 애초 논의는 중앙위원회 책임 아래 논의가 진행되어야 한다는 전제를 가지고 이후 지노협으로 논의를 확산시킨다는 계획이었다. 제27차 중앙위원회 회의에서는 조직발전소위원회에서 제출한 사업계획안을 지역 토론 자료로 삼되 지역에서는 지노협과 단위노조의 조직력 강화를 위한 구체적인 해결방안을 중점적으로 지역의 조건과 실정에 맞게 논의를 진행하여 제28차 중앙위원회 회의에 제출토록 하였다. 그러나 지역 차원의 논의가 서울과 경기지역을 제외하고는 구체적으로 진행되지 못했고 지노협 간부 차원에서도 심도 깊은 논의는 어려웠다. 이런 상황에서 1992년 10월 28일 열린 전노협 중앙위원 간담회에서 조직발전소위원회안을 전노협의 조직발전 계획으로 결정하고, 11월 18일 열린 전노협 제29차 중앙위원회에서 이를 추인 확정하였다. 그러나 조직발전소위원회안에 대한 반론이 업종회의, 한국노동교육협회 등에서 제기되다가, 1993년 2월 속칭 '김영대 안' 이란 이름으로 제기되었다. 조직발전 논쟁 당시 비제조업의 비중이 큰 서노협 공식 논의를 거쳐 이러한 입장은 공식적인 서노협 입장으로 정립되었다. 이들의 주된 문제제기는 전노협을 중심으로 민주노조를 포괄하는 것이 타당한가를 둘러싼 문제였다. 서노협 내 형식적 절차를 통해 김영대 안이 만들어지는 과정에 대해 당시 서노협 사무처장이었던 민경민의 증언은 다음과 같다;

> "내용적으론 전노협을 확대 강화할 거냐, 전노협을 새로운 방식으로 민주노조 총단결로 만들 거냐, 요 논쟁이었던 거 같아요. 지역에서는 전노협 확대 강화론이 우세했죠. 근데 그 힘을 발휘를 못한 게 서노협이 제일 컸고, 중앙위(중앙위원회-인용자)를 가더라도 중앙위 성원이 서노협이 많으니까. 계속 논쟁을 하더라도 서노협 중심의. 지도부와 계속 대립됐죠, 지노협들하고 대립되고. 그런 과정 속에서 계속 논쟁은 깊어가고 지역은 바뀌고 이런 과정으로 가다가 (전노협 위원장-인용자) 선거가 돌입됐죠. 그런 과정에서 본질적으로는 전노협을 확대 강화할 거냐, 아니면 새로운 형식의 민주노조 구심을 만들 거냐 논쟁이었던 거 같아요." [400]

이처럼 이미 전노협 내부에서 조직발전소위원회안을 비판하는 입장이 떠오르면서 이른바 '한계론' 이 구체적으로 나타나기 시작하였다. 업종과 제조업이 공존했던 지역인 서노협 사무처장이었던 민경민은 당시 한

계론과 민주노조 총단결론의 제기 배경에 대해 다음이 증언하고 있다;

"1991년도 탄압 시기잖아요, 이러면서 우리 내부에서도 4개 지구 위원회에서는 가는 분위기였는데 업종모임이 있었어요. 여기서 균열이 있었어요. 그래서 일부는 나가고 더 견디지 못하고 나가고, 일부는 병원 서울대병원, 한대(한양대병원-인용자) 이런 데들이 남아서 버티고 있었고 조직발전 논쟁 과정 속에서 서울이 제일 먼저 그런 논의들이 고민이 됐던 거 같아. 내가 보니까 주변에 떨어져 나간 데가 많은데 이게 결합을 못하고 있으니까 고민이 생기는 거지. 탄압의 강도가 워낙 세니까 나가 있었잖아요. 업종들이 쭉… 저걸 어떻게 할 건인가, 연대활동을 할 것인가에서 출발해서 저걸 묶는 게 뭐냐. 나는 뭐 민주노조운동 전체를 묶는 거, 그럼 지금 방식으로 묶으면 안 되니까 산업 업종별로 묶어보자 이런 고민이 출발이 됐고 그렇게 되면서 논쟁이 시작됐고, 밖에 나가 있던 사람들도 정식으로는 아니지만 논의에 들어오는 이런 게 서울지역에서 시작되면서 전노협까지 조직발전 논쟁이. 그게 김영대 동지가 받아서 전노협 논의를 시작하는. 이렇게 됐던 거 같아요."[401)]

한계론자들의 주장은 전노협 내부에서 전노협의 중심성을 상대화 · 부차화시켰다는 점에서 '전노협해소론'으로 불리기도 하였다. 당시 한계론을 주장했던 사무총장 김영대의 증언은 다음과 같다;

"전노협이 건설되고 나서는 한 1, 2년 사이는 계속 조직력이 늘어났는데 언젠가 고비를 정점으로 해가지고는 93년, 94년 이때는 줄어들더라고요 … 제가 알기로 정확히 (전노협 조직률이 하락하는 시점을-인용자) 기억은 못 하는데 줄었어요. 그래서 줄어가지고 그게 하나의 민주노총으로 가야 되는 내 논거로 썼으니까. 왜 가야 되느냐 해서 우리가 조직이 계속 커가고 있다면 이게 잘될 수 있는 방증이지만 탄압에 의해서든 뭐든 어쨌든 조직이 굉장히 줄고 의무금도 줄고 정말 이건 어려운 상황으로 가는데 이거보다는 '전체 큰 틀에서 모아서 가야 된다'라는 게 하나의 중요한 논거 중 하나여서 그걸 확실히 기억해요. 하여튼 조직이 줄은 건 2, 3년 사이에 줄었어요."[402)]

이어 1993년 제2차 전노협 대표자회의에서는 1992년 10월 28일 제29차 중앙위원회에서 확정된 전노협 조직발전안과 김영대 사무총장이 제출한 이견에 대해 충분히 토론하고 제33차 중앙위원회 회의에서 이미 확정된 전노협 조직발전안을 수정할 것인지 여부를 검토하기로 결정하였다. 여기서 논의된 내용은 다시 5월 6일 대표자회의에서 문성현과 김영대 2인의 발제를 통해 그 차이가 분명하게 드러났다. 각각의 주장을 재구성해 보면 다음과 같은데, 먼저 문성현은 조직발전안에 관해 다음과 같이 주장했다;

"동지들, 민주노조 총단결은 어떻게 가능합니까! 민주노조의 총단결은 전노협의 확대 강화를 통해서만, 이것을 전제할 때만 가능한 것입니다. 물론 현재 전노협의 수준에서 민주노조의 총단결 조직으로서 필요한 내용은 아직 부족합니다. 이를 위해 공동사업 추진체로서의 전체적 틀은 유지하고 강화하되, 민주노조운동의 내용을 실질적으로 강화하기 위해 전노협의 확대 강화 사업과 주요 대공장노조와 결합력을 높이기 위한 업종분과 사업을 주요사업으로 배치해야 합니다. 이를 통해서만이 민주노조의 조직적 구심인 전노협의 역사성과 변혁성을 공동사업 추진체에서 관철시켜내면서도 우리들의 발목을 붙잡고 있는 기업별 노조의 한계를 극복할 수 있는 유일한 방안입니다."[403)]

반면 민주노조 총단결을 주장한 김영대는 다음과 같이 근거를 제시했다;

> "대공장이나 업종회의 등 조직들이 전노협에 가입을 통한 민주노조의 확대 강화는 현실적으로 많은 어려움을 가지고 있습니다. 동지들도 아시다시피 그간 정부와 자본의 이데올로기 공세와 물리적인 탄압에 대해 전노협은 적절하게 대응하는 데 한계를 나타냈습니다. 또 폭넓은 대중사업을 전개하지 못함으로 전노협의 역량은 갈수록 취약해지고 있습니다. 물론 전노협 강화는 중요합니다. 다만 전노협의 몸집을 키우자는 의미가 아니라 전노협의 정통성을 민주노조 총단결 속에 내용적으로 관철시키는 것이 중요합니다. 일각에서 민주노조 총단결론이 전노협의 정통성과 투쟁성을 약화시킨다고 주장하지만 이런 입장은 일면적인 평가에 불과합니다. 오히려 광범위한 대중과 결합될 때만이 높은 수준의 투쟁을 전개해나갈 수 있고 그 요구의 실현 가능성도 높아질 수 있습니다. 이것이 민주노조 총단결론의 핵심입니다."

따라서 전노협은 1993년 4월 22일 구성을 합의한 '전국노조대표자회의'(전노대)에 대해 중요한 의미를 부여함으로써 전노협의 조직 강화와 발전을 위해 추진하고 있는 업종분과 사업과 함께 중요한 사업임을 확인해야 한다고 주장하였다.

하나의 깃발이 흔들리다

그렇다면 1990-91년을 전후로 전개된 조직발전 논쟁을 어떻게 평가해야 할까? 정부와 자본의 강력한 탄압이 계속되는 상황을 고려할 때, 민주노조운동 내부에 노선 차이가 공식적으로 현재화되기도 어려운 조건이었다. 그럼에도 조직발전을 둘러싼 논쟁이 진행된 까닭은 무엇일까?

논의과정에서 '노선의 차이'가 명시된 적은 한 번도 없었다. 그러나 비공식적으로 중심론에 대해 '전투적 조합주의'라는 비판이 제기되었고, 한계론에 대해서는 '개량주의'라는 평가를 내리기도 하였다. 다시 말해 전노협이 한계론으로 정리되는 과정이 이른바 전노협 정신이 청산되는 과정이라는 것이다. 과연 평가의 핵심이 조직발전 논쟁에서 전노협 중심론의 약화 과정을 어떻게 평가해야할까?

앞서 서술한 바와 같이 1993년을 전후로 한계론이 전노협 내 다수를 차지하고 일선 노조지도자들도 노동운동 위기론자들이 지적했던 문제들에 적극적인 문제를 제기하지 않게 되었다. 더 나아가서 1993년 노·경총 임금합의 분쇄투쟁을 평가하고 1994년 임투를 준비하기 위한 전노협 내부의 준비과정에서 사회적 합의에 전술적으로 참가해야 한다는 주장이 나오게 된 것이나, 1994년 전노대가 임투와 더불어 5대 사회개혁요구를 내걸고 사회개혁투쟁을 동시에 전개하기로 한 것 등은 조직발전을 둘러싼 논쟁에서 전노협 중심성이 약화되고 있음을 보여주는 사례들이었다.

더 큰 문제는 현장조합원들을 논의의 장으로 이끌어내지 못한 점이었다. 조직발전 논의는 매우 중요한 사안이었지만 중앙 중심 논의로 국한된 만큼 현장조합원의 관심은 제한적이었다. 산업별 조직의 성공 여부가 형식적인 재편에 있는 것이 아니라 조합원의 굳건한 결합과 민주적 운영에 달려 있음에도, 조직발전 논의는 현장조합원들에게 거리감을 느끼게 하였다.

1991년 그리고 1992년 전노협은 정권의 집중적인 탄압 속에서 조직을 유지하는 일조차 힘겨웠다. 게다가 ILO공대위 활동 과정에서 업종회의는 거의 움직이지 않았으며 전노협의 전투적 투쟁에 대해 두려움마저 갖고 있는 듯이 보였다. 특히 전노협은 총선 시기에 노정추가 등장하여 지역에서 조직적 갈등을 겪은 뒤였기 때문에 다시 조직발전 전망을 둘러싼 논쟁은 조직적으로 부담이었을 것이다. 지역 내 조직발전을 둘러싼 논의가 지체되었던 이유는 지역 조합원들은 또 다른 논쟁에 휘말리기를 원하지 않았기 때문일 수도 있었다. 물론 조합원들은 전노협이라는 깃발을 자랑스럽게 여겼을 것이고, 이 깃발로 단결한다면 언젠가 민주노조 진영의 총단결이 이루어질 것이라고 믿었을 것이다. 하지만 정작 중요한 그 깃발이 움직이기 위해선 조합원 자신들이, 전노협을 건설할 때처럼 움직였을 때만 가능하였다. 그 와중에 '더 큰 틀로 민주노조운동이 단결해야 한다'는 민주노조 총단결론 혹은 금속 중심의 산별전화는 조합원들에게 큰 흐름으로 자리 잡았다. 물론 이런 상황을 만든 데는 전노협 중심성을 견지해야 했던 활동가들의 책임 방기가 자리 잡고 있다. 이미 1991년 하반기부터 이 문제는 반복적으로 지적되어 왔다. 이 문제에 대해 전노협 위원장 단병호의 주장은 다음과 같다;

> "지노협과 전노협이 일상적인 사업을 제대로 못 하였다는 문제가 있다고 봅니다. 당면사업에 급급하다가 일상적으로 현장 내 조합원을 조직하고 교육하는 사업을 제대로 못한 측면이 많았습니다. 전노협이 그동안의 사업을 통해 조직을 튼튼히 꾸려내지 못했던 것은 이러한 기초적 사업을 가볍게 여기고 간과했던 것도 상당히 주요한 요인이라고 보거든요."[404]

조직발전을 둘러싼 논쟁에서 전노협이 어려운 시절에 투쟁을 통해 민주노조운동의 중심 역할을 했던 만큼 그 이후 장래에 대해서도 중심을 잡고 나갔어야 하였다. 전노협은 단지 몇 년 동안 조합원들이 조합비를 냈던 조직의 이름이 결코 아니었다. 조합원들에게 전노협은 그 이상의 의미였다. 조합원들이었다면 다 느꼈겠지만, 생각만 해도 몸서리가 치는 1987년 이전 노동자들의 삶을 그나마 바꿔준 조직이 전노협이었다. 현장 관리자에게 대들어서 권리를 찾고 지역에 다른 공장에서 파업이 일어나면 같이 가서 싸우거나 그것도 안 되면 십시일반 쌈짓돈이라도 모아서 지원해주고 노조운동에서 왜 연대가 필요한지 가르쳐준 것이 전노협이었다. 당시 공권력이 들어와서 두들겨 패거나 손해배상 때리고 협박하는 것에 지쳐도 조합원들이 싸울 수 있었던 것은 전노협이란 든든한 깃발이 있었기 때문이었다. 투쟁을 피하는 순간 언젠가 싸워야 할 때 싸우지 않았던 댓가가 반드시 돌아오기 마련이다. 물론 정권이 수많은 조합간부들과 조합원들을 구속 · 수배하다 보니 전노협에 가입하는 걸 두려워하는 경우가 생기기도 했고, 조합비도 잘 안 걷히고 공동으로 하자던 임투도 생각대로 진행되지 않았다. 하지만 그것은 전노협 탓이라기보다 한국 민주노조가 기업별로 쪼개져 있었기 때문이었다.

조합원들도 전노협이 영원히 존재할 것이라고 보진 않았지만, 전노협이 만들어진 기풍을 바탕으로 더 큰 조직이 생길 것이라고 기대하였다. 민주노총 건설은 그런 흐름의 결과물 가운데 하나였다. 하지만 전노협에서 민주노총으로 조직이 전환된 당시 조합원들의 요구와 현재 민주노총의 모습과는 너무나 다르다. 바로 옆 사업장에서 비정규직 노동자들이 투쟁을 해도 말로는 연대를 외치지만, 민주노총 깃발만 펄럭이는 정도라는 평가도 존재한다. 하지만 당시 민주노조운동은 한 단계 진화가 필요했으며 전노협은 그 과정에서 역사적 사명을 다하고 해산되었다. 과도기 조직으로 전노협에서 민주노총으로 전화는 당시 조합원들의 요구이자 운동의 과제였다.

4 노동자 가슴 속에 휘날리는 전노협 깃발

1 민주노조운동의 지평확대와 전노협

1993년 여름 현총련 투쟁에 대한 태도에서 본색을 드러냈듯 김영삼 정부 노동정책의 특징 가운데 하나는 사회적 합의 시도였다. 노 · 경총 합의를 통한 임금가이드라인으로 임금을 통제하고 한국노총을 파트너로 삼으려 한 시도는, 이전과는 달리 합의를 바탕으로 한 노사관계로의 변화 시도인 것처럼 보였다. 하지만 이는 민주노조운동의 저변확대를 막기 위한 것이었고, 결국 노동자들의 반발과 저항으로 실패하였다.

인상률을 한 자릿수로 제한하는 임금 억제는 임금에 의존해 사는 노동자들의 불안감을 키울 수밖에 없었다. 정부는 임금 억제를 대신할 사회보장정책, 물가안정에 대한 믿음을 주지 못하였다. 정부는 한국노총을 파트너로 삼으려 했으나 노동자들은 한국노총을 대표로 인정하지 않았다. 오히려 임금합의에 참여한 한국노총은 소속 사업장의 반발을 샀다. 이는 민주노조운동이 전노협을 중심으로 투쟁하면서 성장했음을 보여주는 것이다.

노 · 경총 사회적 합의 시도가 실패하면서 민주노조진영은 더욱 확대되었다. 민주노조진영은 한국노총에 대한 반발과 탈퇴 움직임을 조직적 성

공공부문 노동자들의 진출

과로 만들기 위한 조직 재편전략을 세웠고 성과를 거뒀다. 출범 당시 민주노총준비위의 조합원은 40만 명 정도였다. 이는 한국노총의 조직력에는 미치지 못한 숫자였지만 자동차산업, 공공부문 등 주요 전략사업장들을 실질적으로 포괄했기 때문에 한국노총을 위협할 수 있었다. 이러한 변화는 민주노총준비위에 대한 정권의 태도 변화를 가져오게 하였다. 한편 이 시기 자본의 현장 장악 시도는 성과를 거두었다. 자본이 현장을 장악할 수 있던 원인은 두 가지였다. 하나는 임금을 포함한 복지 수단을 손에 쥐고 대공장과 중소 영세 사업장을 분할했기 때문이었다. 이러한 방식은 임금인상투쟁의 성과를 노조의 조직력확대로 귀결시키는 것이 아닌, 노동자들의 경제적 실리추구 욕구를 채우는 것으로 작용하였다. 이런 노동자들의 의식 변화와 경제적 조건 변화는 노조 활동 참여도의 하락으로 이어졌다. 노조를 통한 집단행동은 서서히 힘을 잃어갔고 조합원들은 개별화되었다. 현장 간부들은 이런 변화를 인정하기 시작했지만, 현실을 극복할 대안을 마련하지 못하였다. 노조는 점점 무력한 존재로 조합원들에게 비쳤다. 이는 노조에 대한 신뢰를 약화시키는 악순환으로 이어졌다. 민주노조진영은 현장 조직력 회복을 목표로 세웠으나 그 목표는 지금도 과제로 남아 있다.

다른 하나는 능력주의, 자동화의 급진전 등이 현장을 옥죄어오고 소사장제 등 불안정 고용 형태가 서서히 확산되기 시작했기 때문이었다. 라인 속도는 점점 빨라졌고 관리 통제도 강화되었다. 1990년대 중반 이후 휴·폐업은 물론 현장에 슬금슬금 다양한 형태의 비정규 노동이 확대되기 시작하였다. 그러나 민주노조진영에서는 이에 대한 정확한 상황판단을 하지 못 했고 적절한 대응도 부족하였다. 그러는 사이에 IMF 금융위기 이후 정리해고와 고용불안문제는 현실로 대두되었다.

이러한 안팎의 변화를 민주노조진영은 어떻게 인식하고 대처했을까? 변화된 상황에 대한 견해는 민주노조진영의 확대 개편을 둘러싼 문제, 대정부 관계 등 두 가지 면에서 대립하였다. 당시 큰 이견이 아니라고 지나쳤지만, 노·경총 합의에 대한 대응 방안을 마련하는 과정에서 제기된 안을 보면 지도부 내에서 이후 전개될 각종 논쟁의 뿌리가 무엇인지 알 수 있다. 1994년 두 번째 노·경총 합의에 대해, 1993년 임금인상투쟁 때보다 좀 더 사전 대응을 강화해야 한다는 데는 이견이 없었다. 그러나 대응 방향과 관련해서 전국노동조합대표자회의(전노대) 정책반은, "노·경총 합의의 허구성을 폭로하기 위한 전술로써 민주노조진영도 정부 및 경총에 협상을 제안함으로써 반대전선을 구축하자"는 견해를 제출하였다. 이에 대한 전노협의 견해는, "노·경총 합의 자체를 반대하면서 반대전선을 구축해야 한다"는 의견이었다.[405] 협상에 참여하자는 전노대 정책반의 안은 전노협 내에서 깊이 토론되지 않았을 정도로 현실성이 없었다. "한국노총 해체를 위한 의무금 납부 거부와 탈퇴투쟁을 벌인다. 노 · 경총 임금합의선을 뛰어넘기 위해 투쟁시기를 집중하고 공동투쟁을 벌인다"는 것이 전노협의 입장이었다. 전노대 정책반의 의견은 전국구속수배해고노동자원상회복투쟁위원회(전해투)의 한국노총 회관 점거투쟁, 한국노총 사업장의 조직적 반발과 탈퇴 등 대중투쟁 속에서 수그러들었고 민주노조진영은 반대전선 구축으로 투쟁을 확대하였다.

한국노총 탈퇴투쟁의 성과로 노조운동진영의 연대 폭이 넓어지면서 조직 재편 필요성이 확대되었고, 이를 어떻게 실현할 것인가를 두고 전노협 지도부 사이에 의견이 나뉘었다. 한 흐름은 민주노조의 양적 확대를 중심에 두고 조속하게 민주노총으로 조직 재편을 하자는 것이었고, 또 다른 한 흐름은 그동안 민주노조운동이 쌓아온 조직력을 바탕으로 전노협 중심의 재편을 주장하는 것이었다. 이 논의 구도는 민주노조진영 전체로 확산됐으며 시기적으로는 민주노총이 출범할 때까지 지속되었다.

노동자 희망과 투쟁을 모아 민주노총 건설로

1993년에 이미 남일금속, 에이스제과, 아신, 공성통신, 국제전광, 슈어프로덕츠, 한양공영, 원진레이온, 유원기업 등 전노협 사업장을 비롯한 1만여 개 사업장이 부도나면서 고용불안이 확대되었다. 임시직, 계약직, 촉탁, 사외공, 하도급 등 불안정한 고용형태가 급속하게 확산됐으며 전노협의 조직규모도 줄었다. 신규 가입 사업장이 있었지만 당시 조사 결과에 따르면 조합원 수는 5만 이하로 줄었다. 이처럼 전노협의 규모는줄었지만 노동자들의 투쟁의지는 곳곳에서 확인되었다.

1994년 김영삼 정부는 세계화 전략 속에 공기업 민영화를 강행하였다.

1995년 임단투 결의를 다지는 공노대

전노협은 공기업 민영화 문제에 대한 대응을 위해 4월 '전국 공기업 노동조합 민영화 대책위'를 구성하였다. 여기에는 데이콤, 이동통신, 한국중공업, 원진레이온, 동남은행 등 26개 노조가 참여하여 공공성 유지 필요성에 대한 홍보 등 공동 대응을 벌였다.[406] 한축으로는 한국통신 · 조폐공사 등이 주축이 된 공공부문 노조들은 11월 4일 공공부문노동조합대표자회의(공노대)를 결성하였다.

5월 14일 전해투는 한국노총 점거투쟁과 병역특례 해고노동자 투쟁으로 노 · 경총 임금합의 분쇄, 어용노총 해체 요구를 전면에 내걸었다. 전해투 투쟁을 통해 김영삼 정권의 노동정책의 허구성을 밝히는 투쟁이 서서히 살아났다. 전국지하철노동조합협의회(전지협) 파업은 그 정점에 있었다. 1988년 철도 기관사들은 파업투쟁 이후 '전국기관차협의회(전기협)'를 만들었다.[409] 철도노조는 한국노총 산하 조직으로 단체교섭 한 번 제대로 하지 않았던 대표적 어용노조였다. 조합원들의 교섭 요구, 직선제 요구는 번번이 묵살되었다. 그런데 임금교섭도 하지 않던 철도노조가 철도청과 단체교섭 체결을 시도하였다. 그것도 공문을 띄운 후 불과 3일 만에 교섭을 타결시키려 하였다. 전기협은 변형근로 시간제 철폐, 유급휴가 보장, 승진차별 철폐, 해고자 원직 복직, 호봉체계 개선 등을 요구하며 전면적인 투쟁을 준비하였다. 한편 서울지하철노조는 3% 임금가이드라인 반대, 노사자율교섭 요구를 내걸고 투쟁을 벌이고 있었다. 서울지하철노조, 부산지하철노조 그리고 전기협은 전지협을 결성해 공동행보를 하고 있었다. 6월 23일 새벽 전기협 용산 농성장을 비롯한 전국 14개 지부에 경찰병력이 투입되었다. 이에 서울지하철노조와 부산지하철노조는 규정준수 운행을 시작으로 항의투쟁을 벌였고 파업에 들어갔다. 이후 전지협 파업지도부는 명동성당과 조계사로 옮겨 농성을 지속했는데 김영삼 정부는 두 군데에 경찰병력을 투입하여 진압하였다. 6월 30일, 6인 원로들의 '파업투쟁 자제 요구 및 정부의 성실한 대화 촉구' 성명 발표 후 조합원들은 현장에 복귀하였다.

전지협투쟁이 끝났지만 임단협투쟁은 곳곳에서 진행되었다. 부산 한진중공업노조는 임단협투쟁으로 10일간 LNG선상 농성을 벌였고 광주 금호타이어노조투쟁, 대구 대우기전노조 파업과 지역 연대투쟁, 무쟁의 원년 달성에 맞선 현대중공업노조투쟁 등이 있었다.

이처럼 1994년 투쟁은 조합원들의 결의, 지도력 확보 차원에서 민주노총 건설의 기반을 마련하는 중요한 분기점이었다. 그런데 전지협투쟁 초기 전노대는 '파업 조건부 유보'를 제안하였다.[408] 그러나 이미 투쟁

철도기관사, 지하철 노동자들의 파업

한진중공업 노동자들의 LNG 선상 파업

을 멈출 수 없는 상황이었다. 결국 전노대는 주요 노동조합 대표자회의를 열어 전국적으로 임단투 일정을 전지협 파업 일정에 맞추고 탄압 시 쟁의가 가능한 사업장은 즉각 파업에 들어갈 것을 결정하였다. 전국의 투쟁 사업장을 하나로 묶겠다는 계획도 있었다. 지역별로 항의방문, 지지광고, 법률대응팀 구성, 모금운동 등을 벌였지만 전국적 투쟁 계획은 불발로 끝났다. 1994년 한진중공업, 금호타이어 등 굵직한 투쟁이 벌어졌지만 사업장별로 진행되었고, 그동안 구성해오던 임투본도 구성하지 못한 지역이 많았다. 애초 결정과 달리 전노대는 임단투 전선을 하나로 모아내지 못했던 것이다.

이런 상황에서 전노대의 지도력에 대한 문제가 제기되었다. 하지만 이를 어떻게 해결할 것인가를 둘러싼 의견은 달랐다. 한편에서는 전노대 지도력에 문제가 있으니 이를 극복하기 위해 민주노총을 빨리 건설하자고 주장하였다. 또 다른 한편에서는 1995년 투쟁 준비를 철저히 하고 그 성과를 바탕으로 민주노총을 건설하자는 의견이었다.

지도부 내에서 지난한 논쟁이 벌어지는 동안 민주노총준비위 선포와 금속노동자들의 조직 재편이 속도를 내면서 민주노총 건설 열망은 불길처럼 타오르기 시작하였다. 민주노총 건설을 위한 전국노동자대회에는 3

만 명이 넘는 노동자가 참여하였다. 지역별로 민주노총 건설에 대한 열망을 담아 깃발 서명, 가을 문화제 개최 등 분위기를 띄워 전국노동자

인천 선봉노조단 투쟁

대회로 모였다. 지역노조 협의회가 없는 포항, 대전, 청주, 천안 등도 민주노총 건설과 관련한 문화제와 교육 홍보 사업을 진행하였다.

이처럼 지역과 업종은 달라도 함께 어우러져 노래하고 구호를 외치는 모습 속에 '이래서 노동자는 하나구나' 라는 것을 느끼게 하였다. 간부들은 이제 남은 것은 민주노총 건설을 위해 조합원을 열심히 조직하는 일이라고 다짐하였다. 노래판굿 꽃다지 '민주노총으로 물결처럼 모여드세' 란 제목이 꼭 맞는 분위기였다.

악법은 이겨서 깬다. 제3자개입 선언 투쟁

한편 1995년에도 노동자들의 기세는 여전하였다. 공공부문은 3% 임금 인상에 묶여있었지만 정부의 직제개편과 공기업 민영화 등으로 고용불안이 가중되면서 공공부문 노동자들의 저항이 거셌다. 또한 민주노총 건설 기반은 투쟁이라며 밑으로부터 제기된 투쟁들이 전노협 사업장에서도 벌어졌다. 지역의 조직력을 살리기 위해 노조대표자들이 자발적으로 조직해 지역 전체의 투쟁으로 확산시킨 인천 선봉노조단투쟁,[409] 한국중공업노조투쟁, 양봉수 열사 분신을 계기로 전개되었던 현대자동차 노동자들의 투쟁, 제3자개입금지조항 어기기투쟁 등이 대표적이었다.

제3자개입금지조항 어기기투쟁이 밑으로부터 제기되자 민주노총준비위 내부에서는 민주노총 건설을 앞둔 상황에서 지도력 보존 문제를 운운하며 투쟁을 꺼리는 의견이 있었다. 하지만 지역 조직을 중심으로 이미 투쟁은 진행되고 있었고 5월 1일 노동절을 전후하여 조합원까지 제3자개입을 선언하면서 투쟁은 전면화되었다. 연대를 탄압하면 연대투쟁으로 맞선다는 노동자다운 실천이었다. 비록 공동투쟁으로 확산되지는 못한 채 탄압으로 패배했지만 한국통신노조투쟁도 1995년 태풍의 눈이었다.

광범위한 사회적 지지를 받은 한국통신노조투쟁을 김영삼 정권이 무자비하게 탄압한 사실에서 알 수 있듯이 자본과 정권은 민주노총 건설을 순순히 바라보고 있지만 않았다. 1995년 초반 대구노련 의장 정우달

한국통신 노동자들의 투쟁

구속, 부양노련 의장 문영만 구속, 파업에 들어가기도 전에 부천 대흥기계 노조 지도부 침탈, 안산지역 핵심간부에 대한 잇단 해고, 전노협 중앙 위원 단병호 구속, 대구노련 의장 박용선 구속 등 지역과 중앙을 가리지 않고 민주노총준비위 핵심 지도부를 구속 · 수배하였다. 1995년 6월 6일 현재 구속 노동자만 해도 57명이었고, 수배자는 73명에 달하였다. 이러한 탄압을 뚫고 민주노총 건설을 가능하게 한 것은 투쟁이었다. 6월 10일 12개 지역에서 동시다발로 노동운동탄압 분쇄투쟁을 벌이는 등 민주노총 건설 저지에 맞서 전국적으로 투쟁이 확산되었다.

1995년 투쟁 양상을 볼 때 일각에서 주장했던 "노동운동이 침체되어 있어 투쟁을 통한 조직 건설이 불가능하였다"거나 "조합원간 논의를 바탕으로 조직의 상을 잡을 조건이 아니었다"는 말은 타당하지 않아 보인다. 당시 조합원들은 민주노총 건설은 곧 산업별노조 건설이라는 생각을 갖고 있었다.[410] 기업별노조의 한계를 극복하고 한국노총 탈퇴투쟁을 이어 정권과 맞설 조직으로서 민주노총에 거는 기대도 컸다. 문제는 민주노조진영의 지도력에 있었다.

전노협에게 요구된 일

전노협은 민주노조운동의 지평을 확대하고 조직화하는 데 주도적 역할을 해왔다. 그러나 민주노조운동의 지평이 확대되면서 전노협의 위상은 사실상 약화되었다. 전노대 출범 이후에는 더욱 그러하였다. 그럼에도 전노협에게는 1990년 이후 정권과 자본의 탄압에 맞서 조직을 사수하고 확대 발전시켜왔던 투쟁의 경험과 축적된 역량을 총동원하여 민주노총 건설에서도 주도적인 역할을 담당해야 할 과제가 주어져 있었다.[411] 이는 전노협의 탄생 근거였던 한국노총과는 다른 조직 건설, 산별노조 건설의 디딤돌로서의 조직 위상 속에서 부여된 역할이었다. 이는 전노협이 중심에 서서 새로운 조직을 건설한다는 의미였다.

하지만 이런 점에 비춰볼 때 1994-95년 투쟁에 대한 전노협의 지도력은 미약하였다. 그 이유로는, 우선 전노협 조합원의 피로도와 지도력 약화를 들 수 있다. 전노협은 1990년 건설 이후 4, 5년간의 투쟁과 연대활동으로 조직 내 출혈이 심했고 조합원들의 피로감이 누적되었다. 반면 자본의 기업단위 노동통제는 강화되었다. 전노협에 대한 정권의 조직적 침탈이 완화되면서 공동사업에 기초한 가입 노조는 늘었지만 지역 간 지도 집행력의 편차가 커지고 지도력도 전반적으로 취약해졌다. 다음으로는 전노협의 지도력이 대공장, 공공부문노조 등에 미치는 데 한계를 보였다. 전노협 건설 이래 대정부 투쟁전선은 전노협 소속 사업장들이 주도해왔다. 소속 사업장이 아닌 대공장노조의 투쟁이었다 해도 전노협의 지도 아래 진행되면서 전선이 하나로 모아졌다. 그러나 새롭게 등장한 공공부문노조뿐 아니라 제조업 대공장노조들은 각각의 연대조직을 구성하였다. 게다가 전노대는 지도 집행력 여부를 떠나 민주노조진영의 대표체로 위치하고 있었다. 그 속에서 전노협은 전국전선에 대한 영향력을 점점 잃었다.

그렇다고 전노협이 할 수 있는 일이 없었던 것은 아니다. 대중 투쟁은 여전히 살아 있었고 민주노조들은 전국 단일 지도력을 원하고 있었다. 그러한 경험을 가진 조직은 당시 전노협뿐이었다. 그런데 전노협은 그 속에서 중심을 잡지 못하였다. 전노협 방침은 전노대와 민주노총준비위의 지도력과 계속 충돌하였다. 외적인 요인도 있겠지만 가장 큰 이유는 전노협 지도부가 투쟁, 조직 건설에 대한 단일안을 가지지 못했기 때문이었다. 그 이유는 전노협 지도력이 이미 둘로 갈라져 있었기 때문이다.

2 전노협 위원장 선거, 두 갈래 길의 시작

전노협이 두 갈래 길을 가게 된 과정을 구체적으로 살펴보자. 아이러니하게도 전노협을 강화하기 위해 지도부를 새로 구성하는 과정에서 두 갈래 길로 나뉘었다.

1994년 1월 23일. 전노협 정기대의원대회. 전노협 창립 이후 처음으로 위원장 경선이 치러졌다. 김영대, 이홍석, 양규헌 후보가 나서 2차까지 가는 접전 끝에 양규헌 후보가 전노협 위원장에 선출되었다. 이어 임원과 중앙위원을 선출하였다. 부위원장으로는 김영대, 이홍석, 최동식, 이송준, 문영만이, 회계감사로는 오길성, 조영초, 정우달이, 사무총장으로는 문성현이 선출되었다. 선출직 중앙위원으로는 이석행, 정윤광, 현주억, 단병호, 이한재가 선출되었다.[412)]

경선의 배경

전노협은 규약에 따라 위원장을 1년에 한 번 선출하도록 되어 있다. 전노협은 그동안 추대 방식으로 위원장을 선출해왔다. 정부와 자본의 탄압이 집중되어 조직 사수를 목표로 투쟁할 수밖에 없던 현실적 조건 때문이었다. 전노협 대의원대회는 경찰의 원천봉쇄를 뚫고 진행될 정도였다. 정권의 탄압으로 전노협 6년 동안 위원장이 사무실에서 업무를 볼 수 있었던 기간은 겨우 10개월 정도였고 나머지 기간은 수배나 구속 상태였다. 지노협 의장의 상황도 마찬가지였으며 중앙위원회 회의도 경찰의 눈을 피해 진행할 수밖에 없었다. 이러한 상황은 지도부가 자기 정책을 책임 있게 내놓는 데 어려움으로 작용하기도 하였다. 그러나 지도부가 수배 중에도 삐삐 암호로 연락하고 대학교를 떠돌며

회의를 할지언정 전노협의 업무는 중단된 적이 없었다.

그런데 1992년 정치세력화 문제로 내홍을 겪은 후 전노협 지도력은 서서히 흔들렸다. 조직발전 논의가 시작되면서 그 균열은 더 커졌고 상근활동가들 사이의 갈등도 심해졌다. 전노대 결성 후 민주노조운동 내에서 전노협 중심성은 흔들렸고, 전노대와 전노협의 사업 기조 충돌, 집행의 혼선 때문에 전노협의 지도력은 통일성을 잃어갔다.

그것이 정점에 달했던 것은 1993년 전국노동자대회 때였다. 단병호 위원장은 6차 대표자회의를 맞아 '전노협 대표자 동지들에게 드리는 글'을 통해 하반기 노동법개정투쟁 조직을 위한 강력한 투쟁을 요청했고 그 연장선상에 전국노동자대회가 치러져야 함을 강조하였다. 또한 1993 임투 평가, 조직강화사업을 위한 토론을 요청하였다. 대표자들은 단위원장의 의견을 받아들여 대회 이후 국회 일정에 맞춰 투쟁을 이어가기로 결정하였다. 이어 열린 3차 중앙위원회는 "전국노동자대회 후 곧바로 400-500명 규모의 전국 단위노조대표자들이 국회 앞 2박 3일 농성에 돌입하고, 전노대 대표자들은 무기한 농성에 들어갈 것을 전노대에 제안"하기로 하였다. 또한 전노대에서 결정이 안 되면 전노협만이라도 농성에 돌입한다는 결의를 다졌다. 10월 25일 전노대 대표자회의에서는 '대회 이후 국회 앞 텐트농성'을 결정했으나 당일 참여인원 부족을 이유로 농성은 취소되었다.

1993년 전국노동자대회

중앙위원회 결정이 지켜지지 않은 이유 가운데 하나는 전노대 주최 사업 속에서 전노협의 결정력이 힘을 발휘하지 못했기 때문이었다. 이는 결정과 실무에서 손발이 안 맞아 사업에 혼선을 빚는 결과를 낳았다. 전국노동자대회가 노동법개정투쟁의 분기점으로서 중요함에도 그 기조와 장소가 대회 직전에야 결정됐기 때문에 지역과 단위노조에서 조직을 제대로 할 수 없었던 것이다.

당시 수배 중인 위원장을 대신해 실제 집행을 책임지고 있던 사무총장 김영대는 업종 조직과의 공동행보를 위한 현실적 조건을 고려하여 대회 기조 및 장소 등을 협의하였다. 전노협은 위력적 시위와 그것을 담보할 수 있는 장소, 가두행진을 해야 한다는 입장이었으나 업종회의는 조합원들의 정서상 어렵다는 의견이었다. 양 조직 간의 입장 차이는 시간이 지나도 조율되지 않았고, 결국 대회 날짜가 다 되어 고려대 전야제, 도심행진, 효창운동장 대회로 결정되었다.

가두 행진을 하긴 했으나 애초 목적은 사라졌다. "연단은 보이지도 않고 라디오 방송을 듣는 듯해 박수치기도 쑥스러웠다"는 한 조합원의 말처럼 기이한 대회였다. 대회 기조와 장소는 전노협 대표자회의 결정을 반영하지 못한 것이었다.

다음으로 중앙위원회가 농성을 할 만큼 인원을 조직하기 어려운 조건에 대한 충분한 검토 없이 농성을 결정한 것, 일단 결정했다면 조직화에 집중해야 하는데 그러지 못한 것도 문제였다. 지도부도 투쟁을 결정하는 과정에서 책임성이 낮았다.

결국 전국노동자대회를 앞당겨 개최해서 힘을 모은 후 국회 일정에 맞춰 투쟁을 이어 가겠다는 의미를 살리지 못하였다. 그 결과는 전노협의 결정과 지도력을 훼손하고 말았다. 조합원들은 "걷기만 했으며, 이래 가지고 파견법 등을 막을 수 있겠냐"라며 약속한 것을 못 지키는 지도부에 대해 따끔한 평가를 하였다.

이 사건은 대표자회의 명의로 조합원들에게 사과문을 발표하고 이후 투쟁을 조직하는 것으로 일단락되었다. 그러나 평가 과정에서 지도부 내에서 이견이 나타났다. 사무총장 김영대는 "조건에 맞지 않는 결정이라는 것을 알면서 위원장의 문건 한 장 때문에 투쟁계획을 무리하게 잡았던" 전노협 지도력을 검토해보자고 문제를 제기하였다. 또한 위원장 선거관리규정을 만들자고 제안했는데 그 의미는 전노협 위원장 경선을 하자는 것이었다.[413] 이는 1991년 하반기 조직발전 전망을 둘러싸고 의견차이를 보이다가 봉합되었던 이견들이 이 사건을 계기로 전노협 지도력에 대한 전반적인 검토가 필요하다는 요구로 나타났던 것이다. 한마디로 조직발전 방향에 관한 논의를 전면화하자는 것이었다. 한편 1993년 하반기 업종회의에서도 각자의 조직발전에 관한 입장들이 제출되고 있었고 이것이 전노협에도 영향을 미쳤다.

12월 3일, 4기 4차 중앙위원회에서 단병호 위원장은 최종적으로 불출마 의사를 밝혔다. 그 근거는 첫째, 전노대 사업이 추진되는 상황에서 수배자로서 사업을 책임 있게 수행하기 어렵다는 점, 둘째, 전노협과 전노대의 발전을 위해서는 그간 전노협, 전노대 사업에서 나타났던 기조상의 차이가 이번 정기대의원대회를 통해 대중적으로 객관화되는 게 바람직한데, 다시 출마할 경우 이런 차이가 유야무야될 수 있다는 이유 때문이었다.[414] 대중의 검증을 통해서만 민주적이고 책임 있게 전노협을 운영해갈 수 있으므로 경선을 거쳐 지도력을 구축하자는 의견이었다.

그러나 경선에 대한 우려의 목소리도 있었다. 정권의 탄압 양태가, 합법성과 대화를 중심에 두는 노동운동 기류와 전투성을 중심에 두는 기류를 구별하여 후자에 대해 탄압을 가하고 있고, 전노대 결성 이후 전노협의 지도력이 안팎으로 점점 약화되던 상황에서 경선을 치를 경우 조직에 혼란이 올 수 있다는 이유 때문이었다. 또한 어려운 시기에 투쟁의 중심에 서있던 단병호 위원장이 지도력을 발휘해야 전노협이 통일성을 가지고 민주노조운동의 변화에 능동적으로 대처해 나갈 수 있다는 이유 때문이었다. 단병호 위원장에 대한 신뢰는 개인의 지도력 대한 신뢰를 넘어 전노협에 대한 신뢰 그 자체로 자리 잡고 있었다. 전노협 가입 사업장이 아니었던 대공장노조, 업종노조에서도 그 지도력이 대중적 신뢰를 받고 있었다.[415] 당시 대우조선노조 부위원장 장대현은 단병호는 한 개인이 아닌 전노협의 상징이라고 하였다.

> "전노협이 이룩한 성과 중 가장 대표적인 것은 전노협 출범 당시부터 줄곧 전노협을 이끌어온 단병호 위원장의 지도력인 것 같다. 그의 얼굴은 전노협의 상징마크로 연상될 만큼 대중적이며 따스하고 강인하였다. 그래서 그는 철의 노동자였으며 전노협뿐만 아니라 전체 민주노동조합 진영의 지도자였으며 민주노총이 건설된 지금 이 순간에도 단위원장의 지도력이 빛나게 자리하고 있다."[416]

단병호 위원장이 불출마 의사를 밝힘으로써 중앙위원회 논의를 거쳐 위원장 선거를 위한 선거관리위원회가 구성되고 선거일정이 공표되었다. 중앙위원회 논의에 따르면 위원장 경선은 전노협의 통일된 지도력을 세우고자 하는 노력이었고, 명확한 견해의 차이를 조합원들에게 드러내 노동조합이 갖고 있던 민주적 운영을 회복하자는 의미가 부여되었다.

3파전

그동안 전노협의 임원 선출 방식은 전형위원을 통한 추대 방식이었다. 위원장, 수석부위원장, 사무총장 등 임원들이 논의해 차기 위원장에 대한 의견을 모았다. 그리고 중앙위원회에서 전형위원을 선출하고 그들이 추대하는 형식이었다. 사전 논의를 거치기는 했으나 사실상 전체 합의에 따라 추천자를 인정하는 방식으로 추대한 것이다. 이러한 방식은 수석부위원장, 사무총장, 부위원장을 정하는 데도 적용되었다. 수석부위원장을 정할 때는 지노협의 지도력, 조직력을 중심으로 판단하여 중앙사업을 하더라도 지노협이 안정적으로 운영될 수 있는지 여부를 따졌다. 사무총장은 지도부와 호흡을 맞춰 일할 수 있는 인물을 추천하고, 부위원장도 지노협 의장 가운데 지역사업에 무리를 주지 않는 지노협에서 담당하였다. 지역에서 중앙으로 임원이나 실국장을 파견할 때도 지역 내 논의를 통해 결정하였다. 아울러 해고자라 하더라도 지도력이 인정되는 경우 선출직 중앙위원이 될 수 있도록 하였다.

5기 임원 선거가 경선으로 치러지게 되자 전노협은 위원장 선거관리규정을 새로 만들었다.[417] 입후보자는 '전노협 확대강화론', '민주노총 조기건설론' 등 그간 사업에서 다양한 이견을 대표한 인물들로, 양규헌(당시 경기노련 의장, 전노협 수석부위원장), 김영대(당시 서노협 의장, 전노협 사무총장), 이홍석(당시 마창노련 의장, 전노협 부위원장) 등 세 명이었다.

세 후보 선거대책본부(선대본)는 그동안 전노협 내에서 일정하게 같은 목소리를 내던 지노협 의장, 단위노조 위원장 등을 중심으로 구성되었다. 당시는 노동운동진영 내에서 노동운동의 방향을 둘러싼 이견이 다양하게 분화되기 시작한 때였다. 전노협 내에도 이러한 기류가 반영되어 의견그룹이 명확하게 구성되지는 않았더라도 일정한 경향성을 형성하고 있었다. 전노협 위원장 선거에서 어떤 지도력이 형성되느냐에 따라 향후 민주노조운동 재편의 향방에 큰 영향을 미치게 되므로 각각의 의견을 중심으로 결집될 수밖에 없었다.[418] 크게는 이른바 NL(National Liberation)진영과 PD(People Democracy)진영간의 대립으로 나타났다고 볼 수 있고, PD 내에서 합법정당론을 중심으로 갈라진 진보정당추진위원회(진정추)진영은 전노협의 진로를 두고 NL진영과 의견이 다르지 않았다고 볼 수 있다.

먼저 혁신과 전진을 핵심 구호로 내세운 김영대 후보 선대본은 본부장 조영초 부천노협의장, 부본부장 이송준 전북노련의장, 박정철 민출노협의장, 김연환 서울지하철노조위원장으로 구성되었다. 김영대 후보는 누구보다 먼저 선거 참여 의사를 밝혔다. 정치적 입장에서 본다면 김영대 후보는 진정추계열로 분류되었다. 전노협 중앙위원 정윤광이 김영대 후보 선대본을 꾸리는 데 큰 역할을 하였다. 이흥석과 김영대 후보는 전노협의 기존 노선에 대한 반대 입장에서 동일했다. 실제 후보 조정을 위해 두 선대본 관계자들이 모여 논의하고 투표까지 했는데, 이흥석이 한 표 차이로 김영대를 눌렀다. 그러나 김영대는 이를 뒤집고 출마를 선언하였다.[419] 서노협에서는 의장이 출마하겠다는 의사를 밝힌 데 대해 반대 의견을 내지는 않았다. 김영대 후보는 그동안 서노협에서 논의되었던 조직발전 논의를 대표해 전노협 논의를 주도해왔기 때문이다.

다음으로 계승, 혁신, 통큰 단결을 내세운 이흥석 후보 선대본은 본부장 오길성 성남노련의장, 집행위원장 최동식 인노협의장, 상황실장 전노협 중앙위원 이석행이 주축이 되었다. 이흥석 후보는 범NL계열로 분류되었고 선대본 구성에는 이석행의 역할이 컸다. 당시 선대본에 결합했던 서노협 사무처장 민경민은, "1987년 노동자 대투쟁 이후 민주노조 운동의 지도력으로서 역할을 한 이석행, 마창노련의 투쟁성 등을 통해 검증된 이홍석이 향후 전노협을 이끈다면 민주노조 재편 과정에서 전노협이 제 역할을 할 수 있을 것"이라는 판단을 하였다고 한다.[420] 하지만 이홍석 후보의 출마는 입후보 전까지는 예상되지 못하였다. 전노협 한계론과 전노협 강화론으로 대별되었던 김영대, 양규헌 후보와 달리 이홍석 후보는 그동안 논의에서 큰 흐름을 형성하지 않았기 때문이다.

이홍석 후보의 출마는 마창지역에 큰 파문을 던졌다. 당시 마창지역은 문성현을 중심으로 한 전국노운협진영이 지도력의 중심이었는데, 이홍석 후보는 지역에서 논의도 하지 않은 채 지노협 의견과 다른 의견을 대변하며 전노협 위원장 선거에 출마하겠다고 통보했기 때문이다. 물론 마창노련 운영위원회에서는 논란 끝에 '출마하겠다는 걸 어떻게 막을 수 있겠는가' 라고 정리했으나 이 결정이 사무처의 반발을 막을 수는 없었다. 사무처 상근자들은 지역의 조건, 사전 논의 등을 무시한 독단적 결정은 민주노조운동의 원리를 벗어난 것이라고 비판하였다. 이 사건은 사무처 전원 사퇴, 업무 마비, 전노협 실사라는 문제로 번졌으며 마창노련은 이후 6개월 이상 심한 내홍을 겪었다.[421]

이홍석 후보의 출마와 그에 따른 마찰은 조직발전 논쟁 속에서 견해의 차이가 확산되고 이미 대중조직의 운영원리에 균열이 생기기 시작했던 시기에 터져 나온 문제였다. 전노협의 확실한 기반이 마창노련이었던 점에서 본다면 마창노련의 마비는 전노협 지도력의 훼손이기도 하였다. 이홍석 후보 선대본에 참여했던 민경민은 이렇게 이야기한다;

"대중조직이 그때까지 운영원리가 전노협 조발(조직발전) 논쟁하고 이러면서 운영원리가 많이 깨진 시기였던 거 같아요. 그때까지는 의장이 올라가서 논의된 수준 이상은 논의 못하는, 정리된 대로 이야기하고 그것에 대해 책임지고 이랬는데, 논쟁하고 이러면서 그것이 조금씩 균열이 가는. 대중조직 운영원리가 파괴되어가는 시기. 그래서 그런 시기에 경남에서 나타났던 거죠. 의장은 여러 통로를 통해 만났겠지, 그래서 자기 결단을 한 걸 텐데. 지금 알고 보니까 지역에서는 이흥석 의장과는 다른 전국노운협, 문성현 위원장 중심으로 완고하게 있었는데 거기도 조발논쟁을 하면서 균열이 가기 시작하면서 한쪽만 있는 게 아니다라는 걸 보여주려고 출마했다고 보고, 또 하나는 국민파다 이렇게 하는데 운동에서 처음으로 소위 말해 지금의 NL, PD 대립이었던 거 같아요. 저는 그때까지는 사상을 안 갖고 있었는데 자기 노선을. 그때 중앙 내셔널센터에서 좌우 대립이라는 정파 선거를 한 거죠. 결론적으로 지금 와서 보니까 그렇게 대립구도가 된 거 같아요."[422]

끝으로 양규헌 후보 선대본은 혁신과 계승, 연대와 전진, 책임과 긍지를 핵심 구호로 걸었다. 본부장 문성현 전노협부위원장을 중심으로 부산 조길표 한진중공업 노조위원장, 광주 김상진 대우캐리어 노조위원장, 전북 이중찬 대우전자부품노조 정주지부장, 경기남부 이준형 란토르코리아 노조위원장, 대구 윤종하 대구노련 사무처장, 마창(공동본부장) 차주원 화천기계 노조위원장, 조동원 창원현대정공 노조위원장직무대행, 박충배 효성중공업 노조위원장, 서정엽 삼화기계 노조위원장, 김평기 대림자동차 노조위원장 등 지역별로 고르게 부본부장을 구성하였다. 양규헌 후보는 경기노련의 논의를 거쳐 지역 조직력을 기반으로 출마하였다. 경기노련은 지노협으로서는 최초로 경선으로 의장을 선출했던 지역이다. 양규헌 후보는 경선을 통해 지노협 의장으로 선출되어

지역 조직력을 회복해갔다는 평가를 받고 있었고 이는 단병호 위원장이 자신의 견해를 대변할 수 있는 후보로 지원할 수 있는 근거가 되었다. 여기에 영남지역에 기반을 갖고 있으면서 정치적으로는 전국노운협의 견해로 분류되었던 문성현이 선대본을 구성하는 데 중요한 역할을 하였다. 양규헌 후보 선대본은 전노협 확대강화론의 결집이었다.

조직발전을 둘러싼 차이

위원장 선거를 경선으로 치르게 된 데는 전노협 조직발전 전망 즉, 민주노총 건설 경로를 둘러싼 상의 차이가 큰 영향을 미쳤지만 공약만으로는 후보들 간의 차이가 잘 드러나지 않았다. 전노협도 선거 과정에서 조합원들에게 후보자들 간의 공약 차이가 드러나지 않아 정책선거 목표를 온전히 달성하지 못한 것으로 평가하였다. 그러나 유세장에 모인 대의원, 활동가들의 질의응답, 『전국노동자신문』 인터뷰 등을 통해 민주노총 건설 경로를 둘러싼 후보들 간의 이견을 확인할 수 있다.

지역 유세에서 나온 질문을 몇 가지로 정리하면 선거 후유증에 대한 우려, 조직발전 전망안, 전노협과 지노협 강화를 위한 구체적인 방안 등이었다. 그리고 1993년 노동법개정투쟁 평가와 마창노련 이홍석 의장이 후보로 출마한 과정에 대한 질문도 있었다.[423] 최초의 경선이 조직에 후유증을 남기지 않을까 우려하는 대의원들에게 마창노련의 파행이 현실적인 문제로 드러났기 때문이었다.

선거 후유증에 대한 우려에 대해서는 간부와 대의원들의 적극적인 참여 속에서 선거 과정을 대토론의 장으로 만들자, 상호 비난이 아닌 책임성 있는 정책을 논의하자는 데 후보들은 물론 참여자들도 동의하였다. 조직발전 전망 관련해서는 어떤 경로를 통해 민주노총을 건설할 것인가로, 그 과정에서 전노협과 지노협 강화 방안은 어떻게 설정하고 있는가로 모아졌다. 후보들의 견해를 자세히 살펴보자.

김영대 후보는 "전노대의 확대강화에 전노협이 힘을 쏟고 이를 민주노조진영의 전국중앙조직으로 발전시켜야 한다"고 주장하였다. 구체적인 건설 과정은 첫째로 전노협 산하의 업종분과위원회를 중심으로 제조업, 비제조업의 업종연맹(협의회)을 건설하고, 둘째로 지노협이 중심이 되어 지역노조대표자 회의 등 지역연대 틀을 구성하며, 셋째로 업종연맹과 지역 틀을 중심축으로 한국노총 산하 노조들을 견인하고 현재의 전노대를 민주노총으로 발전시켜야 한다는 것이다. 김영대 후보의 주장은 민주노총의 상과 건설시기 면에 있어서 양규헌 후보와의 차이가 명확하였다. 그는 업종조직, 지노협, 그룹조직이 해소되지 않고 혼재하는 조건에서 먼저 민주노총을 만들고 그 속에서 업종분화와 확대된 지역 틀로 발전해가야 한다고 보았다. 따라서 민주노총을 시급히 건설하자고 주장하였다.[424] 김영대 후보진영은 공약집을 가장 먼저 내는 등 선거 초기부터 정책선거를 시도했으며 각 단위의 토론회 권유와 독자적인 정책토론회 개최 등 다양한 노력을 기울였다. '민주노총건설 경로를 밝힌다' 는 주제로 1월 15일 서울 종로성당에서 토론회를 열어, 조직발전 전망에 대한 전노협 내부논쟁 소개, 김영대 후보의 민주노총 건설론 소개, 타 후보 주장의 비판적 검토 등을 진행하였다.

반면 양규헌 후보는, "산별노조 건설은 민주노조운동의 궁극적 조직과제"임을 강조하며 이를 위한 조직 재편 경로를 밝혔다. 기업별노조를 단숨에 산별노조로 바꾸기 힘든 상황이므로 우선 지역별 또는 그룹별로 조직된 현재 제조업 민주노조를 사무전문직과 같이 산업(업종)별로 재편하자는 것이었다. 이어서 산업(업종) 연맹을 세우고 이를 토대로 민주노총을 건설해야 한다는 상이다. 산업(업종)별 공동투쟁으로 기업별 의식을 극복하고 결집력을 높여나가면 산별노조로 가기가 훨씬 수월할 것이라고 봤다. 전노대를 그대로 확대해 민주노총으로 간다면 산별노조 건설이 실패 혹은 늦춰질 것을 우려하였다. 전노대는 민주노총의 토대지만 소속 조직들의 고르지 못한 조직력으로 지도집행력이 취약해 산별노조 건설을 감당하기 어렵다고 평가하고 이를 가능하게 하기 위해서는 전노협 강화가 필요하다고 주장하였다. 산별노조를 세우려면 노동악법 등 걸림돌과 정권과 자본의 노동통제를 뚫을 수 있는, 투쟁으로 단련된 굳센 조직력이 자리 잡혀야 하며 전노협은 이 일을 책임 있게 주도할 것이라고 밝혔다. 1994-95년 광범위한 조직을 모아 공동투쟁을 벌이고 그 성과를 모아 업종분과를 통하여 민주노총 건설 토대를 마련하고, 1995년 11월 13일에 민주노총준비위를 발족하자는 청사진을 제시하였다.

한편 이홍석 후보는 선거과정에서, "이번 선거에서 조직발전 전망이 선거쟁점인데 그에 대한 정책이 없다"는 이야기를 들었다. 그는 '논의' 보다는 단결을 이룰 수 있도록 혁신할 것을 핵심으로 내걸었기 때문이었다. "산별노조 건설과 이에 근거한 민주노총 건설의 과제는 전노협 강령에 규정되어 있고, 노동자대회 등을 통한 조합원들의 대중적 합의입니다. 이것을 가지고 순서를 따지며 논쟁하는 식의 조직발전 '전망'은 바로 탁상공론입니다. 제가 다녀본 바에 의하면 이번 선거의 쟁점은 일부 간부 중심, 상층 논의 중심의 사업방법을 혁신하고 조합원의 힘과 지혜에 의거한 전노협을 세울 것이냐, 아니면 그간 사업에서 나타난 문제점을 계속할 것인가에 있습니다"라며 전노협 운영의 혁신을 주장하였다.[425] 물론 선거에서 드러내지는 않았지만 이홍석 후보진영은 민주노총 건설 경로에 대해 견해를 갖고 있었다. 선대본에서는 소산별 조직화를 제기하자는 의견이 꾸준히 제기됐으나 이홍석 후보를 비롯해 지역 활동을 해왔던 선거운동원들의 반대로 이를 전면화하지 못하였다. 이홍석 후보는 민주노총 건설 경로에 대한 주장보다는 전노협 운영의 문제를 부각시키는 전략을 내세웠던 것이다.[426]

선거가 남긴 것 – 민주노총 조기건설론의 확산

전노협 대의원 총 378명 가운데 325명이 투표하여, 기호 1번 김영대 후보가 73표(23%), 기호 2번 이홍석 후보가 100표(31%), 기호 3번 양규헌 후보가 151표(46%)를 받았다. 과반수 획득 후보가 없어 곧바로 기호 2번과 3번 후보에 대한 2차 투표를 했다. 투표 결과 전체 투표자 322명 중 양규헌 후보가 172표(53%)를, 이홍석 후보는 148표(46%)를 받았다.

조직발전 논쟁의 구도가 선거에서 드러났다면 김영대 후보와 양규헌 후보의 접전이 형성되어 2차 투표에 들어가는 것이 상식인데 뜻밖에 양규헌 후보와 이홍석 후보가 결선에 올라갔다. 이는 우선 선거 과정에 정책 대결 구도가 사라졌음을 보여준다. '전노협한계론'과 '전노협 확대강화론' 사이에 '통큰 단결'이라는 구호가 등장하여 애초 정책 쟁점이 희석화되었다.[427] 쟁점이 사라진 대신 인물 중심, 조직의 '세'에 의한 인맥으로 선거가 치러졌음을 보여준 결과였다.[428] 선대본을 구성하는 과정과 선거운동 전반에서 '관계' 중심의 운동 풍토가 자리를 잡기 시작하였다. 이렇게 치러진 선거는 애초 목표와는 달리 전노협 조직력 약화로 귀결되었다. 선거 과정에서 인맥과 조직 세가 확인되어 이후 사업 전반에 영향을 미쳤다. 그동안 이견이 존재해도 지역 내 논의를 기반으로 조정하고 결정하는 방식이었고 가능하면 전노협의 단일한 의견을 만들기 위해 노력해왔던 풍토는 사라졌다.

선거 결과 전노협 확대강화와 제조업 내 산업별 조직의 분화를 토대로 한 '전노협 확대강화론'이 전노협의 공식 지도노선이 되었다. 당선된 양규헌 위원장은 노동해방, 평등세상 구호 속에서 지향하고자 했던 운동이 무엇인지 체계화하여 이를 산별노조 건설, 한국노총과 구분되는 내셔널센터 건설의 바탕으로 삼고자 하였다. 또한 노동자들의 요구가 노동조합 내에 머무는 것이 아니라 정치적 요구로 모여 관철시켜나가는 정치세력화의 상을 만들고자 하였다. 그리고 일상사업으로 전노협 업무의 전산화 · 정보화를 실현하겠다고 하였다.

그러나 선거 후유증은 몇 달간 계속되었고 새로운 지도부가 지도력을 발휘할 틈도 없이 '민주노총 조기건설론' 논쟁 속으로 빨려 들어갔다. 김영대 후보 지지 세력과 이홍석 후보 지지 세력이 단일한 목소리를 냈고 전노협 부위원장과 중앙위원의 다수를 차지하면서 논의를 주도해갔다. 이와 더불어 비제조업 쪽의 주장이 합쳐져 전노협의 지도노선은 민주노조 전체에서 소수화되었다. 두 진영의 연대에 대해 민경민은 이렇게 말한다;

> "김영대 후보와 이홍석 후보가 선거 끝나고 모든 회의에서 공동대응한 거 같아요. 저는 그걸 세로 보지는 않고 그때 당시 진정추 쪽의 이상현 동지가 민주노총 어디하고 논의를 해서 공동대응 하는 식이었고. 그걸 세로 결합되었다고 하기는 좀 어려운 거 같고. … 철학과 사상이 같지는 않았던 거고. (민주노조 총단결 내지는 민주노총에 대한 상-인용자) 그거는 같았던 거 같아요. 조직과제 관련해서는 일치했던 거 같고, 사업 방식이나 투쟁과정 이런 거는 내가 보기에는 안 맞았던 거 같고." [429]

집행체계의 혼란과 임투 책임단위의 혼선 속에서 전지협 파업이 진행되었고, 양규헌 전노협위원장은 수배됨으로써 지도력 행사가 한층 어려워졌다. 한편, 1994년 1월에 조선노협이 출범하였고, 1994년 8월 전노대 대표자수련회에서는 전국노동자대회에서의 민주노총준비위 결성 선포가 결정되었다. 이와 함께 금속산별 등 산업별 조직 재편문제가 다시 논점이 되었다. 이러한 전노협 내부의 분화가 조직 재편에 미온적이었던 업종회의를 적극적 태도로 바꾸는 촉매 역할을 하면서 민주노총 조기 건설론은 급물살을 타고 확산되었다. 그 속에서 전노협은 중심을 잡지 못하였다. 다시 말해서 새로운 조직 건설에 대한 관심과 논의는 현실 투쟁과 과제를 압도하기 시작했던 것이다. 당시 상황을 양규헌과 민경민은 다음과 같이 회고하고 있는데;

> "오히려 선거 과정을 통해서 그 흐름(민주노총 조기건설론)이 새롭게 결집하는 계기가 됐고, 이후 민주노조 총단결 흐름을 업종하고 주도한 거죠. 거기에 비해서 이쪽은 시간이 갈수록 흩어지는 것이죠. 민주노총 건설은 대세다, 이거 하고 전노협과 투쟁의 경험이나 연대사업의 경험이 전혀 다른 단위하고 기계적으로 결합하는 건 문제 있다, 이거 하고 내부에서 갈라지는 거죠." [430)]

> "선거가 끝난 후 내용적으로는 공동화된 거라고 봐요. 전노협이. 조직과제가 당면과제가 되니까 매 그거 중심으로 논의되고 대립되고 그러다 보니까 일상적 사업들이 후순위로 밀릴 수밖에 없었던 거. 중앙위를 가더라도 그걸 가지고 결론을 못 내려 표결을 가네 마네. 그게 표결 갈 정도였으면 나머지 사업은 순위 밀리고 보고되는 수준이었고 그랬던 거 같아요." [431)]

3 민주노총 건설 불을 지피다

"벅찬 가슴으로 선언합니다. 전국노동조합대표자회의가 발전적으로 해소하고 동지들의 열망을 담아 민주노총준비위가 발족했음을 엄숙히 선포합니다!"

전노협 위원장 양규헌은 전노대 공동대표로서 1994년 11월 13일에 열린 전국노동자대회에서 민주노총준비위 발족을 선언하였다. 그리고 1년 만에 민주노총이 출범하였다.

1987년 이후 민주노조운동진영은 1989년 지역업종별노동조합전국회의(전국회의)라는 틀로 모였다가 1990년 1월 이후 전노협과 업종회의 및 그룹별 노동조합협의회 등으로 분화되었다. 이들 조직은 ILO공대위로 모여 공동투쟁을 전개하다가 1993년 6월 1일 전노대를 결성하였다. 그러나 전노대는 회의체로서 사안별 공동사업체로서 위상만을 가지고 있었다. 민주노총 건설은 이러한 한계를 극복하기 위한 민주노조운동진영의 노력의 산물이었다. 특히 민주노총 건설은 산업별(업종별) 노조를 기반으로 한 전국조직을 건설하려는 시도였다. 여기서는 민주노총 건설 경과, 건설 과정에서 제기된 쟁점을 검토하고 그 속에서 전노협은 산별노조 건설의 징검다리가 되겠다고 한 자신의 조직적 목표를 실현했는지를 살펴보고자 한다.

1994년 9월 초 전노대 대표자수련회가 열린 뒤 한 달 만인 9월 30일 민주노총 건설 추진위원회가 구성되었고, 다시 한 달 반 만에 준비위원회가 공식 선포되었다. 지도부들 간에 논의만 무성하다가 한국노총 탈퇴운동 등 대중들의 움직임이 활발해지면서, 이를 기반으로 민주노총 건설 움직임이 본격적으로 시작되었던 것이다. 1994년 이후 민주노총 건설은 한국노총 탈퇴에 이은 해체투쟁과 조직 건설 등 두 가지 흐름으로 펼쳐졌다.

일터로 돌아가고 싶다. 강제징집 철폐하라. 해고노동자들의 투쟁

3부에서 살펴본 바와 같이 1993년과 1994년 노 · 경총 임금합의 결과는 한국노총 소속 노조의 강한 반발을 불러왔고 조직 탈퇴로 확산되었다. 첫 번째 흐름은 3월 30일 노총과 경총이 '사회적 합의'를 발표함으로써 본격화되었다. 민주노조진영은 '합의'가 발표되기 이전부터 1월 22일 노조대표자 결의대회를 비롯해 노 · 경총 합의에 반대하는 입장을 분명히 하였다. 특히 조선노협은 한국노총이 경총과 '합의'에 이를 경우 산하 노조가 모두 한국노총을 탈퇴하겠다고 선언해 탈퇴운동에 불을 지폈다. 전노대 통계에 따르면 '합의'가 발표된 뒤 한국노총 탈퇴는 불길처럼 이어져 임투 기간 동안 모두 40여 개 노조가 한국노총을 탈퇴하고, 140여 개 노조가 맹비를 거부한 것으로 추산

된다. 특히, 탈퇴 움직임은 대규모 사업장에서 집중적으로 이루어져 한국노총의 위상에 큰 타격을 가하였다. 이에 위협을 느낀 한국노총은 민주노조진영의 존재를 공식 인정하며 조건 없는 통합을 제안하기도 하였다. 한편 전해투는 1994년 5월 14일 한국노총 본부를 점거해 한국노총 해체를 직접 요구하기도 하였다

다른 하나의 조직건설 움직임은 금속산별노조를 목표로 1994년 1월말 조선노협이 출범한 데 이어 3월 16일 운수산별노조를 지향하는 전지협이 결성됨으로써 본격화되었다. 특히 이 시기 공공부문노조들의 대대적 진출이 시작되었다. 자율교섭의 허울 아래 10년째 정부의 3% 임금억제선에 묶여 있던 공기업노조들 가운데 서울지하철을 비롯해 조폐공사, 의료보험 등 120여 개 노조들이 참여해서 1994년 11월 4일 '공공부문노동조합대표자회의' 를 결성하였다. 여기에 조합원 5만 명으로 단일노조로는 최대 규모인 한국통신노조가 30년의 어용노조 역사를 깨고 첫 위원장 직접선거를 통해 민주화되었다. 70%에 이르는 조합원의 지지와 민주노조진영의 기대 속에 새 집행부는 '어용잔재청산' 과 '연대투쟁' 을 내걸고 7월의 '통신주권 수호투쟁' 으로 포문을 열었다. 또한 과학기술 · 대학강사 · 의료보험노조가 잇따라 합법성을 쟁취해 단위사업장 울타리를 뛰어넘어 처음으로 산별노조의 깃발을 꽂았다. 이와 때를 같이해 지역별로 유통 · 섬유 · 화학 · 자동차 등 업종별 조직사업이 활발히 펼쳐지기도 하였다. 이러한 움직임은 민주노총 건설 논의에 불을 붙였으며 여기에 다음과 같은 상황이 조직 건설 흐름을 강화시켰다.

먼저, 업종회의가 적극적으로 논의에 임하기 시작하였다. 이 시기 업종조직들은 거의 모든 노조가 합법화됨에 따라 합법화 이후는 '총연맹 건설' 을 조직의 목표로 제기하였다. 1994년 7월 15일 업종회의 중앙위원

산별노조 건설논의 확산

회는 민주노총건설을 조직의 공식 목표로 채택하였다. 합법노조를 싸안기에 업종회의라는 틀은 부족한 면이 많다고 판단했기 때문이다. 물론 업종회의 내부에서 민주노총 건설에 대한 동의 정도가 같은 것은 아니었다. 전노협 사업장 혹은 함께 투쟁하며 교류했던 전문기술직노조는 민주노총 건설의 필요성을 더 강하게 느꼈던 반면 사무금융 조직들은 신중한 입장이 많았다.[432] 제3노총 건설 가능성에 대한 이야기가 나올 정도로 다양한 조직적 의견이 공존했다. 대중들의 요구와 열망 그리고 지도부들의 노력은 이러한 신중론을 민주노총 건설 흐름으로 모아내는 데 결정적 역할을 하였다.

둘째, 전노협위원장 선거를 통해 그 세가 확인된 민주노총 조기건설론은 전노협뿐 아니라 업종회의를 포함한 노동운동 전반에 영향을 미쳤다. 역으로 비제조업을 비롯한 노동운동 전체의 논의구도 속에서 전노협도 영향을 받아 논의가 더욱 촉발되었다. 이러한 상황에서 전노협 단일안을 마련하는 것은 어려움에 직면했다.

셋째, 그동안 진행된 민주노조 총단결 투쟁의 경험 속에서 제조업과 비제조업 노동자들이 같이 가야 한다는 인식을 공통적으로 갖게 된 점이 민주노총 건설 분위기를 고양시키는 데 크게 작용하였다. 전노협이 탄압에 깨지고 '전투적 소수'로 고립되면서도 연대투쟁을 통해 전노협 소속 사업장이 아닌 노조들의 활동 폭을 넓힐 수 있게 했던 결과로 민주노총 건설의 기반이 마련되었던 것이다. 이는 공동투쟁을 주도해왔던 전노협 연대운동의 성과라는 면에서 긍정적이었다. 그러나 다른 한편 '어떤 조직을 만들 것인가' 보다는 '언제 만들 것인가' 중심의 논의가 지배적이 되었다. 제조업 · 비제조업 · 대공장노조 등으로 나뉘었던 경험을 하나의 틀로 묶기 위해서는 검토하고 논의할 것들이 여럿이었는데 대중들의 열망은 이러한 논의를 할 시간을 허락하지 않았다. 민주노총준비위 선포 이후 비제조업노조들의 건설 요구는 폭발적이었다. 민주노총준비위 건설기금 마련을 위한 일일주점 표가 없어서 못 팔 정도로 조합원들은 물론 비조합원까지 참여가 확산되었다. 반면 전노협 내에서는 그간 지역 활동에서 보여준 비제조업노조들의 활동력, 전국노동자대회 등 공동행사를 할 때 '전태일 정신계승'을 슬로건으로 할 경우 '과격'해서 조직화가 어렵다며 '정서의 차이'를 강조했던 경험 때문에 우려하는 목소리가 많았다. 그러나 지역별 · 조직별로 온도 차이가 있을지언정 노동자들의 민주노총 건설 열망은 불길처럼 타올랐다.

마지막으로 언론에서 '제2노총' 건설 분위기를 만들어갔다. 이는 김영삼 정권의 대노동정책과 맥을 같이 한다. 김영삼 정권은 개혁을 내세우며 노동운동진영을 재편하고자 하였다. 물론 법 개정 등 실질적 진전이 없었고 개혁적 노동정책은 펼쳐지지 않았다는 점에서 기대할 것은 없었다. 그러나 이전 정권이 노동운동진영을 무자비하게 탄압하는 방식을 썼던 데 비해 김영삼 정권은 포섭할 세력과 배제할 세력을 구분하며 상대하였다. 이미 민주노총 건설 흐름을 막을 길은 없었기 때문에 전투적 노선을 제거하는 데 집중하고 다른 한축으로는 노동운동을 길들이고자 하였다. 이런 배경 아래 제2노총 건설 움직임에 대한 기사는 일간지 주요 면을 장식하였다. 조합원들은 전노대, 민주노총준비위의 활동을 공식 회의를 통해서가 아니라 신문 기사를 통해 먼저 접할 정도였다. 정권의 의도가 어쨌든 간에 이는 민주노조진영 전체의 분위기를 형성해갔다. 당시 지노협 간부들에게도 전노협 중심성이란 이야기는 이미 물 건너간 것으로 보였다. 인천지역에서 활동한 윤화심은 당시 상황을 다음과 같이 회고하고 있는데;

> "이미 전노협을 계속 고수할, 그니까 대세뿐만이 아니라 전노협을 고수할 수 있는 어떤 것도 없었어요, 현장에서는. 조합원들에 대한 설득력이나 간부들한테. 전노협을 계속 고수해서 노조 운동의 어떤 발전이 있고, 아니면 이렇게 정신이 살아있는 것도 아니고, 현 시기 각 사업장 내에서든 아니면 현 시기 어떤 투쟁에 대해서 구체적인 답을 내주는 것도 아니고 어떤 것도 없는데 전노협 고수를 뭘로 하겠냐는 거에 대해 되게 갑갑한 면이 있었어요. 근데 운동의 폭을 좀 넓혀서 가자고 하는 거에는 공감이 됐거든요."[433]

이러한 분위기에서 전노협 내에서도 민주노총 건설 논의가 본격적으로 궤도에 올랐다. 1994년 4월 20일 5기 3차 중앙위원회에서 '조직발전 특별위원회(조발특위)'를 구성하여 민주노총 건설에 따르는 구체적 문제들을 검토하기 시작하였다. 전노협 내의 조직발전 논의는 금속산업 사업장들의 조직재편 방식을 주요 쟁점으로 하여 이른바 '전노협 1안'과 '전노협 2안'으로 나뉘어 진행되었다.

전노협 제5기 5차 중앙위원회 회의

8월 25일 전노협 5기 5차 중앙위원회가 열렸다. 거의 모든 중앙위원이 참석했던 이 회의에서 조발특위가 제출한 '민주노총 건설을 위하여' 라는 토론 자료에 기초하여 장시간 논의를 하였다. 특히 금속산업의 조직형태와 관련해서는 정회를 거듭하고 두 개의 쟁점안이 폐기되는 등 진통 끝에 합의에 이르렀다. 당시 전노협의 조직발전안은 다음과 같다.

〈민주노총 건설안〉

건설시기

- 8월 말-9월 초 : 민주노총 건설 추진위원회 구성
- 11월 : 민주노총 준비위원회 구성
- 1995년 상반기 : 민주노총 건설(건설시기는 추진위원회에서 검토하여준비한다)

조직형태

- 추진위원회 구성 : 전노대 각 단위급 조직(4조직 : '전노협', '업종회의', '대우그룹노동조합협의회', '현대그룹노동조합총연합')에서 일정 수의 비례로 조직하고, 단위별 참여 외에 필요조직을 참여시킨다. 수 비례와 구성

원의 수는 전노대에서 결정하고 이견 있을 때 전노협 대표자회의에서 논의 결정한다.

- 준비위원회 구성 : 업종(산업)별, 지역별, 그룹별 등으로 구성, 전노대가 포괄하고 있지 못한 노조 등도 포괄하여 구성한다.
- 지역조직이 민주노총 중앙조직에 참가하는 방식(의결구조 결합 방식)은 추후 논의한다.
- 민주노총 건설과정에 민주노총 지역본부 건설을 추진한다.

금속산업의 조직형태

- 업종연맹을 기본단위로 민주노총을 건설한다.
- 금속산업 내 업종별 조직화를 추진한다.
- 건설될 업종별 대표를 중심으로 금속산별 추진위를 구성한다.
- 금속산별 추진위는 민주노총 건설과 동시에 준비위로 전화한다.

대중에 의거한, 투쟁에 의거한, 민주노총 건설의 원칙

8월 25일 전노협 중앙위원회에서 확정한 민주노총 건설안은 업종단위를 기본 축으로 하는 2안과 금속산별을 기본 축으로 하는 1안을 절충한 것이었다. 즉 금속산업의 업종별 연맹을 기본 축으로 하고 이를 토대로 금속산별 준비위원회를 민주노총 건설 시에 띄운다는 것이었다. 또한 건설시기 역시 1995년 상반기로 하되 추후 민주노총 건설 준비위에서 결정하도록 위임한다는 것이었다. 이러한 절충안은 이후 해석을 둘러싼 논쟁이 재연될 불씨를 담고 있었다. 이후 추진 과정에서 어느 견해가 실질적 힘을 가지느냐에 따라 합의안 내용이 달라질 수 있었다.

한편 업종회의, 대노협도 전노협 내부 논의에 상호 영향을 주고받으면서 7월 15일과 8월 19일 각각 입장을 정리하였다. 업종회의의 입장은 전노협 2안(김영대 안)과 거의 동일했고, 대노협 안도 비슷하였다. 현총련은 현대정공과 현대중공업에 대한 정권과 자본의 집요한 탄압으로 임단투가 장기화되어 입장정리가 늦어졌다.[434]

전노대는 한국노총 탈퇴투쟁으로 조직 세가 늘고, 전노협 내부 논의가 일정하게 마무리되자 자신감을 가지고 민주노총 건설논의를 주도하기 시작하였다. 9월 2-4일까지 개최된 전노대 수련회에서 열린 17차 전노대 대표자회의에서는 '민주노총 건설 추진위원회'를 조속히 구성하기로 합의하였다. 그 외 민주노총 건설계획안에 대한 심의, 결정을 차기 대표자회의로 연기하여 논의를 유보하였다. 그 주요한 이유는 현총련의 임단투가 늦게까지 이어져 대중적 논의가 진행되지 못했기 때문이다.

9월 30일 전노대 18차 대표자회의는 '민주노총 건설 추진위원회' (4개 조직 14인의 운영위원회를 개편하는 형식으로) 구성과 운영, 결성시기 등을 확정하였다. 추진위원회는 전노협, 업종회의, 현총련, 대노협과 지역, 업종, 그룹단위 조직과 단위 대공장노조를 포함시키기로 하고 참가

민주노총준비위원회를 선포한 1994년 전국노동자대회

결정은 추진위원회에서 하기로 하였다. 이 추진위원회는 10월 5일 12명의 추진위원이 참가한 가운데 열린 1차 회의를 시작으로 11월 13

민주노총 건설 의지를 담은 마산 · 창원 노동자들의 깃발

일 '준비위원회' 가 발족될 때까지 5차례의 회의를 갖고 준비위원회 구성에 따르는 제반문제를 논의하고 결정하였다. 그리고 11월 8일 개최된 전노대 19차 대표자회의는 11월 13일 전국노동자대회 때 '민주노총준비위원회' 를 발족하기로 결정하고 조직체계 등 구성방안을 확정하였다. 이러한 과정을 거쳐 1994년 11월 13일 전국노동자대회에서 수만 명이 참가한 가운데 민주노총준비위원회 발족이 공식적으로 선포되었다. 그러나 민주노총준비위 조직구성과 지도집행 체제, 향후 사업계획 등 실제 내용은 아직 마련되지 않았다. 민주노총준비위 발족시기에 대한 이견이 11월 8일에야 해소되었기 때문에 다른 논의를 진행하지 못했던 것이다. 민주노총준비위는 11월 30일에 가서야 1차 대표자회의를 갖고 조직의 정식 명칭을 '전국민주노동조합총연맹(민주노총)' 으로 결정하고, 공동대표와 집행위원장을 선출하는 한편, 전노협, 업종회의, 현총련, 대노협 등 지역 · 산업(업종) · 그룹에서 파견하는 형식으로 상근 집행위원회를 구성하기로 하였다. 그리고 12월 20-21일 '1995년 임단투와 사회개혁투쟁을 위한 세미나' 를 개최한 뒤 12월 21일 2차 대표자회의를 열어 운영위원 및 회계감사를 선출하여 기본적인 조직구성을 마쳤다.

해를 넘겨 민주노총준비위는 2월 9일 2차 운영위원회에서 민주노총 출범시기를 5월 1일로 하자는 안을 둘러싸고 논란 끝에 표결처리하여 10대 5로 통과시켰다. 그러나 이 결정은 밑으로부터 강한 문제제기를 받았다. 15일에 열린 민주노총준비위 4차 대표자회의에서 마창, 부산, 대구, 경기 등 지역조직과 현총련, 대노협 등 그룹조직에서 운영위원회의 사업 방식에 대해 문제제기를 하였다. 장시간 토론 끝에 하부조직의 대중적 토의를 거쳐 시기문제를 결정하기로 합의하였다. 또한 의무금문제, 금속산업과 사무전문직의 산업 · 업종별 재편문제에 대해서도 대중토의를 지속하기로 결정하였다.

이어 3월 28일 서울에서는 각 지역 · 업종 · 그룹조직 대표자 40여 명이 모인 가운데 민주노총준비위 5차 대표자회의가 열렸다. 여기서는 그동안 논란을 빚었던 민주노총 건설시기와 관련하여 '1995년 10월 창립대의원대회, 11월 12일 전국노동자대회에서의 출범식 개최' 등을 결정하였다.

다른 한 축으로 민주노총 건설을 위한 기본적인 선전, 홍보, 교육사업은 『전국노동자신문』과 지노협 신문 등을 통해 진행되었다. 전 조합원을 대상으로 한 기획선전도 몇 차례 실시되었다. 1995년 들어서야 대중사업이 체계적으로 시작된 것이다. 민주노총준비위는 1년 동안 13회의 대표자회의, 16회의 운영위원회, 40회의 집행위원회, 두 번의 단위노조대표자 수련대회를 가지면서 민주노총 창립을 준비하였다.

마침내 1995년 11월 11일 서울 연세대학교 대강당에서 민주노총 창립대의원대회가 개최되었고, 11월 12일 여의도에 운집한 5만여 명의 노동자 앞에서 민주노총 출범을 선언하였다. 이제 민주노총은 역사의 새로운 장을 활짝 열어젖혔다.

4. 민주노총 상을 둘러싼 차이

민주노총 건설과 관련한 논쟁은 두 시기로 나눠 볼 수 있다. 첫 번째 논쟁은 전노협 위원장 선거 과정에서 수면으로 떠오른 것으로 '민주노총 조기건설론' 과 '전노협 확대강화론' 을 둘러싼 것이었다. 물론 선거 결과 전노협 확대강화론이 전노협의 의견으로 정리되었으나 실질적으로 민주노총 조기건설론이 대세를 이뤄가면서 논의를 주도해갔다. 이른바 전노협 조직발전 1안(단병호 중앙위원과 문성현 사무총장 제출)과 2안(김영대 안)으로 나뉘어 조발특위에서 논의되었다. 논의의 핵심은 제조업 조직화를 둘러싼 것이었다. 4개월여 논의 끝에 전노협의 의견은 8월 25일 중앙위원회 결정을 통해 '절충안' 으로 모아졌다. 두 번째 논쟁은 바로 이 '절충안' 의 해석을 둘러싸고 민주노총준비위 시기에 시작되었다. 금속산업 재편과 민주노총 건설시기, 지역조직 재편문제를 둘러싸고 논쟁이 시작되었던 것이다.

편의상 시기를 구분하여 논쟁지점을 정리했으나 전노협 내에서 진행된 일련의 논쟁은 1991년 하반기 이후 제기된 전노협 한계론과 전노협 확대강화론을 둘러싼 대립의 연장선상에 있었다. 논쟁의 이면에는 어떠한 경로를 밟는 것이 그동안 민주노조운동과 전노협의 성과를 고스란히 민주노총이 계승할 것인가를 둘러싼 문제가 흐르고 있었다. 여기서는 시기 구분 없이 쟁점을 중심으로 검토하겠다.

산업별인가 업종별인가

전노협 선거 이후 논의가 촉발되어 8월 25일 민주노총 건설안이 만들어지는 과정에서 제출된 단병호 · 문성현 안(1안)과 김영대 안(2안)의 차이를 보자. 이 대립은 조직체계의 원칙, 즉 조직체계는 조직의 성격을 규정한다는 문제를 둘러싼 것이었다.

제조업 조직화에서 1안은 금속 · 섬유 · 화학 등 3개 조직으로 하자는 안이고, 2안은 조선 · 자동차 · 기계금속 · 전기전자 · 섬유 · 화학 등 6개 조직으로 하자는 안이었다. 여기서 핵심은 금속 조직체계였는데 1안은 금속산업을 하나의 금속연맹으로 구성하고 그 내부에 조선 · 자동차 · 일반금속(기계 · 금속 · 전기 · 전자 등) 협의회를 구성하자는 산업별 조직안이고, 2안은 금속산업을 조선 · 자동차 · 기계금속 · 전기전자 등 4개로 나누어 업종별 단일노조를 만든 후 간담회나 협의회를 구성하여 그 성과를 바탕으로 '금속산별 연맹 → 금속산별 단일노조' 건설을 추진하자는 안이었다. 요약하면 더디더라도 산업별 조직을 기반으로 민주노총을 만들자는 안과 업종별 조직화를 통해 빠른 시기에 민주노총을 건설하자는 안을 둘러싼 대립이었다.

업종별 조직화론자들은 현실론을 바탕으로 해서 "산업별이 당장 가능한가? 그렇지 않다, 업종 조직은 노동자들의 동질성을 확보하는 데 가장 쉬운 조직이므로 지금 조직 가능한 업종으로 출발하자"는 주장이었다. 이에 반해 산업별 조직화론자들은 산별노조 건설은 의식적 노력을 기울여야 하는 것이며, 현실 가능성도 있다고 주장하였다. 이들은 업종별 조직 후 대산별 조직 식의 단계론은 조직의 관성으로 인해 어려움을 겪게 될 것이라고 경고하였다. 또한 기존 노조를 포괄하는 방식이 아니라 미조직 노동자 조직화를 염두에 두고 산업별노조를 기반으로 한 민주노총을 건설하자고 하였다. 1994년 7월 토론회에서 오간 논의를 보면;

"현재 노조운동이 어느 단계에 있는지 봐야 합니다. 나우정밀과 현대중공업이 요구를 같이 하면서 싸울 수 있겠나, 없다고 봅니다. 그동안 벌어진 차이가 있는 겁니다. 실제 교섭단위가 어떻게 형성될 것인가를 보자는 거죠."(김영대)

"대산별로 갈 때 누가 얼마나 참여하겠습니까. 업종도 안 된 상태에서 대산별 왜 가냐 정도의 반응을 보일 것입니다."(강문기)

"전노협 조발안은 금속산업 산별화를 중심으로 보고 있죠. 민주노총은 산업별을 뛰어넘는 계급적 조직이 되어야 합니다. 그 다음 계급적 범위로 산업별 조직을 갖고 있어야 합니다. 금속산별은 1994-95년에 가능하다고 봅니다. 그 근거는 몇 가지 있습니다. 전노협 소속 노조가 그동안 계급적 단결과 실천을 해왔습니다. 조선노협은 금속산별 건설을 목표로 함을 분명히 한 조직이라는 점입니다. 문제는 자동차업종입니다. 그중에서도 대공장 자동차 완성차 노조들이죠. 자동차업종이 가능하다면 금속산별을 만드는 게 불가능하지 않습니다. 때문에 전 금속산별 건설이 조금만 노력하면 가능하다고 봅니다. 미조직 금속노동자 확대를 위해서는 업종 가지고는 안 됩니다."(문성현)[435]

서울지역 참가자 대부분은 업종별 조직화를 제기하였다. 지노협 가운데 서노협이 가장 먼저 업종별 조직화를 제기했던 배경은 서울지역에 업종 조직들이 많고, 이들 중 많은 수가 서노협 소속 사업장이라는 현실 조건이 작용했기 때문이었다. 초기 전노협의 임투 시기집중 전술은 서노협 소속 업종 사업장들의 참여를 불러왔으나, 점차 업종조직의 연대 틀이 생기고 시기집중 전술이 그 효력을 잃어가면서 지노협의 지도력이 축소되는 경향을 보였다. 이는 새로운 틀을 고민하게 되는 계기로 작용하였고 업종 조직 포괄 방안을 고민의 1순위로 놓게 하였다. 이들은 현실에서 출발하여 산별노조 건설을 단계적으로 접근하자고 주장하였다. 업종별 조직화론의 이론적 뒷받침을 했던 것은 노동교육협회였다. 대표 김금수는 민주

노총 건설 관련 교육과 토론에 참여해 다음과 같이 일관되게 주장하였다;

> "원칙상 보면 저는 대산별로 가야된다고 보는데, 현실적으로 보면 업종별로 추진했을 때 오히려 그 추진력이 커서 민주노총의 하나의 큰 기둥이 세워질 수가 있는데, 금속이라는 원칙으로 하나에 합쳐져서 그 추진력이 희석화되고 꺾인다고 했을 때 그게 현실적으로는 어떤지 충분히 점검을 해봐야겠습니다. 개인의 문제가 아니라 그 조직이 갖는 관성 때문에 나간다고 하면 억지로 제지해서는 안 됩니다. 업종별로 나누어 놓고 민주노총의 기둥을 세우고, 그 다음에 설득과 사업을 통해서 결국 업종별로 떨어져서 동질성은 강하고 하지마는 큰 하나의 틀 속에 묶어져야 된다라는 인식의 단계를 거쳐야 되겠지요." [436]

민주노총의 기반이 업종별이냐 산업별인가를 둘러싼 논쟁은 조직체계 논쟁에서 한걸음 더 나아가 민주노총의 성격을 규정짓는 중요한 문제였다. 그 핵심에는 전노협을 통해 형성된 계급성을 어떻게 담아낼 것인가를 둘러싼 문제가 자리 잡고 있었다. 조발소위 논쟁에서 이러한 입장 차이가 드러난다.

> "노동조합은 사상과 이념, 출신과 성분, 성별에 관계없이 경제적 · 정치적 · 사회적 지위와 이해를 확보하고자 하는 노동자라면 누구나 자유로이 참여할 수 있는 조직이다. 그러나 조직의 중심으로 갈수록 계급적 지향성은 분명해야 한다. 모든 사업을 통해 노동자의 계급적 통일성을 위해 노력하지 않으면 안 된다는 것은 노동조합운동의 기본적 원칙이다." [437]
>
> "민주노총이 출범할 때 얼마나 많은 노조를 포괄하느냐가 이후 민주노총의 입지를 상당부분 규정하기 때문에 최대한 많은 수의 노동조합들을 결집시

키는 것이 중요하다. 그리고 조합원 대중의 요구에 부응하는, 승리하는 투쟁을 만들어내기 위해서나 대정부 교섭력을 강화하기 위해서도 한국노총을 능가하는 조직력을 확보하는 것이 대단히 중요하다."[438]

이러한 차이는 몇 개월간의 논의로 쉽게 해소될 수 있는 성격의 문제가 아님에도 8월 25일 전노협 민주노총 건설안이 만들어진 것은 사실상 산업별 조직화를 주장하던 이들이 논쟁에서 한발 뒤로 물러섰음을 의미한다. 이 안은 전노협 조직 방침에 업종별 조직화 사업을 중심에 놓게 하는 근거를 제공하였다. 초기 논쟁을 시작할 때와 달리 '합의안'은 업종별 조직화를 기반으로 산업별 조직화를 추진한다는 이른바 '단계론'을 수용했던 것이다.

전노협 조직방침이 이미 정해졌고, 이것이 위원장 선거를 통해서 확인되었는데도 다시 조직발전방향 논의를 시작했던 이유로, 1안은 "그간 진행된 전노협의 선도적인 활동에 의해 민주노총에 대한 대중적 요구가 확대되고 있으며, 향후 정치일정을 고려할 때 유리하게 활용할 수 있는 측면이 많다는 정세인식이 민주노총 건설의 시급한 착수를 요구하고 있기 때문"이라고 하였다.[439] 전노협 위원장 선거 이후 구성된 임원 및 중앙위원 분포 그리고 전노대 결성 이후 전노협 입지 축소 등 제반의 조건도 영향을 미쳤지만 근본적으로는 전노협 확대강화론자 내부에서부터 균열이 생긴 것으로 볼 수 있다. 양규헌 선대본 참여자들 중 다수가 민주노총 조기건설론으로 기울었던 것이다.[440] 결과적으로 조기건설을 하게 되는 것과 조기건설을 상정하고 논의 · 조직하는 것은 달랐다. 전노협 확대강화론자들은 스스로 모순에 빠졌고 결국 대세를 따라가는 형국으로 조직방침 논의를 마무리하게 되었다. 이들의 균열을 만들었던 '대세' 는 절충안이 만들어지는 때를 전후하여 각 조직의 의견으로 공식 발표되었다.[441] 반면 산별노조 건설을 주장하던 이들은 전노협 건설 때처럼 대중적 실천을 통해 전노협이냐 한국노총 민주화냐를 둘러싼 논쟁을 잠재울 상황을 만들어내지 못하였다.
결국 전노협은 조직방침을 절충하고 수정하는 등 혼란스러운 상황에서 노동자들의 민주노총에 대한 높은 열망을 받아 안아야 하였다. 그리고 기업별노조의 한계로 지역 조직이 깨졌던 아픔을 극복하고자 산업별노조 건설의 필요성을 주장하던 이들은 소수화되어갔다.

금속산업 재편

민주노총준비위 시기로 넘어가면서 금속산업 재편과 관련한 구체적 논의가 진행되었다. 1994년 8월 25일 전노협 중앙위원회의 절충안은 그 해석을 둘러싸고 민주노총준비위의 조직체계 논의와 맞물려 전노협 내에서도 다시 논의되었다. 전노협 '조직발전방침' 이 금속산업의 조직 재편에 지표로 작용하고 있는 상황에서 혼란이 적지 않았다. 따라서 금속산업 각 조직의 논의 정도와 전노협의 조직력을 검토하면서 민주노총준비위 논의와 발맞춰 재논의되었던 것이다.
5차 중앙위원회 이후 전노협은 "우선 업종별 조직화에 주력한다"는 결정에 따라 제조업의 업종별 조직화에 집중해왔다. 전노협 산하의 많은 노조들 또한 금속일반(업종)으로 조직 재편에 들어가 금속일반협의회 추진위원회를 구성하였다. 1994년 1월 30일 '조선업종노동조합협의회(조선노협)' 가 창립됐고, 1994년 10월 22일 '전국 자동차노조 연대조직 건설 추진위원회(자동차업종추진위)' 가 출범했다. 그리고 1994년 12월 22일 '전국금속일반노동조합협의회 추진위원회(금속일반추진위)' 가

전국자동차노동조합총연합(준) 출범식

공식 발족했으며, 기타 화학과 섬유 등 업종 조직이 추진됨으로써 제조업은 5개의 조직으로 나뉘었다. 따라서 논의는 조선, 자동차, 금속일반을 통합하여 금속산별 건설로 가는 것으로 집약되었다. 이는 일단 업종별 조직화를 바탕으로 금속산별 건설이라는 대원칙을 추진할 토대가 구축됐음을 뜻하는 것이다.

그러나 금속산업 재편은 쉽지 않았다. 조선노협, 금속일반추진위 등에서 주장하는 내용으로 금속산업 내 민주노조는 금속연맹에 가입하여 민주노총에 가입하고 나아가 금속산별을 건설하자는 의견과 업종별로 민주노총에 가입하여 산별추진위를 결성하자는 전국자동차총연합(자총련)의 주장이 대립되고 있었다. 이견의 근거는 업종조직 고착화에 대한 우려와 업종별 조직화가 현실적으로 유리하다는 이유 때문이었다. 이런 논의가 진행되는 와중에 자총련준비위가 1995년 8월에 민주노총준비위에 가입하였고 비슷한 시기 현총련이 민주노총준비위에 가입하기로 결정하였다. 그러자 금속일반추진위와 조선노협은 금속연맹추진위를 결성해 민주노총에 가입하기로 해 일단락됐다.

조선노협이 출범했으나 1994년 최소한의 공동투쟁조차 조직화하지 못한 데서 업종별 조직의 한계를 느꼈고, 금속일반은 대부분 전노협 소속 사업장이라 지역 · 산업별 조직이 더 설득력을 가졌던 데 비해, 자총련 준비위는 삼성의 자동차산업 진출 반대를 계기로 완성차 노조들의 결속력이 높아지고 조직이 확대되던 시기였다는 점, 임금이나 노동조건 관련해 공동대응이 유리하다는 점 등이 크게 작용하였다. 그밖에 자총련 준비위, 현총련, 대노협은 민주노총 조기건설론 입장이 내부에 강하였다는 점도 큰 이유였다.

그룹조직 인정문제

현총련의 결정으로 그룹조직의 민주노총 가입을 인정할 것인지 문제가 쟁점으로 떠올랐다. 그룹조직 문제는 전노협 조직발전 논의에서도 지속돼왔는데, 1안은 "그룹협의회는 금속산별로 해소되어야 하고 그 역할은 그룹 내부의 공동사업 수준에 머물러야 한다"는 입장이었다. 이에 반해 2안은, "재벌이 비대한 우리나라에서는 그룹협의회가 일정한 필요성에 의해 생겨났기 때문에, 새로이 건설되는 민주노총은 그룹협의회를 조직체계 속에 포괄해야 한다"는 입장이었다. 물론 현총련은 한국노조운동의 특수성을 더욱 강조했는데, "지역 · 업종 · 그룹별 내부 조건의 현실적 차이를 극복하고 단일한 산별 혹은 업종으로 쉽게 조직할 수 있다고는 생각하지 않는다. 때문에 현실의 기업별노조를 산업별 혹은 업종별 지역별로 조직화하되, 참여를 원하는 민주노조들을 포용할 수 있도록 하고 그룹별 조직도 같은 비중으로 존중되어야 한다고 생각한다"라고 주장하였다.[442]

이러한 입장 차이는 민주노총준비위에서 본격적으로 논의되었다. 1995년 8월 24일에 열린 전국단위노조대표자수련회에서 민주노총준비위가 제출한 규약초안을 놓고 각 조직과 단위노조대표자들이 논의하였다. 이날 준비위가 초안형태로 제출한 조직체계 가운데, 산업별 조직을 가맹조직으로 지역본부와 그룹조직은 산하 조직으로, 산업별 조직에 가입하지 않은 노조는 지역 · 그룹조직으로 가입한다는 내용이 가장 첨예한 쟁점이었다. 준비위 초안이 가맹조직을 기본체계로 설정하고, 가맹조직에게만 대의원을 파견할 수 있게 하는 등 권리와 의무에 차등을 두기 때문이었다. 이 점에서 지역 · 그룹조직의 의견과 달랐으며, 특히 현총련은 초안에 대해 부정하는 입장이었다. 이미 현총련은 8월 23일 열린 운영위원회에서 '민주노총에 현총련 단위로 가입' 하기로 결의하였다.

대표자수련회에서 규약에 대한 지정토론자로 참가한 현대미포조선노조 위원장 박종석은 그룹조직이 산하 조직의 위상을 갖는 데 반대하면서, "가맹조직의 위상을 가져야 한다"는 의견을 제출하였다. 현총련의 이런 문제의식은, "독점재벌이 존재하는 한 이에 대응하는 노동자의 조직으로 그룹조직이 필요하다"는 판단에 근거한 것이었다. 이와 관련해 현총련 조직특위장 오종쇄는, "냉정히 말해 현재 민주노총은 업종 조직"이며 "현총련은 산별 조직 건설에 동의하지만 민주노총이 현실을 무시하고 인위적으로 그룹조직을 산별노조로 묶으려는 것에 반대한다"고 하였다.

이후 10월 4일 민주노총준비위 대표자회의에서도 논의는 계속되었다. 준비위가 부칙에 경과규정을 두어 그룹조직을 조건부로 인정하는 안을 제출했는데 이에 반대해 현총련은 본 규약에 그룹조직을 기본 가맹단위로 인정할 것을 주장하였다. 회의에서 오고 간 논의를 보면;

"기본 가맹단위로 하자는 제안을 수용하지 않으면 민주노총 가입을 유보할 수밖에 없는 게 현총련 내부 현실입니다."
"민주노총이 산별노조(조직)를 지향한다는 원칙을 분명히 해야 합니다. 이 원칙에 동의하고 현총련이 양보해야 합니다."
"그럼 '그룹조직을 기본가맹단위로 인정하되 부칙에 경과규정을 두는' 수정안으로 재논의합시다."
"반대합니다. 현총련의 주장을 받아들인다면 산별노조의 건설경로에 대해 협의가 이루어지지 않은 상태에서 특정조직에만 경과규정을 두는 수정안을 받는 것입니다. 적절치 않습니다."
"1987년 이후 민주노조진영의 자연발생적 투쟁이 오늘과 같은 다양한 조직 형태를 불렀으나 이제 산업별 재편을 적극 모색해야 할 때입니다."[443]

몇 차례의 정회를 통해 이견을 조정했는데도 협의안이 마련되지 않자 대표자들은 결국 표결에 들어가 '산업별 조직에 가입하지 않은 노조'는 '이들 노조가 산업별 조직에 가입할 때까지' 지역 · 그룹조직을 통해 민주노총에 가맹할 수 있도록 하는 부칙(경과규정)[444]을 두는 것으로 논란을 마무리하였다.[445]

금속산업 재편과 전노협

민주노총 건설 과정에서 전노협은 금속산별 조직화를 위해 적극적으로 결합하였다. 전노협은 1987년 이후 민주노조운동의 투쟁과 조직운영 경험이 금속산업에 축적되어 있다고 보았고, 이를 어떻게 재편하느냐가 향후 민주노총, 더 나아가 민주노조운동의 방향을 좌우할 것이라고 보았다. 그리고 금속산업은 전체 노동자의 약 20%를 차지하고 민주노총준비위 내에서는 약 50%를 차지하여 규모 면에서도 중요하였다. 또한 전노협 소속 사업장 대부분이 금속산업에 속해왔으므로 이를 재편하는 것이 전노협의 첫째 임무였다. 전노협의 역사적 경험이 녹아들 수 있고 기업별노조의 한계를 넘어설 틀은 산별노조였다. 따라서 전노협은 소속 사업장을 확대 개편하여 금속일반추진위로 묶고, 세 조직 통합을 위해 적극적으로 결합했던 것이다.

이와 관련해서 1995년 2월 전노협 사무총국 토론에서는 금속산별조직 건설을 대전제로 "업종별 고착화를 막기 위해 금속 전체는 금속연맹으로 묶고, 업종별(지역별) 동질성을 최대한 살린다는 점에서 업종별(지역별) 단일노조 건설도 동시에 추진하는 방식"으로 의견을 모았다. 그러나 이것이 전노협의 입장으로 정리되지는 못하였다. 당시 전노협의 지도집행력은 약해졌고, 지도력의 중심은 민주노총준비위와 산업 업종별 조직으로 이전됐기 때문이다. 전노협은 민주노총준비위, 산업 업종별 조직화를 위해 상근역량을 파견하였고, 남은 역량을 총동원하여 금속산업 조직통합과 전노협의 발전적 해산을 위해 집중했으나 지도력의 한계를 드러냈다. 더군다나 현총련은 그룹조직 관련 수정안까지 제출할 수 있을 정도로 내부 결속이 강했으나 전노협은 내부에서 통일적 입장을 정할 수 없던 상황이었다.

전노협은 금속산별노조 건설에 온 힘을 쏟았고 1995년 11월 대의원대회에서는 발전적 해산을 위한 논의가 있었다.

건설시기

민주노총 건설시기를 둘러싼 문제는 조직체계와 조직운영문제가 결부되어 지속적 쟁점이었다. 이는 민주노총을 시급히 건설해야 하니 현실 가능한 업종별로 조기 건설하자는 입장과, 업종별 조직이었던 사무 전문직과는 달리 제조업은 새롭게 재편을 해야 하니 시간이 필요하다는 입장 차이였다. 전노협 조발특위에 제출된 1안은 1995년 상반기 건설을, 2안은 1995년 2월 건설로 확정하자는 것이었다. 그러나 임단투시기에 조직 건설 논의에만 집중할 수 없다는 현실적 사정을 고려해 1995년 2월 건설안은 자동 폐기되었다. 지역조직들이 논의할 시간이 필요했기 때문이었다. 8월 25일 전노협 중앙위원회에서 1995년 상반기 건설로 합의된 이후 건설시기 논쟁은 민주노총준비위 차원으로 넘겨졌다. 하지만 민주노총준비위 운영위원회가 표결 방식으로 건설 일정을 결정하자 조직운영의 비민주성이라는 새로운 문제점을 낳았다. 여기서는 민주노총 건설시기를 둘러싼 두 가지 입장을 나눠서 보도록 하겠다.

2안은 1995년 2월에 민주노총을 건설하자고 하였다. 그 근거는 전노협의 조직력 약화였다. 실제 전노협은 결성 초기 16-20만 규모였으나 무자비한 탄압과 휴·폐업 시기를 견디고 난 뒤, 전노대 조사에 따르면 4-5만 규모였다.[446] '이 규모로는 자본과 정권의 탄압을 견디지 못한다. 한국노총 탈퇴 노조들은 전노협에 가입하기를 꺼려하므로 전노대 혹은 비슷한 틀로 묶어 양적 확대를 꾀하자' 는 것이었다. 조기건설론자들은 양이 커져야 투쟁도 가능하다고 보았다. 김영대의 견해를 보면;

"민주노총은 어차피 각 조직의 합이잖아요. 양이 커졌기 때문에 투쟁의 질이 높아질 거다. 투쟁의 양이 커짐으로써 위력적인 투쟁도 조직할 수 있다.

그게 그 다음 해에 나타나는 거라고 보거든요. 96년 노개투로."

더 나아가 조기건설론자들은 조직의 합법성이 이러한 양적 확대를 보장한다고 보았고 합법성은 산별노조 건설을 위한 공동투쟁의 기본 요소라고 보았다. 한국노동교육협의회 대표 김금수는 강의를 하면서 다음과 같이 말하였다;

"지금 6개 합법 연맹을 보시면 되지요. 사금은(사무금융-인용자) 처음부터 합법성을 갖고 있었습니다마는, 병원이나 전문이나 건설이나 대학노련이나 신고필증을 받기 전과 그 이후는 그 내부 운영이 달라집니다. 이게 대중조직이 갖는 약점이지요. 합법성이 없는 데는 분명히 한계가 있습니다. 제3자개입금지 이것만 아니라. 우선 사금련이 출발할 때 2만에서 2-3년 사이에 약 4-5만으로 불어난 것도 그런 이유지요. 지금 신고필증 받고 거의 연맹들이 5천-1만이 불어갑니다. 다음 하나는 합법성을 갖고 있지 못하면 공동투쟁을 하고 싶더라도 법적인 뒷받침이 되지 않기 때문에 교섭권 위임 등 실질적인 공동투쟁을 할 수가 없습니다. 그러면 산별에 대한 전망을 가질 수 없습니다. 대중조직으로서의 합법성은 실제 활동이나 내용을 채워가는 데 거의 필수적입니다." [448)]

한국노총 탈퇴노조까지 담아낼 조직이 시급히 필요하다는 인식은 제3노총 건설을 현실 가능한 것으로 상정하는 데까지 나가게 만들었다. 당시 대다수 의견은 제3노총 가능성은 현실적으로 존재하지는 않았고 존재하였다 해도 이는 민주노총 건설에서 중요한 변수로 작용하지는 않았다. 하지만 제3노총 논의는 조직체계 논의의 장이나 토론회 등에서 공공연하게 제기되었다.[449)]

"민주노총 편재 방식, 내용 등 합의를 못하고 있어서 대중적 지지는 있지만 구체화되지 못하고 있다는 점이 안타깝습니다. 문제는 제3노총이 일어날 가능성이 있는데 전노협에서는 제3노총에 대한 두려움이 없는 것이 문제라고 봅니다. 지지부진하게 끌 일이 아닙니다. 빨리 합일점을 찾아서 제2노총으로 끝내야 합니다."(강문기)

"제3노총 부분도 배제할 수 없는 측면이 있습니다. 올해 상반기 법 개정 가능성을 노동부가 밝히면서 법이 개정되었을 때 어떤 양상이 벌어질 것인가 고려해야 합니다. 정부는 탄압책의 하나로 노동조합진영을 분열시키는 작업을 할 것입니다. 노총과 구별되는 민주노조진영을 총합하는 게 시급합니다. 1994년 전지협 투쟁 총파업 조직도 안 됐습니다. 시급히 전노대 수준의 집행력을 극복해야 합니다."(김영대)

이러한 주장에 대하여 1안은 탄압이 수그러든 시기에 전노협의 조직확대와 강화를 통해 민주노조운동의 구심을 세워가며 새로운 조직을 만들어야 한다고 주장하였다. 전노협 강화론자들은 원칙 없는 양적 확대가 가지는 위험성을 경고하였다. 자본과 정권의 탄압에 맞서려면 조합원들이 조직에 대한 애정을 갖고 있어야 하는데 이는 투쟁 속에 민주노총을 건설해야 생기는 것이라고 보았다. 양규헌은 전노협에 대한 무자비한 탄압 속에서도 구속 · 수배를 마다않고 조직을 사수했던 조합원들이 역사적으로 증명하는 것이라고 강조했다. 그의 증언을 들어보면;

"모아놓고 보자는 식의 총합이 가지는 투쟁력은 한계가 있습니다. 이는 전노대 지도력에서 이미 확인되었던 것입니다. 투쟁을 통해 끌어올리는 과정 속에서 의식, 투쟁력의 평준화를 이룬 다음 건설해야 한다는 주장이었죠.

정권의 의도는 노동계 분할지배 아니겠어요? 예전처럼 탄압으로 일관하지도 않을 거고, 그렇다고 변혁적 세력을 그대로 두지도 않을 겁니다. 당시 여기에 대응할 힘은 계급적 의식을 끌어올리는 것이라고 봤던 거죠."[450)]

여기서 짚어보아야 할 것은 표면적으로 논쟁은 민주노총 건설시기를 둘러싼 문제로 대두되었지만, 실제 대립 지점은 결국 전노협의 운동노선을 어떻게 할 것인가를 둘러싼 문제였다는 사실이다. 민주노총 조기건설론자들이 전노대를 통한 민주노조진영의 빠른 재편과 합법화를 제기했던 이유는 전노협시기 전투적 투쟁력을 통해 정권의 탄압을 돌파해오던 운동노선을 변화시켜야 했기 때문이었다. 합법성을 고민하는 순간 정권과 관계 틀이 변화돼야 했기 때문이다. 반면 전노협 강화론자들에게는 조합원 대중의 논의와 공동투쟁을 바탕으로 산별노조를 기반으로 한 민주노총을 건설하는 것이 전노협 노선 변화 요구를 막아내는 길이었다.

이 논쟁은 8월 25일 전노협 중앙위원회에서 금속산업의 업종별 연맹을 기본 축으로 하고 이를 토대로 금속산별 준비위를 민주노총 건설과 함께 띄운다는 합의와 민주노총 건설 구체화로 일단락되는 듯하였다. 이후 민주노총 건설시기와 관련한 논의는 민주노조운동 전체로 확산되었고 민주노총준비위에서 진행되었다. 이전 시기와 달리 논의에 속도가 붙었다. 민주노총준비위 결성 이후 현장은 민주노총 건설 희망으로 들끓었기 때문이다.

1995년 2월 9일에 열린 민주노총준비위 운영위원회에서 5월 1일로 민주노총 건설을 결정하고 이를 대표자회의에 상정하였다. 이날 운영위원회에서 참석자들은 민주노총 건설시기와 관련해 집행위원회가 내놓은

'10월 초순' 과 '5월 1일'등 두 가지 안을 놓고 토론하였다.

"준비가 미흡하다는 이유로 건설을 미룰 수 없습니다. 시기를 결정하고 그 것에 맞춰 준비를 서둘러야 합니다. 5월 1일 건설해야 합니다."
"민주노총을 건설하기 위해서는 각 조직별로 대중적 참가를 결의하는 최소한의 과정이 필요한데 현재 조건에 비춰 볼 때 5월 1일은 너무 이르죠."
"정부와 자본 쪽은 민주노총이 올해 상반기에 건설되기는 어려울 것이라는 판단과 함께 어쩌면 올해 안 결성도 힘들다고 보고 있습니다. 이럴수록 민주노조진영은 뜻을 한데 모아 시급히 민주노총을 건설해야 합니다."
"상반기에 임단투와 사회개혁투쟁에 집중하고 조직의 내실을 다져가면서 그 성과를 모아 하반기 10월 초순에 민주노총을 건설합시다."
"민주노총에 참여하고자 하는 상당수의 노조들이 한국노총을 탈퇴해야 하고 이를 위해 조합원들의 결의를 모으는 과정이 필요합니다."
"지자체 선거 방침을 민주노총의 이름으로 공식 확정해야 지자체 선거에서 적극 실천할 수 있습니다."
"몇 시간 얘기해도 결론이 안 나는데 두 개 안을 모두 대표자회의에 올립시다."
"그 가운데 하나를 운영위원회 안으로 결정해야 합니다."[451)]

결국 무기명 비밀투표에 들어가 10대 5로 5월 1일 건설안을 '운영위원회안' 으로 결정하였다. 하지만 이 결정은 또 다른 논란을 낳았는데, 그동안 민주노총준비위가 여러 문제를 표결로 처리해온 것에 대해 비판이 제기되었다. 현총련은 2월 12일 대의원대회와 운영위원회 이름으로 성명서를 내고, "조합원의 의견을 수렴하는 과정을 거치지 않은 표결처리 방식의 조직운영은 조직 내 합의정신을 높이고 단결력을 강화하는 데 장애가 되어 힘 있는 민주노총 건설을 가로막는 원인이 되고 있다"고 주장했다. "시급히 이러한 작풍이 해소되지 않으면 현총련은 이후 민주노총준비위와의 사업에 있어서 사안별로 선별해서 결합할 수밖에 없다"고 밝혔다. 2월 14일 열린 마창지역 민주노총준비위 임시대표자회의도 현장의 논의수렴 없이 민주노총 건설 시기를 하향식으로 결정하는 것은 민주적 절차에 위배된다는 점을 분명히 하고, 2월 15일에 열리는 대표자회의에서도 표결 처리될 경우 마창지역 대표들은 표결에 참여하지 않을 것을 결의하였다.[452]

2월 15일 민주노총준비위 4차 대표자회의에서 이 논의는 재연되었다. 이날 회의의 주요쟁점은 '임단투와 민주노총 건설을 병행할 것인가, 임단투의 성과를 이어 민주노총을 건설할 것인가'를 둘러싼 건설시기 문제와 조직운영 방식 두 가지로 집약됐다.

"제출된 5월 1일 건설안은 올해 임단투와 관련된 사항이 거의 없는데 투쟁을 통한 조직 건설이라는 대원칙을 통해 민주노총을 건설해야 합니다."(최은석 대노협의장)

"전노협은 투쟁을 통해 건설했지만 지금은 상황이 변했으며 중앙에서 지역으로 업종으로 조직해 들어가야 합니다."(최동식 인노대공동의장)

"조합원의 관심이 집중되는 임단투시기에 건설의 바탕을 집중적으로 마련해야 하는 겁니다. 건설을 위한 준비가 부족하다고요? 그렇다면 제조업의 산업 · 업종별 재편이 언제까지 될 수 있습니까? 건설의 주체적 준비 정도는 실무적 준비 정도입니다."(박태주 전문노련위원장)[453]

다음으로 민주노총준비위 운영 방식과 관련된 논의가 시작됐다. 대다

수 대표자들은 운영 방식에 대해 문제를 제기했고 이에 대해 사무노련 대표자 등이 다음과 같이 반박하였다;

> "주요사안에 대해서 표결 처리하고 현장 논의도 없이 하향식으로 사업을 하는 건 옳지 않습니다. 그리고 대표자회의와 운영위원회 권한이 어디까지입니까?"
>
> "그건 회의 일반 원칙이죠. 언제까지 논의만 하고 있을 겁니까?"
>
> "전노협과 지노협은 그동안 사업을 하면서 '합의정신'을 바탕으로 논의해왔습니다. 주요 사안에 대해 표결로 처리한 적은 없습니다. 민주노총도 합의정신을 발휘해야 합니다."[454]

이날 회의는 세 차례 정회를 거듭하면서 의견을 조정해 결국 '11월 13일 발족'이라는 새로운 합의안을 만들어냈다. 한편 하루 뒤에 열린 단위노조 대표자수련대회에서도 운영위원회의 '대중적 토론이 결여된 성급한 표결'에 반성을 촉구하기도 하였다. 그러나 대체로 '11월 13일 발족선포안'을 내놓은 대표자회의의 결정을 존중하자는 분위기로 논란은 마무리되었다.[455]

이상에서 살핀 바와 같이 건설시기를 둘러싼 문제는 전노대 시기부터 지속된 주요쟁점 가운데 하나였다. 그 이유는 민주노총준비위에 참가하는 각 조직의 처지와 조건이 달랐기 때문이었다. 사무・전문직 노조들은 결성 이래 7-8년에 걸친 연맹활동을 통해 조직내부의 동질성과 결속력을 다져왔다. 특히 병원노련은 공동교섭 등 활동을 적극적으로 펼쳐 연맹의 지도력과 안정성을 확고히 구축한 것으로 평가되기도 하였다. 그뿐만 아니라 전문노련과 방송사 단일노조 건설을 앞두고 있는 언론노련과 같이 이미 산업별 단일노조로 전환할 기반을 갖춘 경우도 있었다. 사무 · 전문직 노조의 상황에서 업종을 기반으로 한 민주노총 건설은 쉽고 빠른 길이었다. 그러나 제조업노조의 사정은 달랐다. 지역별 · 그룹별 활동에 주력했던 제조업노조들은 당시 산업(업종)별 재편을 모색하고 있던 단계였다. 금속산업의 경우 금속일반과 자동차업종이 추진위원회의 이름으로 동질성을 높이기 위한 공동사업을 모색하고 있었고 화학산업과 섬유산업은 초동주체를 모으는 사업을 벌이는 단계였다. 때문에 제조업노조들은 민주노총 건설을 위한 시간이 더 필요했다.

지역조직 재편

민주노총 건설과 관련한 전노협 사업의 주요 방향은 지역조직의 확대강화와 제조업 내 산업별분화로 집중되었다. 이는 그간 투쟁과 연대의 중심이 제조업, 특히 금속산업과 지노협을 중심으로 한 지역조직 속에 녹아들어 있다는 판단 때문이었다. 사업의 한 축이었던 제조업 내 산별조직화는 내용상의 이견이 완전히 해소되지 않고 구체적 사업내용이 불충분하더라도 논의가 진척되었지만, 다른 축인 지역조직 강화와 재편에 관한 논의는 거의 전무한 상태였다.

그렇다면 지역조직 문제를 논의하는 데 어려움은 무엇이었을까? 지역조직 간의 편차 때문이었다. 1987년 노동자 대투쟁 이래 지역조직은 민주노조운동의 주요 중심축이자 사업 단위였지만, 그간 각 지역이 처해 있는 객관적 조건이 달라 불균등한 발전이 심화돼왔다. 다시 말해서 인천이나 성남, 광주지역의 경우 지노협 가입사업장들의 폐업 · 이전 · 탈퇴 등으로 지노협의 중심성이 약화됐고, 진주지역은 공단규모도 작을 뿐 아니라 가입사업장도 5개 노조에 불과해서 지노협으로서 기능이 위협받고 있었다. 또한 서울지역의 경우 가입사업장 다수가 제조업보다는 비제조업에 속하는 노동조합이고 업종연맹과 전지협, 공공부문노조 등에 복수 가입되어 있어서 단일한 사업방침 집행이 어려운 상태였기 때문에, 조직 재편에 대한 필요성이 다른 지노협에 비해 더욱 활발하게 제기되었다. 반면 경기, 부천, 마창, 부산 등은 금속을 중심으로 한 지역 내 동일산업을 중심축으로 조직돼 있기 때문에 여타 업종에 대한 사업을 강화하면서 조직확대와 더불어 사업영역의 확대가 이루어지고 있었다. 이러한 지역조직의 불균등한 발전은 지역 재편의 상과 지노협의 역할에 대한 인식 차이를 심화시켰다. 또한 이런 지역 간 차이는 중앙사업으로 집중력과 중앙의 관장력을 약화시켰고, 더 나아가 사업방향의 불일치로 나타났다.[456]

이렇듯 어려웠지만 전노협이 지역조직에 관심과 지도력을 집중해야 했던 이유는 지역조직과 산업별 조직은 씨줄과 날줄로 잘 짜인 직물처럼 서로 견고하게 결합하지 않으면 안 되며, 그 어느 쪽도 상대적으로 덜 중요한 조직으로 인식되어서는 안 되기 때문이었다. 전노협에서 지역조직의 중요성을 강조했던 이유는 다음과 같다.

> 첫 째, 지역조직은 자본과 정권의 탄압에 공동대응하는 기본단위라는 점이다. 1987년 이래 우리는 수많은 투쟁을 통해 같은 공단, 같은 지역이야말로 자본과 정권의 탄압에 가장 신속하고, 적절한 대응을 조직할 수 있는 기본단위라는 점을 경험해왔다.
>
> 둘 째, 지역조직은 노동조합의 대국민, 대주민 활동의 기본단위이다.
>
> 셋 째, 지역조직은 산업 간의 차이를 지역사업을 매개로 단일한 계급성으로 단결하게 하는 민주노총의 뿌리이다. 산업별 조직의 건설은 산업내에 위치한 노동자들의 단결과 투쟁을 통해 산업내부를 하나의 계

급으로 통일시켜나가겠지만, 산업과 산업 간의 이해 차이, 조건의 차이가 심화될 수 있다. 특히 그동안의 현실을 통해 보면 제조업노동자들과 사무직 노동자들은 서로 상이한 조직 · 투쟁 · 사업경험을 통해 성장해왔다. 바로 이러한 차이를 극복하고 노동자계급의 통일성을 확보하는 기본토대로 지역조직을 위치 지어야 한다.

넷 째, 한국 자본주의의 구조적인 특징에 의해 산업별로 복합적인 공단이 설립되어 있다는 점이다. 즉, 특정지역에 특정산업이 계획적으로 진출하여 그 지역주민을 단일산업 노동자로 흡수한 것이 아니라, 공단 자체가 무계획적으로 조성되고 다양한 산업과 업종을 중심으로 노동자들을 그 지역으로 흡수함으로써, 산업별 지역조직만으로 지역사업 전체를 아우르는 데는 근본적인 무리가 따를 수밖에 없다.

다섯째, 지방분권화에 따른 지역조직 차원의 대응력이 확대된다는 점에 있다. 지방자치제도란 자본주의의 구조적 모순을 지방으로 분산 · 이전함으로써 체제의 안전성을 이중화하는 데 있는 만큼, 지역조직으로 대응하는 데 근본적인 한계가 있음은 물론이다. 그럼에도, 지역 내의 고용, 사회복지, 환경, 공해, 선거 등에 대한 대처에는 지역조직이 가장 효과적인 단위가 된다.[459)]

이처럼 지역조직은 산별노조 건설 이후에도 반드시 필요한 조직이며, 그 역할은 결코 산업별 조직보다 못하지 않다는 것이다. 따라서 그동안 지노협이 쌓아온 사업경험을 토대로 보다 발전된 형태로 지역조직은 재편되어야 한다는 점이 강조되었다.

이를 반영하듯이 민주노총준비위 대표자회의에서도 지역조직에 대한 논의가 진행되었는데, 민주노총준비위의 규약초안이 마련되면서 더욱 구체화되기 시작하였다. 8월 24일에 민주노총준비위 단위노조대표자회의가 열려 이 부분에 대한 검토를 하였다. 준비위의 규약 해설안은 이 같은 문제제기에 대해, "산별 · 지역 · 그룹이 모두 구성단위로 가서는 안 된다"고 못 박았다. 민주노총 자체가 하나의 노조조직이기 때문에 이중가입, 의무금 납부, 대의원 배정의 우려가 있어서는 안 된다는 이유였다. 규약초안에 대해서 지노협에서 이견을 제출하였다. 경기노련은 민주노총 규약초안에 대해 '이견 있음'을 표시했고 여러 대표자들도 지역조직을 산하조직으로 정한 것에 대해 문제를 제기하였다. 이견을 제출한 대표자들은 조직체계에서 산별조직이 기본체계로 들어가는 데는 동의 했으나 "지역조직 역시 가맹조직으로 포함돼야 한다"는 의견을 제출하였다.

민주노총 건설 과정에도 지노협의 조직력과 투쟁력은 확인되었다.

가맹단위와 관련해서 대의원배정문제가 중요한 쟁점으로 떠올랐는데 지역도 산별조직과 동등하거나 일정한 비율로 대의원, 중앙위원 등을 배정받아 민주노총의 결정과정에 참여할 수 있어야 한다는 것이었다. 또한 1,000명당 1인을 대의원으로 배정한 초안이, "대기업을 위주로 대의원을 파견하게 되어 작은 규모 현장에서 참여가 어렵다"며 대의원 수를 늘릴 것을 주장하였다.

업종조직, 그룹조직, 지역조직이 모여 논의하는 구도하에서 지역조직의 필요성을 주장하고 통일된 입장을 낼 수 있던 조직은 전노협뿐이었다. 다른 조직의 대표자들은 전노협의 기존 지역조직은 민주노총의 지역조직이 아니라 금속산업의 지역조직으로 편재되면 된다는 생각이 많았다.[459)]

그렇다면 전노협은 지역조직 재편을 위해 어떤 방침을 세웠으며, 이를 민주노총 건설 과정에서 어떻게 관철시키고자 했는가? 1995년 9월 15일에 열린 전노협 제13차 대표자회의에서 지역조직에 대한 논의가 진행되었다. 이 회의에서는 최대한 단일안을 모아내려는 노력을 기울였으나 지역별 편차가 그대로 드러났다. 지역별 논의를 통해 의견을 모아온 곳도 있고 그렇지 않은 곳도 있었다. 부천, 경기 등은 지역조직 인정을, 마창은 의견 유보, 서노협과 인노협 의장은 민주노총준비위 논의 속에서 고려하자는 입장을 보였다.

> "업종체계도 초보단계고 이제까지 지역사업, 공동사업 중심이었는데 여전히 높은 비중이 남아 있는 지역조직이 규약안처럼 정리되는 것은 무리가 있습니다. 전노협의 통일된 방침을 마련해서 대응해야 합니다."(양규헌 의장)
>
> "지역이 당연히 가맹조직이 되어야지요."(경기, 부천, 성남)
>
> "조직은 산별중심이나 대의원은 지역도 20% 추가되어야 합니다."(서노협)

"이 문제와 관련해 전노협은 지역조직, 산별조직을 50대 50으로 하고 산별조직을 기본으로 하되 지역조직을 적극 포괄해야 한다는 의견이 다수지만 업종은 이에 반대 입장이 완강합니다. 때문에 민주노총 대표자회의에서 이 문제가 투표로 마무리된다면 큰 문제를 야기할 가능성이 있어요. 업종에서는 한 치의 양보도 없이 지역, 그룹에 대해 끼워줄 수 없다고 주장합니다. 대의원 배정에서 미약하나마 약간의 가능성을 두는 정도죠. 분명하게 의견을 제출해야만 정치적 절충, 타협을 기대할 수 있지 않을까요."(전노협 사무총장)

"난상토론이 되어 다수결 처리될 가능성 높습니다. 그러므로 일정하게 여지를 주고 위임하는 방식이 되어야 합니다. 현실성을 고려합시다."(서노협 의장)

"강령은 결정되면 바꾸기 어려우나 규약은 바뀔 수 있는 것 아닌가요? 현총련과 같은 그룹조직의 경우 정치적 절충을 할 여건이 아니기 때문에 오히려 업종연맹을 설득해서 과도적 안을 모아야 하지 않을까요? 지역조직은 기업노조체계가 유지되는 한에서 2~3년 정도는 다양한 활동이 필요하고 지도, 집행력에 참여할 수 있는 통로를 마련하는 식으로 보완되어야 합니다."(인천)[460]

이처럼 논의가 오갔지만 전노협은 지역조직 재편에 대한 단일안을 마련하지 못하고 결국 민주노총준비위 논의 속에 좌지우지되도록 맡기는 형국이 되고 말았다. 기존 민주노총준비위 논의 구도를 볼 때 결과는 이미 정해져 있었다.[461] 이는 지역별 편차와 전노협 지도력의 한계를 드러낸 것이었다. 민주노총의 조직체계가 산업별이어야 하느냐 업종별이어야 하느냐는 논쟁에 밀려 지역조직의 상을 잡지 못했던 것이다. 결국 자발적 연대의 상징이었던 지역조직은 민주노총의 집행기구가 되었다. 민주노총을 건설할 때 지역본부의 위상을 제대로 잡지 못했던 것은 이후 민주노총 사업이 진행되면서 문제점으로 드러났는데

양규헌과 한석호는 이를 다음과 같이 언급하고 있다;

"문제는 전노협 내부에 있었어요. 지역조직 관련해서도 논쟁을 많이 하죠. 한편으론 민주노총은 결국 연맹, 업종별 · 산별 연맹 중심으로 가야한다, 거기에 지역은 연대투쟁 기구로서의 지역본부로 들어가야 한다는 게 당시 주류 입장이었고, 비주류는 탄압에 대한 대응기구로 연맹보다는 지역이 더 빠를 수 있다. 그래서 결국은 표결로 가서. 그러나 이게 1996년 노동법개정 총파업투쟁 거치게 되면서 그때는 논쟁이 아니라 지역조직이 가지는 위상이 새롭게 부상이 되는 거죠. 지금 민주노총 지역본부는 누가 말하진 않아도 투쟁의 중심 측면에서는 인정되고 있는 거죠. 대의원 배정은 중복배정 할 수 없다 이런 거고." [462)]

"민주노총은 산별 시대로 돼야 된다, 금속산별을 만들어야 된다는 데 이견이 없었고. 당시 전국노운협을 중심으로 지노협을 계속 가져가야 된다, 지노협 강화론, 민주노총 체계는 그렇게 가야 된다, 이런 게 있었지만 그거는 거기만의 의견이었어요. 또 당시 서로 관계가 안 좋다 보니까 서로 얘기를 들어볼 생각도 안 하고. 지역문제도 산별 틀 만들어가는 데 필요한 고민이었던 건데, 금속을 중심으로 해서 대산별이냐 소산별이냐 이런 얘기만 하니까 지역에 대해서는 사실 방치하였다고 봐야지. 오히려 민주노총 활동을 하면서 거꾸로 지역이 정말 소중했었던 거다 이렇게 된 거지요." [463)]

민주노총의 이념

다른 한편 민주노총의 이념은 참여 조직 범위에 대한 논의와 연결된 문제였다. 어용노조였더라도 자주적 · 민주적 노조운동을 지향한다면 참여시켜야 한다는 의견과 전노협의 주도적 역할과 한국노총 반대 세력의 총집결, 조금 넓게 그동안 민주노조운동 과정에서 실천의 차이를 인정하여 전노대 포괄노조까지로 하자는 의견을 둘러싼 대립이었다. 구체적으로 민주노총 강령은 참가의사가 있는 노조 대부분이 합의 가능한 최소강령 수준이어야 한다는 의견과 그간 민주노조운동에서 정립된 요구와 과제를 중심으로 집약되어야 한다는 의견을 둘러싼 차이였다.[464)]
그런데 민주노총의 이념을 둘러싼 논쟁은 조직 내 쟁점을 형성하지 못하였다. 그 이유는 민주노총 건설을 목전에 두고 집행위원회에서 뒤늦게 초안을 제출했기 때문이었다.
8월 24일 민주노총준비위 단위노조 대표자수련대회에 집행위원회가 강령초안 9개항을 제출함으로써 논의가 시작됐다. 강령초안은 다음과 같다.

· 역사와 전통의 계승, 자주성과 민주성의 확립
· 조직역량의 확대, 강화, 발전과 전체 노동조합운동의 통일
· 노동기본권과 참가체제 확립을 통한 노사관계의 민주화
· 노동조건의 개선과 각종 차별의 철폐
· 노동통제 강화 저지와 노동의 인간화 실현
· 각종 사회제도 개혁 등 국민생활 옹호
· 독점재벌 민주적 규제 등 경제 민주적 제권리 확보, 평화통일 실현
· 국제노동운동의 발전과 항구적 세계평화 실현

그러나 강령초안이 담고 있는 내용과 기조에 대한 문제제기도 만만치 않았다. 경기노련은 지역 토론을 통해, "민주노조운동의 이념과 노선이 자주성, 민주성, 투쟁성, 연대성, 자주민주통일 그리고 노동해방이라는 변혁지향성이라는 것은 누구도 부정할 수 없는 것"이라고 주장하

며 "정권과 자본의 통제와 탄압에 맞서 투쟁을 통해 분쇄해나겠다는 과감한 투쟁성이 강령에 반영되지 않았다"고 비판하였다. 대표자수련대회의 조별토론과 지정토론에 참가한 대표자들의 이야기를 들어보자.

"강령에 사용되고 있는 용어들이 '확립', '실현', '노사관계 민주화', '직장 내' 등 애매모호한 용어로 되어 있어요. 이건 노동자들이 투쟁을 통해 강령적 내용들을 쟁취해나간다는 결의를 밝히는 거 같지 않습니다. 소극적이고 수세적이에요."

"민주노총이라면 노동자의 정치세력문제를 적극적으로 제기하고 조직해야 하는데 이 초안은 한 항목에 노동자의 정치세력화와 평화통일 실현이라는 내용을 한꺼번에 담아 중요성을 희석시키고 있습니다."

"각 항목들이 명쾌하고 함축적으로 정리되기보다는 병렬적이고 복합적으로 나열하는 형식을 취하고 있습니다. 특히 노동자의 건강과 산업재해 관련 사항, 여성문제와 관련한 사항 등이 강령의 내용에 빠져 있거나 다른 것과 병합되어 의미를 협소하게 만드는 것 같습니다."

"민주노조운동의 역사와 전통을 계승한다는 점을 보다 구체적으로 서술해야 하는 거 아닙니까. 전태일 정신, 전노협 정신 이런 식으로요."

"강령은 민주노총 조직의 이념을 나타내는 것입니다. 집행단위가 아닌 책임 있는 단위로 강령소위를 구성해서 재검토해야 합니다." [465]

민주노총준비위는 이와 같은 대표자들의 의견을 수렴하고 한 달여 동안 조합원에 이르기까지 광범위한 토론을 벌인 후 10월 초 · 중순경에 열리는 대표자회의에서 안을 마련하기로 하였다. 9월 6일 12차 운영위원회에서는 강령소위원회를 구성했고 두 차례 회의를 하면서 수정안을 마련하였다.[466] 결국 10월 4일 민주노총준비위 대표자회의에서는 그동안 제기된 문제의식을 반영한 정도로 수정된 강령을 확정하였다. 규약안을 확정하기까지는 적지 않은 진통을 겪었지만 강령안이 쉽게 통과되어 대표자들도 뜻밖이라는 표정이었다.[467]

하나의 조직을 건설하기 위해서 강령에 대한 논의가 가장 치열하게 진행되어야 한다. 하지만 민주노총 건설과정에서 가장 쉽고 간단하게 합의하고 넘어간 부분이 바로 조직의 이념과 성격을 포함한 강령 문제였다. 왜 그랬을까? 많은 대표자들은 이념에 대한 토론은 대중적 논의를 통해 정리될 수 있는 문제가 아니라고 생각하였다. "조직의 이념에 있어서는 4개 부문조직이 궁극적 이념에 서로 동의하기는 어려울 것이다. 단지 천민자본주의로 대변되는 한국 자본주의를 개혁한다는 것을 중심으로 낮은 차원에서 조직 이념의 동의를 끌어낼 수 있지 않겠는가. 그리고 조직의 건설과 운용에 있어서는 어용노총과는 달리 민주노조진영의 자주성, 민주성을 더욱 살리는 방향이어야 한다"는 정도의 생각을 가지고 있었다.[468]

또 다른 문제는 전노협에게 있었다. 민주노총 이념에 대해 문제를 제기할 수 있던 조직은 다름 아닌 전노협이었다. 전노협은 그동안의 활동을 통해 정립한 민주노조운동의 성과를 민주노총으로 이어 나아가야 할 과제를 안고 있었다. 바로 1987년 노동자 대투쟁 이후 현장과 거리에서 외쳤던 노동해방이란 무엇인가를 체계적으로 정립해야 했으며, 전노협 5기 지도부는 이를 추진하고자 하였다. 그것이 민주노총 건설에서 전노협이 해야 할 중요한 과제라고 판단했기 때문이다. 그러나 민주노조운동의 이념에 대한 논의 시도는 번번이 전노협 내부에서 '전노협이 정치조직이냐, 조직을 깨려는 것이냐' 등 강한 반발에 부딪혔다.[469] 결국 전노협은 이념문제에 관한 논의조차 해보지 못한 채 조직 재편 국면을 맞이하게 되었다. 노동운동 진영 전체가 조직체계 논의에 빠져있는 동안 민주노총 창립 일정은 다가오고 있었다. 민주노총 건설을 향한 노동자들의 열망은 높아만 갔으며 이런 조건에서는 빠른 시일 내에 논의를 정리하자는 분위기로 갈 수밖에 없었다. 그 결과 민주노총의 이념과 강령은 합의할 수 있는 최소한의 내용만을 담았다.

전노협은 6년의 활동 속에서 한국노총과는 다른 조직임을 노동자들에게 보여주었다. 노동자들은 자본과 맞설 힘, 노동자 연대의 의미, 해방세상에 대한 희망을 전노협을 통해 보았다. 민주노총도 한국노총 탈퇴투쟁 등에 기반을 두고 탄생하였기에 노동자들의 기대는 컸다. 하지만 민주노총은 전노협과 같이 한국노총에 대해 단호하지 않았는데, 특히 표방하는 이념의 측면에서 그러하였다.[470)]

2부에서 보았듯이 전노협은 1990년 창립선언문에서, "노동자의 처지를 근본적으로 변화시킬 수 있는 경제사회구조의 개혁과 조국의 민주화, 자주화, 평화적인 통일"을 운동목표로 선언하였다. 전노협은 '근본적인 변화' 라는 우회적 표현으로 변혁지향성을 내세웠고 이를 실천하였다. 이에 반해 민주노총은, "노동자의 정치 · 경제 · 사회적 지위를 향상하고 전체 국민의 삶의 질을 개선하며 인간의 존엄성과 평등을 보장하는 통일조국, 민주사회 건설"을 목표로 선언하였다. 하지만 민주노총이 내세운 '지위 향상', '삶의 질 개선', '민주사회 건설' 등은 체제 내 개혁을 표방한 것이었다.[471)]

전노협과 민주노총의 이념을 비교 분석한 시도들이 무리한 해석을 하는 것 같지는 않다. 이는 전국노운협 탄압 사건에 대한 민주노총준비위의 태도에서도 보인다. 민주노총 결성대회 직전 경찰이 전국노운협을 이

적단체로 규정하고 "이 단체가 지난해 출범한 민주노총준비위에 투쟁 노선을 제시한 만큼 민주노총이 이를 받아들였다면 민주노총도 이적단체로 규정할 수밖에 없다"고 밝혔다.[472] 정권은 민주노총을 전투적 노동운동진영으로부터 분리하기 위해 민주노총이 전노협의 전투적 노동운동 기조와 확실히 결별해야 함을 경고했던 것이다. 여기에 대해 민주노총은, "민주노총이 과격 이적단체인 양 매도되고 있는데 민주노총은 국민들의 생활의 질을 향상시키기 위한 건전한 단체라는 것을 국민들이 이해했으면 한다"며 항변했다.[473] 민주노총 건설을 앞둔 1995년 임단투 후 115명이 감옥에 있었고 50여 명이 수배자로 거리를 떠돌았다.[474] 이러한 상황에서 정권의 탄압에 대한 민주노총의 모호한 태도는 민주노총에 대한 신뢰감을 떨어뜨렸다.

전노협은 과격한 조직이라는 집중 포화를 맞으면서도 노동자의 자발적이고 자연스러운 투쟁을 옹호해왔다. 전노협이 현장에서 벌어지는 투쟁들에 대해 조직 보존 논리나 여론의 향방을 내세웠다면 조직 사수도 불가능 했고, 변혁적이라는 평가도 받을 수 없었을 것이다. 전노협은 자신이 그랬던 것처럼 민주노총 건설 과정에서 민주노조운동진영의 이념과 운동 노선을 계승하는 데 집중했어야 하였다. 그러나 민주노조운동 지도부들은 조직체계 논의에 매달렸고, 향후 민주노총이 지향할 내용에 대한 논의는 제대로 진행조차 하지 못하였다. 민주노총 건설 후 10여 년을 지내면서 노동자들이 투쟁으로 만들어낸 이념인 변혁은 개량으로, 비타협적 노선은 정책참여와 합법활동으로, '노동자의 계급성'은 '국민과 함께' 라는 말로 바뀌었다. 이런 민주노총의 현실은 노동조합은 계급조직인 동시에 자본가에 대항하여 투쟁하는 조직이라는 전노협 경험을 다시 강조하지 않으면 안 되게 만들었다.

5. 전노협 깃발을 접다

무겁고 아쉬웠던 해산 대의원대회

1995년 12월 3일 전노협은 해산하였다. 전노협은 대의원대회에서 6년간의 활동을 평가하면서 미가입노조 조직화, 산별노조 건설을 민주노총의 과제로 남겼다. 또한 투쟁의 중심에 섰던 전노협 소속 노조가 이 과제를 실현하는 데 앞장설 것을 결의하였다.

평가 제안자인 문영만은, "전노협의 활동을 몇 장으로 평가할 수는 없다. 대의원만의 평가로도 부족하다. 전노협은 전노협 동지들만의 전노협이 아니라 천만 노동자의 전노협이었기에, 평등사회가 건설된 그날 천만 노동자와 함께 평가할 때 진정한 전노협에 대한 평가가 될 수 있을 것"이라고 말하였다. 전노협은 노동운동이 지속되는 한 되돌아보아야 할 조직이라는 의미다. 대의원들은 이날 평가안에 대해 다음과 같은 내용을 추가할 것을 제안하였다.

> "그동안의 구호였던 전노협 확대 강화해서 산별 민주노총 강화 부분이 명시되지 않으면 안 됩니다. 해산할 때 그런 모색을 해야 합니다."
>
> "평가에 분명히 넣어야 합니다. 저희들이 전노협 중심주의를 주장하는 것이 아니라 전노협 때문에, 실제 민주노총에 가입되어 있는 많은 업종노조나 대공장노조들이 노동운동 탄압에 전노협이 저지선을 쳤기 때문에 발전할 수 있었다는 겁니다. 이건 역사책에도 나옵니다. 그렇다면 민주노총이 건설될 시점에 전노협 상집, 파견 집행위원, 그리고 전노협 주요 지도부들이 민주노총 주요 결정 회의단위에 참여하고 있는데 그럼에도 불구하고 민주노총 강령, 교육선전 자료집에 전노협 정신계승이 내용적으로도 미흡하고

형식적으로도 거론되지 않는 데 대해서 전노협 지도부, 파견 집행위원 그리고 이 자리 대의원까지 반성한다는 것을 평가안에 분명히 넣읍시다. 앞으로 이런 반성 속에서 민주노총 건설에 내용적으로 전노협정신을 계승하는 것으로 정리했으면 합니다."[475]

박수가 터져 나왔다. 의장은 대의원들의 의견을 받아 평가안을 다시 정리하는 것을 전제로 동의를 받았다. 이어 마창노련 의장 이승필이 나와 규약 10조 2항에 의거 전노협 해산에 동의해줄 것을 제안하였다. 장내는 물을 끼얹은 듯 조용하였다.

"자주적 · 민주적 노동운동의 새로운 역사를 선언한 이후 어느덧 6년이 흘렀습니다. 노동자에 대한 억압과 착취를 분쇄하고 경제 · 사회 · 정치적 지위를 향상시키며 민주노조 확대강화하여 기업별 체제를 넘어 산별노조를 건설할 것을 선언하였습니다. 무수한 탄압에 맞서 천만 노동자의 자존심을 지켜냈습니다. 구속, 수배, 해고, 회유 협박에 맞서 노동자의 양심으로 살았습니다. 노동자들이 역사의 한 주체로 당당히 섰습니다."

해산안을 읽는 제안자도 참여한 대의원들도 그리고 참관하던 사람들도 조용히 숨을 죽이고 흐느끼기 시작하였다. 낭독이 끊어졌다. 이승필은 눈물을 목으로 삼킨 뒤 마지막 한 줄을 마저 읽었다.

"이제 가슴 아프고 아쉽지만 노동운동의 더 큰 발전을 위하여 우리의 깃발을 내릴 것을 제안합니다. 중앙위원 일동"

안건이 상정되자 대구, 경기, 서울, 인천, 마창 등에서 참여한 대의원들로부터 격렬한 문제제기가 터져 나왔다. 해산에 반대하는 의견이 제출되었다.

"언제부터인가 우리는 전노협 해소라는 말들을 당연시 되는 것처럼 흘러가고 있다는 것을 감지할 수 있었습니다. 우리는 그동안 조합원 결의를 모아 전노협을 창립했고 투쟁과 일련의 사업에 동참했습니다. 그런데 조합원들과 폭넓게 논의되지 못한 채 중앙에서 해소하자는 결의가 진행된 것은 분명 잘못된 겁니다."

"민주노총 건설하자고 하면 따라가야 되고 이래서는 안 됩니다. 지도부의 해명을 들어야 합니다."

문제제기 하는 대의원을 막는 사람은 없었다. 모두 지도부의 의견을 기다리고 있었다. 당시 상황에 대해 의장이었던 양규헌은 "1년 전부터 전노협을 발전적으로 해산하기 위한 논의를 진행해왔는데 해산대의원대회에서 해산 자체에 대한 논란을 하게 된다면 전노협은 해산도 못한 채 흐지부지 사라질 형국이라고 판단했다" 고 말했다.[476] 고심 끝에 의장은 이렇게 말했다;

"전노협은 산별을 위한 징검다리입니다. 튼튼하게 서 있지 않은 가운데 해산을 얘기해야 하는 상황입니다. 그럼에도 불구하고 해산안을 상정할 수밖에 없었던 것은 하루빨리 산별로 전환하기 위한 것입니다. 이후 더 큰 단위로 모여 산별 재편이 불가피하다는 판단에서였습니다."

대의원들은 특히 지역사업의 성과를 담을 틀을 민주노총이 갖지 않았다는 점에 대해 문제제기하였다. 의장은 지역사업 성과를 향후 계승한다는 것으로 수정하여 동의를 구했고 대의원들은 동의하였다. 크지 않은 목소리였다. 중앙위원회에서 제출한 전노협 규약 10조 2항 해산의 건에 대해 투표에 부쳤다. 결과는 242명 참석에 찬성 202명, 반대 29명, 무효 1명, 기권 10명으로 가결되었다.

"전노협 정신 계승하여 산별노조 쟁취하자!"

"전노협 정신 계승하여 민주노총 강화하자!"

"전노협 정신 계승하여 노동해방 쟁취하자!"

"우리는 전노협 정신을 민주노총에 계승시키겠습니다!"

대의원들은 스스로에게 다짐하였다. 마침내 해산대회가 시작되었다. 양규헌 위원장은 다음과 같이 마지막 대회사를 하였다.

"전노협은 천만 노동자의 삶과 희망이었고 노동자의 새 세상에 대한 이정표였습니다. 전노협 깃발은 피로 쓴 노동해방 깃발과 하나였고 평등사회 앞당기는 전노협이라는 표현 속에 자유와 평등이 넘치는 세상에 대한 노동자계급의 염원을 담아왔습니다. 그 이념적 정신은 천만 노동자의 가슴속에 영원히 살아 있을 것이며 반드시 쟁취될 것입니다. 전노협은 자본가 계급과 타협하지 않았고 그 어떠한 탄압에도 비굴하지 않았습니다. 전노협을 투쟁으로 건설했고 또 투쟁으로 사수했습니다. 오늘의 대의원대회가 민주노총을 천만노동자의 명실상부한 중앙조직으로 만들어가기 위한 힘찬 결의의 자리가 되게 합시다. 오늘의 해산 대회 자리가 산별노조 건설하여 기필코 노동해방을 쟁취하는 전진의 날이 되도록 다 같이 결의합시다. 동지 여러분, 오늘 우리 침통해하지 맙시다. 전노협은 사라지는 것이 아닙니다. 다만 우리의 눈앞에 펄럭이던 깃발이 가슴속에서 펄럭일 뿐입니다. 동지들을 영원히 잊지 않겠습니다. 전노협 조합원의 가슴속에 영원히 간직할 것입니다."

해산결의문을 읽고 나서 깃발을 접었다. 파란 깃발이 힘차게 흔들렸다.

'평등사회 앞당기는 전노협' 이란 글씨가 반으로 접히고 또 반으로 접혔다. 양규헌 위원장은 접힌 깃발을 받아 높이 추켜올렸다. 두 팔로 가슴에 안았다. 대의원들도 위원장도 눈물을 흘렸다. 위원장은 '전노협진군가' 를 부르며 한 손을 추켜 올렸고, 한 손으로는 가슴에 깃발을 꼭 안고 있었다. 눈물 바다였다. 지도부 · 대의원뿐 아니라 참관자까지 흐르는 눈물을 닦았다. 당시 해산대회 장소에서 찍었던 인터뷰 영상에는 그들의 마음이 담겨 있다.

"전노협에 몸을 담았던 실천했던 사업장으로서 민주노총에 대한 기대보다는 전노협 해산에 대한 허전함이 더 와 닿는 시점입니다."
"민주노총과 함께 앞으로 노동자 조직이 발전될 수 있어야 하는데… 심정 자체는 갑갑합니다."
"헷갈립니다."
"뭔가 공허한 느낌이라고 해야 할까요? 전노협 건설하면서 수천의 동지들이 구속되고 해고되고 그러면서 왔는데 이후에도 힘차게 이어져 가야 하는데 그 부분에 대한 확실한 계승 전망이 되지 않아 안타까운 점이 있어요."
"노동운동의 미래에 대해 불안하고 앞으로 전노협 같은 조직에서 일을 할 수 있을까 하는 생각이 들어요."
"착잡합니다. 민주노총이 힘 있고 튼튼하게 건설되었으면 덜한 텐데."
"솔직한 심정으로 착잡합니다. 그런 속에서 내가 전노협이라고 이야기했던 것이 오히려 부끄럽게 느껴지기도 하고 지금에 와서 발전적 해소라고 얘기하는데 발전적 해소라는 것이 참 받아들이기 힘듭니다."
"동지들이 구속되어 있고, 단위원장도. 그런 면에서 전노협을 건설했던

전노협
대한
반도

옛 동지들이 한 자리에 모여서 해산했으면 하는데 그런 점에서 마음이 아프고 민주노총으로 이어졌으면 합니다."

"전노협 해산해도 전노협에서 활동했던 노조들, 노동자들이 민주노조진영 곳곳에 있습니다. 오늘 느끼는 가슴속의 허전함, 책임감을 다 모아냈을 때 오늘 얘기하는 전노협 정신과 그 정신을 모아 하고자 하는 것은 기필코 이뤄질 수 있을 거라고 확신합니다."

"대의원대회에서는 해산할지 몰라도 우리 가슴 속에서는 아직 전노협이 해산하고 있지 않습니다. 언젠가는 전노협이 다시 평가받고 그때 영원한 천만 노동자의 조직이 될 겁니다."

"가슴 아픈 거로 그치는 것이 아니고 더 발전 강화된 조직 민주노총 출범을 말로서가 아닌 실천하고 노동해방 앞당기는 조직으로 민주노총을 발전시키는 장으로 삼았으면 합니다."

"전노협 깃발 아래 싸웠던 기풍과 경험을 더 살려 민주노총 강화, 산별노조 건설 선봉에 섭시다."

"전노협의 투쟁이 민주노총의 밑거름이 된 것은 누구나 동의하고 있습니다. 그 아쉬움을 딛고 민주노총 강화 산별노조 건설로 힘차게 전진합시다. 오늘의 해산 대의원대회가 또 하나의 투쟁을 시작하는 결의의 장이 되어야한다고 생각합니다."

"결의를 새삼스럽게 이야기하는 게 이상하지만, 기필코 산별노조를 건설하고야 말겠습니다."[477]

해산 대의원대회에서 터져 나왔던 문제제기와 대의원들의 아쉬움은 민주노총 지도력에 대한 신뢰가 적었던 것, 민주노총의 강령과 규약, 조직체계가 전노협 정신을 계승하지 않고 있다는 평가, 온갖 탄압 속에서도 지켜냈던 전노협 활동을 민주노조운동진영이 발전적으로 계승하는 데 미흡했다는 아쉬움 등이 교차하는 마음의 표현이었다.

전노협의 역사적 한계

전노협의 역사적 한계는 무엇인가.

첫째는 조직확대를 꾀하지 못했다는 점이다. 정확히 말하면 전노협은 조직확대 사업을 해보지 못하였다. 전노협은 출범 당시 600여 개 노조에 조합원 19만 3천 명이었으나 해산 즈음 5-6만 명 규모였다. 가입사업장 수는 출범 이후 계속 줄어들었다. 가장 큰 원인은 탄압과 휴 · 폐업 때문이었다. 전노협은 건설과 동시에 조직사수에 사활을 걸어야 했다. 당시 전노협 사수투쟁은 조직을 보전하기 위한 것만은 아니었다. 폭압적인 탄압에 맞서 민중운동진영 전체의 명운을 건 투쟁전선이었다. 수많은 구속 · 수배 · 해고자, 그리고 전노협 탈퇴를 거부하여 죽임을 당했던 열사, 투쟁으로 맞선 조합원들이 전노협을 지켜냈다. 그러나 지도역량 공백, 사업장 폐쇄 등 조직력의 훼손도 컸다. 조직을 추스를 수 있는 상황이 되자 이제는 이념 공세가 전노협에 퍼부어졌다. 1991년 사회주의권의 붕괴는 전 세계 운동의 이념과 지향에 영향을 미쳤고 한국 사회 운동가들에게도 타격을 주었다. 자본과 정권은 운동진영의 변화를 요구했고, 일부가 거기에 동조하였다. 전노협의 비타협적 전투성은 구시대적인 유물이자 타파의 대상이 되었다.

그 과정에서 1990년 하반기 들어 많은 대공장노조가 민주화되었다. 중소 영세사업장노조들과 함께 투쟁한 결과였다. 대공장노조를 어떤 틀로 묶을 것인가는 당시 노동운동진영 조직 재편의 핵심 문제였다. 전노협은 대공장특위를 통해 대공장노조들을 견인하고자 했으나 이들은 전노협 가입이 아닌 대기업 연대회의를 결성하였다. 노동통제 구조가 치밀한 상황에서 노조가 민주화되었다 해도 현장은 불안정했고, 사회주의권 붕괴로 이념적 공세가 거세지자, 대공장노조 지도부들이 이를 돌파할 지도력이 부족했기 때문이었다. 전노협은 이러한 조건을 극복하지 못함으로써 조직강화를 이룰 절호의 기회를 놓쳤다. 현대중공업 노조를 비롯한 어용노조에서 민주화된 대공장노조를 전노협에 가입시키지 못한 것은 결과적으로 전노협의 위상을 약화시켰고 중소제조업을 중심으로 한 전노협, 비제조업업종의 업종회의, 대공장을 중심으로 한 그룹조직이라는 구도를 뿌리내리게 하였다. 견인전략의 실패로 전노협은 지역협의체, 금속산업에 편중된 조직이라는 형식적 한계를 갖게 됐다.

그러나 이것이 전노협 지도력 · 조직력에 대한 평가 기준이 될 수는 없다. 전노협의 투쟁 과제는 당시 노동운동진영 전체를 포괄하는 것이었고, 투쟁 참여 조직도 노동운동 전체였다. 전노협 가입 여부와 무관하게 300여 개의 노조가 전노협 참관 교류 노조로서 사업과 투쟁을 함께하였다. 교육에도 같이 참여했고, 부서별 모임도 함께하며 현장 문제를 논의하였다. 전노협은 가입 조직확대에는 성공하지 못했지만 민주노조진영의 확장에 크게 기여하였다. 전노협의 조직력 · 지도력에 대한 아래 전노협위원장 단병호의 평가가 타당하다;

> "전노협에 들어올 수 있는 요소도 자꾸 제한되고. 주변에서 자꾸 봉쇄하는 여론이 만들어지고. 나는 전노협이 6만 정도로 해산했지만, 전노협 조직을 6만으로 평가하는 건 잘못된 평가라고 본다. 실제 전노협이 그 당시 우리 노동운동에 미쳤던 영향, 그 관장력. 이것이 어떤 것인가가 실질적 평가가

되어야 하는 거지, 거기 참여한 조직이 몇 개냐, 몇 명이냐 이걸로 평가하는 건 아주 잘못된 진단이고 형식적 진단이지. 우리가 운동을 할 때 영향과 파급을 미치게 하는 방법은 아주 다양하잖아. 실제 조직에 가입하게 할 수도 있고 실제 가입하지 않아도 영향을 미치면서 운동의 지도력이 미치고 또 사업의 내용들이 그쪽에도 미치고, 이렇게 하면서 전체 확대되는 이 과정을 보고 평가를 해야지 단지 수 몇이냐 이걸로 평가하는 건 전노협에 대해 잘못된 평가다." [478]

둘째, 산별노조 건설과 지역조직 발전에 한계를 보였다. 전노협은 창립선언문에서 "기업별노조체계를 타파하고 자주적인 산별노조의 전국중앙조직을 건설하기 위해 총매진"할 것을 선언하였다. 이는 전노협 건설 당시 노총민주화론을 주장했던 노조들과 업종 노조들이 전노협 건설에 참여하지 않았기 때문에 설정된 목표였다. 전노협이 끊임없이 연대투쟁을 벌였던 것은 이런 조직적 과제를 실현하기 위해서였다. 전노협이 자본과 정권의 탄압에 대한 대응 투쟁, 지도부 구속에 대한 항의투쟁, 노동악법 철폐투쟁 등 정치성을 띤 투쟁을 전개할 때 연대전선은 더욱 확대되었다. 전노협을 중심으로 한 노동운동진영이 총자본에 대항한 투쟁을 벌였다 해도 과언이 아니다. 반면 자본은 투쟁을 개별화하려 하였다. 임단협투쟁이 전체 전선으로 확산되는 것을 철저히 막았다. 대공장과 중소사업장 차이는 더 커졌다. 임단협에 대한 대응이 자본의 성격에 따라 갈라지는 경향이 강화되기 시작했고 회사 측과의 교섭이 사고의 중심으로 서서히 뿌리를 내리기 시작하였다. 조직과 투쟁의 기업별 성격이 강화되었고 노동자들의 기업별 의식도 더욱 강해졌다.
또 전노협은 지역조직의 협의체였는데 이를 확장 발전시키지 못한 것

또한 조직적 한계였다. 지역협의회는 조직과 투쟁, 연대의 중심이었고 민주노총 지역본부의 기틀이 되었다. 그러나 지역협의체들의 지도력과 조직력의 편차가 심해 중앙 관장력 등에서 한계를 보였다. 이는 산업의 종류나 발달 정도의 차이, 투쟁 경험의 차이 등 때문이었지만 전노협은 이에 대해 적극적으로 고민하고 지도하지 못하였다. 전노협 위원장, 지노협 의장들이 지노협이 해산될 때까지도 구속 · 수배 상태였던 것도 지역협의체라는 조직 형태를 발전시키지 못한 이유 가운데 하나다.

셋째, 투쟁 과제와 관련된 한계이다. 전노협의 투쟁은 임금인상, 탄압저지, 노동법 개정 등을 중심으로 전개되었다. 여기에 끊임없이 제기되는 민중투쟁의 과제, 정치적 이슈 등이 더해졌다. 전노협이 기업별노조 수준의 요구로 투쟁과제를 제한하지 않고 정치적 확장을 이루려 했던 것은 바람직하다고 볼 수 있다. 문제는 전노협이 조직력이 이러한 투쟁과제를 감당하기 어려웠다는 점이다. 전노협은 조직을 만들고 채 정비하기도 전에 생존을 위한 사수투쟁을 벌였고 자신의 요구를 주장해보기도 전에 수많은 정치적 과제를 실현할 조직으로 규정되었다. 이는 전노협이 현실적으로 감당하기 어려운 요구들이었다. 전노협은 한 번도 이를 마다하지 않았지만 이는 사실상 조직적인 과부하였다.

마지막으로 전노협은 노동해방, 평등사회를 기치로 내걸었지만 이를 체계화하지는 못하였다. 탄압 속에 조직 사수투쟁에 집중하느라 이념문제를 논의할 겨를이 없기도 했지만 현실 사회주의 붕괴로 나타난 전반적 우경화, 운동진영의 사상적 혼란과 분열 등으로 이념문제 논의가 거부되기까지 했던 것이다. 운동진영의 전향과 이탈, 시민운동의 급격한 확산 등도 전노협의 한계를 점점 크게 만들어가고 있었다. 이처럼 전반적인 퇴조기 정세 속에서 전노협은 조직을 해산했고, 민주노조진영은 이 난국을 극복하는 방안으로 민주노총이라는 새로운 조직 건설을 선택했던 것이다.

전노협이 남긴 것들

전노협 조합원들은 전노협을 바로 내 노조로, 내 지역의 협의체로 여기고 있었다. 노동의 권리를 찾기 위한 조직, 목숨 걸고 만든 민주노조를 지켜내기 위한 조직, 노동악법 개정하고 정치적 · 사회적 진출을 이룰 기반이었다.

전노협은 조합원들 자신이었다. 조합원 총회를 할 때 자본과 노동에 대해, 정세와 전노협의 방침에 대해 토론하였다. 조합원들은 현장에서 무엇을 할지 의견을 냈다. 그리고 책임을 졌다. 간부들은 조합원에게 약속한 것을 이루기 위해 최선을 다했고 조합원들은 간부들의 든든한 배경이자 감시자였다. 전노협을 지키고 투쟁하는 데는 조합원이나 간부나 다르지 않았다. 전노협 탈퇴를 거부하다가 안기부에 의해 죽임을 당한 한진중공업 위원장 박창수, 내가 전노협인데 어떻게 나를 탈퇴하란 말이냐며 전노협 탈퇴를 거부하고 해고자이자 범법자로 수배 생활을 한 대우정밀 노동자들. 전노협 건설기인 1989년부터 해산까지 구속자 수는 2,300여 명, 노동조합 활동을 이유로 해고된 노동자는 3,000여 명에 달하였다.[479]

계속되는 지도부 구속 · 수배에도 전노협을 사수해온 것은 바로 조합원들이었다. 학습과 토론, 실천이 별개가 아니었기 때문에 전노협 사수와 연대투쟁이 가능하였다. 전노협 소속 사업장이 아니거나 대공장노조라도 연대투쟁이 필요하다면 총파업을 벌였고, 옆 사업장에 사수대가 필요하다면 일손을 놓고 달려갔다. 자신의 조직만을 생각하였다면 가능하지 않았던 일이었다. 전노협은 운동 전체를 보고 고민하는 조직이었다. 전노협위원장 양규헌은 전노협의 의의와 관련하여 이 점을 가장 강조한다.

> "전노협은 자신의 조직만을 가지고 고민하진 않았어요. 노동운동 전반, 계급운동 전반에 대한 고민을 했던 거 같고. 그래서 현장도 그랬던 거고. 전노협 시기는 연대투쟁이잖아요. 옆에 사업장이 탄압받으면 즉각적으로 연대하고. 그런데 지금에 와서 수백일간 투쟁하는 사업장에서도 연대는 왜소화되고 민주노총의 방침으로 어떻게 하는 것도 전무한 거고. 연대가 민주노조운동의 정통성이라고 생각하는데…."[480]

또한 전노협 사무총국 상근활동가와 지노협 활동가들 가운데 대부분은 학생운동과 현장활동 경험자들이었다. 이들은 전노협을 통해 변혁을 실현할 수 있다고 보았다. 이들은 20대 후반부터 30대 후반까지 가장 왕성한 활동을 할 시기를 전노협에 바쳤다. 전노협 중앙 사무총국 상근자는 1990년 44명, 1991년 36명, 1992년 33명, 1993년 34명, 1994년 39명, 1995년 34명이었다. 지노협에도 활동가들이 헌신적으로 일하였는데 해산 당시 10개 지노협에 50여 명이 상근하였다.[481] 전국적 투쟁을 전개한 조직의 상근자 수로는 상상하기 어려울 정도로 적은 수다. 한편 전노협이 만 5년 동안 의무금으로 거둔 액수는 1억 3,727만 1,860원이었고 각종 재정사업 등으로 보충해 총수입은 5억 3,788만 7,789원이었다. 이는 사무실 운영과 사업비로도 턱없이 부족하였다. 활동가들은 월 5만원 혹은 10만 원을 받았다. 지노협의 사정이 더 좋았을 리 없다. 하지만 이들은 일당백의 역할을 해냈다. 임원, 해고자, 단위노조 대표자, 단위노조 간부들도 지역의 일이, 전노협의 일이 자신의 일이라는 생각으로 활동했기에 가능하였다.

무엇이 그 시절을 가능하게 했을까? '전노협 정신' 이다. 단병호는 전노협 정신에 대해 이렇게 말한다.

> "전노협 정신 그러면, 사회에 대한 근본적 변화가 필요하다고 했던 인식과 그것에 대한 가능성에 대한 희망, 확신, 이런 것들이 내재되어 있었다는 거지. 운동하는 사람들 마음속에. 난 그게 큰 거라고 봐. 운동을 해나가는 데 있어서 그런 게 기본적으로 전제되어 있는 게 다르다고 봐. 그게 지금은 희석화되고 없어진 거 아니냐. 자기 기대와 신념과 그게 있었는데 그게 많이 약화되었다. 그리고 두 번째는 많은 사람들이 운동에 대해서 얘기하고 하지만 옛날하고 지금하고 차이나는 거는 실천이라고. 전노협 때는 회의 때 엄청나게 토론도 하고 그러잖아. 그래도 결정한 데 대해서는 모두가 책임지려고 하는 자세였어. 아무리 어렵고 자기 생각과 다르더라도. 전노협에서 결정한 내용에 대해서는, 하다가 안 되면 어쩔 수 없더라도 그걸 책임지려고 하는 자세들이 기본적으로 되어 있었다. 이게 상당히 중요했다, 그게 없었다면 전노협은 그 어려운 시기를 돌파 못했을 거다, 이게 지금하고 현격한 차이다. 그리고 민주노조가 뭐냐, 전노협 정신 뭐냐 할 때 개념적으로 얘기를 하지. 민주성, 자주성, 연대성 뭐뭐. 핵심은 두 가지였다. 여기에 바탕을 둔 운동, 사업작풍, 거기서 출발해 나오는 게 아니냐…. 난 지금도 전노협 정신을 문헌적으로 정리하는 게 중요한 게 아니다. 실제 당시 자세가 복원된다면 다시 운동은 한 차례 발전할 수 있는 거 아니냐, 이게 제일 아쉬워. 열 번 백 번 강조해도 부족하지 않은 거지." [482]

전노협은 국가권력과 자본으로부터 독립적인 노동자의 자주적 조직으로 성장하였다. 이는 자주적 건설과 운영을 했기에 가능하였다. 원천봉쇄를 뚫고 수많은 노동자들이 모여 전노협을 건설했고, 살림이 어려워도 조합원들의 의무금과 기부금으로 전노협을 운영함으로써 자주적 투쟁이 가능했던 것이다. 이것이 한국노총의 조직운영과 근본적으로 다른 점이었다.

전노협은 노동자의 계급성을 확고히 한 조직이었다. 어떠한 어려움 속에서도 국가권력과 자본과 타협하지 않았다. 자본과 정권의 개량 조치는 노동자투쟁을 누그러뜨리기 위한 것임을, 아무런 저항이나 투쟁 없이 노동자에게 이익이 돌아오지는 않는다는 것을 실천 속에서 보여줬다. 또한 전노협은 협상을 위한 투쟁을 거부하였다. 골리앗이나 굴뚝에 올라 농성한 것도 천막을 치고 삭발을 한 것도 협상 자리를 만들기 위한 것이 아니었다. 그것은 투쟁을 승리로 이끌겠다는 각오였고 전술이었다. 지도부의 이런 전술은 조합원들에게 그대로 전달되었고 지지와 단결을 가능하게 하였다. 그 결과 협상이 이뤄졌다면 그것은 협상장에서 이루어지는 협상이 아닌 조합원의 힘과 지도부의 의지로 이뤄지는 협상이었다. 이것이 전노협 정신이다. 전노협 정신을 만들어낸 것은 노동운동의 몇몇 지도자들이 아니다. 현장 노동자의 희생과 헌신, 참여가 만들어낸 민주노조운동의 전통이었다.

한편, 전노협은 이전 시기 민주노조운동의 전통을 이어받아 자주성·계급 연대성·투쟁성을 발전시켰고 전노협이 해산하면서 민주노조운동의 과제는 민주노총으로 집중되었다. 그리고 현재도 해결해야 할 과제로 남아 있다.

민주노총은 창립 당시 15개 연맹으로 이루어진 소산별을 가맹 조직으로 출발했으며 조직적 기반은 여전히 735개 기업별노조였다. 여기서 민주노조진영은 두 가지 조직적 과제를 안게 되었다. 하나는 미가입노조와 미조직 노동자 조직화를 통해 민주노총의 기반을 확대하는 것이고, 다른 하나는 산별노조 건설을 완성하는 일이었다. 특히 조직확대 과제는 미조직 노동자 조직화로 집중되었으며 이는 산별노조 건설과 연결되는 과제였다.

민주노총 건설 당시 노조 조직률은 14.5%로 1989년 19.8%를 정점으로 계속 떨어지고 있었다. 이미 대공장노조의 노조 조직은 포화상태였으므로 중소 영세사업장, 미조직 노동자, 늘어가는 비정규직 노동자 조직화가 관건이었다. 민주노총은 조합원 수로는 대공장이 압도적인 다수를 차지하고 출발하였다. 때문에 자본은 중소사업장의 살인적 희생과 대공장의 개량화를 통해 노동진영을 재편하려고 했다. 이를 막기 위한 산별노조 건설을 바탕으로 한 미조직 노동자 조직화는 노동운동진영의 절대적 과제였고, 지금도 여전히 그렇다.

다음은 민주노조운동의 이념과 운동노선을 정립하는 일이었다. 전노협은 '노동해방'과 '평등사회'를 구호로 내세웠고 조합원들이 가장 많이 외쳤지만 그것이 무엇인지 명확한 상을 정립하지는 못하였다. '노동해방사상연구소'를 만들어 논의를 해보겠다는 시도는 대중조직에서 논의할 만한 것이 아니라는 이유로 전노협 중앙위원회 회의에서 거부되었다. 민주노조운동의 투쟁 범위가 기업 내 요구에 머물지 않고 정치 · 사회적으로 확장되기 위해서는 조직이 표방하는 이념과 운동노선에 대한 논의를 미룰 수만은 없었다.[483] 특히 민주노총은 출범하면서부터 정치활동에 적극 참여할 것을 천명하였으므로 조직 내 혼란을 막기 위해서도 이념에 대한 논의는 시급한 과제였다.[484]

또 한 가지는 실천 · 토론 · 책임이 함께하는 조직운영원리를 복원하는 일이었다. 노동자들이 민주노총에 희망을 건 것은 민주노총이 한국노총과 다른 조직이 되길 원했기 때문이었다. 다시 말해 민주노총은 관료화되지 않는 조직, 작은 규모의 노조라도 자신의 목소리를 낼 수 있는 조직, 민주적 운영원리가 관철되는 조직이길 바랐던 것이다.

전노협은 적들의 탄압 때문에 일일이 논의를 통해 결정하지 못했던 사안도 있었지만 대표자들은 개인의 의견이 아닌 지역과 조직의 의견을 가지고 논의에 임했고, 부서별 전국 모임, 교육 등에서 이중 삼중으로 조직의 의견이 확인되고 반영되었다. 무엇보다 힘들더라도 결정하면 책임지는 구조는 현장성과 민주성을 실현하려는 자세였다. 이는 전노협의 의결구조에서도 보이는데, 규모가 작은 노조에도 대의원을 배정해 논의에 참여할 수 있게 하였다.

전노협 시기에는 밤을 새더라도 토론을 통해 의견을 모아가려는 자세를 꾸준히 견지하였다. 조합원들도 지역과 전국적 문제를 놓고 논의했고 이를 통해 총파업이나 연대파업을 결정하였다. 이것이 민주노조운동진영의 가장 소중한 전통이며 모든 활동의 기반이었다. 민주노총 건설 과정에서는 이런 자세가 유지되지 못한 채 주요 사안이 지역이나 조직의 논의 없이 결정되기도 했고, 어차피 합의하기 힘든 것이라며 표결로 처리되기도 했다. 이제 민주노조운동진영에게 이 전통을 복원하는 일이 시급한 과제로 남았다.

1) 박정희 대통령, 육영수 여사 기념사업회 편찬, 『겨레의 지도자』, 재단법인 육영재단, 1990, 508-509쪽; 새마을연구회 편, 『새마을운동 10년사』, 내무부, 1980, 566-570쪽.

2) 김원, 『여공, 1970 그녀들의 反 역사』, 이매진, 2006, 398쪽.

3) 양규헌 구술 2007.

4) 김원, 앞의 책, 398-408쪽.

5) 최장집, 『한국 사회와 민주주의』, 나남, 1997, 207-215쪽.

6) 『한국일보』 1970년 11월 16일 자 사설 『동아일보』 1970년 11월 18일 자 등.

7) 한국기독교협의회, 『1970년대 노동현장과 증언』, 풀빛, 1984, 69-85쪽.

8) 전노협백서발간위원회, 『전노협백서』 제1권, 전노협, 1997, 22-40쪽.

9) 한국기독교협의회, 앞의 책, 452-577쪽.

10) 현윤실 외, "우리는 '선진조국'의 후진 일꾼들", 『노동현실과 노동운동』, 돌베개, 1984, 54-55쪽.

11) 정봉진, "1984년도 신규노조 결성현황과 과제", 『노동현실과 노동운동』, 돌베개, 1984, 146쪽.

12) 이갑용, 『길은 복잡하지 않다』, 철수와 영희, 2009, 32-34쪽.

13) 백순환 구술 2007.

14) 김유미 구술 2007.

15) 김창완 구술 2007.

16) 전남사회운동협의회, 『노조 결성현황과 과제』 ; 임채정 외, 『노동현실과 노동운동』, 돌베개, 1985, 145-146쪽.

17) 성남지역노동운동탄압대책위원회, 1988.6.26; 경찰의 권총발사 및 노동자와 경찰의 충돌사태 진상조사단, 1988.7.16.

18) 한국민주노동자연합, 『최근 사례로 본 노동운동 탄압양상과 그 대응책』, 『민주노동-영인본(1-38호)』, 1994, 55-56쪽.

19) 전노협백서발간위원회, 『전노협백서』 제1권, 전노협, 1997, 135-136쪽.

20) 민중문화운동협의회, 『80년대 민중 · 민주운동 자료집』, 학민사, 1989, 75-96쪽.

21) 노동운동탄압저지투쟁위원회, 『민주노동운동을 향하여-최근 노동운동탄압 사례』, 1985, 217-236쪽.

22) 전국노동운동단체협의회, 『노동운동』, 1988, 6.25.

23) 김종찬, "노동자의 목 조이는 블랙리스트", 『신동아』, 1988년 2월, 524-537쪽.

24) 민중문화운동협의회, 『80년대 민중 · 민주운동 자료집』, 학민사, 1989, 328쪽.

25) 조용일 구술 2007.

26) 허명구, "노동자가 세상의 주인인가(1)", 『월간 노동자』, 백산서당, 제1권, 제5호, 1989, 167쪽.

27) 한국노동자복지협의회인천지역협의회, 『성명서』, 1985.2.7.

28) 현윤실 외, "우리는 '선진조국'의 후진 일꾼들", 『노동현실과 노동운동』, 돌베개, 1984, 41-42쪽.

29) 조용일 구술 2007.

30) 김금수, 『한국 노동문제의 상황과 인식』, 풀빛, 1986. 41쪽.

31) 김창완 구술 2007.

32) 이영희, "어느 가장 노동자의 하루", 『월간 노동자』, 백산서당, 제1권, 제5호, 1989, 135쪽.

33) 한국노총, "대통령 선거인단 선거에 대하여", 『1981년 사업보고』; 전노협백서발간위원회, 『전노협백서』 제1권, 전노협, 1997, 460쪽.

34) 『동아일보』 1987년 8월 27일 자.

35) 전노협백서발간위원회, 『전노협백서』 제1권, 전노협, 1997, 61쪽.

36) 크리스챤아카데미, 『산업사회와 아카데미 노동운동』, 1985, 361쪽.

37) 크리스챤아카데미, 『중간집단과 한국사회』, 1985, 130쪽.

38) 크리스챤아카데미, 「민주화의 길과 아카데미」, 『민주사회를 위한 대화운동』, 1985, 130-133쪽; 『산업사회와 아카데미 노동운동』, 1985, 373-383쪽.

39) 황용재 구술 2007.

40) 박종현 구술 2010.

41) 민주사회를 위한 변호사 모임, 『변론자료집1』, 1991, 223쪽.

42) 박정순 구술 2007.

43) 선재규 구술 2007.

44) 박정순 구술 2007.

45) 일꾼 노동문제 자료연구실, 『1990년 상반기 노동운동의 평가와 전망』, 한울, 1990, 21쪽.

46) 신용길 구술 2003.

47) 진창근 구술 2007.

48) 홍지욱 구술 2010.

49) 김문창 구술 2007.

50) 한국민주노동자연합, "최근 사례로 본 노동운동 탄압양상과 그 대응책", 『민주노동-영인본(1-38호)』, 1994, 57쪽.

51) 김진옥, "80년대 노동운동의 전개", 『노동현실과 노동운동』, 돌베개, 1985, 290-311쪽.

52) 청계피복 노동조합, 『영원한 불꽃 청계노조 20년 투쟁사』, 1990, 81-82쪽. 공권력 침탈로 해산되긴 했지만, 조직 내적으로는 농성투쟁을 보다 빨리 마무리하여 조직을 보존해야 한다는 주장이 큰 힘으로 작용했다.

53) 원풍모방해고노동자복직투쟁위원회, 『민주노조 10년』, 풀빛, 1988년을 참조할 것.

54) 한국민주노동자연합, "최근 사례로 본 노동운동 탄압양상과 그 대응책", 『민주노동-영인본(1-38호)』, 1994, 39-41쪽.

55) 서울노동운동연합, 『선봉에 서서』, 돌베개, 1986, 98쪽.

56) 이태호, 『최근노동운동기록』, 청사,1986, 30쪽.

57) 민주화운동기념사업회, 『6월 항쟁을 기록하다 3권』, 2007, 342-351쪽.

58) 민주화운동기념사업회, 위의 책, 2007, 342-351쪽.

59) 한국기독교사회문제연구원, 「6·29이후 결성된 노동단체의 활동」, 『7-8월 노동자 대투쟁』, 민중사, 1987, 67-68쪽.

60) 이기원 구술 2007.

61) 신천섭 구술 2007.

62) 임영일, 『한국의 노동운동과 계급정치(1987-1995) - 변화를 위한 투쟁, 협상을

위한 투쟁-』, 부산대학교 대학원 사회학과 박사학위논문, 1997, 66-68쪽.

63) 김문창 구술 2007.

64) 홍지욱 구술 2010.

65) 김상철 구술 2010.

66) 백순환 구술 2007.

67) 홍지욱 · 김상철 구술 2010.

68) 이상철, "지역노동운동의 비교연구 -1987-1990년 포항 · 울산 · 마산창원 지역의 사례", 한국산업사회연구회, 『경제와 사회』, 1991년 겨울, 261-262쪽.

69) 전노협백서발간위원회, 『전노협백서』 제1권, 전노협, 1997, 201쪽.

70) 경동산업 민주노동조합 임시집행부, '성명서', 1987.8.28.

71) 허명구, 앞의 글, 170쪽.

72) 김유미 구술 2007.

73) 진창근 구술 2007.

74) 허명구, 『87년 이후 노동조합운동의 현황과 과제』, 전태일기념사업회, 『한국노동운동20년의 결산과 전망』, 세계, 1991, 101쪽; 한국기독교사회문제연구원, 위의 책, 177쪽; 전국노동운동단체협의회, 『노동운동』, 1988, 21쪽; 대한변호사협회, 『인권보고서』, 제3집, 역사비평사, 1989, 168-170쪽.

75) 한국기독교사회문제연구원, 『기사연리포트』, 제7권, 1988, 106쪽.

76) 이석행, "좌담-연대투쟁의 현황과 과제", 『월간 노동자』, 백산서당, 제1권, 제4호, 1989, 118쪽.

77) 3월 4일, 현대그룹 노동자 약 4,000여 명이 참석한 가운데 규탄대회가 열렸다.

78) 전국노동운동단체협의회, 『노동운동』, 1988년 9월, 6쪽.

79) 안기석, "연대투쟁으로 확산되는 노동운동", 『신동아』, 1988년 6월, 441-443쪽.

80) 『노동자의 길』, "사설", 33호, 1988.

81) 홍지욱 구술 2010.

82) 김영대, "좌담-연대투쟁의 현황과 과제", 『월간 노동자』 제1권 제4호, 백산서당, 1989, 117-118쪽.

83) 김동광, "노동법개정투쟁을 반독재 반독점투쟁으로", 편집부, 『월간 노동자』, 1989, 94-103쪽.

84) 서울노동조합협의회, 『전노협 건설에 관한 제안』, 김용기 · 박승옥 엮음, 앞의 책, 737-739쪽.

85) 김승호 구술 2010.

86) 우리노동문제연구원, 『민주노조운동의 현황과 전망』, 백산서당, 1989, 62-73쪽.

87) 우리노동문제연구원, 위의 책, 백산서당, 1989, 62-73쪽.

88) 김명시, 『전노협 건설과 노동조합운동의 현 단계』, 백산서당, 1989, 42쪽.

89) 한국노총민주화론의 다른 이론적 노선에 대한 비판은, 장명국, "노동조합 전국조직 건설의 방향" 『새벽』, 제4호, 1989, 석탑; 한종구, 『노동조합운동의 올바른 발전을 위하여』, 1989, 백산서당, 69-90쪽을 참조할 것.

90) 김승호 구술 2010.

91) 전노협백서발간위원회, 『전노협백서』, 제1권, 전노협, 1997, 447-451쪽.

92) 전국노동운동단체협의회, 『공장에서 전국으로 전진하는 노동운동』, 사계절, 1989; 전노협 지원공대위, 『90년 노동조합활동 탄압방침 자료집』, 1990.

93) 우리노동문제연구원, 『민주노조운동의 현황과 전망』, 백산서당, 1989, 26-27쪽.

94) 지역 · 업종별 노동조합전국회의, 『전노협 건설로 총진군하자』, 1989, 14쪽.

95) 지역 · 업종별 노동조합전국회의, 위의 책, 1989, 26-32쪽.

96) 편집부, "이원건, 현대중공업 파업, 인터뷰", 『월간 노동자』, 1989, 106-107쪽.

97) 안태정, 『노동조직의 이념 비교 : 전평, 전노협, 민주노총의 선언.강령 비교 검토』, 노동자역사 한내, 2010.7; 김진균 기념사업회, 성공회대 민주자료관, 『전노협 20주년 기념 토론회 자료』, 2010.7, 12쪽.

98) 한국기독교교회협의회, 『1970년대 노동현장과 증언』, 풀빛, 1984, 251-252쪽.

99) Blackburn, R., "Fin de Siecle: Socialism after the Crash", New Left Review, Vol. 32, No. 185. May-June, 1991, p. 9.

100) James Petras, "Socialist Revolutions and their Class Components", New Left Review, Vol. 19, No. 111.

101) 안태정, 앞의 글, 13-14쪽.

102) 『전국노동자신문』 1990. 1.31.

103) 한석호 구술 2010.

104) 장철수, "독자투고-전노협결성대회 참가기", 『민주노동』 30호. 1990.3.

105) 한석호 구술 2010.

106) 김하경, 『내 사랑 마창노련』 상, 갈무리, 1999, 253쪽.

107) 김하경, 앞의 책, 236-239쪽.

108) 이시정, 『안양지역 노동운동사』, 민주화운동기념사업회, 2007, 356-358쪽 참조.

109) 김하경, 앞의 책, 254쪽.

110) 한석호 구술 2010.

111) 김기자 구술 2010.

112) 전노협백서발간위원회, 『전노협백서』 제2권, 논장, 2003, 193쪽.

113) 홍지욱 구술 2010.

114) 박양희 구술 2010.

115) 전노협백서발간위원회, 『전노협백서』 제3권, 논장, 2003, 120-131쪽.

116) 노동부 1992.2.3.

117) 『주간노동자신문』, 1991.3.29.

118) 『전국노동자신문』, 1990.4.11.

119) 전노협백서발간위원회, 『전노협백서』 제4권, 논장, 2003, 104쪽.

120) 앞의 책, 104-106쪽.

121) 김하경, 앞의 책, 268-269쪽 재구성.

122) 전북노동조합연합회, 『전북민주노조운동10년』, 1996, 55쪽.

123) 남춘호 · 이성호 편, 『전북지역 노동운동의 역사 다시쓰기』 1권, 한울, 2009, 102-103쪽.

124) 전북노동조합연합회, 위의 책, 379쪽.

125) 남춘호 등 지음, 『전북지역 민주노조운동과 노동자의 일상』, 한울, 2009, 84쪽-주32.

126) 양규헌 구술 2007.

127) 전노협백서발간위원회, 『전노협백서』 제3권, 논장, 2003, 85쪽.

128) 앞의 책, 87-89쪽.

129) 『인노협신문』 1990.3.23.

130) 『인노협신문』 1990.4.4.

131) 김하경, 앞의 책, 269-270쪽.

132) 김하경, 앞의 책, 270-271쪽 재구성.

133) 박정애 구술 1995.

134) 전국노동운동단체협의회, "명동성당 농성을 끝내고", 『노동운동』, 1990.5, 75-79쪽.

135) 위의 책, 79-81쪽.

136) 김영대 2차 구술 2010.

137) 임동섭 구술 2010.

138) 『한겨레신문』 1990.1.19.

139) 김승호 구술 2010.

140) 앞의 구술.

141) 홍지욱 구술 2010.

142) 박종현 구술 2010.

143) 김상철 구술 2010.

144) 김승호 구술 2010.

145) 한석호 구술 2010.

146) 김진균, 「87년 이후 민주노조운동의 구조와 특징」, 『산업노동연구』 1권 2호, 1996, 62쪽.

147) 임동섭 구술 2010.

148) 『전국노동자신문』 1990.4.11.

149) 김영대 2차 구술 2010.

150) 『전국노동자신문』 1990.1.31.

151) 조영건 '전노협과 민주노조운동', 전노협 창립 1주년 심포지엄, 1991.

152) 박승옥, "한국노동운동 과연 위기인가", 『창작과 비평』 20권 2호, 1992.

153) 박승호, "전투적 민주노조운동의 조합주의적 한계를 시급히 극복하자", 『노동운동』 1992.

154) 도천수, 「민주노조운동의 결집과 조직적 전진」, 『1970년대 이후 한국노동운동사』, 1994, 동녘.

155) 이성도 구술 1995.

156) 『전국노동자신문』 1990.1.31.

157) 김진균, 앞의 글, 214-216쪽.

158) 김영대 2차 구술 2010.

159) 한석호 구술 2010.

160) 김종배 구술 1995.

161) 김진균, 앞의 글, 216쪽.

162) 김영대 구술 2010.

163) 박정애 구술 1995.

164) 김종배 구술 1995.

165) 한석호 구술 2010.

166) 양규헌 구술 1995.

167) 이성도 구술 1995.

168) 박종현 구술 1995.

169) 한석호 구술 2010.

170) 김동춘, 『한국사회노동자연구』, 역사비평사, 1995, 400쪽.

171) 민족민주운동연구소, "전노협의 현황과 과제", 『정세연구』 16호. 1990.12.

172) 한석호 구술 2010.

173) 홍지욱 구술 2010.

174) 임영일, 『한국노동운동과 계급정치』, 부산대 대학원 사회학과 박사학위 논문, 1997, 81쪽.

175) 『전국노동자신문』 (창간호) 1989.12.20 , 8면.

176) 김창우, 『전노협 청산과 한국노동운동』, 후마니타스, 2007, 54-55쪽.

177) 임영일, 앞의 논문, 83쪽-주27.

178) 김창우, 앞의 책, 60쪽.

179) 정윤광 구술 2008.

180) 전노협 1991년 사업보고, 149쪽.

181) 『전국노동자신문』 1991.2.20.

182) 임영일, 앞의 논문, 75쪽-주11.

183) 최영기 외, 『1987년 이후 한국의 노동운동』, 한국노동연구원, 2001, 179쪽.

184) 임영일, 앞의 논문, 77쪽, 103쪽.

185) 허영구, 『산별노조운동 관련 자료모음 (5)』, 한노정연, 1993.11.

186) 김영대 구술 2010.

187) 전노협백서발간위원회, 『전노협백서』 제9권, 논장, 2003, 449쪽.

188) 김종배 구술 1995.

189) 김승호 구술 2010.

190) 김영수, 『국가 · 노동조합 · 노동자정치』, 현장에서 미래를, 2004, 281쪽.

191) 김승호 구술 2010.

192) 김영수, 앞의 책, 281쪽.

193) 김종배 구술 1995.

194) 김진균, 앞의 글, 217-218쪽.

195) 『전국노동자신문』 1990.3.14.

196) 부천지역노동조합협의회, 『부노협백서』, 1996, 81쪽.

197) 『전국노동자신문』 1990.3.14.

198) 『전국노동자신문』 1990.3.28.

199) 전노협백서발간위원회, 『전노협백서』 제3권, 논장, 2003, 56-57쪽.

200) 부천지역노동조합협의회, 『부노협백서』, 88-92

201) 『전국노동자신문』 1990.3.28.

202) 『전국노동자신문』 1990.4.25.

203) 전노협백서발간위원회, 『전노협백서』 제3권, 논장, 2003, 57쪽.

204) 부천지역노동조합협의회, 『부노협백서』, 82-83쪽.

205) 『전국노동자신문』 1990.5.9.

206) 『전국노동자신문』 1990.5.16.

207) 김덕종 구술 2010년.

208) 양규헌 구술 1995; 『한겨레신문』 1990.5.1.

209) 김하경, 앞의 책, 282쪽.

210) 김하경, 앞의 책, 283-285쪽.

211) 『세계일보』 1990.5.1.

212) 부천지역노동조합협의회, 『부노협백

서』, 82쪽.

213)『한겨레신문』 1990.5.1.

214)『한겨레신문』 1990.5.2.

215)『한국일보』 1990.5.5.

216) 현주억 구술 1995.

217) 양규헌 구술 1995.

218) 부천지역노동조합협의회, 「호외-임투속보」, 『부노협백서』, 581쪽.

219) 김종배 구술 1995.

220) 양규헌 구술 1995.

221) 전노협백서발간위원회, 『전노협백서』 제4권, 논장, 2003, 152쪽.

222) 앞의 책, 115쪽 재구성.

223) 앞의 책, 118-119쪽 재구성.

224) 앞의 책, 111-112쪽.

225)『전국노동자신문』 1991.3.14.

226) 전노협백서발간위원회, 『전노협백서』 제4권, 논장, 2003, 127쪽.

227) 앞의 책, 116쪽.

228) 앞의 책, 112-114쪽.

229) 앞의 책, 119쪽; 부천지역노동조합협의회, 『부노협백서』, 89-91쪽.

230) 앞의 책, 113-114쪽.

231) 앞의 책, 116쪽.

232) 앞의 책, 127쪽.

233) 앞의 책, 112-114쪽.

234) 전노협, 『91 '전노협 사무총국 평가서'-쟁의부장의 답』.

235) 박창수 의문사 규명관련-신문모음.

236) 전국노동운동단체협의회, "고 박창수위원장 공작살인규탄투쟁의 경과보고", 『노동운동』, 1991.8, 76쪽.

237) 『전국노동자신문』, "투쟁속보", 1991.5.14.

238) 전노협백서발간위원회, 『전노협백서』 제4권, 논장, 2003, 172쪽.

239) 임금인상과 물가폭등저지 및 노동기본권수호를 위한 전국노동조합공동투쟁본부, 『투쟁속보』, 1991.5.14.

240) 안승천, 『한국노동자운동, 투쟁의 기록』, 박종철출판사, 2002, 128쪽.

241) 전노협, 『91 '전노협 사무총국 평가서'-쟁의2발언』 .

242) 전노협, 앞의 자료.

243) 전노협, 앞의 자료.

244) 전국노동운동단체협의회, "선봉대의 깃발을 다시 들자", 『노동운동』, 1989.7. 55-56쪽.

245) 김하경, 앞의 책, 143쪽.

246) 인천노동조합협의회, 『노협선봉대 보고자료』 .

247) 부천지역노동조합협의회, 『부노협백서』, 262-263쪽

248) 인천지역노동조합협의회, 『인노협선봉대 보고 자료』

249) 노동문학사, "전노협결성투쟁 선봉장을 만난다", 『노동해방문학』 7호, 1989.11.

250) 노동문학사, 앞의 글.

251)『전국노동자신문』 1990.3.28.

252) 대구지역노동조합연합 선봉대, 『1990년 선봉대 자료집-대구노련』.

253) 대구지역노동조합연합 선봉대, 『90년 대구노련 선봉대 활동평가서』, 1990.12.30.

254) 『전국노동자신문』 1990.3.28.

255) 한석호 구술 2010.

256) 『전국노동자신문』 1991.8.29.

257) 『전국노동자신문』 1991.3.14.

258) 한석호 구술 2010.

259) 김종배 구술 1995.

260) 김종배 구술 1995.

261) 김기자 구술 2010.

262) 『한겨레신문』 1990.5.3.

263) 구체적인 내용으로는 ① 공무원, 교사의 단결활동권의 보장 ② 조직의 자유로운 선택권 보장 ③ 노동자와 노조의 연대활동권 보장 ④ 노조의 정치활동 ⑤ 노조설립의 자유와 단결자치 보장(노조설립 신고증 교부제, 노동조합법 15조) ⑥ 단체행동권의 실질적인 보장 ⑦ 노동조건 고용, 최저임금, 남여고용평등의 보장 등이었다.

264) 전노협백서발간위원회, 『전노협백서』 제4권, 전노협, 1997, 29쪽.

265) 전노협백서발간위원회, 『전노협백서』 제4권, 전노협, 1997, 31쪽.

266) 『전국노동자신문』 1992년 2월 27일 자에서 재구성.

267) 『전국노동자신문』 1992.3.26.

268) 전노협백서발간위원회, 『전노협백서』 제4권, 전노협, 1997, 142쪽.

269) 『전국노동자신문』 1992.3.12.

270) 전노협백서발간위원회, 『전노협백서』 제4권, 전노협, 1997, 375쪽.

271) 김덕중 구술 2010.

272) 전노협백서발간위원회, 『전노협백서』 제4권, 전노협, 1997, 135쪽.

273) 전노협백서발간위원회, 『전노협백서』 제4권, 전노협, 1997, 272쪽.

274) 전노협백서발간위원회, 『전노협백서』 제4권, 전노협, 1997, 272-273쪽.

275) 박양희 구술 2010.

276) 전노협백서발간위원회, 『전노협백서』 제4권, 전노협, 1997, 378쪽.

277) 전노협백서발간위원회, 『전노협백서』 제4권, 전노협, 1997, 274쪽.

278) 전노협백서발간위원회, 『전노협백서』 제4권, 전노협, 1997, 298쪽.

279) 박양희 구술 2010.

280) 김하경, 『내 사랑 마창노련』 하, 갈무리, 1999, 480쪽.

281) 전노협백서발간위원회, 『전노협백서』 제4권, 전노협, 1997, 282-284쪽.

282) 김창우, 『전노협청산과 한국노동운동』, 후마니타스, 2007, 80쪽.

283) 전노협백서발간위원회, 『전노협백서』 제4권, 전노협, 1997, 128-129쪽.

284) 전노협백서발간위원회, 『전노협백서』 제4권, 전노협, 1997, 87쪽.

285) 단병호 위원장 발언. "좌담 : 민주노동운동의 현황과 전망", 『사회와 노동』 1992년 1월.

286)『전국노동자신문』 1992.10.8.

287) 김준, 최영기, 『1987년 이후 한국의 노동운동』, 한국노동연구원, 2001, 390-391쪽.

288)『전국노동자신문』 1992.4.8.

289) 전노협백서발간위원회, 『전노협백서』 제5권, 전노협, 1997, 47-48쪽.

290)『전국노동자신문』 1993.4.1.

291)『전국노동자신문』 1993.4.29.

292) 김하경, 앞의 책, 565쪽.

293) 공권력 투입에 대해 노동부는 인사경영 문제 등 부당한 노조 요구사항은 교섭대상이 아니므로 경찰을 투입하였다고 주장하였다.

294) 전노협은 '한 치도 변함없는 폭력적 노동정책'이란 제목으로 아폴로산업노조 공권력 투입 등 "일련의 사태를 바라볼 때 김영삼 정부는 자본 쪽을 일방적으로 비호하여 노동자의 희생만을 강요했던 지난 정권과 조금도 차별성이 없는 구태의연한 폭력과 노동정책을 그대로 답습하고 있음을 증명한 것"이라고 평가하였다. 『전국노동자신문』 1993.5.13.

295) 전노협백서발간위원회, 『전노협백서』 제5권, 전노협, 1997, 137쪽에서 재구성.

296)『한겨레신문』 1992.9.1.

297) 이 두 가지 부분은 상호 분리된 다른 것이 아니라 하나로 연결된 것이다. 왜냐하면 임금교섭 방식의 전환과 관련하여 국가와 자본이 6공화국 후반기부터 준비한 것은 '총액'을 기준으로 한 임금협상 관행의 정착인데, 이는 직접적으로 임금억제에 그 목표를 둔 것이지만 궁극적으로는 임금체계의 개편을 위한 사전포석이라고 할 수 있기 때문이다. 총액임금제는 총액이라는 상한선에 묶여 임금을 되도록이면 줄이려고 하는 자본 측과 기본급이 낮기 때문에 기본급을 올리려고 하는 노동자의 이해대립으로 말미암아 상여금의 크기라는 문제에 대해서 대립할 수밖에 없는 상황을 낳았다. 따라서 상여금의 크기를 줄이고 노동자의 임금을 기업의 이윤확대를 위한 노동자의 '능력'을 기준으로 지급하겠다는 것은 곧 직능급체계의 도입을 위한 사전 정지작업을 의미한다.

298)『전국노동자신문』 1993.2.4.

299)『서울신문』 1990.1.28.

300)『전국노동자신문』 1993.2.4.

301)『전국노동자신문』 1993.3.4.

302)『동아일보』 1993.4.3; 『한겨레신문』 1993.4.3.

303)『전국노동자신문』 1993.4.15.

304) 경영참여 요구는 한국 기업의 왜곡된 경영 상태를 바로잡아 부채를 줄여나가고, 부동산 등 비생산적 부문의 투기를 근절하여 기업체질을 강화하도록 요구함으로써 자본 측의 경영 상태를 핑계로 한 임금인상 회피를 내용적으로 공격하기 위한 것이었다. 경영 참가와 관련한 주요 요구사항은 단체협약을 통한 정원 유지, 인원정리, 용역, 하도급 시 조합과 합의, 휴·폐업 시 조합과 합의 및 퇴직위로금 지급, 업종 전환, 합병, 양도 시 고용 승계 및 노조 승계 보장 등을 매개로 노조가 공동참여를 내세웠다. 전노협백서발간위원회, 『전노협백서』 제5권, 전노협, 1997, 46쪽.

305)『전국노동자신문』 1993.2.4.

306) 김하경, 앞의 책, 550-551쪽, 553쪽, 559-560쪽.

307) 유경순 외, 『현자 노조 20년사』, 전국금속노동조합현대자동차지부, 2008, 167쪽.

308) 현대중공업의 쟁의발생신고는 1989년 '128일 투쟁의 영웅'으로 조합원들의 압도적인 지지로 당선된 이원건 위원장이 '총액임금제 분쇄'를 외치면서도 다른 한편으로는 '비폭력 평화주의'를 표방하여왔다는 점에서, 그리고 당시 울산지역에 현대계열사 5곳이 동시에 쟁의를 목전에 두고 있는 상황이라는 점에서 전국적인 관심의 대상이 되었다. 당시 현대중공업노조는 냉각기간 중에도 협상에 진전이 없자 8월 27일 조합원 투표를 통해 쟁의행위를 결의하고, 28일부터 쟁의행위에 들어갔다. 12일에 걸쳐 부분파업을 진행하면서 회사 측과 교섭해 오던 집행부는 9월 8일 회사 측이 제시한 최종안인 △ 총액임금 기준 4.99%(3만 8,700원) 인상 △ 정기호봉 승급분 1만 4,500원 인상 △ 연말성과급 146% 지급 △ 노사화합 격려금 30만 원과 특별격려금 50% 지급 등에 합의하고 이를 조합원 투표에 회부하였다. 그러나 이러한 협상 결과는 조합원 찬반투표에서 찬성 40.9%, 반대 58.9%로 부결되었다. 한때 노사 양측이 재차 협상을 벌일 움직임이 있었으나 9일 이원건 위원장은 최종합의 결과에 대하여 직권으로 조인하고 말았다. 직권조인으로 노조는 격심한 혼란과 갈등에 휩싸이게 되었다. 결국 이원건 위원장은 불신임 투표에 직면하게 되자 스스로 위원장직에서 물러났고, 나머지 부·차장급 임원들까지도 불신임되거나 사퇴하여 구성된 지 불과 1년 만에 집행부가 전면 교체되고 말았다. 현대중공업의 사례는 당시 '민주적인 노조 지도부'의 입지가 얼마나 좁았고 그들이 얼마나 취약한 기반 위에 있었는지 드러내어준다.

309) 『전국노동자신문』 1993.6.10.

310) 이수원, 『현대그룹노동운동, 그 격동의 역사』, 대륙, 1994, 333쪽.

311) 전노협백서발간위원회, 『전노협백서』 제5권, 전노협, 1997, 321쪽.

312) 김하경, 앞의 책, 569쪽.

313) 하지만 49.92%의 잠정안 반대표로 노조 집행부는 지도력에 큰 손상을 입었다. 긴급조정권 수용의 후유증은 5대 위원장 선거에서 그간 민주노조 활동에 대한 냉혹한 평가에 근거해서 조합원들이 민주파가 아닌 이영복을 지지하는 형태로 나타났다. 유경순 외, 앞의 책, 171, 176-178쪽; 이수원, 앞의 책, 346, 352쪽.

314) 유경순 외, 앞의 책, 173쪽.

315) 유경순 외, 앞의 책, 174쪽.

316) 전노대 전 공동의장 구술인터뷰. 임영일, 192-193쪽에서 재인용.

317) 전노협백서발간위원회, 『전노협백서』 제3권, 전노협, 1997, 222-223쪽.

318) 1991년에 제출된 노동법 개정 청원의 핵심내용은 해고효력을 다투는 자의 조합원 자격인정, 복수노조 금지 삭제, 현역군인과 경찰공무원을 제외한 공무원의 단결권 보장, 제3자 개입 금지의 삭제, 단체협약 내용에 대한 행정관청의 개입조항 삭제, 방위 산업체 근로자의 쟁의행위에 대한 제한규정 삭제, 공익사업 직권중재조항의 삭제 등이었다. 이 청원의 주요내용은 1991년의 것과 대동소이하지만, 특히 정리해고 시 노조와의 사전협의, 동의 조항의 신설, 임시근로 3개월경과 후 상시근로자로 계약체결, 작업 중지 조치의 노동자참여 조항의 신설 등 고용안정과 산업안전에까지 관심의 폭을 넓혔다.

319) 『전국노동자신문』 1991.10.31.

320) 1992년 상반기 사업계획으로, 첫째, 노동법개정투쟁을 중심적 과제로 하면서도 임금억제와 노동탄압에 대한 공동 대응,

고용문제 해결을 위한 공동 대응 등 전국 노동자들의 공동요구와 민주노조운동의 발전을 위한 제반 사업을 공동으로 수행하고 둘째, 공동사업 및 투쟁 강화를 통한 민주노조 총단결이었다.

321) 전노협백서발간위원회, 『전노협백서』 제4권, 전노협, 1997, 173쪽.

322) 전노협백서발간위원회, 『전노협백서』 제4권, 전노협, 1997, 174-175쪽; 『전국노동자신문』 1991.10.17. 또한 각 지역마다 강연회, 등반대회 등 조합원들의 노동법 개정 투쟁 열기를 확산시키고자 하였다. 지역공대위 가운데 가장 발 빠른 광주에서는 광노협, 전교조, 택시, 병원, 언론 등 노조가 공대위 구성에 합의해서 조직체계와 사업체계를 확정하였다. 또한 부산에서도 지역 노조 단체들이 모여 공대위 구성을 추진하기로 했고, 인천에서는 인노협 노조활성화추진위원회, 대공장연대모임, 전교조 등이 공청회를 공동으로 개최하여 공대위 구성의 기틀을 만들었다.

323) 『전국노동자신문』 1991.10.31; 전노협백서발간위원회, 『전노협백서』 제3권, 전노협, 1997, 270-277쪽.

324) 1992년 노동법 개정 투쟁 방침을 살펴보면 다음과 같다. "첫째, ILO전국공대위 강화를 위한 적극적인 조직사업의 전개를 위해서 지역 공대위의 전국적인 결성을 위한 조직화와 공대위의 내실 있는 운영을 도모한다. 둘째, 1991년 노동법개정투쟁 과정에서 조합원 대중의 주체적 참여를 보장할 수 있는 교육·선전사업이 충분히 전개되지 못하였다. 1992년 하반기에 광범위하고 대중적인 노동법개정투쟁을 전개하기 위해서는 일상적이고 지속적인 교육 선전이 강화되어야 한다. 특히 중앙차원에서 단일한 내용으로 전 간부들에 대한 교육을 조직해야 하며, 조합원에 대한 교육을 최대한 조직해야 한다. 효율적인 선전을 위해 만화 소책자, 슬라이드 등 선전매체를 개발해야 한다. 셋째, 임금인상투쟁 및 사안별 투쟁과의 결합을 위해 총선투쟁 과정에서 노동법 개정이 주요하게 정치쟁점화 되도록 노력하고, 임금인상투쟁 속에서 지속적인 교육·선전선동을 전개하며, 탄압에 대한 대응 속에서 악법에 대한 폭로와 법 개정을 요구하는 등 악법 자체를 무력화하기 위한 투쟁을 벌여나가야 한다. 넷째, 국제적 대응의 강화를 위해 국제 자유노련(ICFTU) 에 가입하고 국제적 연대 사업을 벌여 국제노동기구(ILO) 총회에 대비한 사업을 전개한다. 다섯째, 상반기 투쟁의 성과를 이어받아 하반기에 곧바로 다양한 대중적 투쟁을 배치하여, 11월 전국노동자대회로 집중해내고 이후 더욱 공세적인 투쟁을 배치한다."

325) 『전국노동자신문』 1992.2.27.

326) 전노협백서발간위원회, 『전노협백서』 제4권, 전노협, 1997, 19-20쪽. 이처럼 1992년까지의 노동법개정투쟁의 주요목표가 ILO에 대한 제소와 87조(복수노조 설립보장) 에 대한 비준 압력이었다면, 1993년 이후에는 근로자파견법의 저지가 핵심적인 이슈로 등장하였다. 구체적으로 보면 1992년의 경우, 노개투의 목표는 ILO조약 87조 비준과 노동법 개정 및 개악저지, 조직역량 확대·강화와 민주노조 총단결, 민중연대투쟁과 민주대개혁의 쟁취 등이었고, 이를 위한 주요 사업은 지역 공청회와 간담회 개최를 통한 조직화, 공개질의서 및 서명서 작성, 각종 교육 및 노개투 지침 작성, 깃발서명-문선대 및 대중공연 등 문화활동이었다. 다음 해인 1993년 노개투의 목표는 자주적 단결권 쟁취와 중간착취 합법화하는 근로자파견법 도입 저지였고, 주요 사업으로는 ILO제소, 개정안 청원, 국회의원 간담회, 수련회 및 강연회 등에서 교육, 단위노조

교육선전, 대국민 선전, 각종 항의행동과 집회의 개최, '꽃다지' 공연과 배지 달기 등의 사업, 노개투실천대 조직 등이었다.

327) 전노협백서발간위원회, 『전노협백서』 제4권, 전노협, 1997, 443쪽.

328) 전노협백서발간위원회, 『전노협백서』 제4권, 전노협, 1997, 480쪽.

329) 허영구 발언. 『좌담 : 민주노동운동의 현황과 전망』, 『사회와 노동』 1992년 1월.

330) 홍지욱 구술 2010.

331) 현주억 인터뷰. 임영일, 앞의 책, 103쪽에서 재인용.

332) 김창우, 앞의 책, 89쪽.

333) 전노협백서발간위원회, 『전노협백서』 제4권, 전노협, 1997, 17쪽.

334) 전노협백서발간위원회, 『전노협백서』 제4권, 전노협, 1997, 263쪽.

335) 전노협백서발간위원회, 『전노협백서』 제4권, 전노협, 1997, 261-262쪽.

336) 전노대 결성 취지를 보면, "본 대표자회의는 그동안 민주노조 총단결투쟁의 성과를 계승하여 노동자들의 생존권 수호와 노동법 개정, 고용안정 등 노조운동의 당면 제 과제를 공동으로 수행해나가기 위하여 모든 민주노조진영이 결집한 공동사업추진체이며, 이러한 사업의 성과를 축적하면서 민주노조운동의 지평을 확대하고 민주노조 총단결의 조직발전 전망을 열어나가기 위해 노력할 것이다"라고 밝히고 있듯이 민주노조 총단결을 위한 조직적 전망을 내세우고 있다. 또한 사업의 방향으로는 크게 다섯 가지를 천명했는데, "첫째, 임금인상, 노동법 개정, 고용안정 확보 등 노동자들의 생존권 및 기본권 확보를 위해 당면한 전국적 공동요구를 중심으로 업종별 통일투쟁(사업), 지역적 · 전국적 공동투쟁(사업) 을 수행한다. 둘째, 자본과 정권의 이념 공세, 노동탄압 및 각종 노동통제 정책에 대한 정치적 · 정책적 공동 대응을 강화한다. 셋째, 대중적인 공동사업의 축적과 광범한 노조의 참여를 확대하기 위한 사업을 전개함으로써 민주노조 총단결의 지평을 확대하고 민주노조진영의 조직적 단결을 강화한다. 넷째, 노동자들의 당면한 요구에 대한 공동 대응만이 아니라 사회 · 정치 · 경제 민주화를 위한 국민적 요구와 관심사에도 민주노조진영이 적극적으로 참여함으로써 노조의 사회적 역할을 높이고 민주노조진영의 정치적 지위를 강화한다. 다섯째, ILO제소, 국제적인 선전홍보 활동 등 민주노조운동의 발전을 위한 국제적 공동 대응을 강화하고, 국제자유노련(ICFTU) 을 중심으로 한 국제적 연대활동을 강화한다"였다.

337) 전노협백서발간위원회, 『전노협백서』 제5권, 전노협, 1997, 158-159쪽.

338) 『전국노동자신문』 1993.3.4.

339) 『전국노동자신문』 1993.4.1.

340) 전노협백서발간위원회, 『전노협백서』 제5권, 전노협, 1997, 161-162쪽.

341) 전노협백서발간위원회, 『전노협백서』 제5권, 전노협, 1997, 162-163쪽.

342) 전노협백서발간위원회, 『전노협백서』 제5권, 전노협, 1997, 165쪽.

343) 『전국노동자신문』 1993.6.10.

344) 『전국노동자신문』 1993.6.10.

345) 김창우, 앞의 책, 104~107쪽.

346) 김승호 구술 2010.

347) 전노협백서발간위원회, 『전노협백서』 제5권, 전노협, 1997, 173-174쪽.

348) 김영대 구술 2010.

349) 김창우, 앞의 책, 81-82쪽.

350) 단병호 구술 인터뷰. 김창우, 앞의 책, 123쪽에서 재인용.

351) 한석호 구술 2010.

352) 전노협백서발간위원회, 『전노협백서』 제5권, 전노협, 1997, 173쪽.

353) 전노협백서발간위원회, 『전노협백서』 제4권, 전노협, 1997, 521, 524-525쪽.

354) 단병호 위원장 발언. "좌담 : 민주노동운동의 현황과 전망", 『사회와 노동』 1992년 1월.

355) 『전국노동자신문』 1991.11.28.

356) 김한규, "권력재편기와 노동운동이 나아갈 길", 『길』 1991.9, 28-31쪽.

357) 권우철, "노동자정당 건설노선 변경에 대한 긴급 제안", 『길』, 28쪽.

358) 『전국노동자신문』 1991.12.26.

359) 민경민 구술 2010.

360) 김승호 구술 2010.

361) "좌담 : 민주노동운동의 현황과 전망", 『사회와 노동』, 1992년 1월.

362) "민중당, 노정추 통합-어디까지 왔나", 『길』, 172~179쪽.

363) 김창우, 앞의 책, 73쪽.

364) 양규헌 구술 2010.

365) 『전국노동자신문』 1992.3.12.

366) 최영기 외, 앞의 책, 341~342쪽.

367) 전국연합은 성명서를 통해 국민이 3당 야합을 심판했으며 여소야대 정국 창출, 민주당내 개혁세력 당선, 부산 박순보 후보가 29% 득표 등으로 민주세력 승리를 주장하였다. 더불어 총선 평가안에서 통합민중당에 대해, 투쟁을 통해 반민자당 전선을 확고히 구축하려고 하지 않고 유권자 정서에 부응한다는 명분하에 타협적이고 유화적인 모습을 보였다고 비판하였다. 이미 1월에 재야정치조직 건설을 주창한 김근태는 독자정당 전술은 이미 선거공간에서 누차 패배하고 좌절해왔으며, 선거와 의회 공간으로 진출을 실현해내는 방법은 현재와 같은 정세와 조건 하에서 제도권 정당을 통해서 접근될 수 없다고 주장하였다. 전국노운협 역시 민중당과 노정추에 대해 민주정부 수립이란 대중적 정서와 분노를 담아내지 못한 근본적 오류를 지적하며 다시 대중 속으로 들어가 새롭게 출발하지 않으면 민중운동에 두고두고 걸림돌이 될 것이라고 비판하였다. 유병진, "해산된 민중당, 표류하는 진보정당론", 『길』 1992년 5월, 60-62쪽.

368) 『전국노동자신문』 1992.3.26.

369) 『전국노동자신문』 1992.3.12.

370) 『전국노동자신문』 1992.3.12.

371) 원문은 다음과 같다. "… 첫째, 제반 노동현안 문제를 합법 선거공간에서 정치쟁점화하고 이를 대중투쟁으로 발전시킬 필요성이 있다. 이를 위해 총액임금제 분쇄투쟁, 노동통제 및 노동운동탄압 분쇄투쟁, 노동법 개정 투쟁 등 당면 대중투쟁과 정확한 연관 하에 정치투쟁이 전개되어야 한다. … 둘째, 전노협 내부 및 민주노조운동의 통일성을 높이고 노동자대중에 대한 정치적 지도력을 강화할 필요가 있다. … 많은 조합원 대중들은 이번

대통령 선거과정에서 올바른 정치방침이 제시되기를 바라고 있다. 이에 대해 우리가 주요하게 짚어야 할 문제는, 대중조직인 전노협이 정치적 입장을 갖는다는 것이 가능하고 필요한지의 여부와 정치적 입장을 갖게 될 경우 원칙의 문제이다. … 그러나 후보전술을 둘러싸고 드러나는 입장의 차이는 여전히 커다란 골을 이루고 있다. 이러한 상태에서 전노협 지도부의 책임 있는 정치력이 발휘되지 않는다면 총선 전의 노동자정당추진위원회에 대한 입장 차이와 마찬가지로 의견이 분립되어 나타날 것이다. … 셋째, 전국연합의 통일성을 높이고 민중진영의 연대를 강화할 필요가 있다. 지난 총선의 경우 '민중주도 민주대연합'이라는 대원칙에만 합의를 한 전국연합에서는 그 구체적 방법에 있어 드러난 현격한 의견의 차이로 인해 실질적인 정치적 대표체로서 기능을 하지 못하고 오히려 정치방침에 관한 한 그 한계를 뚜렷이 드러냈었다. 전국연합의 성격을 둘러싸고 견해가 대립되었던 주요 쟁점사항 중에 가장 첨예했던 점은 바로 민족민주운동의 '정치적 대표체'라는 표현이었고, 전노협의 전국연합 가입을 둘러싸고 가장 걸림돌이 되었던 점 역시 이 문제였다. 그렇지만 지금으로서는 민족민주운동 내에서 각자의 차이점을 조율하고 논의를 모아갈 수 있는 유일한 틀이 전국연합일 수밖에 없다는 점은 분명한 사실이다."(강조는 인용자) 전노협백서발간위원회, 『전노협백서』 제4권, 전노협, 1997, 538-539쪽.

372) 이필기, "전국연합 제1기 3차 중앙위원회와 노동3단체", 『노동전선』 1992년 9월, 14-15쪽.

373) 『전국노동자신문』 1992.10.22.

374) 전노협백서발간위원회, 『전노협백서』 제4권, 전노협, 1997, 540-541쪽.

375) 이성희, "진보세력 대선가도의 두 흐름", 『길』 1992년 11월, 67쪽.

376) 김승호 구술 2010.

377) 자세한 내용을 보면 1992년 11월 24일 전노협은 '대선 및 2단계 노동법 개정 투쟁 조직화 지침'을 800부 제작하여 배포했는데, 주요내용을 보면 "전노협과 업종회의를 중심으로 '노동자 선거대책본부'를 구성하기로 합의한 바 '노동자 선거대책본부'는 국민회의와 유기적으로 결합하면서 전노협과 업종회의의 조직체계를 중심으로 가동된다. 따라서 전국적으로 아직 선거대책기구가 구성되지 않은 지역, 지구는 신속히 선대본을 꾸리고 공정선거 감시활동, 선거참여운동, 선거홍보전, 유세장투쟁 등을 적극적으로 전개해야 한다"라고 밝혔다. 더불어 총력선거투쟁기(12월 11-18일) 에는 "전 조합원을 대상으로 한 투표참여운동, 부정선거 감시운동 등을 조직으로 전개하고 유세 막바지에 유세장투쟁, 대규모 선전전 등을 힘 있게 수행해야 하며, 각 지역과 단위노조에서 대선 투쟁과 아울러 1993년 임금인상투쟁에 관한 대비를 서서히 시작해야 한다"라고 지침을 조직하였다. 또한 대선 마무리 시기인 19일에서 12월 말에는 "한편으로 대선이 마무리되고 또 한편으로 1993년 임금인상투쟁, 노동법 개정 투쟁을 본격적으로 준비해 들어가는 시기"임을 강조하였다. 전노협백서발간위원회, 『전노협백서』 제4권, 전노협, 1997, 542-544쪽.

378) 전노협백서발간위원회, 『전노협백서』 제4권, 전노협, 1997, 544쪽; 김하경, 앞의 책, 525쪽에서 재구성.

379) 전노협백서발간위원회, 『전노협백서』 제4권, 전노협, 1997, 539-540쪽.(강조는 인용자)

380)『전국노동자신문』 1993.1.14.

381) 양규헌 구술 2010.

382) 단병호 위원장 발언. "좌담 : 민주노동운동의 현황과 전망", 『사회와 노동』 1992년 1월.

383) 김문수 발언을 재구성. "좌담 : 민주노동운동의 현황과 전망", 『사회와 노동』 1992년 1월.

384) 대공장노조 간 최초의 연대 움직임은 1990년 2월 26일 결성된 '전국 대기업노동조합 비상대책회의(이하 대기업노조비상대책회의)'에서 비롯되었다. 1990년도 임금협상을 앞두고 연초에 정부가 노동운동에 대한 강경대응방침을 세우고, 무노동 무임금, 강력한 임금인상억제 정책 등을 펴나가겠다고 발표하고, 특히 임금인상을 선도하는 주요 대공장노조를 집중 관리대상으로 정하는 등 연초부터 강력한 압박을 가해오자, 이에 공동 대응할 필요성을 절박하게 느낀 현대중공업, 현대자동차, 대우조선, 기아산업, 아세아자동차, 금성전선, 서울지하철공사 등 7개 대공장노조 대표들이 모여 이러한 정부정책에 정면으로 맞서 공동으로 대응해나가기로 한 것이다.

385) 단병호 위원장 발언. "좌담 : 민주노동운동의 현황과 전망", 『사회와 노동』 1992년 1월.

386) 한석호 구술 2010.

387) 김창우, 앞의 책, 77-78쪽에서 재구성. 실제로 1990년과 1991년 민중당은 전노협과 독자적으로 대공장노조에 대한 조직망을 가지고 있었다. 대우조선, 풍산금속, 대우중공업, 현대중공업에 대해 전노협이라는 조직을 통해서 노조에 영향력을 행사하는 것이 아니라, 대공장노조에 직접적으로 영향력을 행사했던 것으로 보인다. 또 이런 조직 기반을 바탕으로 1991년 2월 대우조선 골리앗 투쟁 때 해결사로 김문수를 파견해서 파업투쟁을 중단시켜 노동운동 내 풍파를 일으켰다.

388) 김창우, 앞의 책, 58-59쪽.

389) 민경민 구술 2010.

390) 이수원, 앞의 책, 321쪽.

391) 이는 같은 시기 조사된 현대중공업의 경우에도 동일하였다. 현대중공업 조합원들은 "회사의 낚싯바늘에 목이 걸려 있어 꼼짝 못하는 자신들을 보호"해주기를 원하고 있었고, "낚시 바늘을 빼줄 강성 노동조합"을 요구하고 있었다. 그러나 노조의 조직력이 약화되어, 노조가 자신들을 보호해줄 수 없음을 알게 되자 집단적 대응을 포기하고 "자기 자신이 알아서 챙기는" 개인적 생존 전략을 선택하게 된다. 현대중공업에 대한 자세한 내용은 고경임, 『노동자 주체성의 특징과 교육적 형성과정에 대한 연구』, 숙명여대 대학원 교육학과 박사학위 논문, 2000, 212쪽 참조.

392)『전국노동자신문』 1992.8.27.

393) 양규헌 구술 2010.

394) 대표적 입장으로 김민호, "90년 대공장노조운동의 현황과 과제", 『노동자』 9호, 전노추 참조.

395) 김문수 발언. "좌담 : 민주노동운동의 현황과 전망", 『사회와 노동』 1992년 1월.

396) 한석호 구술 2010.4.15.

397)『전국노동자신문』 1992.8.13

398)『전국노동자신문』 1992.8.13

399) 다음으로 구체적인 보고서 내용을 보면, 전노협 내 업종분과의 설립과 대공장 노조사업의 재조직화였다. 산업별노조의

모태로서 그리고 가장 영향력이 강한 노조로서 업종분과와 대공장 노조는 이후 조직발전 논의의 핵심이었는데, 보고서는 이 두 부문이 모두 전노협 산하에 편입되어야함을 강조하였다. 즉 업종과 대공장 노조를 전노협의 확대・강화사업의 대상으로 보았다. 조발소위는 노동운동을 둘러싼 정세 변화에 능동적으로 대처함과 동시에 노조의 조직발전 전망을 모색하는 가운데 전노협 강화 방안을 사업계획안으로 마련하여 9월 3일 제27차 전노협 중앙위원회 회의에 제출하였고 사업계획에 대한 지역의 의견을 수렴, 반영하는 것을 끝으로 해체되었다. 전노협백서발간위원회, 『전노협백서』 제4권, 전노협, 1997, 266쪽, 600쪽.

400) 민경민 구술 2010.

401) 민경민 구술 2010.

402) 김영대 구술 2010.

403) 전노협백서발간위원회, 『전노협백서』 제5권, 전노협, 1997, 442-443쪽에서 재구성.

404) 단병호 위원장 발언. "좌담 : 민주노동운동의 현황과 전망", 『사회와 노동』 1992년 1월.

405) 이 논의와 관련한 문건들은 전노협백서발간위원회, 『전노협백서』 제7권, 논장, 2003, 128-132쪽에 실려 있다.

406) 전노협백서발간위원회, 『전노협백서』 제7권, 논장, 2003, 152쪽.

407) 전기협은 철도노조 160개 지부 가운데 20개 기관차 사무소를 포함하였다.

408) 전노협, 「주요 투쟁 평가」, 『전노협 1994년 사업보고』, 85-87쪽.

409) 동흥전기, 한양공영, 한라중공업, 아남정공 등 8~9개 노조가 "투쟁으로 건설하는 민주노총"을 내걸고 투쟁하였다.

410) 1995년 3월 민주노총준비위가 설문조사한 결과 '민주노총 건설 반드시 필요하다' 74.9%, '필요하다' 97.2%, '민주노총의 중점사업 산별노조 건설' 37.3%, '노동법개정투쟁' 34.1%, '사회개혁투쟁' 12.4%. '임단투 지원' 10.7%, '정치참여' 3.7%,' 민주세력과의 연대' 1.7%로 꼽았다(『전국노동자신문』 1995년 5월 25일 자 5면). 이어 전문노련 위원장 양경규가 1995년 7월 3일~8월 20일까지 조합원 천여 명을 대상으로 설문조사한 결과도 '산별노조 재편에 적극지지' 35.1%, '다른 노조 상황을 보아' 13.4%, '집행부 의견을 들어보고' 34% 등 80%가 넘는 조합원들이 산별노조 재편을 지지하였다(『전국노동자신문』 1995년 9월 7일 자, 4면).

411) 자세한 내용은 전노협백서발간위원회, 『전노협백서』 제7권, 논장, 2003, 16~17쪽 참조. 이하는 전노협의 "1994년 사업기조 수립을 위한 주체 조건 분석" 내용이다.

412) 중앙위원회는 선거관리규정에 따라 추천한 전형위원 5명을 대의원 전원의 박수로 선출하였다. 전형위원장에는 대구노련 정우달 의장, 전형위원에는 민출노협 박정철 의장, 서노협 이순형 수석부의장, 마창노련 손미자 부의장, 경기노련 이준형 수석부의장 등이 선출되었다. 전형위원들은 전형 결과에 따라, 1월 23일 임원 및 선출직 중앙위원 명단을 발표하고 이에 대한 찬반투표를 하여 추천인 전원이 선출되었다.

413) 김영대 구술 2010.

414) 전노협백서발간위원회, 『전노협백서』 제6권, 논장, 2003, 257쪽.

415) 민경민 구술 2010.

416) 장대현, "대우조선노동조합 부위원장 대공장 노동조합에서 바라본 전노협", 『현장에서 미래를』 1995.12.

417) 10월 15일 4기 3차 중앙위원회에서 선거관리규정을 통과시켰고, 12월 3일 4차 중앙위원회에서 선거관리위원장으로 이한재 민출노협 부의장을, 김점순 서노협 부의장, 윤화심 인노협 사무처장, 이태영 성남노련 사무처장, 오관영 경기노련 사무처장, 이승필 마창노련 사무처장, 이정림 대구노련 사무차장을 선거관리 위원으로 선출하였다. 이후 12월 21일 4기 5차 중앙위원회는 후보선거운동 참여로 오관영, 이승필이 사임함에 따라 한경석 부노협 의장을 추가로 선출하였다. 선거관리위원회는 1993년 12월 9일 선거일정을 공고하고 12월 23일 선거인 명부 작성, 위원장 입후보 등록기간을 12월 23~27일로 정하였다. 선거운동은 등록일로부터 투표일인 1994년 1월 23일까지였고 총 대의원 수는 378명이었다.

418) 후보 등록 이후 세 후보 모두 업종회의에 인사를 가기도 했고 업종회의 내부에서는 누가 당선되는 게 좋을지 논의하기도 하였다. 이는 전노협 위원장 선거가 민주노조운동 재편에 분기점이었음을 보여준다.

419) 김영대 구술 2010.

420) 민경민 구술 2010.

421) 김하경, 앞의 책, 618쪽, 637쪽 이하.

422) 민경민 구술 2010.

423) 지역 유세 질문 등은 양규헌 후보가 당시 기록한 일지를 근거로 추렸다.

424) 『전국노동자신문』 1994.1.12.

425) 『전국노동자신문』 1994.1.19.

426) 민경민 구술 2010.

427) 이후 '통큰 단결'은 여러 조직의 선거에서 구호로 등장하였다.

428) 이에 대해 선관위 실무책임자였던 김종배는 "우리나라 노동운동의 한계를 포함하고 있는 건데 조직의 차이는 이념적 차이 이전에 정서의 차이, 인맥의 차이, 성장의 차이가 이미 내재한다. 왜냐하면 당으로 정책이 대변되는 조건을 못 갖고 있고, 워낙 탄압이 심해서 개량을 개량으로서 인정해주지 않는다. 행위는 개량인데 스스로는 개량주의자가 아니라고 말할 정도의 이념적 혼돈, 이런 것이 사실은 전노협 선거 속에 은폐되어 있다. 세밀하게 보면 보인다. 조합원들, 특히 대의원들에게 표를 호소하는 행위에서는 호객행위와 같았다. 어떻게 모을 것인가의 방법에는 다 차이 있었다. 무정책도 있었다. '통큰 단결' 이게 무슨 정책이냐 이거다…. 정책적 측면에서는 기호 1번과 3번의 정책적 대립은 명확하게 보인다. 2번이 등장하면서 선거의 정책적 대립을 희석시켰다. 그리고 그것을 통해서 대세를 장악하려고 했던 것이다. 선거의 이면이 그랬다면 1번과 3의 선거로 갔어야 하는데 2와 3이 결선투표로 올라갔다. 즉, 이미 어떤 조직이 누구를 지지했느냐가 더 큰 영향을 미치게 되어져 있었다는 것을 의미한다. 툭 까놓고 얘기하면 2번은 노교협 세력에 의해서 이용당한 것이다. 본인은 그것을 깨달아야 한다"고 증언하였다.(김종배 구술 1996; 김진균, '전노협 6년 평가와 한국노동조합운동의 과제' 연구를 위한 인터뷰 1995.12.3)

429) 민경민 구술 2010.

430) 양규헌 구술 2010.

431) 민경민 구술 2010.

432) 사무노련은 줄곧 신중론에 가까운 입장이었다가 1995년 3월 9일에 압도적인 찬성

으로 민주노총준비위에 가입하게 된다.

433) 윤화심 구술 2010.

434) 9월 12일 발표한 현총련 입장도 전노협 2안(김영대 안) 과 유사하였다.

435) 1994년 7월 19일 '민주노총 건설 어떻게 할 것인가' 토론회 영상, 노동자역사 한내 소장자료. 사안의 중대성을 반영하여 많은 활동가들이 모여 전노협 조직발전 전망에 대한 양자의 입장을 경청하고 토론하였다.

436) 1994년 초 '민주노조 총단결을 위한 조직형태의 발전'이라는 주제로 진행한 노동교육협회 대표 김금수 강의록.

437) 제1안 '민주노조운동의 조직발전 방향에 대하여' 보론, 전노협백서발간위원회, 『전노협백서』 제7권, 논장, 2003, 601쪽.

438) 제2안 '1995년 초 민주노총 건설의 필요성' 보론, 전노협백서발간위원회, 『전노협백서』 제7권, 논장, 2003, 619쪽.

439) 제1안 '민주노조운동의 조직발전 방향에 대하여' 보론, 전노협백서발간위원회, 『전노협백서』 제7권, 2003, 논장, 597쪽. 첫 번째 이유로 기존의 안에 대한 조직 내 이견이 해소되지 않은 상태에서 민주노총 건설 사업이 효율적으로 진행될 수 없었다. 두 번째, 현실에 대한 재점검을 통해 정확한 진단을 내리고 광범위한 의견을 올바르게 반영함으로써 노동대중의 주체적 참여를 높여야 한다. 그리고 세 번째 이유로 민주노총 건설의 시급한 착수 요구를 들었다.

440) "양규헌 전노협 위원장과의 만남", 『월간자료』, 전국노련, 1995.12, 28쪽.

441) 업종회의(7.16)는 "우선적으로 업종별 협의회를 조직해나가고 이러한 구체적 실천의 과정을 통해 쟁점이 되는 부분의 논의를 진전시켜야 할 것이다 그리고 업종별로 조직화된 역량을 바탕으로 필요한 시기에 합의가 모아지는 대로 금속연맹으로 단결하거나 업종별 연맹으로 발전시키는 안을 검토할 수 있을 것이다."(전노협백서발간위원회, 『전노협백서』 제7권, 논장, 2003, 647쪽) , 대노협(8.19) 은 "민주노총이 산별연맹을 기초로 구성되어야 한다고 선포한다면 다수의 노동조합이 함께 참여하기 어려울 것이다. 민주노총 건설이 더 이상 미룰 수 없는 과제라면 일단 다수의 노조와 조합원들을 포괄하는 방법으로 조직을 구성하고 사업과 투쟁을 통해 경험과 역량을 축적해가면서 산별조직으로의 이행을 준비해 가는것이 옳다고 판단된다"고 하였다(전노협백서발간위원회, 『전노협백서』 제7권, 논장, 2003, 653쪽) .

442) 민주노총 건설에 대한 현총련 중앙위원회의 입장(1994.9.13) 전노협백서발간위원회, 『전노협백서』 제7권, 논장, 2003 , 657쪽.

443) 민주노총준비위 10월 4일 대표자회의 논의 내용에서 재구성. 『전국노동자신문』 1995.10.12.

444) 그동안 주요 쟁점이었던 민주노총 조직체계, 규약 제5조(구성) 에 대해 다음과 같이 결정하고 이에 따른 부칙을 두기로 하였다. "민주노총은 민주노총의 선언, 강령, 규약에 찬동하고 이 규약이 정하는 바에 따라 가맹이 승인된 산업별 노동조합으로 구성한다." 산업별 노동조합이란 전국 규모의 산업별 단위노동조합과 연합단체를 말하며, 이에 준하는 전국규모의 산업별 협의회 외 직업별 노동조합, 일반 노동조합은 가맹단위로 본다.

445) 민주노총 창립 즈음 금속산업 재편의 향방을 결정할 조직으로 현대자동차노조에 대한 기대가 컸었다. 현대자동차노조에

양봉수 열사 분신 이후 1995년 9월 민주노조가 들어섰기 때문이었다. 그러나 결정은 쉽게 나지 않았다. 현총련, 금속연맹, 자총련 가운데 어디로 결합할 것인가를 둘러싸고 현대자동차 노조 현장조직 간에 의견이 분분했기 때문이었다. 결국 조직 분열을 이유로 집행부가 현총련을 통한 민주노총 가입 방침을 정했고 1996년 2월에 조합원투표에서 현총련을 통한 민주노총 가입을 결정하였다.

446) 자료에 따라 전노협의 조직 규모가 다르게 기록된 이유는 가입조직이라 해도 탄압 때문에 그 수를 밝히지 못한 경우, 가입을 하지는 않았지만 모든 사업을 함께 하고 지역에서는 회의에도 참여한 참관조직을 포함한 경우 등 때문이다.

447) 김영대 구술 2010.

448) 1994년 초 한국노동교육협회 대표 김금수의 '민주노조 총단결을 위한 조직형태의 발전' 강의 중 질의응답 내용.

449) 김영대는 조발특위 제출 문건에서, "1995년 상반기에 민주노총 건설을 이루어 내지 못한다면 한국노총과 민주노총 이외에 또 다른 성격이 노조가 세력화되어 노동조합운동이 분열할 가능성이 높다"고 언급하였다(김영대, 『1995년 초 민주노총 건설의 필요성』, 전노협백서발간위원회, 『전노협백서』 제7권, 논장, 2003, 610쪽) . 이하 내용은 1994년 7월 19일 '민주노총 어떻게 구성할 것인가' 토론회에서 나온 논의들이다.

450) 양구헌 구술 2010.

451) 토론 내용은 『전국노동자신문』 제159호(1995년 2월 16일 자) 기사를 바탕으로 재구성하였다.

452) 『전국노동자신문』 1995.2.16.

453) 『전국노동자신문』 1995.2.23.

454) 『전국노동자신문』 1995.2.23.

455) 『전국노동자신문』 1995.2.23.

456) 전노협, '전노협 사무총국 토론 내용' 1995.2.10.

457) 전노협, '전노협 사무총국 토론 내용' 1995.2.10.

458) 『전국노동자신문』 1995.9.7.

459) 김영대 구술 2010.

460) 이 내용은 전노협 제13차 대표자회의 회의록(1995.9.16)을 바탕으로 한 것이다.

461) 당시 회의결과를 보면 표결을 하는 경우 민주노총 조기건설론 3, 전노협 확대강화론 1로 정리되곤 했다.

462) 양규헌 구술 2010.

463) 한석호 구술 2010.

464) 업종회의는 "많은 노동조합이 참여할 수 있는 개방적 구조"여야 한다고 주장했고, "민주노총은 현재의 전노대 노조는 물론 중간 노조나 한국노총 소속 노조까지 포함하는 방향에서 건설되어야 할 것이다, 따라서 새롭게 건설될 민주노총의 이념은 참여하려는 노조들의 대부분이 합의 가능한 최소강령 수준으로 결합" 되어야 한다고 입장을 정리하였다(업종회의, '업종회의의 민주노조 조직발전 전망', 전노협백서발간위원회, 『전노협백서』 제7권, 논장, 2003, 643쪽) .

465) 『전국노동자신문』 1995년 8월 31일 자 "아직은 강령 규약 등 공사중"에서 인용하여 재구성.

466) 민주노총 강령소위는 공동대표 김영대, 문성현, 배범식, 양경규 운영위원, 박종

석 현총련 의장 직무대행, 채운석 사무노련 사무처장으로 구성되었다.

467) 이미 결정이 되었지만 『마창노련신문』 1995년 10월 12일 자 1면의 "알림"란에 민주노총이 전노협 역사를 언급하지 않은 책자를 발행한 데 대한 강한 유감을 표현하고 있다. 내용은 이렇다. "전국민주노총(준)에서 조합원과 함께하는 민주노총건설을 위해 『민주노총 우리 손으로 만듭시다』 라는 작은 책자를 만들었습니다. 하지만 그 책자는 87년 이후 민주노조운동의 역사, 특히 6년여 동안 민주노조운동을 가장 힘차게 이끌어왔던 전노협의 역사가 송두리째 빠져 있습니다. 전노협 역사가 없이 어찌 민주노총이 있을 수 있겠습니까. 우리는 이에 대한 우리의 입장을 민주노총(준)에 밝힘과 동시에 전노협, 마창노련의 정신이 넓고 깊게 스며드는 민주노총, 금속연맹 건설을 위해 노력할 것을 약속드립니다." 『전국노동자신문』 1995.10.12.

468) 허영구, 『전국노동자신문』 1994.6.1.

469) 양규헌 구술 2010.

470) 이념과 관련해서 한국노총은 민주복지사회 실현을 위한 노동조합주의, 민주노총은 사회개혁적 노동조합주의로 분류하기도 한다(강순희, 『한국의 노동운동 : 1987년 이후 10년간의 변화』, 한국노동연구원, 1998; 최영기 · 김준 · 조효래 · 유범상, 『1987년 이후 한국의 노동운동』, 한국노동연구원, 2002).

471) 전노협과 달리 민주노총 이념이 하향평준화 되었다는 분석은 최영기 · 김준 · 조효래 · 유범상, 『1987년 이후 한국의 노동운동』, 한국노동연구원, 2001; 유범상, 『한국의 노동운동 이념』, 한국노동연구원, 2006; 김창우 『전노협청산에 관한 연구』 후마니타스, 2008; 안태정, 『노동조직의 이념-전평, 전노협, 민주노총의 이념 비교』, 전노협 건설 20주년 기념 토론회-민주노조운동 이념과 계급을 다시 이야기하자, 2010 등에서 공통적으로 볼 수 있다.

472) 『한겨레신문』 1995.11.7.

473) 권영길, 『한겨레신문』, 1995.11.13.

474) 『전국노동자신문』 1995.8.10.

475) 전노협 임시(해산) 대의원대회는 전노협백서발간위원회, 『전노협백서』 제8권, 논장, 2003, 347쪽 이하 참조.

476) 양규헌 구술 2010.

477) 노동자뉴스제작단, '노동해방 그날에', 전노협 해산대의원대회 동영상.

478) 단병호 구술 2010.

479) 전노협백서발간위원회, 『전노협백서』 제9권, 논장, 2003, 449쪽 이하. 이 중 해고자 수에 1989년 전교조 1,500여 명의 대량 해고자 수는 포함되지 않은 것이다.

480) 양규헌 구술 2010.

481) 전노협백서발간위원회, 『전노협백서』 제8권, 논장, 2003, 532쪽 이하. 이들에 대한 기록은 잘 남아 있지 않다. 이들은 해산 당시 전노협 마크가 새겨진 0.5돈 금반지를 소중하게 간직하고 있다.

482) 단병호 구술 2010.

483) 민주노조운동의 이념을 정립하겠다는 것은 전노협 위원장 양규헌이 공약으로 내세웠던 것이다.

484) 민주노총은 2002년 조직의 이념, 운동노선, 체계 등 전반에 대한 논의를 시도하지만 불발로 끝나고 말았다.

약칭일람

약칭	원조직명
건설일용노조	전국건설일용노동조합협의회
경기(남부)노련	경기남부지역노동조합연합
경주노협	경주지역노동조합협의회
경총	한국경영자총협회
공노대	공공부문노동조합대표자회의
공안합수부	공안합동수사본부
광노협	광주지역노동조합협의회
국보위	국가보위비상대책위원회
국본	민주헌법쟁취국민운동본부
노민추	노동조합민주화추진위원회
대노협	대우그룹노동조합협의회
대전노협	대전지역노동조합협의회
도산	도시산업선교회
마창노련	마산창원노동조합총연합
민교협	민주화를 위한 전국교수협의회
민자당	민주자유당
민정당	민주정의당
민주노총	전국민주노동조합총연맹
민출노협	민주출판언론노동조합협의회
민헌노위	민주헌법쟁취노동자공동위원회
병원노련	전국병원노동조합연맹
보험노련	전국보험노동조합연맹
부노협	부천지역노동조합협의회
부산노련	부산지역노동조합총연합
부양노련	부산양산지역노동조합총연합
사무(금)노련	전국사무금융노동조합연맹
서노협	서울지역노동조합협의회
성남노련	성남지구노동조합총연합
시설노협	전국시설관리노동조합협의회
신민당	신한민주당
언론노련	전국언론노동조합연맹
업종회의	전국업종노동조합회의
연전노협	연구전문기술노동조합협의회
인노협	인천지역노동조합협의회
인민노련	인천지역민주노동자연맹
자민통	자주민족통일국민회의
전경련	전국경제인연합
전교조	전국교직원노동조합
전국노운협	전국노동운동단체협의회
전국회의	지역업종별노동조합전국회의
전노협	전국노동조합협의회
전문노련	전국전문기술노동조합연맹
전민련	전국민족민주운동연합
전북노련	전라북도노동조합연합회
조선노협	전국조선업종노동조합협의회
지노협	지역별노동조합협의회
진노련	진주지역노동조합연합
한국노총	한국노동조합총연맹
현총련	현대그룹노동조합총연합
전노대	전국노동조합대표자회의